"변증법적 행동치료(DBT)를 사용하는 동료이자, DBT 치료자이고, DBT 저술가인 저는 항상 일반 독자들이 DBT 기술을 유용하게 사용하고, 쉽게 접근하고, 실제 적용할 수 있도록 하는 간단하고, 실천적이고, 효과적인 방법을 항상 찾고 있습니다. 여러분은 이 워크북에서 바로 이를 찾을 수 있을 것입니다! 저는 DBT 개념을 10년 이상 사용하고, 가르치고, 연구하고, 저술해 오며 DBT에 대해 더 많이 이해하게 되었고, 이제 이해한 바를 제 자신에게 직접 적용하고, 다른 사람에게 공유되기를 기대됩니다!"

— **커비 로이터, 박사**, 국토 안보부의 이중 언어 임상심리학자, 「PTSD를 위한 변증법적 행동치료 워크북」의 저자

"강렬하면서도 고통스러운 감정으로 힘겨워하는 사람들에게 이 워크북은 훌륭한 자원입니다. 이 워크북은 최신 기술을 포함한 DBT 기술을 가르쳐주고, 학습을 강화하는 예시와 연습을 제공합니다. 이 워크북에 소개된 프로그램을 자신에게 적용하는 사람들은 대인관계를 해치고 삶의 질을 떨어뜨리는 행동 패턴에 의존하지 않고 강렬한 감정을 경험해내는 데 필요한 기술을 습득하게 될 것입니다. 안내된 대로 매일 DBT 기술을 사용하면, 당신의 삶이 더 나아질 것입니다!"

— **시더 R. 쿤스, 공인 임상 사회복지사**, [1]LBC-DBT의 DBT 치료사, 마음챙김 수련 지도자, 국제 DBT 컨설턴트, 「강렬한 감정을 위한 마음챙김 해결워크북」의 저자

"이 워크북의 저자들은 죄책감은 분노, 수치심, 불안과 같은 압도적인 감정에 대처하는 사람들을 위해 접근하기 쉽고 명료한 예시를 제공하고 있습니다. 머리글자를 따서 용어를 만든 덕분에 간단하고 기억하기도 쉽습니다. 이 워크북의 여러 예시와 연습은 DBT에서 요구하는 작업을 독자들이 실천하는 데 도움이 됩니다. 저자들은 리네한을 넘어 DBT 모델에 충실하면서도 가정과 클리닉 모두에서 유용하게 사용할 수 있도록 연구 및 임상 도구의 응용을 통합하고 있습니다. 특히 저는 기술을 사용하는 누구라도 그 순간의 강렬한 감정을 다룰 수 있도록 돕는 노출 기반 인지적 시연을 포함한 점이 무척 인상 깊었습니다."

—**토마스 마라, 박사**, 「개인적 연습을 위한 우울, 불안 변증법적 행동치료」와 곧 발간될 「감정 조절을 위한 지혜로운 길」의 저자

"감정을 효과적으로 조절하는 방법을 아는 것은 타고나는 것이 아닙니다. 이 업데이트된 매뉴얼은 정서적 웰빙을 증진하기 위한 로드맵과 단계적 지침을 제공합니다. 자신과 타인에 대한 자비를 기르는 데 초점을 맞춘 새로운 기술과 강렬한 감정을 다루기 위한 새로운 전략으로 인해 읽기 쉬울 뿐만 아니라 적용하기도 쉽습니다. 감정 조절에 어려움을 겪고 있거나 감정 지능 향상에 관심이 있는 사람 모두에게 이 워크북을 적극 추천합니다."

—**토마스 R. 린치, 박사, 영국심리학회 회원**, 영국 사우샘프턴 대학교 심리학과 명예교수, 「변증법적 행동치료에의 온전한 개방」과 「변증법적 행동치료에의 온전한 개방을 위한 기술 훈련 매뉴얼」의 저자

---

1)   Linehan Board of Cerfification

"맥케이, 우드, 브랜틀리에 의해 개정된 「변증법적 행동치료 기술 워크북」은 DBT 기술에 대한 설명과 기술을 사용하는 방법에 대한 지침을 제공하는 것에 있어 주목할 만한 워크북입니다. 저자들은 DBT 기술을 합리적인 방식으로 연결하였고, 기술들을 이해하기 쉽고 아주 유용하게 만들었습니다. 이 워크북은 예시와 연습을 통해 강렬한 감정을 경험하는 사람이라면 누구나 자신의 삶을 보다 효과적으로 관리하는 능력을 향상시킬 수 있는 기회를 제공합니다. 강렬한 감정을 경험하는 사람이라면 누구나, 임상가, 그리고 가족 구성원들에게까지 강력 추천합니다."

— **팻 하비, 공인 임상 사회복지사**, DBT 부모 코치&트레이너&컨설턴트, 「강렬한 감정을 경험하는 자녀 양육하기, 위기 청소년을 위한 변증법적 행동치료」와 「강렬한 감정을 경험하는 10대 자녀 양육하기」의 공동 저자

"맥케이, 우드, 브랜틀리는 그들의 기존 베스트 셀러에 DBT에 대한 최근 연구와 새로 개발한 내용을 통합하여 「변증법적 행동치료 기술 워크북」을 발간했습니다. 그 결과로 DBT 기술을 포괄하고 있고, DBT 기술을 친숙하게 사용할 수 있도록 이끌며, 여러 연습으로 꽉 채워졌습니다. 나아가 환자들이 기술을 배우는 데 도움을 주고, 압도적인 감정으로 힘겨워하는 사람들에게 도움을 주며, 임상가들이 DBT에 보다 쉽게 접근할 수 있도록 할 것입니다."

— **셰리 반 다이크, 의료사회사업가**, 심리치료사, 국제적인 연설가, 「(10대를 위한)당신의 감정이 삶을 이끌어가게 두지 마세요」를 포함하여 몇몇 DBT 워크북의 저자

"이 워크북은 DBT 기술을 담고 있고, 독자에게 DBT를 처음 소개하는 것부터 시작해서 기술 사용의 숙련도를 향상시킬 수 있도록 하는 포괄적인 체계를 제공합니다. 추가로 자기 자비와 노출 기반 인지적 시연을 조명한 것은 새로운 행동을 배우는 것과 정말 중요할 때(감정적으로 고조되었을 때와 감정에 대처하기 어려운 때) 기술을 적용하는 것 간의 차이를 줄이는데 핵심적인 역할을 하고 있습니다. 고통스러운 감정에서 살아남고 일상을 충실히 살아가기 위한 풍부한 전략을 갖기를 원하는 임상가와 독자들에게 이 워크북을 적극 추천합니다."

— **크리스티 마타, 문학 석사**, 스탠포드 건강 증진 프로그램의 건강 관리사, 「스트레스 반응」의 저자

"맥케이와 그의 동료들은 전통적인 기술 훈련을 효과적인 대처와 가치 있는 삶을 위한 최신 전략의 본질적인 개요서로 대체함으로써 DBT의 혁신을 이끌었습니다. 저자들은 사람들이 고통을 이해하고 극복하며, 인지, 행동, 그리고 사회 정서적 기능을 향상시키는 데 도움이 되는 신선하고 명료한 구조에 대한 수십 년간의 연구를 훌륭하게 농축시켰습니다. 관련된 예시와 사용하기 쉬운 워크시트는 독자의 배움과 일상 전반에 걸쳐있는 문제에 대한 기술 활용의 능력을 촉진합니다. 당신이 전문적 도움을 찾고 있는 환자이든, 환자를 더 잘 치료할 수 있는 능력을 기르기를 원하는 임상가이든 반드시 이 워크북이 책장에 꽂혀있어야 합니다."

— 로셸 Ⅰ. 프랭크, 박사, 캘리포니아 대학교 버클리 캠퍼스 심리학과 임상 조교수, 라이트 인스티튜트 겸임교수, 「사례개념화와 치료 계획을 위한 초진단적 로드맵」의 공동 저자

"맥케이, 우드, 브랜틀리의 「변증법적 행동치료 기술 워크북」제 2판은 DBT 치료자들과 환자들 그리고 효과적인 심리학적 기술의 사용을 강화하고자 하는 모든 사람들에게 환영받고 있습니다. 저자들은 마음챙김 연습과 함께 알아차림 기술을 개발하기 위해 충분하고 필요한 만큼의 시간을 할애하고 있습니다. 그리고 기술 사용에 도움이 되는 지시문과 사용 방법에 대한 명확한 지침이 포함되어 있습니다. 이 워크북은 명료하게 쓰였고, 새로운 고통 감내 기술과 대인관계 효율성 기술 및 다양한 워크시트를 포함하고 있습니다. 그리고 이러한 강력한 도구를 효과적으로 사용할 수 있도록 하는 단계적인 지침을 통해 노출을 실행하는 것의 중요성에 대한 훌륭한 설명을 담고 있습니다. 이 워크북은 "필독서"이며, 안에 담긴 제안들은 실천하는 이들의 삶의 질을 향상시킬 것입니다."

— 브릿 라스본, 사회사업학 석사, 공인 임상 사회복지사, 「위기 청소년을 위한 변증법적 행동치료」, 「10대에게 효과적인 것」, 「강렬한 감정을 경험하는 10대 자녀 양육하기」의 공동 저자

"압도적인 감정으로 힘겨워하는 사람뿐만 아니라 DBT 치료자들 역시 이 워크북을 통해 상당한 유익을 얻게 될 것입니다. 맥케이, 우드, 브랜틀리는 DBT 기술을 확장하고 형태를 바꾸어 리네한의 상징적인 작업이었던 감정 조절 기술을 훨씬 더 접근하기 쉽고 일상생활에 쉽게 적용할 수 있도록 만들었습니다."

— 케이트 노스콧, 문학 석사, 결혼과 가족치료 전문가(MFT), 마음챙김 치료 협회에서 개인 수련을 하는 DBT 치료사, 캘리포니아 샌프란시스코에 있는 비영리 상담 센터인 New Perspectives Center for Counseling의 소장

변증법적 행동치료 기술 워크북

The Dialectical Behavior Therapy Skills Workbook

마음챙김 | 대인관계 효율성 | 감정 조절
고통 감내 기술 훈련을 위한 DBT 연습

Second Edition

Matthew McKay, PHD ·
Jeffrey C. Wood, PSYD · Jeffrey Brantley, MD

옮긴이 **김도연**

변증법적 행동치료 기술 워크북 2판

첫째판 1쇄 인쇄 | 2022년 4월 22일
첫째판 1쇄 발행 | 2022년 4월 29일

지 은 이 Matthew McKay, Jeffrey C. Wood, Jeffrey Brantley
옮 긴 이 김도연
발 행 인 장주연
출 판 기 획 임경수
책 임 편 집 김수진
편집디자인 조원배
표지디자인 김재욱
발 행 처 군자출판사(주)
　　　　　등록 제4-139호(1991. 6. 24)
　　　　　본사 (10881) **파주출판단지** 경기도 파주시 회동길 338(서패동 474-1)
　　　　　전화 (031) 943-1888　　　팩스 (031) 955-9545
　　　　　홈페이지 | www.koonja.co.kr

ISBN 979-11-5955-868-9

정가 30,000원

힘들 때마다 늘 곁에 있어 주셨던 돌아가신 나의 어머니, 루지 롱 라브라쉬에게 이 워크북을 바칩니다.

— 매튜 맥케이

2005년-2006년의 프레즈노 시티 대학과 리들리 대학의 학생들과 환자들이 그들의 힘과 희망과 회복력을 통해 이 워크북을 집필하는 동안 제게 영감을 주었습니다. 그리고 이 두 번째 판이 더 나은 치료 도구가 될 수 있도록 수년간 많은 제안을 제공해준 이 워크북의 모든 독자들에게 이 워크북을 바칩니다.

— 제프리 C. 우드

이 작업을 그들 내부와 외부의 삶에서 일어나는 강렬하고 예측 불가한 감정과 싸우는 모든 사람들에게 바칩니다. 당신이 평화와 행복을 찾기를, 모든 생의 존재들이 자신의 노력으로부터 유익을 얻기를 기원합니다.

— 제프리 브랜틀리

역자 서문

변증법적 행동 치료(Dialectical behavior therapy; DBT)는 자해, 자살 시도, 우울증, 약물 남용 및 전형적인 경계선 성격장애(BPD)를 포함하는 중증 정서 조절장애에 연관된 광범위한 문제들, 외상 후 스트레스 장애의 핵심적인 치료의 표준으로 널리 적용되고 있습니다. 이 워크북은 다양한 장면에서 활용할 수 있는 배우기 쉬운 기술들과 전략들로 구성되어 있으며 학습하기 쉽도록 평가 목록, 연습 활동, 활동지뿐만 아니라 단계별로 수준을 높여갈 수 있도록 세분화하여 모든 기술의 통합적인 방법을 배울 수 있게 구성되어 있습니다.

이 워크북에는 변증법적 행동치료의 주요 4가지의 핵심 기술인 마음챙김, 고통감내, 감정조절, 대인관계 효율성 전략을 보다 효과적으로 경험할 수 있도록 특정 사용에 대한 상세한 설명과 초급, 중급, 고급 기술 훈련을 체계적으로 제공하고 있습니다. 또한 변증법적 행동치료가 여러 임상적 장면에서 더욱 효과적인 치료가 될 수 있도록 확장된 새로운 기술 훈련을 포함하고 있으며 세분화된 실무 지침과 사례를 통해 치료의 주요 쟁점에 대한 이해를 돕고 있습니다. 이러한 최신의 기술 훈련들과 여러 경험적 사례들은 임상 실무에 있는 전문가 그룹에게도 치료와 실무 역량의 변화를 위한 특별한 과정이 되리라 봅니다.

이 책이 주는 가장 큰 탁월함은 고통에 직면한 많은 사람들이 자기 스스로 몸과 마음의 회복을 돕고, 나아가 삶이 주는 수많은 문제에 대한 새로운 통찰과 해답을 얻도록 돕는 데 있습니다. 모쪼록 많은 독자들이 자기 성장과 변화의 지침서이자 지혜의 실용서인 이 책을 통해 자신에게 용기를 북돋아 주고, 새로운 기회를 발견하며, 자신 안에 내재되어 있는 치유의 힘을 이끌어 더 나은 삶을 향해 나아갈 수 있기를 기원합니다.

끝으로 이 책이 출간되기까지 많은 노력을 해주신 군자출판사 관계자 여러분과 장주연 대표님께 깊은 감사를 전합니다.

2022년 3월 25일
역자 김 도 연

목차

제 2판 서문

변증법적 행동치료(Dialectical behavior therapy; DBT)는 25년이 넘는 시간 동안 자신의 삶과 대인관계의 문제를 안정화하고자 애쓰면서 겪는 압도적인 감정을 줄이고자 하는 사람들에게 도움을 주고 있습니다. 수많은 출간 연구자료들을 통해 DBT의 효과성이 검증되어 왔고, DBT 치료그룹에 참여한 전 세계의 수백, 수천의 사람들이 삶이 변화되는 치료 효과를 경험하고 있습니다.

그리고 DBT는 지금도 계속해서 발전하고 있습니다. 핵심 기술들은 DBT의 본래 치료 대상이었던 경계선 성격 장애보다 더 많은 문제를 치료하는 데 사용되고 있습니다. 그뿐 아니라 DBT는 불안, 우울, 수치심, 외상후 스트레스장애, 약물 남용 재발 방지, 분노와 공격성, 대인관계 문제, 그 외 여러 문제들을 치료하는 데에도 효과적인 것으로 밝혀졌습니다. 나아가 커플과 청소년을 대상으로 하는 치료에까지 치료 영역이 확대되어 가고 있습니다.

DBT 치료 절차 역시 지속적으로 발전해왔습니다. 우리를 포함하여 다수의 연구자들과 임상가들이 새롭고 효과적인 감정 조절 방법을 보완함으로써 기존의 프로토콜을 강화했습니다. 이렇게 추가된 항목들 중에는 가치 명료화, 탈융합, 문제 해결, 노출 기반 인지적 시연, 신호 조절 이완, 자비, 명상, 새로운 마음챙김 기술, 강렬한 감정을 조절하기 위한 생리학적 대처 기술, 대인관계 협상 기술 등이 있습니다.

DBT 창시자인 마샤 리네한 박사는 『DBT 기술 훈련 매뉴얼(2015)』을 발간하였고 여기에는 그녀와 다른 연구자들에 의해 지난 25년간 발전되어 온 DBT의 새로운 방법들이 포함되어 있습니다. 리네한 박사가 추가한 방법 중 몇몇은 이 워크북의 초판에서도 확인가능하지만, 다른 많은 방법은 리네한 박사와 전 세계의 독자적인 행동과학자들의 연구 결과입니다.

당신이 손에 들고 있는 이 워크북, 『변증법적 행동치료 기술 워크북』 제2판은 DBT의 발전과 새롭고 효과적인 감정 조절 기술의 개발이 이루어졌기에 새롭게 출판되어야만 했습니다. 이 새로운 판은 여러 기술들을 포함하고 있는데, 예를 들면 자기 자비와 타인을 위한 자비를 기르기 위한 기술, 강렬한 감정을 조절할 수 있는 새로운 기술, 대처를 할지 아니면 행동을 취할지 평가하는 기술(FTB-Cope), 가치기반 행동과 감정 조절 전략을 연습할 수 있는 잘 짜여진 훈련 과정 등이 있습니다.

노출 기반 인지적 시연에 대한 장을 추가한 것은 특별히 언급할 가치가 있습니다. 이 기술(Cautela, 1971; McKay & West, 2016)은 감정적으로 항진된 상태(DBT기술을 기억하고 사용해야만 하는 바로 그 상태)에서 적용할 수 있는 새로운 대처 기술을 연습할 수 있도록 합니다. 지금까지 DBT의 제한점 중 하나는 기술을 DBT 치료그룹이나 집에서 워크북을 읽으며 상대적으로 차분한 환경에서 배운다는 것이었습니다. 하지만 감정적으로 항진되면, 차분하고 안정된 상태에서 배웠던 기술을 기억하지 못하는 경향이 있습니다. 노출 기반 인지적 시연은 기술을 사용해야 할 때 당신이 배웠던 기술을 기억하고 자신감을 가지고 기술을 적용할 수 있도록 의도적으로 감정적인 상황을 만드는 것입니다. (왜 이런 작업을 하는지 더 많은 정보를 얻기 원한다면, 11장의 "상태 의존적 학습의 문제점"을 살펴보십시오.)

제2판의 추가적인 목적은 기술과 관련 가치들을 적용의 편의성에 초점을 두면서 사용하기 쉽고, 단순하게 설명하기 위한 것입니다. DBT는 복잡하고, 지금도 점점 더 복잡해지고 있습니다. 하지만 앞으로 계속해서 더욱 효과적인 치료가 되기 위해서는 이해하기 쉽고 구현하기에 용이해야만 합니다. 그것이 이 워크북의 근본적인 동력이었기에 명확성과 유용성을 위해 전력을 기울였습니다.

독자들에게 따뜻한 환영을 전합니다. 이 워크북의 모든 페이지는 당신을 돕기 위한 목적으로 쓰여졌습니다. DBT는 효과가 있습니다. DBT의 4가지 핵심 기술을 배우고 훈련한다면 보다 기분이 나아지고 더욱 충만한 삶을 살게 되리라고 믿어 의심치 않습니다. 하지만 기억해야 할 것이 있습니다. 워크북을 읽는 것과 행동하는 것은 별개이며, 배운 기술을 매일 연습해야 합니다. 12장의 DBT 일지 페이지를 사용하면 도움이 될 것입니다. 아니면, 이 워크북의 기술을 연습하는 데 도움이 되는 추가 도구를 원한다면, 이 워크북과 같은 출판사에서 나온 '변증법적 행동치료 기술 카드: 매일의 감정 균형 잡기 훈련 52가지'가 도움이 될 것입니다. 52개의 카드는 각각 본 워크북에 표시된 기술과 연습을 담고 있습니다. 이 기술은 규칙적으로 연습해야 하는 필수적인 기술입니다. 카드는 이러한 기술을 연습할 수 있도록 도와주는 효과적인 추가 도구입니다. 어떤 방법을 선택하든 이 워크북의 DBT 기술을 사용하기로 결심한다면 삶이 치유될 것입니다.

매튜 맥케이 박사

제프리 C. 우드 박사

제프리 브랜틀리 박사

소개

변증법적 행동치료: 치료 개요

마샤 리네한(1993a, 1993b)에 의해 개발된 변증법적 행동치료는 감정에 압도되어 어려움을 겪는 사람들이 감정을 조절할 수 있도록 돕는 매우 탁월한 치료입니다. 많은 연구들에서 확인되었듯이 변증법적 행동치료는 스트레스 상황에서 통제력을 잃거나 파괴적으로 행동하지 않고 스트레스를 조절할 수 있는 능력을 강화합니다

수많은 사람들이 감당하기 벅찬 감정과 사투를 벌이고 있습니다. 이것은 마치 그들이 느낄 수 있는 감정의 볼륨 버튼을 최대치로 올리는 것과 같습니다. 화가 나거나 상처받았을 때 감정의 파도는 아주 크고 강력해져서 한순간에 그들을 휩쓸어버릴 정도입니다.

만약 당신의 삶에서 그런 감당하기 벅찬 감정을 경험해 본 적이 있다면, 이게 무슨 말인지 이해할 것입니다. 감정의 파도가 당신을 강타하는 날이면 당신은 감정의 파도에 휩쓸려 버리지는 않을까 걱정하며 두려움에 떨었을 것입니다. 문제는 당신이 그 감정을 억누르려고 하거나 없애려고 하면 할수록 감정의 파도는 점점 더 커진다는 것입니다. 이 내용에 대해서는 감정 조절을 주제로 하는 7장과 8장에서 구체적으로 다룰 것입니다. 지금은 이것만 알면 됩니다. 감정을 느끼지 않으려는 노력이 소용없다는 것 말입니다.

상당히 많은 연구들이 강렬하고 감당하기 어려운 압도적인 감정은 유전적으로 타고난 것이라고 설명합니다. 그러나 그러한 감정적 특성은 심리적 외상 경험이나 어린 시절 충분히 돌봄 받지 못해 발생한 결과일 가능성 역시 매우 큽니다. 성장 과정 중 주요시기에 겪은 트라우마는 말 그대로 뇌의 구조적 변화에 영향을 미칠 수 있고, 그로 인해 강렬하고 부정적인 감정에 취약하게 될 수 있습니다. 이렇듯 강렬한 감정은 유전적 영향일 수도, 트라우마의 영향일 수도 있지만, 중요한 것은 원인이 무엇이든 간에 감정적인 어려움을 해결할 수 있다는 것입니다. 이 워크북에서 배우게 될 기술들을 사용했던 수천 명의 사람들은 더 잘 감정을 조절할 수 있게 되었습니다. 또한 훈련을 통해 그들의 삶이 변화되었으며, 당신 역시 그 변화를 경험할 수 있습니다.

그렇다면 그 기술은 대체 무엇이고, 기술을 통해 어떻게 도움을 받을 수 있을까요? 변증법적 행동치료는 4가지의 핵심 기술로 구성되어 있으며, 이 기술들은 감정적인 파도의 높이를 낮춰 주고, 감당하기 벅찬 감정을 경험하게 될 때 감정의 균형을 유지할 수 있도록 도와줄 것입니다.

1. **고통 감내** 기술을 통해 회복탄력성을 기르게 될 것이고, 고통스러운 상황을 다른 관점으로 살필 수 있게 될 것입니다. 결과적으로 고통스러운 경험을 더욱 효율적으로 해결할 수 있을 것입니다.

2. **마음챙김** 기술을 훈련함으로써 과거의 일을 떠올리거나 미래에 발생할지도 모를 일을 걱정하고 염려하면서 겪게 되는 고통스러운 감정에 덜 주의를 기울이게 될 것이고, 이를 통해 현재 순간을 온전히 경험하게 될 것입니다. 또한 마음챙김 기술을 통해 다른 사람들과 자신에 대해 부정적으로 판단하는 습관이 개선될 것입니다.

3. **감정 조절** 기술은 당신이 느끼는 감정을 더욱 명확하게 알아차릴 수 있도록 할 것이고, 당신이 강렬한 감정에 휩싸이지 않고 그 감정을 관찰할 수 있도록 도울 것입니다. 감정조절 기술의 목표는 파괴적인 방식으로 반응하지 않으면서 효율적으로 감정을 조절하는 것입니다.

4. **대인관계 효율성** 기술 훈련을 통해 당신의 신념이나 내적 욕구를 표현하는 기술, 한계를 설정하는 기술, 문제에 대한 해결 해결책을 협상하는 기술을 익히게 될 것입니다. 그리고 이 기술들은 다른 사람을 존중하고 관계를 손상하지 않는 것을 전제로 합니다.

이 워크북은 배우기 쉽게 구성되어 있습니다. 고통 감내 기술과 마음챙김 기술에 대한 장은 총 세 개의 장으로 구성되어 있고, 나머지 장은 두 개의 장(초급, 중급)으로 이루어져 있습니다. 초급 장에서 기술에 대한 필수적인 개념을 배우고, 기술의 구성 가치를 확인하고, 기술을 습득하기 위한 첫걸음을 내딛게 됩니다. 중급 장에서는 기술의 구성 가치를 단계적으로 연습하며 다시금 익히게 됩니다. 그리고 각 단계를 명확히 익히는 데 도움이 되는 예시와 학습한 내용을 실습하는 데 도움이 되는 평가, 연습 및 워크시트가 제공됩니다. (이러한 자료들은 이 워크북의 웹사이트에서 다운로드 가능합니다: http://www.newharbinger.com/44581. 더 자세한 사항은 이 책의 끝에서 확인할 수 있습니다.) 또한 이번 판에는 노출-기반 인지적 시연이라는 새로운 장이 추가되었는데, 이것은 실제 상황을 상상하여 배운 기술을 적용하는 연습을 하는 것입니다. 그리고 마지막 장은 배운 내용을 총정리하는 장으로, 배운 기술을 삶의 일부로 만들기 위해 모든 기술을 통합하는 방법을 배우게 될 것입니다.

다시 이야기하지만, 변증법적 행동치료 기술 워크북은 배우기 쉽게 쓰였습니다. 다만, 힘든 점은 연습에 전념하고 새로운 기술을 실행에 옮기는 것입니다. 그저 이 워크북을 읽는 것만으로는 어떤 변화도 일어나지 않을 것입니다. 여기서 배우게 될 새로운 기술과 전략을 행동으로 옮기는 적용 없이는 이 워크북의 어떤 내용도 당신의 삶에 영향을 미칠 수 없습니다. 자, 이제 생각해 보기를 바랍니다. 당신은 어떤 이유로 이 워크북을 읽고 있으며, 어떠한 변화를 기대합니까. 아래의 밑줄에 당신이 감정에 반응하는 방식 중 바꾸고 싶은 것을 세 가지 적어 보기 바랍니다. 다시 말해, 당신이 기분이 안 좋거나 감당하기 벅찬 감정 상태에 있을 때 반응하는 건강하지 않고 해로운 방식이자 더 나은 방식으로 대처하기 위해 애쓰고 있는 것 세 가지를 적으면 됩니다.

1. _____

2. _____

3. _____

이 워크북은 이런 사람들을 위해 쓰였습니다.

　『변증법적 행동치료 기술 워크북』은 두 부류의 독자를 염두에 두고 있습니다. 첫 번째는 개인치료나 집단치료의 형태로 변증법적 행동치료에 참여하고 있으며 워크북을 통해 4가지 핵심 기술을 배우고자 하는 사람들입니다. 그리고 압도적인 감정으로 인해 괴로워하는 사람이라면 누구든지 개인적으로 이 워크북을 활용할 수 있습니다. 감정 조절 능력을 기를 수 있도록 돕는 모든 도구가 이 워크북에 실려 있기는 하지만, 만약 당신이 혼자 이 워크북을 읽고 있고, 새로운 기술을 적용하는 데 어려움을 겪고 있다면, 변증법적 행동치료를 훈련받은 치료자의 도움을 받을 것을 강력하게 권합니다.

희망이 있습니다.

　삶은 고통입니다. 당신도 이미 알고 있듯이. 그렇다고 해서 감정과의 사투에서 속수무책인 것만은 아닙니다. 이 워크북에서 배운 기술을 실제로 적용하려고 노력한다면, 감정에 대한 당신의 반응은 변화될 것입니다. 왜냐하면 유전적 요인이든 어린 시절의 트라우마든 관계없이 이 워크북에서 배울 핵심 기술은 모든 갈등의 결과와 모든 혼란의 결과에 영향을 미칠 수 있고, 말 그대로 대인관계의 방향을 바꿀 수 있기 때문입니다. 그렇기 때문에 희망이 넘칩니다. 당신이 해야 할 것은 그저 이 워크북의 페이지를 넘기고 훈련을 시작하는 것입니다. 페이지를 넘기기로 결정했다면 결심한 노력을 지속하기를 바랍니다.

제 1 장

고통 감내 기술
-초급-

고통 감내 기술이란 무엇인가?

　삶을 살아가다 보면 스트레스와 고통에 대처해야만 하는 때가 있습니다. 벌에 쏘이거나 팔이 부러지는 것과 같이 신체적인 고통일 수도 있고, 아니면 슬픔이나 분노와 같이 감정적인 고통일 수도 있습니다. 육체적 고통이든 감정적인 고통이든 피하기도 예측하기도 어렵다는 공통점이 있습니다. 벌이 언제 당신을 쏠지 또는 무엇이 당신을 슬프게 할지 항상 예상할 수는 없습니다. 대개 당신이 할 수 있는 최선의 방법은 자신이 가진 대처 기술을 사용하고 그 기술이 효과가 있기를 바라는 것입니다.

　하지만 어떤 사람들에게는 신체적인 고통과 감정적인 고통이 다른 사람들에 비해 더 강렬하게 느껴지고, 더 자주 발생합니다. 그리고 그들은 고통을 더 빠르게 느끼고, 고통이 걷잡을 수 없이 밀려들 것처럼 여깁니다. 또한 대체로 이런 고통스러운 상황이 절대 끝나지 않을 것이라고 생각하고, 그들이 겪고 있는 고통의 강도에 어떻게 대처해야 할지 모르는 경우가 대부분입니다. 이 워크북의 목적상, 이러한 문제를 '압도적인 감정'이라고 칭할 것입니다. (그렇지만 종종 신체적인 고통과 감정적인 고통은 동시에 일어난다는 점을 기억하십시오.)

　압도적인 감정과 씨름하는 사람들은 종종 건강하지 못한 방식으로 고통에 대처하고, 전혀 성공적이지 못한 방법으로 문제를 해결하려고 하는데, 그러한 방식 외에 다른 대처 방법을 모르기 때문입니다. 충분히 이해할 만한 일입니다. 어느 누구든 감정적인 고통을 경험할 때면 합리적으로 생각하기 어렵고 좋은 해결책을 생각해내기 어렵습니다. 그렇지만 압도적인 감정 문제를 가진 사람들이 사용하는 많은 대처 전략들은 그들의 문제를 더 악화시키는 역할을 할 뿐입니다.

　이러한 감정적 문제를 가진 사람들이 주로 사용하는 대처 전략이 아래에 나열되어 있습니다. 당신이 스트레스 상황에서 사용하는 대처 전략에 표시해 보십시오.

☐ 과거의 고통, 실수, 문제들을 생각하고 또 생각한다.

☐ 미래에 발생할 수도 있는 고통, 실수, 문제들에 대해 걱정하며 불안해한다.

☐ 스트레스가 되는 상황을 맞닥뜨리지 않기 위해 다른 사람들에게 거리를 둔다.

☐ 술이나 약물을 사용하여 멍하게 만든다.

☐ 다른 사람들에게 과도하게 화를 내거나 그들을 통제하려는 방식으로 감정을 표출한다.

☐ 커팅, 때리기, 할퀴기, 꼬집기, 화상 입히기, 머리카락 뽑기와 같은 잠재적 위험성이 큰 행동을 한다.

☐ 낯선 사람과 섹스하기, 준비 없는 섹스를 자주 하는 것과 같은 위험한 성행동을 한다.

☐ 폭력적이거나 역기능적인 관계와 같은 문제의 원인을 다루지 않고 회피한다.

☐ 폭식하거나, 음식 섭취를 제한하거나, 먹은 것을 토하는 방식을 통해 스스로를 통제하고 처벌한다.

☐ 자살을 시도하거나 무모한 운전이나 과량의 음주, 마약 복용과 같은 고위험 행동을 한다.

☐ 자신은 기분이 나아질 자격이 없다고 생각하면서, 사회적 행사나 운동과 같은 즐거운 활동을 피한다.

☐ 절망적이고 불만족스러운 삶을 지속하기 위해 고통에 굴복하고 자포자기한다.

나열된 모든 전략은 더 깊은 감정적 고통을 일으킵니다. 왜냐하면 일시적으로는 안도감을 얻을 수 있을지 몰라도 얼마 지나지 않아 더 큰 괴로움을 유발하기 때문입니다. 「자기 파괴적 대처 전략의 대가」 워크시트를 사용해보십시오. 당신이 사용하는 대처 전략을 적고 그 전략을 사용함으로써 치러야 하는 대가를 작성하십시오. 그리고 거기에 혹시 있을지도 모를 추가적인 대가를 작성하십시오. 워크시트의 마지막 칸에는 나열되어 있지는 않지만, 당신이 사용하는 대처 전략을 작성하고 그에 대한 대가를 적으면 됩니다.

(출판사 웹사이트(http://www.newharbinger.com/44581)에서 '자기 파괴적 대처 전략의 대가' 워크시트를 다운받을 수 있습니다.)

자기 파괴적 대처 전략의 대가

자기파괴적 대처 전략	예상되는 대가
1. 과거의 고통, 실수, 문제들을 생각하고 또 생각한다.	지금 일어날지도 모르는 좋은 일들을 놓치고, 놓친 것들에 대한 후회, 과거에 대한 우울감 그 외 :
2. 미래에 발생할 수도 있는 고통, 실수, 문제들에 대해 걱정하며 불안해 한다.	지금 일어날지도 모르는 좋은 일들을 놓치고, 놓친 것들에 대한 후회, 미래에 대한 불안감 그 외 :
3. 예상되는 고통을 회피하기 위해 자신을 고립시킨다.	더 많은 시간 동안 홀로 지내고, 그 결과 더 우울해짐 그 외 :
4. 술이나 약물을 사용하여 멍하게 만든다.	중독, 경제적 손실, 직업적 문제, 법적 문제, 대인관계 문제, 건강 문제 발생 그 외 :
5. 고통스러운 감정을 다른 사람에게 표출한다.	친구, 연인, 가족을 잃음, 다른 사람이 나를 피함, 외로움, 다른 사람에게 해를 가한 것에 대한 불편감, 법적 문제 초래 그 외 :
6. 커팅, 화상 입히기, 상처 내기, 머리카락 뽑기와 같은 자해 행동을 한다.	사망, 감염, 흉터, 상처, 수치심, 육체적 고통 그 외 :
7. 보호받지 못하는 섹스나 낯선 사람과의 빈번한 섹스와 같은 위험 성행동을 한다.	성병, 생명을 위협하는 질병, 임신, 수치심, 당혹감 그 외 :

8. 문제의 원인을 다루지 않고 회피한다.	파괴적인 대인관계 지속, 남의 일에 열심을 다함, 자신의 내면 욕구를 충족하지 못함, 우울감 그 외 :
9. 폭식하거나, 먹는 것을 제한하거나, 먹은 것을 토해낸다.	체중 증가, 식욕 부진, 폭식, 건강 이상, 의학적 치료, 당혹감, 수치심, 우울감 그 외 :
10. 자살을 시도하거나 다른 치명적인 활동을 한다.	사망, 입원, 당혹감, 수치심, 우울감, 장기적인 의학적 합병증 그 외 :
11. 사회적 활동이나 운동과 같은 즐거운 활동을 피한다.	긍정 정서 결여, 운동 부족, 우울감, 수치심, 고립감 그 외 :
12. 고통 앞에 자포자기한 상태로 불만족스러운 삶을 지속한다.	과도한 고통과 스트레스, 삶에 대한 후회, 우울감 그 외 :
13.	
14.	

자기 파괴적 대처 전략의 대가는 자명합니다. 그 전략을 사용함으로써 당신의 고통은 장기적인 괴로움으로 발전할 것입니다. 그러므로 당신은 이것을 기억해야 합니다. 때때로 고통은 피할 수 없지만, 많은 경우 괴로움은 막을 수 있다는 사실을 말입니다.

예를 들어보면, 친구 사이인 마리아와 산드라는 말다툼을 했습니다. 감정을 다루는 것을 어렵게 느끼지 않는 마리아의 경우에는 말다툼이 있고 나서 스트레스를 받았지만, 몇 시간 후에는 자신과 산드라 둘 다 그 말다툼에 책임이 있다는 것을 깨닫기 시작했습니다. 그리고 다음 날, 마리아는 산드라에게 더 이상 기분이 나쁘거나 화가 나지 않았습니다. 하지만 감정에 쉽게 압도되는 산드라는 3일 동안 마리아와 다퉜던 기억을 끊임없이 반추하였고, 마리아의 말과 행동 하나하나를 세세하게 떠올리며 모욕적으로 느꼈습니다. 3일 후, 둘이 다시 만나게 됐을 때, 산드라는 여전히 화가 나 있었고, 다시 시비를 걸기 시작했습니다. 말다툼 이후 처음에는 두 사람 모두 고통스러워했지만, 산드라는 고통을 넘어 괴로움을 경험하고 있었습니다. 산드라는 며칠 동안 감정적인 고통을 끌어안고 있었고, 그것이 그녀의 삶을 더 힘들게 만든 게 분명합니다. 살아가며 맞닥뜨리는 고통을 항상 통제할 수 있는 것은 아니지만, 고통에 대한 반응으로 야기되는 괴로움의 양은 조절할 수 있습니다.

이러한 종류의 장기적인 괴로움을 줄이기 위해, 1장부터 3장에서 고통 감내 기술을 배우게 될 것입니다. 이 기술들을 배우면 새로운 방식으로 고통을 감내하고 스트레스에 대처할 수 있을 것이며, 그렇게 되면 장기적인 괴로움을 막을 수 있습니다.

이 장에 대하여

이 장에서 배우게 될 고통 감내 기술의 첫 번째 내용은 감정적인 고통을 유발하는 상황에서 주의를 분산시키는 방법입니다. 주의 분산 기술은 아래와 같은 이유로 중요합니다. (1) 고통에 대해 생각하는 것을 일시적으로 멈출 수 있게 해주고, (2) 그 결과, 상황에 적절한 대처 반응을 찾을 수 있는 시간을 벌어줍니다. 산드라가 3일 동안 어떤 식으로 그녀의 고통을 끌어안고 있었는지 기억합니까? 그녀는 마리아와 다퉜던 기억을 끊임없이 되새겼습니다. 주의 분산은 무언가 다른 것을 생각함으로써 고통이 그저 지나가게 두는 기술입니다. 또한 주의 분산은 스트레스 상황을 해결하기 위해 어떤 행동을 취하기 전에 감정을 진정시킬 수 있도록 시간을 벌어주는 기능을 합니다.

하지만 주의 분산과 회피를 혼동해서는 안 됩니다. 고통스러운 상황에서 회피하는 방식을 선택한다는 건 아무것도 해결하지 않겠다는 것입니다. 그러나 주의 분산에는 감정이 견딜 수 있는 수준으로 가라앉은 뒤에 문제를 해결하고자 하는 의도가 담겨있습니다.

이 장에서 배우게 될 고통 감내 기술의 두 번째 내용은 자기 진정 기술입니다(Johnson, 1985; Linehan, 1993b). 감정이라는 것이 때때로 지나치게 강렬해질 수 있기 때문에, 문제의 원인을 직면하기 전에 마음을 가라앉히고 진정하는 노력이 꼭 필요합니다. 감정에 쉽게 압도되는 사람들은 다툼이 벌어지거나, 거절당하거나, 실패하거나, 그 외 고통스러운 경험을 하게 됐을 때 공황 상태에 빠집니다. 감정 조절 기술(7장, 8장)과 대인관계 효율성 기술(9장, 10장)을 적용해 이러한 문제를 해결하기에 앞서, 당신의 심리적 힘을 회복하도록 돕는 자기 진정 기술을 배우는 것이 꼭 필요합니다. 고통 감내 기술은 마치 차가 계속해서 주행할 수 있도록 기름을 채워 넣는 것과 같습니다. 그 중에서도 자기 진정 기술은 당신이 고통으로부터 평안해지고 안도할 수 있도록 돕는 기능을 하며, 진정한 뒤에 다음 대책을 찾을 수 있도록 돕습니다.

이 외에도 자기 진정 기술에는 또 다른 목적이 있습니다. 이 기술을 통해 당신은 자신을 자애롭게 대할 수 있는 방법을 배울 것입니다. 감정적인 문제를 다루기 힘들어하는 많은 사람들에게는 어린 시절 학대를 당하거나 방치된 경험이 있습니다. 그 결과, 그들은 자신을 돌보는 방법보다 자신을 다치게 하는 방법을 더 잘 알게 되었습니다. 결과적으로 자기 진정 기술의 두 번째 목적은 자기 자신을 친절하고 사랑스럽게 대하는 방법을 배우는 것입니다.

이 장을 활용하는 방법

다음의 기술들을 읽어 가면서 자신에게 도움이 될 것 같은 항목에 표시하십시오. 그렇게 하면 위급한 상황에 사용할 주의 분산 계획을 세우는 게 수월해질 것입니다. 또한 집에 있을 때 사용할 자기 진정 기술 목록과 다른 장소에서 사용할 자기 진정 기술 목록을 만드는 방법에 대해 배울 것입니다. 그런 뒤 다음 두 장에서는 보다 심화된 단계의 고통 감내 기술을 배우게 될 것입니다.

"REST" ⊠

당신이 사용하는 자기 파괴적인 대처 전략과 그에 따른 대가를 확인하였고, 이제 고통 감내 기술의 첫 번째 전략인 REST를 배울 것입니다. REST는 기술의 구체적인 내용을 기억하기 쉽도록 앞 글자를 따서 만든 명칭입니다.

이완하기**R**elax

평가하기**E**valuate

계획하기**S**et an intention

행동하기**T**ake action

습관적인 행동을 바꾸는 것은 어려운 일입니다. 행동 변화를 위해 당신은 어떤 행동을 바꾸고 싶은지 알아야 하고, 언제 그 행동을 바꾸기를 원하는지 알아야 하며, 습관적인 행동을 어떤 다른 행동으로 대체할 것인지 알아야 합니다. 그리고 또 중요한 것은 당신이 애초에 무언가 다르게 행동하기를 원한다는 사실을 기억해야 한다는 것입니다. 이것은 대개 가장 어려운 일이며, 특히 당신의 감정에 압도되는 기분을 느낄 때 이 사실을 기억한다는 것은 매우 어려운 일입니다. 대부분의 경우 고통스러운 감정을 맞닥뜨리게 되면, 본능적으로 늘 해오던 방식대로 충동적으로 행동하거나, 습관에 따라 자기 파괴적인 대처 전략(앞에서 확인했던 대처 전략과 같은)이나 문제 행동을 하게 됩니다. 이렇게 되는 이유는, 감정이 고조된 그 순간에 준비가 되어 있지 않으며, 다르게 행동하기로 계획했던 사실조차 기억하지 못할 수 있기 때문입니다. 그렇다면 압도적인 감정을 경험할 때 더 나은 결정을 하기 위해 어떻게 준비해야 할까요? 문제적인 행동 또는 자기 파괴적인 행동을 바꾸기 위한 그리고 충동적으로 행동하지 않기 위한 첫 번째 단계가 바로 REST(이완하기, 평가하기, 계획하기, 행동하기) 전략을 사용하는 것입니다.

- **이완하기.** 이 전략의 첫 번째 단계는 이완하기입니다. 지금 하고 있는 행동을 멈추십시오. 어떤 미동도 없이 그대로 멈추십시오. 호흡하고 다시 멈추십시오. 현재 상황에 대한 다른 관점을 가질 수 있도록 몇 초 동안 한 걸음 물러서십시오. 평소 하던 대로 해서는 안 됩니다. 충동적으로 행동하지 말고, 다르게 행동할 수 있는 기회가 있다는 사실을 자신에게 계속 상기시키십시오. 충동적으로 행동하려는 욕구와 당신의 실제 반응 사이에 어느 정도 "공간"이 생기게 하십시오. 즉각적으로 그리고 자동적으로 반응하지 않게 하기 위해 "멈춰", "진정해", "REST"와 같은 단어를 소리내어 말하는 것도 좋습니다. 그러고 나서 몇 차례 천천히 호흡하십시오. 그러면 의미있는 대안적 행동을 선택하기에 앞서 감정이 이완될 것입니다.

- **평가하기.** 다음으로, 지금 어떤 상황이 벌어진 건지 자문하십시오. 객관적인 사실은 무엇입니까? 오래 고민하지 말고 단순하게 평가해보십시오. 모든 부분을 전부 살펴볼 필요도 없고, 당신이 행동한 방식에 대해 어떻게 느끼는지를 깊게 분석할 필요도 없습니다. 그리고 상황이 너무 복잡하다면 그 문제를 해결하려고 노력할 필요도 없습니다. 그저 지금 무슨 일이 일어나고 있는지 알아차리기 위해 최선을 다하면 됩니다. 예를 들어, 지금 자신에게 신체적으로, 감정적으로, 정신적으로

어떤 일이 일어나고 있는지 관찰하십시오. 그리고 주변의 사람들이 어떤 행동을 하고 있는지 관찰하십시오. "내 기분이 어떻지?", "무슨 일이 벌어진 거지?", "혹시 위험에 처한 사람은 없나?"와 같은 몇 가지 간단한 질문을 던져보는 것도 좋습니다.

- **계획하기.** 세 번째 단계는 무언가 행동하기 위한 목적을 구체화하는 것입니다. 여기서 계획이란 당신이 하고자 하는 행동을 위한 목표, 목적, 의도 등을 말합니다. 어떤 행동을 할 것인지 결정하십시오. 뒤에서 배우게 될 대처 기술 중 하나를 선택하십시오. 그리고 자신에게 이렇게 질문하십시오. "지금 당장 나에게 필요한 게 뭐지?" 그런 뒤 곧 배우게 될 대처 기술이나 자기 진정 기술 중 하나를 선택하십시오. 혹시 더 큰 문제가 남아있습니까? 그렇다면 뒤에서 배우게 될 고급 단계의 문제 해결 기술이나 의사소통 기술을 사용하십시오. 당신이 무엇을 선택하든 그게 최종적인 것이 되거나 지금 당장의 문제를 해결하기 위한 최선의 해결책이 될 필요는 없지만, 그것이 당신이 대처하는 데 도움이 되는 건강한 방식이 되기를 바랍니다.

- **행동하기.** 마지막으로, 행동하기입니다. 계획을 실행하십시오. 마인드풀한 자세로 진행하십시오. 이 말은 자신의 행동에 대해 자각하면서 천천히 앞으로 나아가라는 의미입니다. 이전 단계에서 선택한 목적이 무엇이었든 간에 지금 최대한 침착하고 효과적으로 그 행동을 하십시오. 다시 말하지만, 이 행동이 현재 문제의 궁극적인 해결책이 되지 않을 수 있습니다. 하지만 당신이 이러한 단계들을 따른다면, 당신의 마인드풀한 행동은 당신이 충동적으로 반응했을 때 취했을 자기 파괴적인 행동에 비해 더 건강하고 효과적인 대처가 될 것입니다.

이 기술이 뭔가 많은 것을 해야 하는 것처럼 보일지라도(특히 감정에 압도되어 옴짝달싹할 수 없을 때), 연습하면 REST의 단계들을 단 몇 초 만에 실행할 수 있게 되고, 당신의 새로운 습관이 될 것입니다. 그리고 한 상황에서 REST를 한 번 이상 사용해야 할 수도 있다는 걸 기억하십시오. 1차 시도에서 REST가 효과가 없다면, 처음으로 돌아가 다시 해보십시오. 어쩌면 당신이 중요한 세부 사항을 놓쳤을 수도 있고, 상황이 순식간에 바뀌었을 수도 있습니다. 그러니 문제 상황이 해결된 것 같을 때까지 혹은 당신이 그 상황에서 효과적으로 빠져나올 수 있을 때까지 계속해서 REST를 시도하십시오.

이제 REST 전략을 배웠으니, 당신의 자기 파괴적이고 문제적인 행동을 변화시키기 위한 다음 단계는 언제 REST 전략을 쓰게 될 것인지 예상하는 것과 그러한 상황을 명확히 하는 것입니다. 강렬한 부정적 감정을 느낄 때가 바로 당신이 평소와 다르게 행동할 수 있는 기회라는 것을 알게 될 것입니다. 특히 무언가 회피하고 싶다거나 누군가에게 공격적이게 되는 감정을 느낄 때면 그때가 바로 다르게 행동할 수 있는 기회입니다. 그런 감정을 느낄 때, 충동적으로 행동하거나, 평소 하던 대로 대처하거나, 혹은 여기에서 배운 대처 기술을 사용하여 평소와 다르게 행동할 것인지 선택해야 하는 사인이 주어졌음을 알아야 합니다. REST를 언제 사용해야 하는지 알 수 있는 또 다른 좋은 지표는 당신이 갑작스러운 감정적, 정신적, 신체적 고통을 겪게 될 때입니다. 그리고 마지막으로, 이유는 알 수 없더라도 평소에 사용하는 자기 파괴적인 행동으로 대처하고 싶은 충동을 느낄 때, 이때가 바로 REST가 필요한 때입니다. 이 세 가지 상황이 당신이 선택을 해야 함을 알려주는 사인입니다. 당신은 평소처럼 자기 자신이나 다른 사람에게 고통을 줄 수 있는 방식으로 대처하거나 충동적으로 행동할 수도 있고, 또는 이완하고, 평가하고, 목적을 구체화하고, 더 건강한 방식의 대처 기술을 사용하여 행동하는 전략을 선택할 수도 있습니다. 이 기술을 어떻게 사용해야 하는지 이해하는 데 도움이 될만한 두 가지 예시가 있습니다. 브라이언과 사라가 REST 전략을 어떻게 사용하는지 보십시오.

브라이언에게는 그의 아내 사라와 빈번히 말다툼을 하는 문제가 있었습니다. 종종 그는 이런 문제로 켈리에게 그녀가 배우자로서 "쓸모없다"고 소리쳤고, 그리고 나서는 그녀를 더 얕잡아보곤 했습니다. 이후 수치심을 느끼고는 갑자기 밖으로 나가 술집으로 향했고, 그곳에서 술을 진탕 마시고 돈을 흥청망청 쓰고는 했습니다. 하지만 최근 브라이언은 이 워크북을 읽기 시작했고, 새로운 대처 기술을 배우고 있습니다. 그는 그에게 유용한 기술이 무엇인지 알게 됐지만, 분노와 우울감에 압도될 때 새로 배운 기술을 사용해야 한다는 것을 깜빡하는 일이 자주 있었습니다. 그렇지만 그는 REST 전략을 써야 할 필요가 있음을 알았고, 기억을 돕기 위해 눈에 띄는 밝은색 메모지에 "REST"라고 적어 집안 곳곳에 붙여 놓았습니다. 브라이언과 켈리가 또 다시 말다툼을 시작했을 때, 다행히도 브라이언은 자신이 붙여둔 메모지를 보게 됐고, REST 전략을 사용해야 함을 기억해냈습니다. 첫 번째로, 우선 그가 하고 있던 행동을 멈췄고, 진정하기 위해 노력했습니다. 켈리에게 소리치는 것을 멈췄고, 심호흡을 하고, 긴장되어 있는 몸의 근육을 이완하였습니다. 그런 다음에 그는 그 상황을 평가했습니다. 그는 빠르게 무슨 일이 벌어졌는지 생각했습니다. 그는 켈리와 다투기 시작했고, 그 이유는 그녀가 그의 유니폼을 세탁해놓지 않았기 때문이었습니다. 하지만 그는 다음 날 아침에나 출근을 하며, 무엇보다 애초에 그는 유니폼을 빨아야 한다고 말한 적이 없었습니다. 게다가 아침까지는 아직 충분한 시간이 있었습니다. 그는 또한 지금 당장은 그렇게 위급한 상황이 아니라는 걸 깨달았습니다. 그는 단순히 분노에 완전히 사로잡혔던 것입니다. 그는 집을 박차고 나가 술집에 가서 술을 몇 잔 들이키고 싶었지만, 그렇게 하지 않았습니다. 대신에 그는 다음 단계인 '계획하기'를 실천했습니다. 그는 집에 머물렀고, 감정을 가라앉혔으며, 아내와의 관계를 해칠 수도 있는 어떠한 행동도 하지 않았습니다. 브라이언은 자기 진정 기술과 의사소통 기술 둘 모두 연습해왔고, 그는 지금이 그 기술을 써야 할 때임을 알았습니다. 그리고 마침내 그는 '행동하기' 단계로 나아갔습니다. 그는 자신이 켈리에게 유니폼을 빨아달라고 요청하지 않았다는 사실을 깨달았다고 얘기했고, 자신이 화가 났으며, 감정을 가라앉히기 위해 침실로 들어가야 했음을 말했습니다. 그래서 그는 침실로 들어가 침대에 누운 채 이완을 돕는 음악을 몇 곡 들었고, 방에서 나와 켈리에게 사과할 수 있을 만큼 마음이 진정될 때까지 횡경막 호흡(2장 참고)을 했다고 했습니다.

사라 역시 비슷한 경우입니다. 그녀는 다루기 힘든 강렬한 감정으로 인해 힘들어했고, 지나치게 분노하여 사람들에게 피해를 주곤 했으며, 심지어 낯선 사람들에게까지 그렇게 했습니다. 하루는 새로 구매한 드레스에 얼룩이 있는 걸 발견했고, 옷을 반품하기 위해 옷가게에 방문했습니다. 사라는 온 길을 그대로 다시 되돌아가야 한다는 사실에 이미 짜증이 난 상태였고, 거기에 더해 더러워진 옷을 어쨌든 팔아보겠다고 선반 위에 놓아둔 어떤 "멍청이"에 대해 생각하면서 점점 더 화가 나고 있었습니다. 설상가상으로, 계산원은 사라가 구매한 드레스가 세일 상품이었기 때문에 반품이 안 된다고 했습니다. 이로 인해 사라는 머리끝까지 화가 났습니다. 이전 같으면 사라는 모두가 보는 앞에서 그 계산원에게 소리를 질렀겠지만, 이제 그녀는 치료사와 함께 대처 기술을 훈련하고 있고, REST 전략을 사용할 자신이 있었습니다. 그래서 소리를 지르는 대신, 사라는 마음속으로 "멈춰"라고 말했고, 심호흡을 했고, 진정하기 위해 노력했습니다. 그런 뒤에 그녀는 상황을 평가했습니다. 그녀는 극도의 분노를 느꼈고, 계산원과 대화를 시도하면 금방이고 말다툼이 벌어질 것이라는 것을 알고 있었습니다. 이 문제가 "죽고 사는" 급박한 상황은 아니지만, 사라는 큰 돈을 지출했고, 환불을 받고 싶었습니다. 그 다음 그녀는 '목적 구체화하기' 단계로 넘어갔습니다. 그녀는 이 문제에 대해 계산원에게 이야기하기 전에 마음을 가라앉힐 필요가 있음을 알아차렸습니다. 그녀는 대처 기술로 잠시 가게 밖에 나갔다 오기와 대안 사고를 떠올리는 게 좋겠다고 생각했습니다. 그리고 마지막 단계인 '행동하기'로 나아갔습니다. 그녀는 계산원에게 자신이 잠시 가게 밖으로 나갔다가 금방 돌아오겠다고 얘기했습니다. 그렇게 말한 뒤 사라는 가게 밖으로 나갔고, 몇 차례 천천히 숨을 쉬었고, 대안 사고로 "나는 지금 위험에 처한 게 아니다", "이것은 그저 나의 감정이고, 감정은 결국 지나갈 것이다"를 반복해서 떠올렸습니다. 몇 분 뒤 충분히 진정되었을 때, 가게 안으로 다시 들어갔고 계산원에게 이야기했습니다. 사라는 집에 도착해서야 옷에 얼룩이 묻었다는 걸 알았고, 환불을 원한다고 설명했습니다. 하지만 그 계산원은 이번에도 똑같이 사라의 돈을 환불해 줄 수 없다고 말했습니다. 그녀는 REST 전략을 사용하고 감정을 가라앉히고 나면 문제를 해결할 수 있을 것이라고 기대했지만, 상황은 사라의 기대대로 흘러가지 않았습니다. 그래서 그녀는 다시 한 번 기술을 사용하기로 했습니다. 그녀는 다시 멈추었고, 천천히 호흡했으며, 그녀가 할 수 있는 최선을 다해 진정하기 위해 애썼습니다. 그런 뒤 빠르게 상황을 평가했습니다. "여기서 무슨 일이 벌어지고 있지?" 자신에게 물었습니다. 그리고 계산원의 명찰을 봤고, "교육생"이라고 적혀있는 걸 발견했습니다. 사라는 수년간 이 가게에서 옷을 구매했지만 한 번도 환불하는데 문제가 있던 적이 없었고, 그래서 그녀는 이 교육생이 제대로 알고 있는 건지 의문이 들었습니다. 사라는 '계획하기' 단계로 나아가 그녀가 새로 배운 주장적 의사소통 기술을 사용하기로 했고, '행동하기' 단계로 넘어가 계산원에게 혹시 매니저를 불러 줄 수 있는지 정중하게 물었습니다. 당연하게도 매니저는 상황을 바로잡아 주었고 사라가 구매한 드레스를 환불해 주었습니다. 사라가 REST 전략을 한 차례 사용했을 때, 문제가 즉각적으로 해결되지 않았습니다. 하지만 그녀가 인내심을 갖고 두 번째 시도를 하는 동안 REST 전략의 효과가 나타났고, 분노를 터트림으로써 다른 사람에게 피해를 주는 행동을 하지 않을 수 있었습니다.

연습 : REST 전략 사용하기

이제 REST 전략을 시도해 볼 때입니다. 최근 감정적으로 압도되어 어찌하지 못했던 문제 상황을 떠올려보십시오. 그때 당신이 충동적으로 했던 것이 무엇인지, 어떤 자기 파괴적 행동을 했는지(있을 경우), 그리고 만약 REST 전략을 사용했더라면 그 상황에 어떻게 더 효과적으로 대처할 수 있었을지 심사숙고해보십시오. 지금은 정확한 대처 전략을 모르는 것에 대해 걱정하지 말고(곧 배우게 될 것이니), 대신에 당신에게 도움이 될 법한 일반적인 대처 전략을 설명하는 데 집중하십시오. 예를 들어, "자기 진정하는 법 배우기", "아내와 더 잘 의사소통하는 방법 배우기"와 같은 식이면 됩니다. 그리고 이 워크북을 계속해서 읽어 가면서, 도움이 됐을 것 같은 구체적인 기술을 찾도록 노력해보십시오.

(출판사 웹사이트(http://www.newharbing.com/44581)에서 이 연습을 위한 워크시트를 다운받을 수 있습니다.)

그 고통스러운 상황에 무슨 일이 일어났나요? _____

_____

_____

어떤 기분을 느꼈나요? _____

_____

_____

어떤 행동을 했나요? _____

_____

_____

자기 파괴적인 행동을 했나요? 만약 그렇다면, 어떤 행동이었나요? _____

_____

_____

이제 REST 전략을 사용하고, 상황이 어떻게 달라질 수 있을지 상상해보십시오.

그 상황에서 어떻게 진정할 수 있을 것 같은가요?(**R**) _____

_____

_____

상황을 평가했다면(**E**), 무엇을 발견했을 것 같은가요? _____

_____

_____

계획을 세웠다면(**S**), 그것이 무엇이었을 것 같은가요? _____

_____

_____

그 상황에서 행동을 했다고 한다면(**T**), 무슨 일이 일어났을 것 같은가요? _____

_____

_____

만약 REST 전략을 썼더라면, 전반적으로 어떤 유익이 있었을 것 같은가요? _____

_____

_____

어떤 유형이든 행동을 변화시킨다는 것은 어려운 일입니다. 특히 당신이 감정에 압도되어 버리는 어려움이 있을 때는 더더욱 그렇습니다. 그렇기 때문에 이 워크북의 나머지 부분 동안 REST를 사용해야 한다는 것을 상기하는 것이 중요합니다. REST 전략 그 자체는 그렇게 대단한 기술이 아니지만, 이것을 제대로 사용하기 위해서는 이 워크북에서 배울 다른 모든 기술을 통합적으로 적용해야 합니다. 그래서 각각의 대처 기술을 계속해서 배워가면서, 그 기술들을 REST 전략에 어떻게 접목할 것인지 자문해야 합니다. 그리고 당신의 감정에 압도되는 것과 같은 도전적인 상황에 처할 때마다, 혹은 무엇을 해야 할지 선택을 해야 하는 상황에 놓일 때마다, REST를 기억하고 당신의 대처 기술을 사용하십시오. 당신이 REST를 떠올릴 때마다, 앞으로 점점 더 자연스럽게 그 기술을 사용하게 될 것입니다. 당신도 브라이언처럼 기술 사용을 상기하기 위한 방법으로 색색의 메모지에 "REST"를 적어 집이나 직장에 붙여두는 걸 고려해보십시오.

온전한 수용

고통 감내력의 향상은 태도 변화와 함께 시작됩니다. 당신은 온전한 수용(Sherman, 1975; Linehan, 1993a)이라고 불리는 것이 필요합니다. 이것은 당신의 삶을 새로운 방식으로 바라보는 방법입니다. 다음 장에서 당신에게 몇 가지 핵심적인 질문이 주어질 것이고, 그 질문을 통해 당신의 경험을 온전한 수용을 사용하여 검토할 수 있을 것입니다. 하지만 지금은 그 개념을 간단히 살피는 것만으로도 충분합니다.

대개 사람들은 고통을 마주하게 되면, 첫 번째 반응으로 화가 나거나 기분이 상하거나 애초에 고통의 원인이 되는 사람을 비난하곤 합니다. 하지만 불행하게도 당신의 고통을 이유로 그 어느 누구를 비난하든 고통은 사라지지 않으며, 당신의 괴로움은 지속됩니다. 사실 어떤 경우에는 화를 내면 낼수록 당신이 느끼는 고통이 오히려 점점 더 커지기도 합니다(Greenwood, Thurston, Rumble, Waters, & Keefe, 2003; Kerns, Rosenberg, % Jacob, 1994).

또한 상황에 대해 화를 내거나 짜증을 내는 것은 실제 무슨 일이 벌어지고 있는지 볼 수 있는 시야를 가리곤 합니다. 혹시 "분노로 눈이 먼"이라는 표현을 들어본 적이 있습니까? 감정에 쉽게 압도되는 사람들은 이와 같은 경험을 자주 하게 됩니다. 매번 자기 자신을 비난하거나 다른 사람을 비난하는 것, 혹은 상황에 대해 과도하게 판단적인 태도를 갖는 것은 실내에서 어두운 선글라스를 쓰고 있는 것과 같습니다. 이렇게 함으로써 당신은 상황의 세부적인 것들을 놓치게 되고, 실제로 벌어지고 있는 일의 전체적인 면을 보지 못하게 됩니다. 상황이 절대 이렇게 되어서는 안 됐다고 생각하거나 그에 대해 분노를 느끼게 되면, 그 일이 이미 일어났다는 것과 그 일을 처리해야 한다는 요점을 놓치고 맙니다.

상황에 대해 과도하게 비판적 태도를 보이는 것은 당신이 그 상황을 바꿀 수 있는 대처를 하지 못하게 만듭니다. 당신은 과거를 바꿀 수 없습니다. 그리고 만약 당신이 그 과거와 싸우는데 시간을 써버린다면(분노가 이미 벌어진 상황의 결과를 바꿀 수 있으리라 희망적으로 생각하면서) 당신은 마비되고 무력해질 것입니다. 그러면 아무것도 개선되지 않을 것입니다.

다시 정리해보면, 상황에 대해 과도하게 판단적 태도를 취하는 것이나 자신과 타인을 지나치게 비판하는 것은 더 많은 고통을 불러일으키고, 디테일한 부분을 놓치게 하며, 기능을 마비시킵니다. 화를 내거나, 짜증을 내거나, 비판하는 것은 상황을 나아지게 하지 못할 것이 분명합니다. 그렇다면 다른 무엇을 할 수 있을까요?

온전한 수용이 제안하는 다른 선택지는 그것이 어떤 상황이든 일어난 일에 대해 판단하지 않고 또는 당신 자신에 대해 비판하지 않고 당신의 현재 상황을 있는 그대로 인식하는 것입니다. 대신에 당신이 처한 현재 상황이 먼 과거에서부터 시작된 상황들의 연쇄로 인해 발생한 것이라는 걸 인식하도록 합니다. 예를 들어, 얼마 전에 당신이(혹은 누군가가) 당신이 겪고 있는 감정적인 고통에 대한 도움이 필요하다고 생각했습니다. 그래서 며칠 뒤, 당신은 서점에 갔고(또는 온라인 서점에 접속했고), 이 워크북을 구매했습니다. 그리고 오늘, 당신은 이 장을 읽는 것에 대해 생각했고, 마침내 자리에 앉아 워크북을 펴서 읽기 시작했습니다. 이제 당신은 여기에 있는 내용들을 보게 됩니다. 사건의 일련의 연쇄를 부인하는 것은 이미 벌어진 일을 바꾸는 데 아무 도움도 되지 않습니다. 지금 이 순간과 싸우려고 하거나, 일이 이렇게 되어서는 안 된다고 말하는 것은 당신을 더욱 고통스럽게 만들 뿐입니다. 온전한 수용은 자신이 처한 상황을 있는 그대로 보는 것을 의미합니다.

온전한 수용은 다른 사람의 나쁜 행동을 용납하거나 동의하는 것을 의미하는 게 아니라는 것을 명심하십시오. 온전한 수용의 의미는 이미 벌어진 일에 대해 화를 내거나 상황을 탓하는 걸 그만둔다는 의미입니다. 예를 들어, 만약 당신이 폭력적인 관계를 맺고 있고, 그 관계에서 벗어날 필요가 있다면, 관계를 정리하십시오. 그리고 자신과 다른 사람을 비난하면서 괴로움을 키우거나 시간을 낭비하지 마십시오. 이런 행동은 당신을 도와주지 않습니다. 당신이 지금 무엇을 할 수 있는지에 다시 집중하십시오. 이렇게 하면 보다 명료하게 생각할 수 있을 것이고, 당신의 고통을 보다 나은 방법을 해결할 수 있는 길을 찾을 것입니다.

온전한 수용 대처 진술

온전한 수용을 사용하는 첫걸음으로 도움이 되는 방법은 대처 진술을 사용하는 것입니다. 아래에 보면, 몇 가지 예시가 나와 있고 당신의 대처 진술을 만들어 볼 수 있는 빈칸이 있습니다. 제시된 내용을 보면서 당신이 현재 순간과 이미 발생한 상황의 연쇄를 수용해야만 한다는 것을 상기하는 데 도움이 될만한 항목에 표시하십시오(✓). 그리고 다음 연습에서 선택한 대처 진술을 사용해 볼 수 있을 것입니다.

- ☐ "이 일은 이렇게 될 수밖에 없던 거야."
- ☐ "모든 사건들은 지금까지 이어져 왔어."
- ☐ "이미 벌어진 일은 바꿀 수 없어."
- ☐ "과거와 싸우는 건 아무 소용없어."
- ☐ "과거와 싸우는 건 현재를 보지 못하게 할 뿐이야."
- ☐ "내가 통제할 수 있는 건 현재 뿐이야."
- ☐ "이미 벌어진 일과 싸우는 건 시간낭비야."
- ☐ "지금 일어난 일이 싫기는 하지만, 그래도 현재 이 순간은 완벽해."
- ☐ "이전에 일어난 일을 생각하면, 지금 이 순간은 이렇게 되어야만 했던 거야."
- ☐ "지금 이 순간은 셀 수 없이 많은 다른 선택들의 결과야."
- ☐ 그 외 : _____

_____

연습 : 온전한 수용

자 이제, 당신이 표시한 대처 진술들을 사용하여 당신의 삶을 판단하지 않고 온전하게 수용해보십시오. 처음부터 너무 고통스러운 상황을 선택하면 수용하지 못하는 게 당연합니다. 그러니 상대적으로 덜 고통스러운 상황으로 연습을 시작하십시오. 아래에 몇 가지 상황이 제시되어 있습니다. 당신이 기꺼이 감당할 수 있는 것에 표시하고, 마지막에는 당신이 생각한 상황을 추가해 볼 수도 있습니다. 그리고 나서 대처 진술을 사용하여 선택한 상황에 대해 판단적 태도를 보이거나 비판하지 않고 온전하게 수용해보십시오.

- ☐ 신문 사설을 하나 골라 일어난 일에 대해 판단하지 않으면서 읽어 보십시오.
- ☐ 교통 체증에 걸렸을 때, 불평하지 말고 기다리십시오.
- ☐ 일어난 일에 대한 비판 없이 TV에서 나오는 세계 뉴스를 보십시오.
- ☐ 판단하지 않으면서 라디오에서 나오는 뉴스 소식이나 정치 논평을 들으십시오.
- ☐ 당신의 인생에서 일어났던 불쾌한 경험을 돌이켜보십시오(너무 기분이 상했던 일이 아닌). 그리고 그 일을 판단하지 않고 떠올리기 위해 온전한 수용을 사용해보십시오.
- ☐ 그 외 : _____

_____

자기 파괴적 행동으로부터 주의 분산하기

변증법적 행동치료의 가장 중요한 목표 중 하나는 커팅, 화상 입히기, 할퀴기, 손상하기와 같은 자해 행동을 멈추도록 돕는 것입니다(Linehan, 1993a). 모두 예상할 수 있듯이 이러한 행동을 할 때 엄청난 고통을 겪게 됩니다. 감당하기 벅찬 감정으로 인해 고통받는 사람들 중에는 자해 행동이 그들이 느끼는 고통으로부터 잠시나마 벗어날 수 있게 해준다고 이야기하는 사람들도 있습니다. 이러한 말이 사실일 수도 있지만, 자해 행동이 심각한 영구적 상해를 입히거나 극단적인 경우에는 죽음을 초래할 수 있다는 것 역시 사실입니다.

당신의 인생에서 이미 지나온 고통을 생각해 보십시오. 당신에게 신체적으로, 성적으로, 감정적으로, 언어적으로 상처를 준 모든 사람들을 생각해 보십시오. 이미 지나간 일로 현재의 자신을 계속해서 해친다는 건 분명히 말이 안 되지만, 이러한 자기 파괴적인 습관들을 멈추는 것과 변화시키는 것 역시 어려운 것이 사실입니다. 어쩌면 당신은 자해 행동을 할 때 분비되는 엔도르핀이라 불리는 천연 진통제의 홍수에 중독되었을 수도 있습니다. 하지만 만약 당신이 이미 경험한 고통으로부터 회복하기를 진정으로 원한다면, 우선 이러한 자기 파괴적인 행동을 멈춰야만 합니다. 물론 매우 어려울 수 있습니다. 그렇지만 이런 유형의 자기 파괴적인 행동은 매우 위험하고, 그만큼 이를 통제하기 위해 최선의 노력을 기울이는 것은 가치가 있는 일입니다.

심각한 후유증을 일으키거나 영구적인 손상을 초래할 수도 있는 행동을 하는 대신에, 아래에 제시되어 있는 대안적 행동을 사용해보십시오. 어떤 것들은 낯설게 느껴질 수도 있고, 어쩌면 조금 고통스럽게 느껴질 수도 있을 것입니다. 그러나 이 행동들은 커팅, 화상 입히기, 손상하기와 같은 자해 행동보다 덜 파괴적입니다. 당연하게도 치료의 최종 목표는 자신에게 해로운 형태의 모든 행동을 영구히 멈추는 것입니다. 그렇게 할 수 있을 때까지 아래의 행동들은 덜 해로운 대안을 제시하는 것입니다. 심리학에서는 덜 위험하고 덜 파괴적인 행동을 하는 전략을 '위해 감소'라고 부르며, 중독 문제가 있는 사람들에게 주로 사용됩니다(Denning, 2000).

연습 : 자기 파괴적인 행동으로부터 주의 분산하기

아래에 보면 자기 파괴적인 감정과 생각으로부터 주의를 전환하도록 돕는 보다 안전한 행동들이 나열되어 있습니다. 당신이 사용할 수 있을 만한 항목에 표시하고(✓), 마지막에는 당신이 생각하는 건강하고 해롭지 않은 행동을 추가해 볼 수 있습니다.

☐ 자신에게 해를 가하는 대신에, 한 손에 얼음 조각을 꽉 쥐어보라. 차가운 얼음의 감촉으로 인해 얼얼해지고 주의가 분산될 것이다.

☐ 커팅 대신에 빨간색 사인펜으로 줄을 그어 보라. 당신이 커팅을 하는 바로 그 자리에 줄을 그어 보라. 마치 피가 흐르는 것처럼 보이게 하기 위해 빨간색 물감이나 빨간색 메니큐어를 사용하라. 그런 뒤에는 검정색 사인펜으로 실밥을 그려 보라. 만약 더 강력한 주의 분산이 필요하다면, 한 손에는 얼음 조각을 쥐어짜면서 이 행동을 동시에 하라.

☐ 자해 행동을 하고 싶을 때마다 손목에 고무 밴드를 걸고 가볍게 튕겨보라. 일시적으로 가벼운 고통을 느끼겠지만, 커팅, 화상 입히기 등의 자해 행동에 비해서는 영구적인 피해가 적다.

☐ 피부가 다치지 않을 정도로 손톱으로 가볍게 팔을 찔러 보라.

☐ 당신이 싫어하는 사람이나 당신에게 해를 가한 사람에게 편지를 써보라. 그들이 당신에게 어떻게 했는지 말하고, 당신이 그들을 싫어하는 이유에 대해 말하라. 그러고 나서 편지를 버리거나 보관해두었다가 나중에 읽어 보라.

☐ 스티로폼 공이나 둘둘 말린 양말이나 베개를 가능한 한 세게 벽을 향해 던져 보라.

☐ 최대한 큰 소리로 베개에 소리를 지르거나, 콘서트 장이나 당신의 차 안과 같이 다른 사람들의 주의를 끌지 않는 장소에서 소리를 질러 보라.

☐ 당신의 몸 대신에 인형에 핀을 꽂아 보라. 둘둘 말린 양말이나, 스티로폼 공, 사인펜으로 인형을 만들 수 있다. 혹은 핀을 꽂기 위한 분명한 목적으로 인형을 하나 사는 것도 좋다. 부드럽고 핀을 꽂기 쉬운 인형을 구매하라.

☐ 울어라. 때때로 사람들은 우는 대신에 다른 행동을 한다. 울게 되면 울음을 절대 멈출 수 없을 거라고 걱정하기 때문이다. 하지만 절대 그렇지 않다. 사실 눈물을 흘리면 스트레스 호르몬이 배출되기 때문에 기분이 나아진다.

☐ 운동을 하라. 헬스장이나 요가 스튜디오에 가서 운동을 하면서 고통과 좌절감을 없애라. 한참 동안 걷거나 뛰어 보라. 당신이 느끼는 모든 파괴적인 에너지를 긍정적인 방향으로 사용하라.

☐ 그 외 건강하고, 해롭지 않은 행동 : _____

☐ _____

☐ _____

다음은 자기 파괴적인 감정으로부터 주의를 분산하기 위해 대안적인 행동을 사용하는 예시입니다. 루시는 종종 짜증이 나거나 화가 날 때 자신의 몸에 커팅을 합니다. 그래서 그녀의 손목과 팔등에는 셀 수 없이 많은 상처가 생겼습니다. 그녀는 다른 사람들이 상처를 보는 것이 싫어서 더운 여름에도 긴팔 옷을 입었습니다. 하지만 이 워크북을 통해 몇 가지 대안 행동을 익히고는 주의 분산 계획을 세웠습니다. 그리고 바로 다음번 자신에게 화가 나고 커팅을 하고 싶을 때, 대안 행동 계획을 보았습니다. 그녀는 대안 행동으로 빨간색 사인펜을 사용해 보기로 계획했습니다. 그녀는 자신이 주로 커팅을 하는 바로 그 위치에 줄을 그렸습니다. 그리고 빨간색 물감을 사용해서 피가 흐르는 것처럼 보이게 했습니다. 그녀는 그 하루 동안 사인펜과 물감 자국을 그대로 두고, 자신이 얼마나 슬프고 벅찼는지 떠올렸습니다. 하지만 팔에 남아있던 자국은 영구적인 흉터를 남기지 않았고, 자기 전에 팔에 있던 '상처'와 '피'를 씻어낼 수 있었습니다.

즐거운 활동을 통해 주의 분산하기

때때로 기분을 좋게 만드는 활동을 하는 것이 고통스러운 감정으로부터 주의를 분산하는 최고의 방법이 되기도 합니다. 하지만 아래에 제시된 즐거운 활동을 하기 위해 고통스러운 감정에 휩싸일 때까지 기다릴 필요는 없다는 것을 기억하십시오. 이러한 활동을 정기적으로 사용하는 것이 고통 감내에 도움이 됩니다. 사실 매일 이러한 즐거운 활동을 시도할 필요가 있습니다. 운동을 하는 것 역시 매우 중요한데, 운동은 전반적인 건강 관리에 도움이 될 뿐만 아니라, 우울증 치료에도 효과가 있는 것으로 밝혀졌기 때문입니다(babyak et al., 2000). 게다가 운동을 하면 엔돌핀(커팅을 할 때 분비되는 바로 그 진통제)이라 불리는 천연 진통제가 분비되기 때문에 대개 즉각적으로 기분이 나아집니다.

아래에 보면 100개가 넘는 즐거운 활동들의 목록이 있습니다.

(출판사 웹사이트(http://www.newharbinger.com/44581)에서 '즐거운 활동 목록'을 다운받을 수 있습니다.)

즐거운 활동 목록

당신에게 도움이 될만한 항목에 표시하고(✓), 당신이 생각하는 활동을 추가해 보라.

☐ 친구에게 전화해서 이야기하기

☐ 친구 만나러 나가기

☐ 집에 친구 초대하기

☐ 친구에게 문자하거나 이메일 보내기

☐ 파티 열기

☐ 운동하기

☐ 역기 들기

☐ 요가, 태극권, 필라테스 등 강의 수강하기

☐ 스트레칭하기

☐ 공원이나 한적한 장소에서 한참 동안 걷기

☐ 밖으로 나가 구름 바라보기

☐ 조깅하기

☐ 자전거 타기

☐ 수영하기

☐ 하이킹 가기

☐ 동네 놀이터에 가서 놀이에 끼거나 놀이 구경하기

☐ 주변에 함께 할 수 있는 사람이 없다면, 혼자 할 수 있는 운동이나 놀이하기(농구, 볼링, 핸드볼, 미니 골프, 당구, 벽에 테니스 공 튕기기)

☐ 사진 스크랩북 만들기

☐ 매니큐어 칠하기

☐ 염색하기

☐ 거품 목욕하기 혹은 샤워하기

☐ 당신의 차 혹은 트럭, 오토바이, 자전거 수리하기

☐ 지역 내 대학이나 성인 교습 학원, 온라인에서 흥미를 끄는 강의 등록하기

☐ 가장 좋아하는 책이나 잡지, 논문, 시 읽기

☐ 저급한 유명 잡지 읽기

☐ 친구나 가족에게 편지 쓰기

☐ 당신의 몸을 찍은 사진 위에 자신의 어떤 점이 좋은지 쓰거나 그리기

☐ 당신의 삶이나 다른 사람의 삶에 대해 시 혹은 이야기, 영화, 연극 각본 쓰기

☐ 일지나 일기에 오늘 당신에게 일어난 일에 대해 쓰기

☐ 기분이 좋을 때, 스스로에게 사랑의 편지를 쓰고, 기분이 안 좋을 때 읽기 위해 보관해두기

☐ 기분이 좋을 때, 당신이 잘하는 것이나 당신이 좋아하는 것에 대한 10가지를 적어보고, 기분이 안 좋을 때 읽기 위해 보관해두기

☐ 문자 받기; 이것은 감정을 이완하는 데에도 도움이 된다.

☐ 집 밖으로 나가서, 밖에 앉아라도 있기.

☐ 직접 운전해서 드라이브하기(혹은 대중교통을 이용해서)

☐ 한 번도 가본 적 없는 곳으로 여행가는 계획 세우기

☐ 잠을 자거나 낮잠 자기

☐ 초콜릿 먹기 혹은 정말 좋아하는 음식 먹기

☐ 가장 좋아하는 아이스크림 먹기

☐ 가장 좋아하는 요리나 식사 만들기

☐ 한 번도 시도해 본 적 없는 요리 만들기

☐ 쿠킹 클래스 수강하기

☐ 외출해서 무언가 먹기

☐ 외출해서 반려동물과 놀기

☐ 친구 강아지를 빌려서 공원에 데려가기

☐ 반려동물 목욕시키기

☐ 외출해서 새나 다른 동물 바라보기

☐ 뭔가 재미있는 일을 찾기(예: 유튜브에서 웃긴 동영상
보기)

☐ 웃긴 영화 보기(고통스러운 감정에 압도된다고 느낄
때 볼 수 있도록 웃긴 영화를 수집해 보라)

☐ 극장에 가서 상영영화 관람하기

☐ 텔레비전 보기

☐ 라디오 듣기

☐ 야구나 축구와 같은 스포츠 행사에 참가하기

☐ 친구와 게임하기

☐ 혼자 카드놀이하기

☐ 비디오 게임하기

☐ 온라인 채팅하기

☐ 좋아하는 웹사이트 방문하기

☐ 인기좋은 웹사이트를 방문하여 흥미있는 목록들 지
켜보기

☐ 개인 웹사이트 만들기

☐ 개인 블로그 만들기

☐ 인터넷 미팅서비스에 가입하기

☐ 인터넷에서 필요없는 것 팔기

☐ 인터넷으로 물건 구입하기(예산 내에서)

☐ 여러 조각으로 이뤄진 퍼즐하기

☐ 위기상담이나 자살상담 서비스에 전화걸기

☐ 쇼핑하기

☐ 헤어 다듬기

☐ 온천 가기

☐ 도서관 가기

☐ 서점에서 책 읽기

☐ 좋아하는 카페에 가서 커피나 차 마시기

☐ 박물관이나 지역 미술전시관 방문하기

☐ 쇼핑몰이나 공원에 가서 다른 사람들을 보거나, 때론
그들이 뭘 생각하는지 상상해보기

☐ 기도 혹은 명상하기

☐ 사찰이나 교회, 다른 예배 장소 가시

☐ 예배 장소에서 모임에 참여하기

☐ 신(영적 대상)에게 편지쓰기

☐ 오랫동안 말하지 않았던 가족에게 전화걸기

☐ 새로운 언어 배우기

☐ 노래하기 또는 노래 배우기

☐ 악기 연주하기 또는 연주 배우기

☐ 작곡하기

☐ 즐겁고 행복한 음악듣기(기분이 압도될 때마다 기분 좋은 음악 수집하기)

☐ 음악을 크게 틀고 방안에서 춤추기

☐ 좋아하는 영화, 연극의 대사나 노래의 가사 기억하기

☐ 스마트폰으로 영화나 비디오 찍기

☐ 사진 찍기

☐ 대중연설 집단에 가입하여 연설문 쓰기

☐ 지역 영화 모임에 참여하기

☐ 지역 합창단에서 노래하기

☐ 클럽에 가입하기

☐ 정원에 나무심기

☐ 실외 작업하기

☐ 뜨개질, 코바늘뜨기, 바느질 하거나 방법을 배우기

☐ 그림 그리기

☐ 붓이나 손가락을 이용해 그림 그리기

☐ 당신이 마음을 쓰거나, 존경하거나, 경외하는 사람과 함께 시간 보내기

☐ 당신이 존경하거나 그 사람처럼 되기를 원하는 사람들 목록 만들기-실제 인물이나 역사 속의 가상 인물도 가능하다. 그 사람들의 어떤 점을 존경하는지 작성해 보라.

☐ 당신에게 한 번도 일어난 적 없는 가장 이상하거나, 웃기거나, 의미 있는 이야기 쓰기

☐ 죽기 전에 해보고 싶은 것 10가지 적기

☐ 친구가 되고 싶은 10명의 유명인사 목록을 만들고 그 이유에 대해 적기

☐ 데이트 하고 싶은 10명의 유명인사 목록을 만들고 그 이유에 대해 적기

☐ 당신의 인생이 더 나아지도록 만든 사람과 그 이유에 대해 편지 쓰기 (원하지 않으면 편지를 보내지 않아도 된다.)

☐ 나만의 즐거운 활동 목록 만들기

그 외 : _____

_____

_____

다음은 즐거운 활동을 통해 주의를 분산하는 예시입니다. 캐런은 외로움을 느꼈지만 아무 행동도 하지 않았습니다. 집에 혼자 앉아있을 때, 삶을 통틀어 자신이 얼마나 외로웠는지 생각하기 시작했고, 자라는 동안 그녀의 아버지로부터 얼마나 상처받았는지 떠올렸습니다. 그 즉시, 캐런은 아주 고통스러운 감정에 휩싸였습니다. 동시에 그 기억들은 그녀의 어깨 통증을 유발하는 촉발 요인이 되었습니다. 캐런은 울기 시작했고, 무엇을 해야 할지 알지 못했습니다. 운이 좋게도 그녀는 자신이 만들어두었던 주의 분산 계획을 기억해냈습니다. 기술 적용은 언제나 캐런에게 강력한 도움이 되는 도구였고, 그녀는 가장 좋아하는 노래를 몇 곡 들으면서 공원을 한동안 걸었습니다. 이러한 활동이 그녀의 기억을 지우거나 고통을 완전히 없애주지는 못했지만, 걷는 동안 마음을 이완할 수 있었고 슬픔에 압도되지 않을 수 있었습니다.

타인에게 주의 기울이기를 통해 주의 분산하기

고통으로부터 주의를 분산할 수 있는 또 다른 효과적인 방법은 다른 누군가에게 주의를 기울이는 것입니다. 아래에 몇 가지 예시가 있습니다. 당신이 기꺼이 해볼 수 있겠다 하는 항목에 표시하고(✔), 그 외 당신이 생각해 본 활동을 추가해 보십시오.

☐ **다른 누군가를 위해 무언가 해보십시오.** 친구들에게 전화를 걸어 혹시 도움이 필요한 부분이 있는지 물어보십시오. 가령 집안일이나, 장보기, 쇼핑하기, 집 청소하기와 같은 것들 말입니다. 부모님이나 조부모님, 혹은 친척들에게 도움이 필요한지 물어보십시오. 심심해서 무언가 할 게 없나 찾고 있다고 이야기하십시오. 지인에게 전화를 걸어 점심을 사주겠다고 제안해보십시오. 외출해서 처음으로 마주친 도움이 필요해 보이는 사람에게 기부를 하십시오. 만약 당신이 고통에 압도되는 순간을 위해 미리 계획을 세울 수 있다면, 동네 식당이나 노숙자 쉼터, 자원봉사 단체에 전화를 하십시오. 다른 사람을 도울 수 있는 활동에 참여하는 것을 계획하십시오. 지역사회의 정치 활동 공동체나 환경 단체, 혹은 그 외 다른 기관에 가입하고, 다른 사람을 돕는 활동에 참여하십시오.

☐ **자신에 대한 주의를 차단하십시오.** 동네 가게나 쇼핑몰, 서점, 혹은 공원에 나가 보십시오. 거기에 앉아 다른 사람을 구경하거나 그들 사이로 걸어다니십시오. 그들이 무엇을 하는지 바라보십시오. 그들이 어떤 옷을 입었는지 자세히 살펴보십시오. 그들의 대화를 들어보십시오. 그들이 입고 있는 셔츠의 단추가 몇 개인지 세어보십시오. 그 사람들에 대해 가능한 한 많은 세부 사항을 관찰해보십시오. 푸른 눈의 사람들은 몇 명인지, 갈색 눈의 사람은 몇 명인지 세어보십시오. 생각의 흐름이 다시 당신의 고통으로 돌아올 때는, 관찰하고 있는 사람들에 대한 세부 사항에 다시 주의를 기울여보십시오.

☐ **당신이 아끼는 사람에 대해 생각하십시오.** 그 사람의 사진을 지갑이나 동전 지갑에 넣어두십시오. 사진 속 인물은 당신의 남편이나 아내, 부모님, 남자친구, 여자친구, 자녀들, 혹은 친구들이 될 수도 있겠고, 당신이 존경하는 누군가가 될 수도 있겠습니다. 예를 들어 마더 테레사나, 간디, 예수, 달라이 라마 등의 인물 말입니다. 아니면 영화배우나, 운동선수, 혹은 당신이 한 번도 만나본 적 없는 사람이라도 좋습니다. 그리고 나서 기분이 안 좋을 때 사진을 꺼내고, 당신이 기분이 상한 상태일 때 그 사람과 치유되고 평화로운 대화를 하는 상상을 해보십시오.

☐ 그 외 : _____

_____

다음은 타인에게 주의를 기울임으로써 주의를 분산하는 방법의 예시입니다. 루이스는 남자친구 로저스와 다툰 일로 화가 났습니다. 그 즉시, 루이스는 과거에 로저스와 싸웠던 다른 일들을 떠올렸고 그러면서 슬픔에 압도되었습니다. 루이스는 그의 어머니의 사진을 보관해둔 책상으로 갔습니다. 의자에 앉아 그는 마치 어머니가 그 자리에 함께 있는 것처럼 어머니에게 말을 하기 시작했습니다. 그는 로저스와의 일을 다룰 수 있는 힘과 대처 방향을 알려달라고 요청했습니다. 그런 뒤 그는 어머니가 그에게 무슨 말을 할지 상상했고 그의 기분은 한결 나아지기 시작했습니다. 이후 그가 조금 더 명료하게 생각할 수 있게 되었을 때, 그는 그날 해야 할 일을 다시 할 수 있었습니다.

생각으로부터 주의 분산하기 ⊠

인간의 뇌는 끊임없이 생각을 만들어내는 기계입니다. 하루에도 수백만 가지의 생각이 일어납니다. 대부분의 경우 이러한 기능이 우리의 삶을 더 쉽게 만들어줍니다. 하지만 불행하게도 우리는 우리의 뇌가 생각하는 것을 완전히 통제할 수 없습니다. 예를 들어봅시다. 당신이 가장 좋아하는 만화 캐릭터를 상상해보십시오. 벅스 버니, 스누피, 슈퍼맨 등등. 눈을 감고 마음의 눈으로 생생하고 자세하게 캐릭터를 살펴보십시오. 그것이 어떻게 생겼는지 정확하게 기억해내십시오. 15초 동안 그 캐릭터에 대해 생각하십시오. 캐릭터의 모습이 떠올랐나요? 그렇다면 이제는 30초 동안 최선을 다해 그 캐릭터를 생각하지 말아보십시오. 당신의 머릿속에 그 캐릭터가 떠오르지 못하도록 노력하십시오. 양심에 손을 얹고 그 캐릭터가 얼마나 자주 떠오르는지 알아보십시오. 그 캐릭터를 떠올리지 않기란 불가능합니다. 사실, 생각을 하지 않으려고 노력하면 할수록 그 캐릭터에 더 신경을 쓰게 되고 당신의 뇌는 캐릭터를 더 떠올리게 합니다. 이것은 마치 당신이 무언가를 잊으려고 노력하면 할수록, 당신의 뇌는 그것을 기억하려고 더 열심히 노력하는 것과 같습니다. 이것이 바로 당신에게 일어난 무언가를 잊으려고 애쓰는 것이 불가능한 이유입니다. 그리고 당신이 원치 않는 감정을 없애기 위해 당신 자신을 몰아세울 수 없는 이유이기도 합니다.

그러니 기억이나 생각을 없애려고 애쓰는 대신에, 다른 기억이나 창의적인 이미지를 사용해서 생각을 분산해야 합니다. 아래에 몇 가지 예시가 있습니다. 당신이 기꺼이 해볼 수 있겠다 하는 항목에 표시하고(✓), 그 외 당신이 생각해 본 활동을 추가해 보십시오.

☐ 즐겁거나 재미있거나 신났던 과거의 일을 떠올려보십시오. 이러한 행복한 기억들에 대해 최대한 많은 세부 사항을 기억해내려고 노력하십시오. 무엇을 했나요? 누구와 함께 있나요? 무슨 일이 일어났나요?

☐ 당신 주위의 자연을 내다보십시오. 가능한 한 가까이 가서 꽃, 나무, 하늘, 풍경을 관찰하십시오. 주변에 있는 곤충을 자세히 살펴보십시오. 그 곤충이 내는 소리를 주의 깊게 들어보십시오. 혹시 당신이 자연과 멀리 떨어진 도시에 살고 있다면, 당신이 관찰할 수 있는 것을 최선을 다해 살펴보거나, 눈을 감고 과거에 본 적 있는 장면을 상상하는 방법도 괜찮습니다.

☐ 당신이 당신의 인생에 벌어진 과거의 일이나 미래의 일을 바로 잡을 수 있는 영웅이 되었다고 상상해보십시오. 어떻게 할 건가요? 사람들이 당신에게 뭐라고 말할까요?

☐ 당신에게 중요한 영향을 미치는 누군가가 당신을 칭찬한다고 상상해보십시오. 당신은 무엇을 했나요? 그 사람은 당신에게 뭐라고 이야기하나요? 그 사람의 의견이 당신에게 중요한 이유가 무엇인가요?

☐ 당신의 가장 엉뚱한 환상이 실현된다고 상상해보십시오. 어떤 일이 벌어질까요? 어떤 사람이 관련되나요? 그 후에 당신은 무엇을 할 건가요?

☐ 당신이 가장 좋아하는 기도문이나 격언을 소지하십시오. 그리고 나서 기분이 안 좋을 때 그것을 꺼내 읽어보십시오. 그 문구가 당신을 진정시키고 이완시키는 걸 상상하십시오. 그 문구를 읽으며 당신을 이완시키는 심상을 사용하십시오(예: 천국 혹은 우주에서 하얀 빛이 내려오는 장면).

☐ 그 외 : _____

_____

　다음은 주의 분산 사고를 사용하는 예시입니다. 조엘은 그의 어머니가 그를 대했던 방식을 종종 떠올리게 하는 해로운 관계를 맺고 있었습니다. 그의 어머니는 항상 조엘을 비판했고 그에게 문제가 있다고 말했습니다. 이러한 기억들이 그를 사로잡을 때면, 조엘은 무엇을 해야 할지 도무지 알 수 없었습니다. 때때로 그는 친구들이나 주변의 아무에게나 마구 소리를 질렀습니다. 하지만 주의 분산 계획을 세운 뒤로부터 조엘은 다른 생각을 떠올렸습니다. 어머니가 그를 질책하는 기억이 떠올랐을 때, 그는 바로 REST 전략을 기억해냈습니다. 첫째로, 몇 차례 천천히 호흡하면서 최선을 다해 이완했습니다. 그런 뒤 그 상황을 평가했고, 그는 어떠한 위험에도 처해있지 않다는 걸 깨달았습니다. 그다음에 그는 생각을 분산시키고자 하는 목적을 구체화했고, 그런 뒤 그는 행동을 취해 침실로 가 누웠습니다. 그리고 나서 폭력적인 말을 쏟아내는 그의 어머니를 마주한 어린 시절의 자신을 상상하기 시작했습니다. 그는 수년 전에 할 수 있었더라면 좋았을 모든 것들을 그녀에게 이야기했습니다. 그는 그녀에게 어머니가 틀렸고 그를 그만 비난하라고 말했습니다. 조엘은 과거에 이뤄졌으면 좋았을 법한 방식으로 환상의 세부 사항을 통제했습니다. 그렇게 하고 나자 그는 점차 기분이 나아지는 걸 느꼈습니다. 그는 그를 압도하는 고통스러운 감정을 방치하는 악순환으로부터 벗어나게 되었습니다.

자리를 벗어나는 방법을 통해 주의 분산하기

　때론 그 자리를 벗어나는 게 당신이 할 수 있는 최선의 방법일 수 있습니다. 만약 당신이 누군가와 함께 매우 고통스러운 상황에 처해있고, 얼마 지나지 않아 감정에 압도될 것이고 그 감정으로 인해 상황이 이미 벌어진 것보다 더 악화될 수도 있다는 걸 깨달았다면, 그럴 땐 대개 그 자리를 벗어나는 방법이 최선입니다. 기억하시기 바랍니다. 만약 당신이 이미 감정에 압도된 상태라면, 문제를 해결하기 위한 건강한 방식의 대처를 떠올리는 것이 더 어려울 것입니다. 아무래도 그럴 때는 감정을 이완하고 다음에 무엇을 해야 할지 생각할 수 있도록 시간을 벌기 위해 그 상황과 당신 사이에 어느 정도 거리를 두는 것이 최선의 방법입니다. 그것이 당신이 할 수 있는 가장 나은 방법이라면 그곳을 벗어나십시오. 그러는 편이 감정의 불에 기름을 붓는 것보다 나을 것입니다.

　다음은 주의를 분산하기 위해 자리를 벗어나는 방법을 사용하는 예시입니다. 애나는 블라우스를 구매하기 위해 대형 백화점에 갔습니다. 그녀는 점원이 그녀에게 맞는 사이즈를 찾을 수 있도록 도와주길 원했지만, 그 매장의 점원은 다른 고객을 응대하느라 바빴습니다. 애나는 그녀가 할 수 있는 한 최대한 점원을 기다렸고, 점원에게 자신의 의사를 알리려고 계속해서 노력했음에도 불구하고 그녀의 노력은 전혀 소용이 없었습니다. 애나는 바로 그 순간 점점 화가 난다는 걸 알아차렸습니다. 그녀는 블라우스를 반으로 찢어버리고 싶은 마음이 들었습니다. 이전에 그녀는 그 외에 무엇을 해야 할지 알 수 없었습니다. 옛날 같았으면 그녀는 그 매장에 계속 남아 점점 더 화가 났겠지만, 이번에는 그곳을 벗어나는 방법을 떠올렸습니다. 그녀는 그 매장에서 나와 다른 대상들을 먼저 구매한 뒤, 자신의 행동을 좀 더 조절할 수 있는 상태가 되었을 때 블라우스를 구매하기 위해 매장이 덜 붐비는 시간대에 다시 방문했습니다.

업무나 잡일로 주의 분산하기

　이상하게도 많은 사람들이 자기 자신을 돌보거나 일상의 환경을 관리하기 위해서는 충분한 시간을 마련해두지 않습니다. 그 결과 사소한 일들이 제대로 처리되지 못합니다. 그래서 여기에서 자신과 자신의 환경을 돌보기 위해 무언가 해볼 수 있는 완벽한 기회를 제공합니다. 당신의 감정이 너무 고통스러워지는 상황을 마주하게 될 때, 아래에 있는 활동 중 하나를 함으로써 일시적으로 주의를 분산할 수 있습니다. 당신이 기꺼이 해볼 수 있겠다 하는 항목에 표시하고(✓), 그 외 당신이 생각해 본 활동을 추가해 보십시오.

☐ 설거지하기

☐ 최근에 통화한 적이 없고, 그 사람으로 인해 화가 난 적이 없는 사람에게 전화 걸기

☐ 방이나 집 청소하기, 또는 친구를 위해 청소나 정원 관리 돕기

☐ 옷장을 정리하고 헌 옷 기부하기

☐ 방을 다시 꾸미거나 최소한 벽의 장식 바꾸기

☐ 직업이 없는 상황이라면 구직 계획 세우기, 직업이 있다면 더 나은 직업을 찾기 위한 계획 세우기

☐ 이발하기, 머리 정돈하기

☐ 매니큐어나 페디큐어 바르기, 또는 둘 다 하기

☐ 마사지 받기

☐ 당신의 차나 다른 사람의 차 세차하기

☐ 잔디 깎기

☐ 창고 청소하기

☐ 빨래하기

☐ 과제하기

☐ 직장에서 가져온 일 하기

☐ 구두 닦기

☐ 장신구 세척하기

☐ 욕조를 닦고 목욕하기

☐ 식물에 물주기 또는 정원 가꾸기

☐ 자신이나 친구를 위해 저녁 요리하기

☐ 수도요금, 전기요금 등 청구서 지불하기

☐ 마약 중독, 알코올 중독, 과식 문제 자조 모임과 같은 지지 모임에 참여하기

☐ 그 외 : _____

_____

　　다음은 업무나 잡일을 하며 주의를 분산하는 예시입니다. 마이크는 그의 여자친구 미셸에게 전화 걸어 영화를 보러 가자고 했습니다. 그런데 미셸은 이미 친구와 선약이 있다고 했습니다. 마이크는 심한 거절감을 느꼈고 버려진 것 같은 기분이었습니다. 그는 전화를 끊은 미셸에게 소리 지르기 시작했습니다. 그러자 마이크는 점점 더 기분이 안 좋아졌습니다. 그는 무엇을 해야 할지 몰랐습니다. 즉시 그는 머리가 어지러워지고 혼란스러워지는 걸 경험했고, 점점 더 화가 났습니다. 하지만 이번에 그는 미셸에게 전화를 걸어 말다툼을 하는 대신 그의 지갑을 열어 미리 만들어두었던 주의 분산 계획표를 꺼내 들었습니다(이 장의 마지막 부분에서 계획표를 만들 것입니다). 그는 "REST 전략 사용하고 사소한 일 하며 주의 분산하기"라고 적어두었습니다. 그래서 그는 몇 차례 호흡하며 이완하였고 상황을 평가했습니다. 그는 화가 나기는 했지만 위험에 처해있지는 않다는 사실을 알아차렸습니다. 다음에 그는 목적을 구체화하여 머리를 정돈하기 위해 나갔는데, 미용실에 다녀오는 건 최소 2시간의 시간이 필요한 일이었고 그 정도면 마음을 가라앉히는데 충분한 시간이라고 생각했습니다. 그리고 마침내 그는 행동을 취해 800m정도 거리에 있는 이발소를 향해 걸었습니다. 집 밖으로 나오자 화를 가라앉힐 수 있었고, 집에 돌아왔을 때 그는 미셸에게 다시 전화를 걸어 다음 날은 시간이 되는지 확인할 수 있을 만큼 충분히 진정되었습니다.

숫자 세기를 통해 주의 분산하기

　　숫자 세기는 실제적인 인지적 노력을 기울이도록 하고, 고통이 아닌 다른 무언가에 집중하도록 돕는 간단한 기술입니다. 당신이 기꺼이 해볼 수 있겠다 하는 항목에 표시하고(✔), 그 외 당신이 생각해 본 활동을 추가하십시오.

☐ **호흡을 세어보세요.** 편안한 의자에 앉아 한 손을 배에 올리고 천천히 그리고 길게 호흡하세요. 폐로 호흡하는 대신 배를 통해 호흡한다고 상상하세요. 숨을 들이마실 때마다 배가 풍선처럼 부풀어 오르는 것을 느껴보세요. 이제 호흡을 세기 시작합니다. 불가피하게 고통을 일으키는 어떠한 생각이 떠오르기 시작할 때는 다시 숫자 세기에 집중하세요.

☐ **무엇이든 세어보세요.** 당신의 감정으로 인해 주의가 산만하다면 단순히 지금 들리는 소리를 세어보세요. 이렇게 하면 당신의 주의가 외부로 옮겨지게 될 것입니다. 혹은 지나가는 차가 몇 대인지 세어보거나, 현재 당신이 느끼고 있는 감각을 세어보거나, 눈 앞에 보이는 나무의 가지가 몇 개인지 세어보는 것과 같이 수를 헤아릴 수 있는 무언가를 세어보세요.

☐ **7씩 수를 더하거나 빼세요.** 예를 들어 100에서 시작해서 7씩 뺍니다. 수를 계산하고 또 7을 뺍니다. 이러한 방식으로 지속합니다. 이 활동은 더 많은 주의와 집중을 필요로 하기때문에 당신의 감정에 집중되었던 주의가 실제로 분산될 것입니다.

☐ 그 외 : _____

_____

　　다음은 숫자 세기를 통해 주의를 분산하는 예시입니다. 던은 그녀의 어머니가 저녁 식사를 위해 식탁 세팅을 도와달라고 했을 때 짜증이 나기 시작했습니다. "엄마는 항상 맨날 나한테 이래라 저래라야"라고 던은 생각했습니다. 그녀는 자신의 화가 점점 더 심해지고 있다는 걸 느낄 수 있었고, 그래서 그녀는 자신의 방으로 가서 마지막으로 이런 일이 일어났을 때, 호흡을 세는 것이 그녀의 감정을 진정시키는데 도움이 되었다는 것을 기억했습니다. 그녀는 자리에 앉아 그 방법을 다시 사용했습니다. 10분 뒤, 그녀는 감정이 한결 이완된 것을 느낄 수 있었고, 식사 자리로 돌아갈 수 있었습니다.

주의 분산 계획 세우기

이제 당신이 다음번에 고통과 불편감을 유발하는 상황에 처했을 때 기꺼이 사용할 수 있는 주의 분산 기술을 찾아보십시오. 이렇게 선택된 기술들이 당신의 주의 분산 계획으로 구성될 것입니다. 기억해야 할 것은 고통 감내 계획의 첫 번째 단계로 주의 분산 기술을 포함하고 있을 가능성이 큰 REST 전략을 사용해야만 한다는 것입니다. 아래에 당신이 선택한 주의 분산 기술을 작성하십시오. 작성을 마친 뒤에는 접착 메모지에 다시 목록을 작성하여 지갑에 넣어가지고 다닐 수 있도록 하고, 혹은 스마트폰 메모 앱에 내용을 기록하십시오. 그리고 나서 다음에 기분이 나쁜 상황에서 메모지를 꺼내거나 스마트폰 메모 앱을 켜서 당신의 주의 분산 계획을 떠올릴 수 있습니다.

나의 주의 분산 계획

1. REST 전략 사용하기: 이완하기(R), 평가하기(E), 계획하기(S), 행동하기(T)

2. _____

3. _____

4. _____

5. _____

6. _____

7. _____

8. _____

9. _____

10. _____

이완하고 진정하기

자, 지금까지 당신은 고통스러운 감정에 의해 압도되기 시작할 때, 주의를 분산할 수 있도록 하는 몇 가지 건강하고 효과적인 방법들에 대해 배웠습니다. 그리고 이제 자기 진정을 위한 새로운 방법을 배울 차례입니다(Johnson, 1985; Linehan, 1993b). 이 부분에 포함된 활동은 REST 전략(이완하기, 평가하기, 계획하기, 행동하기)의 첫 번째 단계인 이완하기를 하는 데 도움이 됩니다. 그리고 나서 이 책의 다음 내용에서 문제 상황을 해결하기 위한 구체적인 기술을 배우게 될 것입니다. 여기에는 감정 조절 기술, 마음챙김 기술, 대인관계 효율성 기술이 포함되어 있습니다.

이완하고 진정하는 기술을 배우는 것은 여러 가지 이유로 아주 중요합니다. 긴장을 이완하면 당신의 신체도 보다 편안해집니다. 이것은 또한 더 건강한 방법으로 기능합니다. 이완된 상태에서는 당신의 심장 박동이 더욱 느려지고 혈압 역시 감소합니다. 당신의 신체는 스트레스를 받는 상황에 맞설 준비를 하거나 그것으로부터 도망칠 준비를 하면서 지속적으로 비상사태에 있는 상태에서 벗어납니다. 그 결과 당신의 뇌는 문제 상황을 더 건강하게 해결할 수 있는 방법을 생각하기가 수월해집니다.

　　여기에 당신의 오감(후각, 시각, 청각, 미각, 촉각)을 활용하는 단순한 이완하기 방법과 진정 활동이 있습니다. 이 활동들은 당신의 삶에 작은 평안을 불러오는 역할을 할 것입니다. 만약 제시된 활동 중 하나가 이완하는 데에 도움이 되지 않는다면, 혹은 오히려 기분이 나빠진다면, 그 활동은 하지 마십시오. 다른 활동을 실행하십시오. 우리 모두는 각기 다 다르다는 걸 기억하십시오. 예를 들어, 어떤 사람들은 음악을 듣는 활동을 통해 더 잘 이완되는 걸 경험할 수도 있고, 다른 사람들은 뜨거운 거품 목욕과 같은 방법으로 도움을 받을 수도 있습니다. 아래의 목록을 살펴보면서 어떤 활동이 당신에게 가장 효과적일지 생각해 보고 만약 흥미를 끄는 활동이 있다면 기꺼이 새로운 활동을 시도하십시오.

후각으로 자기 위안하기 ⊠

　　후각은 종종 기억을 촉발하거나 당신에게 어떤 특정한 기분을 느끼게 하는 아주 강력한 감각입니다. 그러므로 당신이 어떤 냄새를 기분 좋게 느끼고 그렇지 않은지 찾아내는 것은 매우 중요한 일입니다. 아래에 몇 가지 방법이 나와 있습니다. 당신이 기꺼이 할 수 있는 항목에 표시하고(✔), 그 외 당신이 생각해 본 활동을 추가하십시오.

☐ 당신의 방이나 집에 향초를 켜거나 향을 피우십시오. 당신의 기분을 좋게 하는 향을 찾으십시오.

☐ 행복, 자신감, 섹시함을 느끼게 하는 향기로운 오일, 향수, 코롱을 바르십시오.

☐ 잡지에서 퍼퓸 카드를 오려 핸드백이나 지갑에 넣어다니십시오.

☐ 빵집이나 식당처럼 기분 좋은 냄새가 나는 장소에 가십시오.

☐ 초코칩 쿠키처럼 기분 좋은 냄새가 나는 음식을 직접 요리하십시오.

☐ 동네 공원에 누워서 풀내음과 바깥 공기의 냄새를 맡아보십시오.

☐ 이웃집에서 갓 자른 꽃을 사거나 꽃을 찾으십시오.

☐ 마음을 진정시켜주는 향기를 풍기는 지인과 포옹하십시오.

☐ 그 외 : _____

_____

시각으로 자기 위안하기

　　사람에게 있어 시각은 정말 중요한 부분입니다. 사실 우리 뇌의 상당한 부분이 오직 시각 감각에만 할애됩니다. 무언가를 보는 행위는 좋은 쪽이든 나쁜 쪽이든 대개 당신에게 아주 엄청난 영향을 미칩니다. 그렇기에 당신에게 위안이 되는 이미지를 찾는 것은 아주 중요한 일입니다. 다시 한번 말하지만, 그 이미지는 저마다의 취향과 선호에 따라 다릅니다. 아래에 몇 가지 방법이 나와 있습니다. 당신이 기꺼이 해보겠다 하는 항목에 표시하고(✔), 그 외 당신이 생각해 본 활동을 추가하십시오.

☐ 잡지나 책을 살펴보다가 마음에 드는 사진을 오리십시오. 오린 사진들을 가지고 콜라주를 만들어 벽에 걸어두거나, 외출했을 때 볼 수 있도록 핸드백이나 가방에 넣어두십시오.

☐ 공원이나 박물관처럼 구경하며 마음을 위안할 수 있는 장소를 찾아보십시오. 혹은 바다처럼 기분을 좋게 하는 풍경을 담은 사진을 찾아보십시오.

☐ 서점에 가서 사진작가 안셀 애덤스의 자연 사진처럼 마음을 이완하는 데 도움이 되는 사진이나 그림 컬렉션을 찾아보십시오.

☐ 기분을 좋게 하는 당신만의 그림을 그려 보십시오.

☐ 사랑하는 사람이나 매력적으로 느끼는 사람 혹은 존경하는 사람의 사진을 가지고 다니십시오.

☐ 그 외 : _____

_____

청각으로 자기 위안하기 ⊠

어떤 소리는 우리의 마음을 진정시킵니다. 이완을 위한 부드러운 음악을 듣는 것처럼 말입니다. 실제로 저는 클래식 음악을 들으며 이 장의 내용을 작성했습니다. 하지만 각자 자신만의 취향을 가지고 있습니다. 당신은 자신에게 가장 도움이 되는 소리를 찾아야만 합니다. 마음을 진정시키는 데 도움이 되는 소리를 찾기 위해 아래의 예시를 사용해보십시오. 당신이 기꺼이 해보겠다 하는 항목에 표시하고(✓), 그 외 당신이 생각해 본 활동을 추가하십시오.

☐ 이완 음악을 들어보십시오. 당신에게 맞는 거라면 어떤 것이든 상관없습니다. 노랫말이 있는 음악일 수도 있고 없는 음악일 수도 있습니다. 음악을 구매하기 전에 먼저 온라인에서 몇 가지 이완 음악의 샘플을 찾아보고, 당신에게 도움이 되는 음악을 결정하기 위해 다양한 장르의 음악을 들어보십시오.

☐ 오디오북을 들어보십시오. 많은 공공 도서관에서 CD로 된 오디오북을 대여하거나 일시적으로 오디오북 파일을 다운받을 수 있습니다. 이완에 도움이 된다면 몇 개를 빌려보십시오. 군이 내용에 주의를 기울일 필요까지는 없습니다. 때때로 누군가가 말하는 소리를 그저 가만히 듣는 것이 마음을 진정시키는 데 도움이 되기도 합니다. 그리고 몇 가지 오디오북 파일을 차에 보관하거나 스마트폰에 저장해두십시오.

☐ TV를 켜서 그 소리를 들어보십시오. 마음을 동요시키는 뉴스와 같은 채널이 아닌 지루하거나 진정이 되는 채널을 찾아보십시오. 편안한 의자에 앉거나 누워서 눈을 감고 그 소리를 가만히 들어보십시오. TV 볼륨을 너무 크지 않은 수준으로 줄이십시오. 수년 전에, 공중파 방송에서 밥 로스라는 이름의 화가가 나오는 TV 프로그램이 있었습니다. 그의 목소리에는 너무 편안하고 잔잔해서 많은 사람들이 그의 프로그램의 보다가 잠이 들었다고 이야기했습니다. 이처럼 당신에게 도움이 될만한 TV 프로그램을 찾아보십시오.

☐ 온라인에서 마음이 편안해지는 팟캐스트나 비디오를 들어보십시오. 혹은 편안하게 하는 라디오 토크쇼를 찾아보십시

오. 기억해야 할 것은 '이완시켜 주는' 팟캐스트나 토크쇼여야 한다는 것입니다. 짜증이 나거나 화가 나게 하는 것은 안 됩니다. 다시 말하지만, 정치적 토크쇼와 뉴스는 안 됩니다. TED 강연 시리즈나 공중파 라디오의 This American Life 처럼 중립적인 내용을 담은 것을 찾으십시오. 앞에서도 이야기했듯이 때론 누군가가 말하는 걸 듣는 것이 마음을 진정 시켜주곤 합니다. 찾은 영상물의 링크에 북마크를 해두거나, 다운로드하여 당신의 팟캐스트 즐겨찾기 목록이나 스마트폰에 저장해두십시오. 이렇게 하면 기분이 안 좋거나 화가 날 때 찾아 듣기에 용이합니다.

☐ 창문을 열고 바깥의 평화로운 소리를 들어보십시오. 혹은 당신의 집 주변에서는 마음을 진정시키는 소리를 찾을 수 없 다면, 공원처럼 편안한 소리를 들을 수 있는 장소에 찾아가십시오.

☐ 새나 다른 야생 동물과 같은 자연의 소리를 녹음한 것을 들어보십시오. 온라인에서 이러한 소리를 다운받을 수 있고, 스마트폰에 저장할 수도 있습니다.

☐ 백색 소음을 내는 기계음을 들어보십시오. 백색 소음은 다른 주의 산만한 소리를 차단하는 소리입니다. 백색 소음을 내는 써큘레이터를 사거나, 주의 산만한 소리를 차단하기 위해 선풍기를 틀 수도 있고, 스마트폰에 백색 소음 앱을 다 운받을 수도 있습니다. 어떤 백색 소음 기계와 앱에는 새소리, 폭포소리, 열대우림 소리 등이 녹음된 것도 있습니다. 많 은 사람들이 이 소리를 통해 마음을 이완합니다. 가정용 분수의 소리를 들어보십시오. 온라인에서 작은 전자 분수를 살 수 있고, 많은 사람들이 가정에서 흐르는 물소리를 들으며 마음이 진정되는 걸 경험합니다.

☐ 명상이나 이완 운동의 음원을 들으십시오. 이러한 운동은 여러분이 여러 가지 다른 방법으로 긴장을 푸는 것을 상상 하는 데 도움이 될 것입니다. 이런 음원 중에는 긴장을 푸는 데 도움이 되는 자기 최면 기술을 가르쳐 주는 것도 있습 니다. 온라인이나 New Harbinger 출판사와 같은 웹사이트에서 이러한 음원을 찾을 수 있습니다. www.newharbinger. com에 접속하여 아래에 있는 '오디오북'을 찾아보십시오. 그러면 스마트폰에 그 프로그램을 저장할 수 있고 감정에 압 도될 때 언제든지 들을 수 있습니다. (잠이 들면 위험할 수 있는 운전하는 중에나 장비 작동 중에는 듣지 마십시오.)

☐ 물이 흐르거나 똑똑 떨어지는 소리를 들어보십시오. 아마도 공원이나 근처 쇼핑몰에 가면 분수가 있을 것입니다. 아니 면 그냥 욕실에 앉아서 몇 분간 물을 틀어놓을 수도 있습니다.

☐ 그 외 : _____

_____

_____

미각으로 자기 위안하기

미각 역시 아주 강력한 감각입니다. 우리의 미각은 과거의 기억과 감정을 촉발시킬 수 있기 때문에, 다시 한번 말하지만 당신 을 즐겁게 하는 맛을 찾는 것이 중요합니다. 하지만 만약 음식을 먹는 것이 당신에게 문제가 된다면, 가령 폭식, 과식, 하제 사용, 먹는 것을 제한하는 행동이 있다면, 전문 상담사에게 이러한 문제에 관해 이야기하고 도움을 받으십시오. 만약 음식을 먹는 과정 으로 인해 화가 나거나 초조하게 된다면, 다른 감각을 이용한 활동을 하십시오. 하지만 음식이 당신의 마음을 이완시켜 준다면, 아래 제시되어 있는 활동을 보십시오. 당신이 기꺼이 해보겠다 하는 항목에 표시하고(✓), 그 외 당신이 생각해 본 활동을 추가하십시오.

☐ 무엇이 되었든 당신이 가장 좋아하는 식사를 즐기십시오. 음식의 맛을 즐기기 위해 천천히 먹도록 합니다.

☐ 기분이 안 좋을 때 먹을 수 있도록 막대 사탕, 껌, 캔디류의 간식을 가지고 다니십시오.

☐ 아이스크림, 초콜릿, 푸딩 등 기분을 좋게 하고 마음을 편안하게 해주는 음식을 먹어보십시오.

☐ 차, 커피, 핫초코처럼 마음을 진정시켜 주는 음료를 마셔보십시오. 맛을 즐길 수 있도록 천천히 마시는 연습을 하십시오.

☐ 따뜻하다고 느낄 때라면 얼음이나 막대 아이스크림을 입에 넣어보십시오. 그리고 입 안에서 녹을 때의 맛을 즐기십시오.

☐ 과즙이 많은 신선한 과일을 하나 구매하여 천천히 먹어보십시오.

☐ 그 외 : _____

_____

촉각으로 자기 위안하기

옷을 입거나 의자에 앉아 있는 것과 같이 우리는 항상 무언가와 접촉해 있음에도 불구하고, 대체로 그 촉감을 알아차리지 못하곤 합니다. 우리의 피부는 가장 광범위한 신체 조직이고, 피부 전체는 감각을 뇌로 전달하는 신경으로 덮여있습니다. 어떤 촉감은 강아지를 쓰다듬는 것처럼 기분이 좋은 반면, 뜨거운 난로를 만질 때의 감각은 위험을 전달하기 위해 아주 깜짝 놀라거나 고통스러운 감각이 됩니다. 다시 말하지만, 사람들은 저마다 다른 감각을 선호합니다. 당신은 가장 기분 좋게 느끼는 촉감을 찾으십시오. 아래에 몇 가지 방법이 제시되어 있습니다. 당신이 기꺼이 해보겠다 하는 항목에 표시하고(✓), 그 외 당신이 생각해 본 활동을 추가하십시오.

☐ 옷감 조각처럼 부드러운 천이나 벨벳 천을 주머니에 가지고 다니면서 필요할 때 그것을 만지십시오.

☐ 따뜻한 물이나 찬물로 샤워를 하면서 피부에 닿는 물의 촉감을 즐겨보십시오.

☐ 따뜻한 거품 목욕을 하거나 향기나는 오일을 사용해 목욕하면서 피부에서 느껴지는 편안한 감각을 즐겨보십시오.

☐ 마사지를 받으십시오. 신체적인 폭력이나 성적 학대 피해 생존자와 같은 사람들은 누군가와의 피부 접촉을 원치 않을 수 있습니다. 충분히 이해할만한 일입니다. 하지만 탈의를 하지 않고 받을 수 있는 방식의 마사지도 있습니다. 예를 들어 일본의 전통적인 시아쭈(shiatsu) 마사지는 넉넉한 사이즈의 편안한 옷을 입고 마사지를 받을 수 있습니다. 어깨 마사지와 목 마사지도 마사지 의자에 앉아서 받는 마사지이기 때문에 탈의를 하지 않아도 됩니다. 아무래도 탈의 문제가 고민이 된다면, 마사지 치료사에게 옷을 입고 받을 수 있는 마사지 중에 어떤 마사지가 가장 좋을지 추천을 받으십시오.

☐ 스스로 마사지 하십시오. 때때로 단지 통증이 있는 근육을 주무르는 것만으로도 기분이 한결 나아질 수 있습니다.

☐ 당신의 반려동물과 놀이하십시오. 반려동물을 키우는 것은 많은 건강한 이점이 있습니다. 반려동물을 키우는 사람들

은 그렇지 않은 사람들에 비해 혈압, 콜레스테롤 수치, 심장 질환의 위험도가 상대적으로 낮았고(Anderson, Reid, & Jennings, 1992), 그 외에도 일반적인 건강개선을 경험하는 것으로 확인되었습니다(Serpell, 1991). 게다가 반려동물과 노는 것과 동물의 털이나 피부를 쓰다듬는 행동은 마음을 진정시키는 촉감 경험을 제공합니다. 만약 당신이 반려동물을 키우고 있지 않다면, 입양하는 것을 고려해보십시오. 혹 사정이 여의치 않거나, 반려동물을 키울 수 없는 환경이라면, 반려동물을 키우는 친구의 집에 방문하거나 지역 내 동물 보호소에 자원봉사를 신청하고 구조된 동물들과 시간을 보낼 수 있는 방법이 있습니다.

☐ 오래돼서 늘어난 티셔츠, 헐렁한 운동복, 낡은 청바지와 같이 당신이 가진 가장 편안한 옷을 입어보십시오.

☐ 그 외 : _____

_____

이완 계획 세우기

지금까지 오감으로 자기 위안하는 방법들에 대해 살펴보았으니, 이제 당신이 기꺼이 시도해 보고자 하는 기술의 목록을 작성해보십시오. 당신이 표시한 항목들을 검토하면 목록을 작성하는 데 도움이 될 것입니다. 무엇을 할 것인지 구체적으로 작성하십시오. 집에 있을 때 사용할 목록과 외출했을 때 사용할 수 있는 목록을 만드십시오.

집에서 사용할 수 있는 이완 및 위안 기술

1. _____

2. _____

3. _____

4. _____

5. _____

6. _____

7. _____

8. _____

9. _____

10. _____

　작성한 목록을 스마트폰 앱처럼 기억하기 쉽고 찾아보기 쉬운 장소에 보관하십시오. 혹은 이 목록을 여러 장 작성해서 냉장고, 책상 위, 침대 옆과 같이 당신이 항상 보는 장소에 붙여 놓는 것도 좋은 방법입니다. 이 방법을 사용하면 당신은 가능한 한 자주 이완하고 자기 위안해야 한다는 것을 상기할 수 있을 것입니다. 또한 당신이 고통스러운 감정에 압도되고 생각을 명확하게 없을 때 마음을 가라앉히는 것을 용이하게 해 줄 것입니다.

　이제 집에 있지 않은 상황에서 사용할 수 있는 목록을 만드십시오. 다시 말하지만, 이전 페이지를 살펴보면서 당신이 표시했던 항목들을 검토하면 목록 작성에 도움을 받을 수 있습니다. 하지만 꼭 기억해야 하는 것은 집 밖에서 사용할 수 있는 기술이어야 한다는 것입니다. 예를 들어, '목욕하기'와 같은 것은 안됩니다. 모두 알다시피 집에 있지 않을 때 당신이 이용할 수 있는 뜨거운 물을 담은 욕조는 없을 것이기 때문입니다.

집 밖에서 사용할 수 있는 이완 및 위안 기술

1. _____

2. _____

3. _____

4. _____

5. _____

6. _____

7. _____

8. _____

9. _____

10. _____

　이제 작성한 10가지 목록을 접착식 메모지나 스마트폰에 다시 한번 적으십시오. 이렇게 하면 집 밖에 있는 상황에서도 당신이 무엇을 해야 하는지 기억할 수 있습니다. 목록을 잘 지니고, 목록의 기술을 사용하기 위해 무엇이 필요한지 확인하십시오. 가령 캔디, 가장 좋아하는 음악, 사진 등이 필요할 수 있습니다. 이 기술들은 당신이 집에 있지 않은 상황에서 마음을 이완하는 것을 훈련할 수 있는 방법들입니다. 특히 고통스러운 감정에 의해 압도될 때와 명확하게 생각하기 힘들 때 말입니다.

결론

　지금까지 기본적인 주의 분산 기술과 이완 기술을 배웠습니다. 이제 당신이 해야 할 것은 고통스러운 감정에 압도되기 시작할 때 배운 기술들을 즉시 사용하는 것입니다. 그리고 당신의 REST 전략을 함께 사용하는 것도 꼭 기억하십시오. 다음 장은 이 기술들을 기반으로 하여 더 발전된 단계의 주의 분산 기술과 이완 기술을 배우게 될 것입니다.

제 **2** 장

고통 감내 기술
-중급-

1장에서 당신은 위기 상황에서 사용할 수 있는 여러 중요한 기술을 배웠습니다. 이러한 기술을 사용함으로써 고통스러운 상황으로부터 주의를 분산할 수 있고, 문제 상황을 보다 더 효과적인 방법으로 해결할 수 있도록 하는 자기 위안을 할 수 있습니다. 기억해야 할 것은 위기 대처의 첫 번째 계획은 이러한 기술과 함께 REST 전략을 사용해야 한다는 것입니다.

당신은 1장에서 배운 고통 감내 기술을 연습해왔을 것이며, 이제 이번 장에 나와 있는 중급 단계의 고통 감내 기술을 배울 준비가 되었을 것입니다. 이번에 배울 기술들은 당신이 앞으로 고통스러운 상황을 마주하게 됐을 때 더 큰 숙련감을 느낄 수 있도록 도와줄 것이며, 이 기술들을 통해 이완 능력과 삶의 만족감을 높일 수 있는 능력이 향상될 것입니다.

각각의 기술을 시도한 이후에, 당신에게 도움이 되는 기술에 표시를 해두십시오. 이렇게 하면 이후에 기술을 찾아보는 데 도움이 될 것입니다.

안전한 장소 시각화 ⊠

안전한 장소 시각화는 아주 강력한 스트레스 감소 기술입니다. 이 기술을 사용하면, 당신은 마음을 편안하게 해주는 평화롭고 안전한 장소를 상상함으로써 자기 진정을 도울 수 있습니다. 사실, 종종 당신의 뇌와 몸은 실제 일어난 일과 당신이 상상하는 일을 구분하지 못합니다. 그래서 당신의 머릿속에 평화롭고 이완이 되는 장면을 성공적으로 떠올리면, 당신의 몸은 대체로 그런 진정이 되는 생각에 반응할 것입니다.

이 기술을 사용할 때는 주의가 분산되지 않는 조용한 장소에서 진행하는 것이 중요합니다. 휴대폰, TV, 컴퓨터, 라디오를 끄십시오. 집에 누군가와 함께 있다면 그들에게 앞으로 20분간은 방해하지 말아 달라고 이야기하십시오. 그리고 당신에게 허락된 이완의 시간과 자유를 누리십시오. 당신은 그것을 누릴 충분한 자격이 있습니다. 시작하기 전에 아래에 있는 지시문을 먼저 읽어보십시오. 지시문의 내용을 편안하게 기억할 수 있다고 느낀다면, 눈을 감고 시각화하는 연습을 시작하십시오. 혹시 원한다면 스마트폰에 지시문을 녹음해 두십시오. 지시문을 천천히 차분한 음성으로 읽으십시오. 그리고 나서 눈을 감고 시각화를 이끄는 안내를 들으십시오.

이 기술을 시작하기 전에, 당신이 안전하고 편안하게 느끼는 실제 장소나 가상의 장소를 생각하십시오. 당신이 과거에 실제로 가본 적 있는 해변이나 공원, 들판, 교회/절/회당, 당신의 방 등을 떠올려볼 수 있습니다. 혹은 가상의 공간을 만들어 보는 것도 괜찮습니다. 예를 들어 하늘에 떠 있는 하얀 구름, 중세 시대의 성, 혹은 달의 표면과 같은 장소를 상상해보십시오. 어떤 장소든 괜찮습니다. 장소를 생각하는 게 어렵다면, 핑크색이나 연한 하늘색처럼 마음을 편안하게 하는 색깔을 떠올리십시오. 최선을 다해 장면을 떠올리십시오. 시각화를 진행하면서, 당신은 그 장소를 더 자세히 탐험하도록 안내받을 것입니다. 하지만 그 전에 당신의 마음속에 그 장소가 그려졌는지 확인하십시오. 그리고 그 장소는 안전하고 편안하게 느끼는 장소여야 한다는 걸 기억하십시오.

시각화를 시작하기 전에 당신의 안전 장소에 대한 아래의 문장을 완성하십시오:

- 나의 안전한 장소는_____

- 나의 안전한 장소에서 내가 느끼는 것은_____

지시문

우선, 편안한 의자에 앉아 발과 손은 편안하게 내려놓으십시오. 눈을 감습니다. 코를 통해 천천히 그리고 길게 숨을 들이마십니다. 숨을 들이마실 때 당신의 아랫배가 풍선처럼 확장되는 것을 느껴보십시오. 5초간 숨을 유지합니다: 1, 2, 3, 4, 5. 이제 입을 통해 천천히 숨을 내쉽니다. 당신의 아랫배가 풍선의 바람이 빠지는 것처럼 수축되는 것을 느껴보십시오. 다시, 코를 통해 천천히 긴 호흡을 들이마시며 아랫배가 확장되는 것을 느껴보십시오. 5초간 숨을 유지합니다: 1, 2, 3, 4, 5. 이제 입을 통해 천천히 숨을 내쉽니다. 한 번 더 해봅시다: 코를 통해 천천히 그리고 길게 호흡을 들이마시며 아랫배가 확장되는 것을 느낍니다. 5초간 숨을 유지하고: 1, 2, 3, 4, 5. 이제 입을 통해 천천히 숨을 내쉽니다. 이제 5초간의 유지함 없이 천천히 긴 호흡을 시작하십시오. 그리고 이 연습의 나머지 시간 동안 계속해서 부드럽게 호흡을 이어가십시오.

이제 계속 눈을 감은 채로, 당신의 모든 감각을 사용하여 그 장면에 있다고 상상하며, 당신의 안전 장소로 들어가십시오. 세세하게 떠올리십시오. 당신은 그곳에 혼자 있습니까? 아니면 다른 사람이나 동물과 함께 있습니까? 그들은 무엇을 하고 있나요? 만약 당신이 야외에 있다면, 시선을 위로 향해 하늘을 살펴보십시오. 지평선을 내다보십시오. 당신이 실내에 있다면, 그 공간의 벽과 가구가 어떻게 보이는지 살펴보십시오. 방이 밝은가요 아니면 어두운가요? 바라보면 마음이 편안해지는 무언가를 선택하십시오. 그런 뒤 상상의 시각 감각을 사용하여 몇 초간 계속 둘러보십시오.

다음으로, 상상의 청각 감각을 사용하십시오. 어떤 소리가 들리나요? 다른 사람의 소리나 동물의 소리가 들리나요? 음악 소리가 들리나요? 바람 소리나 파도 소리가 들리나요? 마음을 편안하게 해주는 소리를 선택하십시오. 그리고 나서 몇 초간 상상의 청각 감각을 사용하여 그 소리에 귀를 기울이십시오.

이제 상상의 후각 감각을 사용합니다. 지금 실내에 있다면, 그곳에서 어떤 냄새가 나나요? 상쾌한 냄새인가요? 무언가 타는 냄새가 나고 있나요? 혹시 당신이 야외에 있다면, 그곳에서 공기나 풀, 바다, 혹은 꽃의 냄새가 나나요? 마음을 편안하게 해주는 냄새를 선택하십시오. 그런 뒤 몇 초간 상상의 후각 감각을 사용해 냄새를 맡으십시오.

이번에는 상상의 촉감을 사용하여 무엇이 느껴지는지 살펴보십시오. 무언가에 앉아 있는 감각이 느껴지나요 아니면 서 있는 게 느껴지나요? 바람이 느껴지나요? 무언가가 자신에게 닿는 느낌이 드나요? 마음을 편안하게 해주는 촉감을 선택하십시오. 그러고 나서 몇 초간 상상의 촉감을 이용하세요.

마지막으로, 상상의 미각을 사용합니다. 그 장면 안에서 당신은 무언가를 먹고 있나요? 혹은 마시고 있나요? 마음을 편안하게 해주는 맛을 선택하세요. 그리고 몇 초간 상상의 미각을 이용하세요.

이제 모든 상상의 감각을 이용하여 당신의 안전한 장소를 몇 초간 더 살펴봅니다. 지금 얼마나 안전하고 편안한지 알아차리십시오. 당신이 안전함과 편안함을 필요로 할 때면 언제든지 이 상상의 공간으로 돌아올 수 있다는 것을 기억하십시오. 슬플 때,

화가 날 때, 초조할 때, 혹은 고통스러울 때면 언제든 이곳에 돌아올 수 있습니다. 다시 한번 주변을 둘러보세요. 그리고 이곳의 장면을 기억하세요.

이제, 눈을 감은 채 호흡으로 주의를 가져옵니다. 다시, 코로 몇 차례 느리고 긴 호흡을 들이마시고, 입으로 숨을 내쉽니다. 그러고 나서 준비가 되었다면, 눈을 뜨고 지금 있는 곳으로 주의를 되돌립니다.

신호 조절 이완

신호 조절 이완은 스트레스를 줄여주고 근육 긴장을 감소시키는데 도움이 되는 빠르고 쉬운 기술입니다. 신호는 긴장을 이완하는 데 도움이 되는 촉진제 또는 명령입니다. 이 기술에서 신호로 '이완' 혹은 '평화'처럼 한 단어를 사용합니다. 이 기술의 목적은 신호 단어를 떠올릴 때 당신의 몸이 근육의 긴장을 풀도록 훈련하는 것입니다. 처음 이 기술을 사용할 땐 당신은 몸의 각 부분의 근육 긴장을 풀기 위해 안내된 지시문의 도움이 필요할 것입니다. 하지만 몇 주간 이 기술을 연습한 뒤에는, 몇 차례 천천히 호흡하고 신호 단어를 생각하는 것을 통해 간단히 몸 전체의 근육을 단숨에 이완하게 될 것입니다. 연습을 통해 이 기술은 긴장을 이완하도록 돕는 아주 빠르고 쉬운 기술이 될 것입니다. 시작하기에 앞서, 이완에 도움이 될 당신의 신호 단어를 선택하십시오.

* 나의 신호 단어는_____

연습을 시작하기 위해 편안한 의자가 필요합니다. 나중에 몇 주 동안 이 연습을 반복하고 나면, 서 있는 자세로도 어디에 있든 연습을 할 수 있을 것입니다. 또한 이 연습을 더 빠르게 할 수도 있을 것입니다. 하지만 처음 연습할 때는 방해받지 않고 앉아 있을 수 있는 편안한 장소를 선택하십시오. 주의가 분산되지 않는 장소여야 한다는 걸 기억하십시오. 휴대폰, TV, 컴퓨터, 라디오를 끄십시오. 집에 누군가와 함께 있다면, 그들에게 앞으로 20분간 방해하지 말아 달라고 이야기하십시오. 그리고 당신에게 허락된 이완의 시간과 자유를 누리십시오. 당신은 그것을 누릴 충분한 자격이 있습니다. 시작하기 전에 아래에 있는 지시문을 먼저 읽어보십시오. 지시문의 내용을 편안하게 기억할 수 있게 됐다면, 눈을 감고 이완 훈련을 시작하십시오. 혹시 원한다면 스마트폰에 지시문을 녹음해 두십시오. 그런 뒤 눈을 감고 당신이 녹음한 안내에 귀를 기울이십시오.

지시문

먼저, 편안한 의자에 앉아 당신의 발이 바닥에 닿도록 하고 양손을 편안하게 내려놓습니다. 양팔을 의자 위나 당신의 허벅지 위에 올려두십시오. 눈을 감습니다. 코를 통해 천천히 길게 숨을 들이마십니다. 숨을 들이마실 때 당신의 아랫배가 풍선처럼 확장되는 것을 느껴보십시오. 5초간 숨을 유지합니다: 1, 2, 3, 4, 5. 이제 입을 통해 천천히 숨을 내쉽니다. 이때 당신의 아랫배가 풍선의 공기가 빠지듯이 수축되는 것을 느껴보십시오. 다시, 코로 천천히 길게 호흡을 들이마시며 아랫배가 확장되는 것을 느끼십시오. 5초간 숨을 유지하고: 1, 2, 3, 4, 5. 천천히 입을 통해 숨을 내쉽니다. 다시 한번: 코로 숨을 들이마시며 아랫배가 확장되는 것을 느낍니다. 5초간 숨을 유지하고: 1, 2, 3, 4, 5. 입으로 천천히 숨을 내쉽니다. 그리고 이 연습의 나머지 시간 동안 계속해서 부드럽게 호흡을 이어가십시오.

이제, 눈을 감은 채로 레이저 빛과 같은 하얗고 빛나는 빛줄기가 하늘에서부터 내려와 당신의 정수리에 닿는 모습을 상상하십시오. 그 빛이 얼마나 따뜻하고 편안하게 하는지 알아차리십시오. 이 빛은 신이나 우주 혹은 당신을 편안하게 하도록 하는 어떤 힘으로부터 나오는 것일 수 있습니다. 계속해서 천천히 호흡하면서, 느리고 길게 호흡을 들이마시고, 그 빛이 당신의 정수리를 계속 비추면서 점차 당신을 얼마나 더 편안하게 만드는지 알아차리십시오. 이제, 느리고 따뜻한 하얀 빛이 당신의 정수리 위에서 물처럼 천천히 뿌려지기 시작합니다. 그리고 이 때, 빛은 당신의 정수리에서 느껴지는 근육의 긴장을 풀어주기 시작합니다. 천천히 그 빛은 당신의 머리 옆과 이마를 따라 내려오면서 그 부분의 모든 근육 긴장을 풀어줍니다. 빛이 계속해서 내려오며 당신의 귀, 뒤통수, 눈, 코, 입, 그리고 턱으로 내려오면서 모든 긴장을 계속 이완시켜 줍니다. 이마에서 얼마나 기분 좋은 열감이 느껴지는지 알아차리십시오. 이제 천천히 빛이 당신의 목과 어깨로 내려와 그곳의 모든 긴장을 이완시키는 걸 상상하십시오. 그리고 빛은 계속 내려가며 당신의 양팔과 몸통의 앞쪽과 뒤쪽을 지나갑니다. 등과 허리 근육의 긴장이 이완되는 걸 느껴보십시오. 계속해서 하얀빛이 당신의 가슴과 배를 지나가며 근육을 이완시키는 감각을 알아차리십시오. 빛이 이동하면서 당신이 팔 근육이 풀어지고, 팔뚝과 손과 손가락 끝까지 이동하는 것을 느껴보십시오. 이제, 그 빛이 당신의 골반과 엉덩이를 지나며 그 부분의 긴장을 이완시키는 걸 느껴보십시오. 계속해서, 빛이 잔잔한 물처럼 퍼져나가며 당신의 허벅지, 그리고 종아리와 정강이를 지나가는 것을 느껴보십시오. 하얀빛이 당신의 몸을 따뜻하고 편안하게 만들어서 근육의 모든 긴장이 사라지는 것을 느껴보십시오. 천천히 그리고 길게 부드러운 호흡을 이어갈 때 당신이 얼마나 평화롭고 차분하게 느끼는지 계속해서 알아차리십시오. 숨을 들이마실 때 당신의 배가 어떻게 확장되는지 관찰하고, 숨을 내쉴 때 얼마나 수축되는지를 느껴보십시오. 이제 계속 호흡하면서, 숨을 들이마시며 고요하게 '들숨'이라는 말을 생각하고, 내쉬는 숨에 당신의 신호 단어를 고요히 떠올립니다. (만약 당신의 신호 단어가 '이완'이 아닌 다른 것이라면, 다음 지시문에 있는 단어들을 사용하십시오.) 천천히 숨을 들이마시며 떠올리십시오: '들숨'. 천천히 숨을 내쉬며: '이완'. 이렇게 하면서 당신의 몸 전체가 동시에 편안해지는 것을 느껴보십시오. 당신의 신호 단어에 집중할 때 모든 근육의 긴장이 풀어지는 것을 느껴보십시오. 다시, 숨을 들이마시면서 떠올리십시오: '들숨'. 숨을 내쉬면서: '이완'. 모든 근육의 긴장이 풀어지는 것을 알아차리십시오. 다시, 들이마시면서 '들숨', 내쉬며 '이완'. 몸의 모든 긴장이 이완되는 것을 느끼십시오.

계속해서 호흡하며 당신의 속도에 맞게 이 단어들을 생각하십시오. 매 호흡과 함께, 당신의 몸 전체가 얼마나 이완되는지 느끼십시오. 집중이 흐트러질 때는, '들숨', '이완'이라는 단어로 주의를 다시 가져옵니다.

하루에 두 번씩 신호 조절 이완을 연습하고, 긴장을 이완하는 데 얼마나 걸리는지 기록하십시오. 매일 이 기술을 연습하면 점점 더 빠르게 이완하게 됩니다. 다시 말하지만, 이 기술의 궁극적인 목적은 당신이 '이완'과 같은 신호 단어를 떠올릴 때, 당신의 몸 전체를 이완하는 방법을 훈련하는 것입니다. 이것은 정기적인 연습을 해야만 가능한 일입니다. 처음 연습할 때는 하얀 빛의 이미지를 떠올리고 이완하기 위해 천천히 심호흡을 해야 할지도 모릅니다. 하지만 연습하다 보면, 여러 스트레스 상황에 이 기술을 적용할 수 있을 것입니다. 또한 이 기술을 앞서 배운 안전 장소 시각화 기술과 접목하여 사용할 수도 있습니다. 신호 조절 이완을 먼저 함으로써 시각화 과정을 훨씬 더 안전하고 편안하게 느낄 수 있을 것입니다.

가치 재발견하기 ⊗

'가치'라는 단어는 윤리, 원칙, 이상, 기준, 또는 도덕으로 정의될 수 있습니다. 이것들은 말 그대로 당신의 삶을 가치와 중요한 것들로 가득 채우는 아이디어, 개념, 행동입니다. 삶을 살아가며 무엇에 가치를 두고 있는지 기억하는 것은 스트레스 상황을 감내할 수 있도록 돕는 매우 효과적인 방법이 될 수 있습니다. 또한 당신이 같은 상황이나 같은 사람에게 반복해서 화가 날 때 특히 도움이 될 수 있습니다. 때때로 우리는 어떤 어려운 일을 자신이 왜 하고 있는지 잊어버리는데, 그렇게 되면 노력을 지속하는 게 어려워집니다. 어쩌면 당신은 좋아하지 않는 일을 하면서도, 그 일을 왜 계속하는지 이해하지 못할 수 있습니다. 어쩌면 당신은 학교에 다니고는 있지만, 당신의 목표가 무엇인지는 기억하지 못할 수 있습니다. 혹은 만족스럽지 않은 관계를 맺고 있는데, 왜 그 관계를 계속 지속하고 있는지 모를 수 있습니다. 이러한 경우에, 자신이 가치 있게 생각하는 것을 떠올리면 스트레스 상황을 감내하는데 도움이 될 뿐만 아니라 더 만족스러운 삶을 사는 데 도움이 됩니다. 아래에 있는 연습을 통해 당신의 삶에 어떤 가치가 중요한지 탐색해 보십시오.

연습 : 전념 가치 질문지

　첫 번째 연습에서는 가치있는 삶 질문지(Wilson, 2002; Wilson & Murrell, 2004)를 사용하여 삶의 10가지 가치에 어느 정도의 가치를 매기고 있는지 알아볼 것입니다. (출판사 웹사이트에서 '가치있는 삶 질문지'를 다운받을 수 있습니다.) 대부분의 사람들에게 이 10가지 가치는 그들의 삶에서 가장 중요한 측면을 나타냅니다. 각각의 가치에 대해 읽어 보면서, 당신이 그 분야의 요구를 충족시키기 위해 얼마나 많은 시간이나 노력을 쏟았는지와 상관없이, 그것이 당신의 삶에 얼마나 중요한지 자문해 보십시오. 예를 들어, 어쩌면 당신은 '자기 관리'에 거의 시간을 들이고 있지 않으면서도, 그것에 높은 가치를 둘 수 있습니다. 0에서 10까지의 척도로 각 가치의 중요도를 평가합니다. 0은 전혀 중요하지 않다는 의미이고, 10은 매우 중요하다는 의미입니다. 마땅히 그렇게 평가되어야 한다는 생각이 기준이 되는 것이 아니라, 자신만의 진솔한 감정에 따라 솔직하게 평가하도록 최선을 다하십시오. 당신이 평가한 점수에 동그라미를 치십시오. 다음의 문단을 읽기 전에 점수를 평가하십시오.

　다음으로, 각 가치에 실제로 얼마나 많은 시간과 노력을 들이고 있는지를 기준으로 각각을 평가하십시오. 예를 들어, 당신은 '자기 관리'에 10점의 가치를 두고 있을 수 있습니다. 하지만 어쩌면 그 가치를 만족시키기 위해서 실제로는 단지 5점 수준의 힘과 수고를 들이고 있을 수 있습니다. 다시 말하지만, 자신을 솔직하게 평가하기 위해 최선을 다하고, 자신의 노력에 해당되는 점수에는 네모 칸을 넣어보십시오. 다음 문단을 읽기 전에 점수를 평가하십시오.

　이제, 각 가치에 대한 두 가지 답을 살펴보십시오. 만약 당신의 실제 노력에 비해 가치의 중요도의 점수가 훨씬 높다면(가령 가치의 중요도는 10점이지만 실제 노력 수준은 2점이라면), 그것은 당신이 성장할 여지가 있다는 것을 의미합니다. 이상적인 가치 수준에 도달하기 위해 할 수 있는 일이 분명히 더 있습니다. 하지만, 만약 당신의 실제 노력에 비해 가치가 훨씬 낮다면(예를 들어 가치의 중요도는 2점, 실제 노력 수준은 10이라면), 그것은 당신에게 중요하지 않은 가치에 지나치게 많은 수고와 노력을 기울이고 있을 수도 있음을 의미합니다. 어쩌면 그 가치에 집중하며 시간을 들이는 것을 줄이고, 더 중요한 다른 가치에 더 많은 시간과 노력을 할애해도 될 수 있습니다. 예를 들어, 당신이 '시민의식, 공동체 생활'에 높은 가치를 두고 있지 않음에도 그것에 많은 시간과 노력을 기울이고 있다면, 그 결과 '가족'이라는 가치에 아주 높은 가치를 두고 있더라도 여기에 들일 수 있는 시간이 거의 없을 수도 있습니다. 그리고 마지막으로, 만약 가치의 중요도와 실제 노력에 대한 점수가 같거나 거의 비슷하다면, 당신은 마땅한 가치에 적절한 수준의 노력을 기울이고 있는 것입니다.

　다음 연습으로 넘어가기 전에, 가치의 중요도와 실제 노력의 점수의 차이가 가장 큰 가치가 무엇인지 살펴보십시오. 이러한 항목에 대한 작업을 우선한다면, 당신이 중요하게 여기는 가치를 위해 더 많은 노력을 기울이는 삶으로 전환할 수 있을 것입니다.

가치있는 삶 질문지
(Wilson, 2002)

삶의 요소	거의 중요하지 않음					적당히 중요함					매우 중요함
가족 (로맨틱한 관계나 양육을 제외한)	0	1	2	3	4	5	6	7	8	9	10
로맨틱한 관계 (결혼, 인생의 동반자, 연인 등)	0	1	2	3	4	5	6	7	8	9	10
자녀 양육	0	1	2	3	4	5	6	7	8	9	10
우정, 사회적 관계	0	1	2	3	4	5	6	7	8	9	10
일	0	1	2	3	4	5	6	7	8	9	10
교육, 훈련	0	1	2	3	4	5	6	7	8	9	10
여가, 흥미, 취미, 음악, 예술	0	1	2	3	4	5	6	7	8	9	10
영성, 종교	0	1	2	3	4	5	6	7	8	9	10
시민의식, 공동체 생활	0	1	2	3	4	5	6	7	8	9	10
자기 관리 (운동, 다이어트, 이완 등)	0	1	2	3	4	5	6	7	8	9	10

연습 : 전념 행동

이번 연습을 통해 당신은 가치에 기반한 의도와 전념 행동을 설정함으로써 더욱 충만한 자신의 삶을 영위해 나갈 수 있게 될 것입니다(Olerud & Wilson, 2002). 어쩌면 당신은 이미 가치를 두는 삶의 각 요소에 충분한 시간과 노력을 기울이고 있을 수 있고, 그렇지 않을 수도 있습니다. 어떤 쪽이든, 이 연습은 당신이 중요하게 생각하는 것을 바탕으로 당신의 삶을 더 만족스러운 삶으로 만들어가는 데 도움이 될 것입니다.

우선, 가치있는 삶 질문지를 사용하여 높은 점수를 준 이상적인 가치와 실제 노력의 정도가 낮은 가치를 확인합니다. 즉, 해야 할 일이 더 많다고 생각되는 가치를 파악합니다. 그리고 나서, 전념 행동 워크시트 끝부분에 그 가치들의 항목을 기입하십시오. (추가 사용을 위해 워크시트를 복사해두거나, 출판사 웹사이트에서 다운받으십시오.)

다음으로, 당신의 삶을 더 만족스럽게 만들어 줄 각각의 가치에 대한 하나의 목표를 고려해보십시오. 예를 들어, 당신이 '교육'에 높은 점수를 주었다면, 당신의 목표는 '학업을 다시 시작하기'가 될 수 있습니다. 혹은 만약 당신이 '로맨틱한 관계'에 높은 점수를 매겼다면, 당신의 목표는 '배우자와 더 많은 시간 함께 보내기'가 될 수 있을 것입니다.

그리고 마지막으로, 당신이 기꺼이 전념할 수 있는 몇 가지 구체적인 행동을 고려해보십시오. 이 행동들을 통해 당신의 목표로 나아가게 될 것입니다. 그리고 언제 그 전념 행동을 시작할 의향이 있는지 적으십시오. 예를 들어, 당신이 학업을 다시 시작하겠다는 목표를 가지고 있다면, 당신이 작성한 행동 목록에는 '다음 주에 수업 목록 받기'와 '앞으로 3주 내에 수강 신청하기'와 같은 것들이 포함될 것입니다. 만약 당신의 목표가 배우자와 더 많은 시간 보내기라면, 당신의 전념 행동들은 '다음 한 달은 야근하지 않기', '다음 2주간은 친구들과 시간 덜 보내기'가 포함될 것입니다. 목표를 위해 할 수 있는 행동을 구체적으로 적도록 하고, 목표를 성취할 수 있는 기간을 정하십시오.

다시 말하지만, 이 연습의 목적은 당신의 삶을 자신에게 중요한 활동들로 채워가는 것입니다. 당신이 가치있게 느끼는 삶을 만들어가는 것은 스트레스가 되는 상황이나 그다지 원하지 않는 여러 상황을 다루는 데 도움이 됩니다. 만족스러운 삶을 사는 것은 당신이 좋아하지 않는 일을 할 때 무언가 기대할 수 있도록 하고, 고통의 시간을 지날 때 자신을 더 강하게 느끼게 할 수 있습니다.

그리고 기억해야 할 것은, 특정 가치에 대한 모든 전념 행동을 완료했다고 해서 다 이루었거나 가치가 '완성'된 것은 아니라는 사실입니다. 가치는 나침반이 방향을 가리키는 것과 같습니다. 가치는 우리가 나아가기 원하는 방향을 가리킵니다. 하지만 인생은 길고 긴 여정과 같아서, 우리는 결코 가치의 '도착지' 혹은 '완료지점'에 도달할 수 없습니다. 예를 들어, 부모로서 아버지나 어머니는 "그래, 난 이제 아이들을 다 키웠어, 나는 좋은 부모이고 이제 양육을 그만둬도 되겠어."라고 절대 말할 수 없습니다. 그 대신에 각각의 가치를 충족하기 위한 여정은 멈추지 않고 지속되며, 당신의 여생 동안 이 워크시트를 검토하는 과정과 새로운 전념 행동을 찾아내는 것을 계속해서 진행해야 할 것입니다. 그러니 워크시트 복사본을 많이 만들어두십시오.

전념 행동 워크시트

(Olerud & Wilson, 2002 각색)

1. 내가 중요하게 여기는 내 삶의 가치는_____

　이 가치를 위한 나의 목표는_____

　내가 기꺼이 취하고자 하는 전념 행동에는 아래의 것들이 포함된다 (언제 그 행동을 시작할 것인지 기록하도록 합니다.)

　_____

　_____

　_____

2. 내가 중요하게 여기는 내 삶의 가치는_____

　이 가치를 위한 나의 목표는

　내가 기꺼이 취하고자 하는 전념 행동에는 아래의 것들이 포함된다 (언제 그 행동을 시작할 것인지 기록하도록 합니다.)

　_____

　_____

　_____

3. 내가 중요하게 여기는 내 삶의 가치는_____

　이 가치를 위한 나의 목표는

　내가 기꺼이 취하고자 하는 전념 행동에는 아래의 것들이 포함된다 (언제 그 행동을 시작할 것인지 기록하도록 합니다.)

　_____

　_____

　_____

가치에 기반한 행동 시연 ⊠

가치를 행동으로 옮길 때마다 도전과 장벽에 부딪히게 됩니다. 때때로 가치에 기반한 행동은 '난 이걸 못 할 거야.', '사람들이 날 대체 뭐라고 생각할까.'와 같은 부정적인 생각을 불러일으킵니다. 그리고 종종 거절당하거나 실패하는 것에 대한 두려움이 방해가 됩니다. 수치심과 좌절감을 느끼는 것 역시 가치에 부합되는 행동을 하지 못하도록 방해합니다.

이러한 방해물을 극복하는 좋은 방법은 예상되는 방해물과 그것에 어떻게 직면할지 고려하는 것을 포함하여, 가치에 기반한 행동의 매 단계마다 정신적으로 훈련을 하는 것입니다. 이것을 '인지적 시연'이라고 합니다(Cautela, 1971; McKay & West, 2016). 이 전략을 사용하면, 고통스러운 생각과 감정에도 불구하고 목표를 향해 나아가는 당신의 자신감 있는 표정과 자세를 시각화해볼 수 있습니다. 아래에 간략한 버전의 인지적 시연 방법이 나와 있습니다.

인지적 시연 방법

- 가치를 실천하고 싶은 구체적인 장소를 고려해보십시오: 당신은 어디에 있습니까? 그곳에 누가 있습니까? 다른 사람들이 무엇을 말하고 있습니까?(무엇을 하고 있습니까?)

- 이 상황에서 어떤 목표를 갖고 행동하고 싶습니까? 이 가치를 행동으로 옮기기 위해서 당신은 어떤 말이나 행동을 하겠습니까?

- 가치에 기반한 행동을 구체적인 단계로 구분하십시오. 그 상황에서 당신의 가치와 목표를 행동으로 옮기는 장면을 가능한 한 생생하게 상상하십시오.

- 불안, 낙담, 실패에 대한 생각 등 앞으로 다가올 장애물에 주목해 보십시오. 장애물이 두드러지게 경험될 만큼 시각화를 오래 유지하십시오.

- 자 이제, 처음부터, 어떤 고통스러운 감정과 생각들이 일어나는지 알아차리면서 상황과 당신의 가치에 기반한 행동의 각 단계를 시각화해서 연습하십시오. 방해물이 나타날 때는, 당신이 가치에 기반한 목표를 성공적으로 완수하는 모습을 보면서 그 방해물이 초래하는 어떤 불편함도 받아들이도록 노력하십시오.

- 당신의 행동에 사람들이 긍정적 반응을 보이는 것을 상상하고, 예전처럼 감정에 따라 행동하는 것이 아닌 가치를 선택한 것에 대해 자축하십시오.

- 적어도 한 번 이상 전체 시각화 과정을 반복하십시오(가치에 기반한 행동, 방해물, 긍정적 결과).

(출판사 웹사이트에서 '인지적 시연 방법'을 다운받을 수 있습니다.)

예시 : 제러드의 인지적 시연

제러드는 예전에 그의 아내와 수도 없이 다퉜습니다. 그의 아내가 제러드에게 무언가 잘못했다는 것을 암시하는 어떤 말을 하거나 요구할 때 다툼이 자주 촉발되었습니다. 그의 즉각적인 반응은 방어적인 태도를 보이며 화를 내는 것이었습니다. 그 결과, 그들의 결혼은 악화되어 갔습니다.

제러드는 아내와의 로맨틱한 관계에 높은 가치 점수를 두고 있음을 확인했습니다. 그의 삶에서 이 가치를 위한 주된 목표는 아내에 대한 이해와 보살핌을 더욱 발전시키는 것이었습니다. 그는 아내가 어떻게 느끼고 상황을 어떻게 바라보는지에 대해 알고 싶었고, 그녀가 필요로 하는 것들에 대해 관심을 갖고 싶었습니다. 아래에 제러드가 그의 가치를 위해 더 나은 행동을 하기 위해 인지적 시연을 사용한 방법이 나와 있습니다:

1. 제러드는 아내가 그에게 무언가에 정신이 팔려 반응하지 않는다고 불만을 드러내던 최근의 사건을 생각했습니다. 이러한 대화는 싸움으로 이어지는 전형적인 방식이었습니다. 그는 그들이 있었던 장소와 아내가 어떻게 보였는지 시각화했습니다.

2. 이제 제러드는 이해와 배려의 의도를 반영할 수 있는 일련의 말과 행동을 생각했습니다. 여기에는 그녀의 어깨를 어루만지는 것과 그녀를 의자에 앉도록 하는 것, 그런 뒤 그의 무반응이 그녀에게 어떤 영향을 미쳤는지 묻는 것이 포함되었습니다. 그러고 나서 그는 무엇이 도움이 되는지 물어보기로 계획했습니다. 제러드는 상대방을 똑같이 비판하며 자신의 행동을 옹호하는 것이 자신의 가치와 목표에 부합하지 않는다는 것을 명백히 알았고, 그래서 그는 이렇게 행동하지 않기로 결심했습니다.

3. 그의 새로운 가치에 기반한 행동에 대해 상상하는 동안, 제러드는 몇 가지 방해물을 확인했습니다: 그는 아내가 지나치게 요구적이라고 생각했고, 그 외에도 어쩌면 그녀가 더는 자신을 사랑하지 않는다고 생각을 했습니다. 또한 그는 수치심과 분노 감정이 있음을 깨달았고, 그녀가 부당하고 결코 만족하지 못하는 것 같다며 비난하고 싶은 강한 충동이 일어났습니다.

4. 이제 제러드는 자신의 가치에 기반한 행동 시연의 모든 단계를 진행했습니다:
   • 그는 그 장면과 아내의 말을 상상했습니다.
   • 그는 그녀를 의자에 앉히고 어깨를 어루만지는 시각화를 진행하면서 분노와 수치심을 받아들이고 수용하려고 노력했습니다.
   • 그는 그녀에 대한 비판적 생각이 있음을 알아차렸고, 그에 대한 그녀의 감정을 의심하고 있음을 깨달았습니다.
   • 그는 방어적인 태도 대신 상대방에게 관심이 있고 자상해 보이는 모습으로 그녀의 감정과 요구에 관해 묻는 장면을 시각화했습니다.
   • 그는 그녀가 그의 질문에 고마워하는 장면을 상상했고, 평소보다 훨씬 더 나은 방식으로 반응했다는 성취감을 시각화했습니다.

5. 마지막으로, 제러드는 인지적 시연 과정을 반복했고, 다음번에 아내가 비판적 태도를 보일 때 자신의 가치와 목표에 맞게 행동하기로 자기 자신과 약속했습니다.

더 큰 힘을 찾기, 그리고 더 자신을 강하게 느끼기

당신이 유일신, 여러 신, 신성한 우주, 또는 각 인간 안에 존재하는 선함을 믿든지 그렇지 않든 간에, 당신 자신보다 더 크고 강력한 것에 대한 믿음을 갖는 것은 종종 당신에게 힘이 되고, 안전함과 평온함을 느끼게 할 수 있습니다. 이는 바로 사람들이 '더 큰 힘'을 믿는다고 하거나 삶의 '큰 그림'을 본다고 할 때의 그런 의미이기도 합니다. 신성한 것, 영적인 것 또는 특별한 것에 대한 믿음은 자기 위안뿐만 아니라 스트레스를 받는 상황을 견디는 데 도움이 됩니다.

우리는 모두 인생의 어떤 순간에 무망감이나 무력감을 느낄 때가 있습니다. 우리 모두 혼자라고 느끼거나 도움이 필요하다고 느끼는 불행한 상황을 경험한 적이 있습니다. 때때로 예상치 못한 상황이 우리에게 상처를 주기도 하고, 우리가 사랑하는 사람에게 해를 가하기도 합니다. 이런 상황들은 범죄 피해자가 되는 것, 사고를 당하는 것, 가까운 누군가가 죽는 것, 또는 심각한 병에 걸리는 것과 같은 상황을 종종 포함합니다. 이러한 상황을 견디는 중에, 특별한 무언가에 대한 믿음을 갖는 것은 당신의 삶이 더 큰 목적과 연결되어 있다고 느낄 수 있도록 합니다. 그리고 만약 당신이 신을 믿지 않는다면, 당신의 믿음이 반드시 신과 관련될 필요는 없다는 걸 기억하십시오. 어떤 사람들은 그들이 사랑하는 사람들의 선함만을 믿기도 합니다. 그러나 이러한 기본적인 믿음도 그들의 삶을 행복하고 건강하게 이끌어가는 힘과 위안을 찾기에 충분히 강력한 힘이 되곤 합니다.

당신의 영성을 탐구하는 동안, 당신의 영적인 믿음이 여러 번 바뀔 수 있다는 걸 기억하십시오. 때때로 사람은 더는 이해되지 않거나 도움이 되지 않는 것 같이 느껴지는 영적 전통 속에서 자라납니다. 그러나 이런 감정에도 불구하고, 그 혹은 그녀는 '이렇게 하는 게 옳은 행동이야'라고 생각하면서 계속해서 그 전통 의식에 참여할 것입니다. 사실, 만약 당신의 영적인 전통이 더는 당신에게 평화와 힘이 되지 않는다면, 그 믿음에 대해 다시 생각해보고 필요에 따라 전통을 바꾸는 것도 괜찮습니다.

그리고 영적 연결, 영적 가치, 삶의 목적에 대한 당신 자신의 감각을 더 개발하기를 원한다면 이 책의 두 저자가 집필한 『The New Happiness』(McKay & Wood, 2019)를 읽어 보십시오.

더 큰 힘에 연결하기

다음 질문을 사용하여 당신의 믿음을 확인하고, 정기적으로 당신의 믿음을 강화하고 사용하는 데 도움이 되는 몇 가지 방법을 찾아보십시오.

- 당신에게 힘과 위안이 되는 더 큰 힘 혹은 큰 그림에 대해 당신은 어떤 믿음들을 가지고 있습니까?

_____

_____

_____

- 왜 이런 믿음이 당신에게 중요합니까?

_____

_____

_____

- 이러한 믿음은 당신에게 어떤 기분이 들게 합니까?

_____

_____

_____

- 이러한 믿음은 다른 사람들에 관한 생각에 어떤 영향을 미칩니까?

  _____

  _____

  _____

- 이러한 믿음은 삶에 대해 전반적으로 어떠한 생각을 하게 합니까?

  _____

  _____

  _____

- 일상생활에서 어떻게 자신의 믿음을 인정합니까? 예를 들어, 교회, 절, 혹은 사원에 가나요? 기도를 하나요? 당신의 믿음에 대해 다른 사람에게 이야기하나요? 당신의 믿음과 관련된 책을 읽나요? 다른 사람에게 도움을 베푸나요?

  _____

  _____

  _____

- 당신의 믿음을 키우기 위해 기꺼이 더 하고 싶은 것은 무엇입니까?

  _____

  _____

  _____

- 정기적으로 당신의 믿음을 상기시키기 위해 무엇을 할 수 있을까요?

  _____

  _____

  _____

- 다음에 기분이 안 좋을 때 믿음을 상기시키기 위해 어떤 말 혹은 행동을 할 수 있을까요?

  _____

  _____

  _____

연습 : 더 큰 힘을 주는 활동

여기에 당신의 더 큰 힘, 우주, 큰 그림과 좀 더 연결되는 느낌을 줄 수 있는 몇 가지 추가적인 활동들이 있습니다. 당신이 기꺼이 할 수 있는 항목에 표시하십시오(✓).

☐ *만약 당신이 특정 종교나 믿음의 가르침을 믿는다면, 당신에게 더 많은 힘과 평온함을 느끼게 해주는 활동을 찾아보십시오.* 당신의 교회, 절, 혹은 사원에 가서 예배를 드리십시오. 예배를 인도하는 사람과 이야기를 나눠보십시오. 믿음 공동체 내의 다른 사람들에게 그들은 어려운 경험을 어떻게 대처했는지 물어보십시오. 당신의 예배 장소에서 활동하는 토론 집단에 참여하십시오. 당신의 믿음과 관련된 중요한 서적들을 읽어 보십시오. 당신에게 힘이 되는 구절을 찾아 그것들에 표시하거나 복사하고, 어디에서든 읽을 수 있도록 지갑이나 손가방에 보관하십시오.

☐ *당신의 더 큰 힘은 신이 아닌 다른 무엇일 수도 있음을 기억하십시오.* 당신의 더 큰 힘은 당신으로 하여금 직면한 도전적인 상황을 다룰 수 있는 힘과 자신감을 고취시키는 어떤 사람일 수 있습니다. 당신의 더 큰 힘이 될 수 있는 존경할만한 누군가를 생각해보십시오. 그 사람에 대해 묘사하십시오. 그 사람이 특별한 이유는 무엇입니까? 그리고 나서, 다음에 당신이 어려움에 처하거나 스트레스를 받는 상황이 됐을 때, 마치 그 사람이 된 것처럼 행동하고, 당신이 그 상황에서 어떻게 다르게 대처하고 있는지 확인하십시오.

☐ *별을 올려다보십시오.* 당신이 바라보고 있는 빛은 수백만 년이 된 빛이며, 수십억 마일 떨어진 별에서부터 온 빛입니다. 사실 당신이 별을 올려다보는 매 순간 타임머신을 통해 수십억 년 전의 우주를 보고 있는 것입니다. 신기하게도 당신이 바라보고 있는 다수의 별은 이미 사라진 것이지만, 그 별들의 빛은 지구에 있는 당신의 눈에 이제야 막 다다르고 있습니다. 별들을 바라보면서 그 별들을 창조한 존재가 무엇이든 그 존재가 당신 역시 창조하였음을 깨달으십시오. 그것이 신이든 아니면 우주의 힘이었든. 당신은 별들과 연결되어 있습니다. 우주와 연결되어 있는 자신을 상상해보십시오. 편안한 의자에 앉아서, 눈을 감고, 우주에서 내려오는 빛나는 하얀 빛을 떠올려보십시오. 마치 레이저 빔처럼 그 하얀 빛이 당신의 머리 위를 비추고, 당신을 평화의 기운으로 채웁니다. 이제 하얀 빛이 당신의 온몸으로 퍼져나가며 모든 근육을 이완시키는 것을 상상하십시오. 그리고 이제 당신의 다리가 거대한 나무의 뿌리처럼 바닥을 통해 지구의 중심부까지 뻗어 내려간다고 상상해보십시오. 이 뿌리들이 지구를 움직이는 에너지를 두드린다고 상상해보십시오. 당신의 다리가 지구로부터 나오는 황금 에너지를 흡수하여 당신의 몸이 자신감으로 가득 채워지는 것을 느껴보십시오.

☐ *우리의 행성, 지구에 대해 생각해보십시오.* 이 행성에서 물은 생명을 유지하는 데 가장 중요한 물질입니다. 그러나 만약 우리가 태양과 더 가까이 있었다면, 온도가 너무 뜨거워서 우리 행성의 모든 물은 증발했을 것입니다. 그리고 만약 태양과 더 멀리 떨어져 있었다면, 온도가 너무 낮아서 모든 물이 얼어버렸을 것입니다. 어찌된 것인지 우리는 운이 좋아서 생명이 형성되기 딱 알맞은 곳에 있습니다. 비록 당신이 종교적인 목적을 믿지 않더라도, 당신이 생명이 존재하기에 적합한 기후와 요건을 갖춘 행성에서 산다는 것이 무엇을 의미하는지 자문해 보십시오. 어떻게 이런 일이 일어났는지, 그리고 이것이 당신의 삶에서 의미하는 바는 무엇일까요?

☐ *해변에 가보십시오.* 모래를 한 줌 쥐어 모래알의 수를 세어보십시오. 이제 이 세상에, 모든 해변에 그리고 모든 사막에 얼마나 많은 모래가 있는지 상상해보십시오. 그 수많은 모래알이 만들어지기까지 얼마나 오랜 수십억 년의 시간이 흘렀을지 상상해보십시오. 그리고 다시 그 모래를 구성하는 화학 원소들이 당신 안에도 존재한다는 것을 인식하십시오. 모래 위에 서서 행성과 연결되어 있다고 상상해보십시오.

☐ *나무, 풀, 그리고 동물들을 볼 수 있는 공원이나 들판에 가보십시오. 그리고 그것들을 창조한 존재가 당신 역시 창조하였음을 인식하십시오. 모든 생명체는 같은 화학 원소로 이루어져 있다는 것을 기억하십시오. 더 작은 원자 크기로 보면, 당신과 다른 생명체들 사이에는 큰 차이가 없습니다. 그러나 당신은 여전히 특별하며 다른 존재들과 구별됩니다. 다른 삶과 구별되는 당신만의 독특성은 무엇입니까?*

☐ *인간의 몸, 특히 자신의 몸에 대해 생각해보십시오. 각각의 인간은 어떤 예술 작품보다 더 기막히고, 지금껏 개발된 그 어떤 컴퓨터보다도 복잡합니다.* 당신에 대한 모든 것은 거의 신체의 모든 세포에서 발견되는 지침들, 즉 DNA(디옥시리보핵산)에 의해 결정되었습니다. 그러나 놀랍게도 당신의 몸의 모든 부분을 만들어내는 지침들의 각 세트는 단지 서로 다른 조합으로 반복되는 4개의 화학 원소로 구성되어 있습니다. 이러한 각기 다른 조합을 유전자라고 하며, 이 유전자는 당신의 부모님으로부터 물려받은 지침들로 당신의 눈 색깔부터 심장 구조에 이르기까지 모든 것을 결정합니다. 믿을 수 없게도 인간을 디자인하는 데는 약 3만에서 4만 개의 유전자만 있으면 됩니다. 그 정도의 지침 사항으로 생각하고, 숨 쉬고, 먹고, 움직이고, 행동하는 몸을 창조한다고 상상해보십시오. 게다가 이런 적은 수의 지침 사항이 당신의 뇌에 있는 약 1,000억 개의 뉴런, 당신의 몸 전체에 형성되어 있는 6만 마일(!) 길이의 혈관, 600개의 골격근, 206개의 뼈, 32개의 치아, 그리고 11파인트의 혈액을 만들어낸다는 사실을 생각해보십시오.

타임아웃 하기 ⊠

타임아웃은 단지 아이들만을 위한 것이 아닙니다. 우리 모두는 몸과 마음과 정신을 새롭게 하기 위한 휴식이 필요합니다. 그러나 많은 사람들은 그들의 상사, 배우자, 가족, 혹은 친구들과 같은 다른 사람을 실망시키고 싶지 않기에 자신을 위한 시간을 내지 않습니다. 수많은 사람들이 다른 사람을 기쁘게 해야 한다는 끝이 없는 의무감과 씨름하고 있고, 그 결과 그들은 자신을 돌보는 것을 소홀히 합니다. 하지만 자신을 돌보지 않는 사람들은 매우 불균형적인 삶을 살아갑니다. 많은 사람들이 자신을 위해 무언가를 하는 행동에 대해 죄책감을 느끼거나 이기적이라는 기분이 든다는 이유로 자신의 욕구를 무시합니다. 하지만 자신을 돌보지 않고 얼마나 오랫동안 다른 사람을 돌볼 수 있을까요? 아주 더운 여름날 길모퉁이에 한 여성이 냉수를 한 병 들고 있다고 상상해보십시오. 그녀는 지나가는 모든 행인들을 위해 물을 따라주고, 물론 모든 사람들이 고마워합니다. 그런데 그녀가 목이 말라서 물을 마시러 가면 어떻게 될까요? 그녀 자신을 챙기지 않고 다른 사람들을 돕는 길고 긴 하루가 지나고, 물병은 이제 텅 비어버렸습니다. 당신은 얼마나 자주 이 여성과 같은 기분을 느끼나요? 다른 사람들을 돌보느라 시간을 다 써버려서 자신을 위한 시간이 부족한 경우가 얼마나 자주 있습니까? 다른 사람을 돕는 것은 자신의 건강을 희생시키지 않는 한에서만 좋은 일입니다. 당신은 스스로를 돌볼 필요가 있고, 자신을 돌보는 것은 이기적인 것이 아닙니다.

연습 : 타임아웃

여기 자신을 위해 사용할 수 있는 몇 가지 간단한 타임아웃 방법이 있습니다. 당신이 기꺼이 할 수 있는 항목에 표시하십시오 (✓).

☐ 다른 사람을 대하듯 자신을 친절하게 대하십시오. 그동안 미뤄왔던 자신을 위한 좋은 일을 한 가지 하십시오.

☐ 일주일에 단 몇 시간이라도, 산책을 하거나 당신이 가장 좋아하는 식사를 준비하는 것과 같은 일들을 하면서, 자신에게 헌신하는 시간을 가지십시오.

☐ 또는 당신이 정말 용기가 있다고 느낀다면, 반나절 동안 일을 쉬십시오. 공원, 바다, 호수, 산, 박물관과 같이 아름다운 장소에 가보십시오. 정 여건이 안 된다면 쇼핑몰이라도 가십시오.

☐ 쇼핑, 집안일, 병원 예약 등 자신의 삶을 위해 시간을 내십시오.

☐ 그 외 : _____

_____

_____

현재 순간에 살기

시간 여행은 가능합니다. 우리는 모두 가끔 시간 여행을 하지만 어떤 사람들은 다른 사람들에 비해 더 자주 하기도 합니다. 시간 여행을 하는 사람들은 하루 중 많은 시간을 어제 했어야만 하는 일, 과거에 잘못한 일, 내일 해야 할 일에 대해 생각하는 데 할애합니다. 그 결과 과거 혹은 미래가 그들이 사는 곳이 되어버립니다. 그들은 바로 지금 그들에게 일어나는 일에는 좀처럼 주의를 두지 않습니다. 그래서 그들은 누구나 진정으로 살 수 있는 유일한 순간인 현재에 사는 것을 놓치고 맙니다. 예를 들면, 이 글을 읽으며 지금 이 순간 당신에게 어떤 일이 일어나고 있는지 알아차려 보십시오. 다른 무언가에 대해 생각하고 있습니까? 과거에 벌어진 일이나, 미래에 일어날 일에 대해 생각하고 있습니까? 지금 이 순간 당신의 몸에서는 어떤 감각이 느껴지나요? 몸에 주의를 기울여보십시오. 긴장감이 느껴지거나 통증이 있는 부분이 알아차려지나요? 호흡은 어떤가요? 깊은 숨을 쉬고 있나요, 아니면 얕은 숨을 쉬고 있나요?

종종 우리는 우리에게 일어나고 있는 일에 주의를 기울이지 않습니다. 다른 사람이 자신에게 말하고 있는 내용에 주의를 두지 않거나 지금 내가 읽고 있는 내용에 주의를 두지 않기도 합니다. 심지어 걷는 동안 우리 주변에 누가 있는지도 주의를 기울이지 않습니다. 그리고 더욱 문제가 되는 것은 종종 동시에 하나 이상의 행동을 하려는 데 있습니다. 운전, 식사, 문자 메시지, 그리고 전화 통화와 같은 행동을 동시에 하는 것처럼 말입니다. 그 결과 우리는 삶이 제공하는 많은 것을 놓치고, 종종 편한 상황을 더 어렵게 만듭니다.

하지만 더 심각한 것은, 현재 순간을 살지 못함으로써 삶을 더 고통스럽게 만들 수 있다는 사실입니다. 예를 들어, 당신이 지금 당신이 대화를 나누고 있는 상대방이 당신에게 뭔가 모욕적인 말을 할 것이라고 예상한다면, 비록 그 사람이 아직 아무 말도 하지 않았음에도 당신은 화가 날 것입니다. 혹은 단지 과거의 일들을 생각하는 것만으로도 신체적으로나 감정적으로 기분이 나빠지는 걸 경험하게 되고, 그렇게 되면 그 순간 당신이 하려고 했던 것이 무엇이든 방해를 받을 수 있습니다. 명백한 사실은 두 유형의 시간 여행 모두 어떤 사건을 불필요하게 고통스러운 것으로 만들 수 있다는 것입니다.

마음챙김 기술을 담고 있는 4장부터 6장의 내용을 통해 현재의 순간에 머물 수 있도록 돕는 상위 기술들을 배우게 될 것입니다. 하지만 그 전에 현재 순간을 살기 위해 그리고 보다 능숙하게 스트레스 사건을 감내하도록 돕는 아래의 연습을 시도해 보십시오.

연습 : "당신은 지금 어디에 있는가?"

당신이 스트레스 상황에 처하게 되면, 아래의 질문을 사용하여 자문해 보십시오:

- 나는 지금 어디에 있는가?

- 나는 미래에 일어날지도 모르는 일에 대해 걱정하거나, 앞으로 일어날 수도 있는 일에 대한 계획을 세우느라 시간 여행을 하고 있진 않은가?

- 나는 과거의 실수를 되새기거나, 나쁜 경험을 떠올리거나, 내 삶이 지금과 어떻게 달랐을 수 있었을지에 대해 생각하느라 시간 여행을 하고 있진 않은가?

- 아니면 지금 내가 하고 있는 것, 생각하는 것, 느끼는 것에 진정으로 주의를 두면서 현재에 머물러 있는가?

만약 당신이 현재에 머물러 있지 않다면, 이어지는 단계를 따라 지금 당신에게 일어나는 일에 다시 주의를 기울이십시오:

- 당신이 무엇에 대해 생각하고 있는지 알아차리고, 만약 시간 여행을 하고 있다면 그런 자신을 인식하십시오. 현재 순간으로 주의를 다시 가져오십시오.

- 당신이 지금 어떻게 숨을 쉬고 있는지 알아차리십시오. 현재에 다시 집중하기 위해 느리고 길게 호흡하십시오.

- 당신의 신체 감각을 알아차리고 혹시 긴장되어 있는 근육이나 통증이 느껴지는지 살펴보십시오. 생각이 당신의 감각에 어떻게 영향을 미칠 수 있는지 인식하십시오. 근육의 긴장을 풀기 위해 신호 조절 이완을 사용하십시오.

- 시간 여행의 결과로 당신이 느낄지도 모르는 고통스러운 감정을 알아차리고, 즉각적인 고통을 경감시키는 데 도움이 될 수 있는 고통 감내 기술 중 하나를 사용하십시오.

연습 : 현재의 순간에 귀 기울이기

지금 이 순간에 주의를 다시 기울일 수 있는 또 다른 연습은, 현재의 순간에 귀를 기울이는 것입니다. 현재에 다시 집중하기 위해 적어도 5분 정도 주의를 기울이도록 하십시오.

지시문

편안한 의자에 앉으십시오. 휴대폰, 라디오, 컴퓨터, TV처럼 주의를 분산시키는 모든 것을 끄십시오. 코로 천천히 길게 숨을 들이마시고, 입으로 숨을 내쉬십시오. 숨을 들이마실 때마다 배가 풍선처럼 확장되는 것을 느끼고, 숨을 내쉴 때 배가 다시 수축되는 것을 느껴보십시오. 이제, 호흡을 계속하면서, 그저 들리는 소리에 주의를 둡니다. 집 밖에서 들려오는 소리, 집 안에서 나는 소리, 당신의 몸 안에서 나는 소리 등 어떤 소리든 들어보십시오. 들리는 소리의 개수를 세어보십시오. 주의가 분산되면, 다시 소리에 주의를 기울입니다. 어쩌면 밖에서 자동차 소리, 사람들 소리, 혹은 비행기 소리가 들릴지도 모르겠습니다. 그리고 어쩌면 집 안에서는 시계가 똑딱거리거나 선풍기가 돌아가는 소리가 들릴 수도 있습니다. 아니면 당신의 몸에서 들려오는 심장 소리가 들릴 수도 있습니다. 적극적으로 그리고 주의를 기울여 주변 환경에서 들려오는 소리를 듣고, 당신이 셀 수 있는 한 가장 많은 소리를 세어보십시오. 5분간 연습을 지속하고 이후 어떤 기분이 드는지 알아차리십시오.

다양한 듣기 연습은 당신이 다른 사람과 대화하는 동안 현재 순간에 집중하는 데 도움이 될 것입니다. 만약 당신의 주의가 분산되고 과거나 미래에 대해 생각하기 시작한다는 걸 알아차린다면, 상대방이 입고 있는 옷처럼 상대방과 관련된 무언가에 집중하십시오. 그 사람이 입은 셔츠의 단추나 쓰고 있는 모자, 혹은 옷깃처럼 말입니다. 그것들의 색깔이 무엇인지, 모양은 어떤지에 주의를 기울입니다. 때때로 이 방법이 당신의 시간 여행을 중단시킬 수 있습니다. 이제 소리에 주의를 기울이십시오. 그리고 만약 당신의 마음이 다시 분산되기 시작한다면, 이 연습을 반복하고 다시 소리에 주의를 기울여보십시오.

연습 : 호흡 마음챙김

호흡은 현재 순간에 집중을 지속하는 데 도움이 되는 또 다른 연습입니다. 호흡은 단순해 보이지만, 우리는 종종 우리가 하려고 하는 만큼 제대로 호흡하지 못합니다. 숨 쉬는 방법을 가르쳐 준 사람이 있었던가를 떠올려보십시오. 대개는 아마 아무도 없었을 것입니다. 그렇지만 당신은 1분에 15번 정도, 하루에 거의 22,000번의 숨을 쉽니다! 모든 사람이 알고 있듯이 우리는 산소를 얻기 위해 공기를 들이마십니다. 하지만 당신이 들이마시는 공기 중에 실제 산소가 얼마나 포함되어 있나요? 100%? 75%? 정확한 답은 바로 21%입니다. 그리고 당신의 몸이 충분한 산소를 공급받지 못하게 되면, 당신의 생체 시스템의 균형이 무너질 수 있습니다. 이러한 이유 하나만으로도 숨을 충분히 그리고 천천히 들이마시는 것은 중요한 일입니다. 하지만 숨을 제대로 쉬는 것의 또 다른 이점은, 이 간단한 기술을 통해 이완하고 집중하는 게 가능하다는 점입니다. 많은 영적 전통들은 사람들이 집중하고 긴장을 이완하는 것을 돕기 위해 천천히 호흡하는 기술과 명상을 결합하고 있습니다.

여기 많은 사람들에게 도움이 되고 있는 호흡 연습이 있습니다. 이러한 유형의 호흡을 횡경막 호흡이라고 말하는데, 그 이유는 폐강 하부에 있는 횡경막 근육을 활성화시키기 때문입니다. 횡경막 호흡은 더 충분히, 더 깊이 호흡하게 해주며, 이렇게 하면 긴장을 이완하는 데도 도움이 됩니다.

연습을 시작하기 전에 이 경험에 익숙해질 수 있도록 먼저 지시문을 읽어 보십시오. 지시문의 내용을 편안하게 들을 수 있게 되면, 이 기술을 연습하는 동안 들을 수 있게 스마트폰에 느리고 차분한 목소리로 녹음을 해두십시오. 3분에서 5분 정도 타이머를 맞춰두고 알람이 울릴 때까지 호흡을 연습합니다. 그리고 나서 이 기술을 사용하여 이완하는 것에 점점 익숙해지면, 10분이나 15분 정도로 타이머 시간을 늘려갈 수 있습니다. 하지만 첫 연습부터 그렇게 오래 앉아 있을 수 있을 거라고 기대하지는 마십시오. 처음에는 3분에서 5분의 시간 동안 앉아서 호흡하는 것도 길게 느껴집니다.

이 새로운 방식의 호흡을 하면서, 많은 사람들은 종종 마치 호흡과 하나가 된 것처럼 느끼는데, 이것은 그들이 그 경험에 깊은 연결감을 느낀다는 것을 의미합니다. 만약 당신도 그런 경험을 한다면, 매우 잘하고 있는 것입니다. 물론 그렇지 않더라도 괜찮습니다. 다만 계속해서 연습하십시오. 또한 어떤 사람들은 이 기술을 처음 연습할 때 어지럽다고 느끼기도 합니다. 이러한 증상은 너무 빠르게 호흡하거나, 너무 깊게 혹은 느리게 호흡하면서 나타나는 것일 수 있습니다. 그런 증상을 경험하더라도 놀라지 마십시오. 만약 어지러운 느낌이 들기 시작한다면, 필요에 따라 연습을 멈추거나, 혹은 호흡을 평소의 속도로 되돌리고 호흡의 수를 세십시오.

지시문

우선, 타이머를 설정한 시간 동안은 방해를 받지 않고 앉아 있을 수 있는 편안한 장소를 찾으십시오. 주의를 분산시키는 소리를 모두 차단하십시오. 몇 차례 천천히 길게 호흡하며 이완하십시오. 한 손을 당신의 배에 올려두고, 숨을 들이마실 때 폐가 아닌 배에 공기가 가득 차는 걸 상상하십시오. 이제 코로 천천히 숨을 들이마시고, 마치 생일 케이크의 초를 후 불어 끄듯이 입으로 천천히 숨을 내쉽니다. 호흡과 함께 배가 오르내리는 것을 느껴보십시오. 숨을 들이마실 때 배가 풍선처럼 공기로 채워진다고 상상해보고, 숨을 내쉴 때는 그 공기가 빠진다고 느껴보십시오. 콧구멍으로 들어가는 숨결을 느끼고, 입술을 통해 나가는 숨결을 느껴보십시오. 호흡할 때 당신의 몸에서 느껴지는 감각을 알아차리십시오. 폐에 공기가 가득 차는 것을 느껴보십시오. 당신이 앉아 있는 바닥에 몸의 체중이 실리는 것을 알아차리십시오. 매 호흡과 함께 몸이 점점 더 이완되는 것을 느껴보십시오.

이제, 호흡을 계속 이어가면서, 숨을 내쉴 때마다 수를 세기 시작합니다. 속으로 수를 세거나 소리를 내어 수를 세는 것 모두 가능합니다. 내쉬는 호흡의 수를 4까지 세고 다시 1로 돌아갑니다. 먼저 코로 천천히 숨을 들이마시고, 입으로 숨을 내쉬며, 1. 다시 천천히 코로 숨을 들이마시고, 천천히 입으로 숨을 내쉬며, 2. 반복하십시오. 천천히 코로 숨을 들이마시고, 천천히 내쉬며, 3. 마지막으로, 코로 숨을 들이마시고 입으로 내쉬며, 4. 이제 다시 1부터 수를 세십시오.

마음이 부산해지고 무언가에 생각이 붙잡히면, 숨을 세는 것에 다시 주의를 기울이십시오. 주의가 분산된 것에 대해 자신을 비난하지 않도록 하십시오. 그저 숨을 들이마시고 내쉬는 것을 반복하십시오. 마치 풍선처럼 당신의 아랫배가 공기로 채워진다고 상상하십시오. 숨을 들이마실 때마다 아랫배가 확장되는 것을 느끼고, 내쉬는 호흡과 함께 수축되는 것을 느끼십시오. 호흡을 계속해서 세고, 숨을 내쉴 때마다 몸이 점점 더 깊이 이완되는 것을 느끼십시오.

알람이 울릴 때까지 호흡을 지속하고, 알람이 울리면 당신이 있는 방으로 천천히 주의를 가져오십시오.

자기 격려 대처 사고 사용하기 ⊠

삶의 수많은 고통의 시간 속에서, 우리 모두는 스스로에게 동기를 부여할 수 있고, 자신이 경험하고 있는 고통을 견딜 수 있도록 하는 어떤 격려의 말이 필요할 때가 있습니다. 하지만 이와 같은 수많은 고통의 순간에 혼자인 경우가 많고, 그렇기에 그 시간을 꿋꿋이 견디기 위해 자신을 격려할 필요가 있습니다. 이런 상황에서 흔히 자기 격려 대처 사고를 사용하는 것이 도움이 됩니다. 대처 사고는 당신이 과거 고통스러운 상황을 견뎌냈을 때 얼마나 강했는지를 상기시켜주고, 또한 당신에게 힘이 되었던 격려의 말들을 상기시켜줍니다. 대처 사고는 불안하고, 초조하고, 화가 나고, 짜증이 났다는 걸 처음으로 알아차렸을 때 특히 도움이 됩니다. 만약 당신이 스트레스를 일찍 알아차릴 수 있다면, 자신을 진정시키는 데 도움이 되는 이러한 생각들 중 하나를 사용할 수 있는 더 좋은 기회를 가질 수 있을 것입니다. 어쩌면 당신의 삶에는 이러한 대처 사고가 필요하다고 예상되는 상황이 정기적으로 일어나고 있을 수 있습니다.

대처 사고 목록

아래의 목록은 많은 사람들이 도움받은 몇 가지 대처 사고를 담고 있습니다(McKay, Davis, & Fanning, 1997). 당신에게 도움이 되는 항목에 표시하고(✓), 당신만의 대처 사고를 만들어보십시오.

☐ "이 상황이 영원히 지속되지는 않아."

☐ "난 이미 수많은 고통스러운 경험을 해봤고, 그 고통을 극복했어."

☐ "이 또한 지나갈 거야."

☐ "지금 나의 감정이 나를 불편하게 하지만, 나는 이걸 수용할 수 있어."

☐ "불안하더라도 난 여전히 이 상황을 해결할 수 있어."

☐ "난 지금 나에게 일어나고 있는 일을 해결할 수 있을 만큼 충분히 강해."

☐ "이건 나의 두려움에 대처하는 방법을 배울 수 있는 기회야."

☐ "난 이걸 충분히 견뎌낼 수 있고, 나에게 영향을 미치지 않게 할 수 있어."

☐ "난 지금 필요한 만큼 충분히 시간을 들여서 마음 편히 긴장을 이완할 수 있어."

☐ "난 이전에 비슷한 상황을 극복했고, 이번에도 극복할 거야."

☐ "나의 불안/두려움/슬픔은 나를 죽이지는 못해; 단지 지금 당장 즐거운 기분을 느끼지 못할 뿐이야."

☐ "이것은 나의 감정일 뿐이고, 결국엔 모두 지나갈 거야."

☐ "때때로 슬픔/불안/두려움을 느껴도 괜찮아."

☐ "나의 생각은 내 삶을 통제하지 못해. 내가 통제하지."

☐ "내가 원한다면 다른 생각을 할 수 있어."

☐ "지금 내 상황은 위험한 게 아니야."

☐ "그래서 뭐 어쩌라고?"

☐ "이 상황은 정말 별로야. 하지만 이건 일시적일 뿐이야."

☐ "나는 강해. 그리고 이걸 해결할 수 있어."

☐ 그 외 : _____

_____

_____

대처 사고는 고통스러운 경험을 견딜 수 있도록 하는 힘과 동기를 부여해 주며, 이를 통해 그런 고통스러운 경험을 감내하는 데 도움이 됩니다. 이제 대처 사고에 대해 배웠으니, 이것들을 즉시 사용할 수 있습니다. 접착 메모지에 가장 마음에 드는 5가지 대처 사고를 작성하고, 당신의 지갑에 넣어두거나 냉장고나 욕실 거울처럼 매일 볼 수 있는 눈에 잘 띄는 곳에 메모지를 붙여두 십시오. 혹은 대처 사고를 항상 갖고 있기를 원한다면, 스마트폰 노트 앱에 당신의 대처 사고를 저장해두십시오. 당신의 대처 사고를 더 자주 볼수록, 대처 사고가 더 빨리 당신의 자동적인 사고 과정의 일부가 될 것입니다.

아래의 워크시트를 사용하여 당신에게 힘이 되는 대처 사고를 사용할 수 있는 고통스러운 상황을 기록하십시오. 대처 사고 워크시트를 여러 장 복사하고, 한 장은 고통스러운 상황이 일어났을 때 즉시 기록하기 위한 용도로 챙겨두십시오(또는 출판사 웹 사이트에서 다운받을 수 있습니다). 그 경험을 즉시 기록하는 게 어색하거나 불편할 수 있지만, 이렇게 하면 스스로를 격려하는 대처 사고를 더 자주 사용할 수 있도록 기억하는 데 도움이 될 것입니다. 아래의 워크시트 예시를 읽어 보면, 언제 대처 사고를 사용하는 것이 도움이 될지 아이디어를 떠올릴 수 있을 것입니다.

예시 : 대처 사고 워크시트

스트레스가 되는 상황	새로운 대처 사고
상사가 나에게 소리를 질렀다.	"이 업무는 불쾌해. 그렇지만 일시적인 것일 뿐이야."
2. TV 기상캐스터가 작은 홍수를 일으킬 수도 있는 아주 강력한 폭풍이 다가오고 있다고 이야기했다.	"나는 심호흡을 계속하면서, 이 일은 지나갈 것이며, 나는 이 일에 대처할 수 있다는 걸 상기시킬 수 있어."
3. 난 내 뒷마당이 얼마나 멋진지 친구들에게 보여주고 싶었는데, 친구들이 오기 전에 정원 관리를 끝내지 못했다.	"실망스럽기는 하지만, 나는 대처할 수 있어. 친구들에게 정원을 어떻게 꾸밀지 계획을 얘기할래."
4. 쇼핑을 가기 위해 일찍 퇴근하지 않는다고, 언니는 나에게 '이기적'이라고 말했다.	"언니는 스스로를 고통 속에 몰아넣고 있어. 그게 언니가 실망에 대처하는 방법이야."
5. 영화를 보면서 슬퍼졌다.	"이건 나의 감정일 뿐이야. 그리고 결국 이 감정은 모두 지나갈 거야. 난 대처 기술을 사용할 수 있어."
6. 거리에서 경찰차 사이렌 소리가 들려왔고, 그 소리에 불안해졌다.	"난 지금 위험에 처해있지 않아. 집 문을 잠갔기 때문에 나는 안전하고 편안한 상태야."
7. 가게 점원이 거스름돈을 잘못 주었고, 다시 가서 잔돈을 더 거슬러달라고 해야 했다.	"난 이 상황을 해결할 수 있어. 내가 원하는 걸 말할 수 있고, 만약 거스름돈을 받지 못하더라도 그 실망감을 다룰 수 있어."
8. 딸이 대학으로 떠난다. 너무 그리울 거야.	"나의 슬픔은 나를 죽일 수 없어. 단지 지금 당장 즐거운 기분을 느끼지 못하게 할 뿐이야."
9. 나는 바쁜 일이 없으면 왠지 불안해진다.	"나는 지금 내려놓고 쉴 수 있는 여유 시간을 갖게 된 거야."
10. 나는 비행기 타는 게 너무 싫다. 하지만 털사(Tulsa)에 계시는 할머니를 뵈러 가야 한다.	"이건 나의 두려움에 대처하는 법을 배울 수 있는 기회야. 나는 호흡하면서 시각화 기술을 사용할 거야."

대처 사고 워크시트

스트레스가 되는 상황	새로운 대처 사고
1.	
2.	
3.	
4.	
5.	
6.	
7.	
8.	
9.	
10.	

온전한 수용

'변증법적'(변증법적 행동치료에서)이라는 단어는 매우 다르거나 심지어 모순적으로 보이기도 하는 두 가지 사이에서 균형을 잡고 비교하는 것을 의미합니다. 변증법적 행동치료에서 균형은 변화와 수용 사이의 균형을 이루는 것입니다(Linehan, 1993a). 당신은 자신과 다른 사람들에게 더 큰 고통을 가져다주는 행동을 변화시킬 필요가 있고, 이와 동시에 자신의 있는 모습 그대로를 받아들일 필요가 있습니다. 이 말이 모순적으로 들릴지도 모르지만, 이것이 이 치료의 핵심입니다. 변증법적 행동치료는 '수용이나 변화'가 아니라, '수용과 변화'에 달려있습니다. 이 워크북의 대부분은 당신의 삶을 변화시키는 기술을 발전시키는 것에 초점을 둘 것입니다. 하지만 이번 내용은 당신의 삶을 어떻게 수용하는지에 중점을 둘 것입니다. 사실 더 나아가 당신의 삶을 어떻게 '온전히' 수용해야 하는지에 대해 배우게 될 것입니다.

1장에서 처음으로 살펴보았던 내용인 온전한 수용은 자신과 세상을 다른 방식으로 볼 것을 요구하기 때문에 숙달하기에 가장 어려운 기술 중 하나입니다. 하지만 이것은 변증법적 행동치료에서 가장 중요한 기술 중 하나이기도 합니다(Linehan, 1993a). (이 내용은 마음챙김 기술을 다루는 4장부터 6장에서 자세히 살펴볼 것입니다.) 온전한 수용이란 어떤 것을 판단하지 않고 온전하게 받아들이는 것을 의미합니다. 예를 들어, 현재 순간을 온전히 수용한다는 것은 현재 순간에 맞서지 않고, 화내지 않고, 다른 방식으로 바꾸려고도 하지 않는 것을 의미합니다. 그리고 현재 순간을 온전하게 수용한다는 것은 현재의 순간이 과거의 당신과 다른 사람들에 의해 내려진 결정과 상황의 길고 긴 연쇄의 결과라는 것을 인정해야 한다는 것을 의미합니다. 현재 순간은 이미 일어난 사건들 없이 결코 자발적으로 일어나지 않습니다. 삶의 매 순간이 서로를 쓰러뜨리는 도미노 라인처럼 연결되어 있다고 상상해보십시오.

하지만 유념하십시오. 무언가를 온전히 수용하는 것이 당신에게 일어난 모든 나쁜 상황을 단순히 받아들이거나 포기하는 것을 의미하는 것은 아닙니다. 누군가가 당신을 학대하거나 폭행하는 것처럼 인생의 어떤 일들은 부당합니다. 그러나 다른 상황들에 있어서는 당신에게 적어도 어느 정도의 책임이 있습니다. 당신이 초래한 일과 다른 사람이 야기한 일 사이에는 균형이 있습니다. 그렇지만 압도되는 감정에 힘겨워하는 많은 사람들은 종종 일어난 상황에 자신이 어떤 영향을 미쳤는지는 인식하지 못하고, 그 일들이 그저 '벌어졌다'고 느낍니다. 그 결과 그들의 첫 번째 반응은 분노입니다. 사실, 한 여성이 이 워크북의 저자에게 분노는 그녀의 '근원 감정'이라고 말했는데, 이 말은 그녀 자신이 곧 분노라는 것을 의미합니다. 그녀의 지나친 적대감은 그녀 자신을 학대하도록 했는데, 폭음하기, 커팅하기, 끊임없이 자책하기 등의 행동이 있었고, 이러한 행동은 그녀가 아끼는 사람들과 계속해서 논쟁을 벌이면서 그 사람들에까지 상처를 입히게 만들었습니다.

이와 대조적으로, 현재 순간을 온전히 수용하는 것은 당신이 현재 상황을 일으키는 데 있어서 어떠한 역할을 했다는 걸 인식할 수 있는 기회를 열어줍니다. 그래서 결과적으로, 자신과 다른 사람들에게 덜 고통스러운 새로운 방식으로 그 상황에 반응할 수 있는 기회가 생깁니다. 여러 면에서 온전한 수용은 "내가 바꿀 수 없는 것을 받아들이는 평온함, 내가 바꿀 수 있는 것을 변화시키는 용기, 그리고 그 차이점을 알 수 있는 지혜를 주세요."라고 말하는 평온을 비는 기도와 같습니다. 아래의 연습을 통해 온전한 수용을 사용하고 싶을 때 자신에게 물어볼 몇 가지 질문이 나와 있습니다. 하지만 우선 고통스러운 상황에서 온전한 수용을 사용하는 것이 어떻게 도움이 되는지 아래의 예시를 살펴보십시오.

예시 : 온전한 수용 사용하기

크리스틴과 그의 남자친구 존은 힘든 관계를 맺고 있습니다. 존은 그의 여가 시간 대부분을 친구들과 술집에 가서 술을 마시며 보냅니다. 그리고 크리스틴은 이런 존의 행동을 매우 못마땅하게 여겼고, 헤어지겠다고 협박을 하기도 하고, '그를 쫓아내기 위해' 파괴적인 행동을 하곤 했습니다. 이런 일이 5년 동안 꾸준히 일어났습니다. 그러던 어느 날 밤, 크리스틴은 화가 난 채로 퇴근했고, 존과 이야기를 나누고 싶었지만 그는 집에 없었습니다. 이때 크리스틴은 갑자기 그들의 관계에 희망이 없다고 느꼈습니다. 그래서 그녀는 바에 있는 존에게 전화를 했고, 더는 그의 행동을 참을 수가 없어서 자살할 것이라고 말했습니다. 존은 집으로 달려와 한 움큼의 약을 삼키고 있는 크리스틴을 발견하였고, 약을 뱉도록 했습니다. 그러고 나서 그는 다시는 이런 행동을 하지 않겠다는 크리스틴의 약속을 받아냈습니다. 그녀는 약속했고, 크리스틴이 아무 데도 나가지 못하도록 그녀의 차 키를 가지고 밖으로 나갔습니다. 그러자 크리스틴은 더욱 화가 나서 누가 차 키를 훔쳐 갔다며 경찰에 신고했습니다. 그런 뒤 그녀는 술집까지 걸어가 존의 차를 발견했고 벽돌로 차 앞 유리를 박살 냈습니다. 그녀는 다른 창문도 부숴버리려고 했지만, 경찰이 충돌해 그녀를 제지하고 체포했습니다. 더 말할 것도 없이 크리스틴과 존은 당시 상황에서 온전한 수용을 하기 위한 어떠한 고려도 하지 않았습니다. 두 사람 모두 서로에게 화가 났고, 분노에 이끌려 행동했으며, 결국엔 자신을 다치게 할 뿐 아니라 상대방에게까지 상처를 입혔습니다.

그렇다면 만약 온전한 수용을 사용했더라면 이 상황이 어떻게 다르게 전개되었을까요?

크리스틴의 입장에서 당시 상황을 고려해봅시다. 자살하겠다고 협박하는 대신에 REST 전략을 사용할 수도 있었을 테고, 이전 장에서 배운 고통 감내 기술 중 하나를 사용할 수도 있었을 것입니다. 괴로운 상황을 다루기 위한 전략인 이완하기, 평가하기, 계획하기, 행동하기를 기억하십시오. 어쩌면 크리스틴은 (1) 하고 있던 일을 멈추고 이완하기 위해 호흡을 몇 번 가다듬을 수 있었을 것이고, (2) 상황을 평가하고 그녀가 매우 화가 났다는 걸 인식할 수 있었을 것이며, (3) 이완을 위해 고통 감내 기술을 사용하겠다는 구체적인 계획을 세울 수 있었을 것이고, (4) 그러고 나서 베개에 대고 소리를 지른 후 밖에 나가 한동안 걷는 행동을 취할 수 있었을 것입니다. 혹은 친구 중 한 명에게 전화를 걸어 잠시 이야기를 나눌 수도 있었을 것입니다. 그런 뒤 조금이나마 진정이 되고 나서, 자신에게 몇 가지 질문을 하고 그녀의 상황을 재검토하기 위해 온전한 수용을 사용할 수 있었을 것입니다. 이 상황을 보고 작게나마 상황을 어떻게 다르게 다룰 수 있었을지 살펴봅시다.

- *어떠한 사건들이 크리스틴의 상황을 이끌었나요?* 그녀와 존은 몇 년 동안 이런 방식으로 행동하고 싸워왔습니다. 전혀 새로울 게 없는 일입니다. 하지만 그날 그녀는 직장에서 화가 난 채로 집에 돌아왔고, 집에 왔을 때 존이 없어서 더욱 화가 났습니다.

- *크리스틴은 상황을 이렇게 만드는데 어떤 역할을 했습니까?* 건강한 방식으로 분노와 절망감을 다루려고 노력하는 대신에 자기 자신과 존에게 감정을 쏟아냈습니다. 또한 크리스틴은 그녀가 원한다면 과거에 이 관계를 끊어낼 수 있는 수많은 이유와 기회들이 있었음에도 이 파괴적인 관계에 머물러 있기로 선택했습니다.

- *존은 상황을 이렇게 만드는데 어떤 역할을 했습니까?* 존은 알코올 중독이었고, 5년간 이 문제가 이들의 관계를 방해했습니다. 또한 이날 밤 그는 크리스틴의 자살 행위에 대해 그녀와 대화를 나눌 시간을 갖지 않았습니다. 대신에 그는 술집으로 되돌아갔고, 이 행동이 그녀를 더욱 화나게 만들었습니다.

- *크리스틴은 이 상황에서 무엇을 통제할 수 있습니까?* 그녀는 원한다면 이 관계를 끝낼 수 있고, 혹은 이 고통스러운 상황을 다른 방식으로 해결하는 선택을 할 수 있습니다.

- *크리스틴은 이 상황에서 무엇을 통제할 수 없습니까?* 궁극적으로 알코올 중독을 멈추기 위해 도움을 받아야 할 사람은 존입니다. 크리스틴은 그가 술을 마시는 걸 멈추게 할 수는 없습니다. 또한 그녀는 존이 이 상황에서 그녀에게 어떻게 행동해야 할지에 대한 통제력을 갖고 있지 않습니다.

- *크리스틴은 이 상황에서 어떤 반응을 보였나요?* 그녀는 자살을 시도했고, 게다가 존의 차 앞 유리를 박살냈습니다.

- *그녀의 반응은 그녀의 생각과 감정에 어떤 영향을 미쳤습니까?* 그녀의 행동은 자신과 자신의 인간관계에 대해 더욱 안 좋게 느끼도록 만들었고, 왜 자신이 아직도 이런 파괴적인 관계를 유지하는지를 생각하게 만들었습니다.

- *그녀의 반응은 다른 사람의 생각과 감정에 어떤 영향을 미쳤습니까?* 크리스틴은 체포되었고, 이 일로 둘 모두 자기 자신과 그들의 관계에 대해 이미 느꼈던 것보다 더 안 좋게 느끼게 됐습니다.

- *크리스틴은 그녀와 존의 고통을 덜기 위해 이 상황에 대한 그녀의 반응을 어떻게 바꿀 수 있었을까요?* 그녀는 고통과 분노에 대처하기 위해 REST 전략을 사용할 수 있었고, 다른 고통 감내 기술을 사용할 수 있었습니다. 또한 그녀는 다른 방식으로 반응하기 위해 온전한 수용을 사용하여 이 상황을 재평가해 볼 수 있었을 것입니다. 그리고 아마도 그녀는 일시적으로라도 존을 떠나는 선택을 할 수 있었을 테고, 이렇게 했다면 둘 모두에게 덜 고통스러웠을 것입니다.

- *만약 크리스틴이 이 상황을 온전히 수용하기로 결심했다면 상황이 어떻게 달라질 수 있었을까요?* 만약 그녀가 몇 가지 유형의 고통 감내 기술을 사용했다면, 아마 그녀는 직장에서 얼마나 화가 났었는지, 그리고 그가 술을 마시는 게 그녀를 얼마나 힘들게 하는지 존과 이야기 나누기 위해 다음 날 아침까지 기다릴 수 있었을 것입니다. 또한 만약 그녀가 그 관계를 끝냈더라면, 더 건강한 관계를 위한 삶의 여유를 가졌을 수도 있고, 아니면 파괴적인 관계에서 유발되는 고통으로부터 그녀 자신을 보호할 수 있었을 것입니다.

연습 : 온전한 수용

이제 같은 질문을 자신에게도 던져보십시오. (온전한 수용 워크시트는 출판사 웹사이트에서 다운받을 수 있습니다.) 최근 경험했던 고통스러운 상황을 생각해보십시오. 그리고 나서 그 상황을 새로운 방식으로 온전히 수용할 수 있도록 돕는 아래의 질문에 답해보십시오.

- 이 고통스러운 상황에서 무슨 일이 일어났습니까?

  _____

- 어떤 과거의 사건들이 이 상황을 초래했습니까?

  _____

  _____

- 상황을 이렇게 만드는데 당신은 어떤 역할을 했습니까?

  _____

  _____

- 상황을 이렇게 만드는데 다른 사람들은 어떤 역할을 했습니까?

  _____

  _____

- 이 상황에서 당신이 통제할 수 있는 것은 무엇입니까?

  _____

  _____

- 이 상황에서 당신이 통제할 수 없는 것은 무엇입니까?

  _____

  _____

- 이 상황에서 당신은 어떤 반응을 보였습니까?

  _____

  _____

- 당신의 반응은 당신의 생각과 감정에 어떤 영향을 미쳤습니까?

  _____

  _____

- 당신의 반응은 다른 사람의 생각과 감정에 어떤 영향을 미쳤습니까?

  _____

  _____

- 당신은 자신과 다른 사람들의 고통을 덜기 위해 그 상황에 대한 당신의 반응을 어떻게 바꿀 수 있었을까요?

  _____

  _____

- 만약 당신이 이 상황을 온전히 수용하기로 결심했다면 상황이 어떻게 달라질 수 있었을까요?

  _____

  _____

온전한 수용은 당신 자신을 수용하는 것에도 적용된다는 것을 명심하십시오. 이 경우에 온전한 수용은 자신을 판단하거나 비난하지 않고 자신을 있는 그대로 받아들이는 것을 의미합니다. 다른 말로 하자면, 자신을 온전히 수용하는 것은 자기 안에 있는 모든 선함과 모든 결점까지 있는 그대로의 모습으로 사랑하는 것을 의미합니다. 당신 내면의 선함을 찾는 것은 어려운 도전이 될 수도 있습니다. 특히 만일 당신이 압도되는 감정으로 인해 힘겨워하는 상황이라면 더욱 그럴 것입니다. 이러한 문제를 가지고 있는 많은 사람들은 종종 그들 자신을 결함이 있고, 나쁘고, 혹은 사랑받지 못할 존재로 생각합니다. 그 결과 그들의 장점을 간과하게 되고 그들의 삶에 고통을 덧대게 됩니다. 하지만 이것이 바로 당신 자신을 온전히 수용하는 것이 왜 그렇게 중요한지에 대한 이유입니다.

자기 확언 진술

많은 사람들이 자기 확언 진술을 사용함으로써 더 건강한 자기상을 만드는 데 도움을 받고 있습니다. 이러한 진술의 목적은 당신이 가진 장점을 상기함으로써 고통스러운 상황에 처했을 때 힘과 탄력성을 갖기 위한 것입니다. 이런 유형의 진술은 당신이 고통스러운 상황을 더 건강한 방식으로 다룰 수 있으며, 때론 압도적인 감정을 느끼지만, 사랑과 돌봄을 지닌 사람이라는 사실을 일깨워 줍니다.

예시 : 자기 확언 진술

아래 자기 확언 진술의 몇 가지 예시가 나와 있습니다. 당신이 기꺼이 해볼 수 있는 항목에 표시하고(✓), 당신의 자기 확언 진술을 만들어 보십시오.

☐ "나에게 결점이 있을 수 있어, 하지만 난 여전히 좋은 사람이야."

☐ "나는 나 자신과 다른 사람들을 돌본다."

☐ "나는 내 모습 그대로를 수용해."

☐ "나는 나 자신을 사랑해."

☐ "나는 잘못된 사람이 아니고, 좋은 사람이야."

☐ "나는 잘하고 있으며 누구도 완벽하지 않다."

☐ "나는 나의 장단점을 모두 포용해."

☐ "오늘 내가 하는 모든 말과 행동에 대한 책임을 질 거야."

☐ "나는 매일 더 나은 사람이 되고 있어."

☐ "나는 세상을 다르게 경험하는 섬세한 사람이야."

☐ "나는 매일 최선을 다하고 있어."

☐ "나는 가끔 무언가를 잊어버리기도 하지만, 여전히 좋은 사람이야."

☐ "과거에 나에게 나쁜 일이 일어나기도 했지만, 나는 여전히 좋은 사람이야."

☐ "과거에 내가 실수를 하기도 했지만, 나는 여전히 좋은 사람이야."

☐ "내가 여기 있는 데는 다 이유가 있어."

☐ "비록 항상 인식하지 못할지라도 내겐 삶의 목적이 있어."

☐ "나는 내 자신을 온전히 수용해."

☐ 그 외 : _____

_____

어떤 사람들은 그들의 자기 확언 진술을 접착식 메모지에 적어 집 여기저기에 붙여 놓는 방법을 사용하여 도움을 받습니다. 한 여성은 그녀의 진술을 지워지는 마커로 욕실 거울에 적어두었고, 그 진술은 그녀가 아침에 가장 먼저 보도록 했습니다. 한 남성은 접착식 메모지에 진술을 작성하였고, 그가 일하는 컴퓨터에 붙여두었습니다. 당신도 효과적인 어떤 방법이든 사용하여 당신의 자기 확언 진술을 떠올릴 수 있도록 할 수 있습니다. 하지만 하루에도 여러 번상기할 수 있는 방법을 선택하십시오. 만약 당신이 스마트폰 메모 앱에 진술을 적기로 선택한다면, 이를 매일 확인하십시오. 더 자주 자기 확언 진술을 볼수록, 당신 자신에 대해 생각하는 방식을 바꾸는데 더 많은 도움이 될 것입니다.

감정-위협 균형 맞추기(FTB-COPE) ⊠

당신이 알고 있는 것처럼 강렬한 감정은 보통 무언가 충동적인 행동을 하도록 이끕니다. 특히 분노와 불안은 그 위협을 극복하기 위해 무언가 하고 싶게 만듭니다. 때때로 그 위협은 심각한 위험이 있거나 누군가가 당신을 해치려고 할 때 실제 행동을 취할 필요가 있지만, 대개 당신의 감정은 자신이 마주한 실제 위협에 비해 훨씬 더 클 것입니다. 감정-위협 균형 맞추기 기술은 감정과 위협의 균형을 인식하는 데 도움이 되고, 스트레스 요인에 적절히 대처하도록 합니다. 예를 들면, 1부터 10까지의 척도에서 당신의 두려움과 회피하고 싶은 충동은 10인 반면, 실제 위협은 고작 1이나 2인일 수 있으며, 또는 당신의 분노나 공격적 충동은 9인데, 실제 도발과 위협은 3밖에 안 될 수 있습니다.

감정-위협 균형 맞추기 과정은 위협의 실제 수준과 당신의 감정의 강도를 평가하는 데 도움이 될 것입니다. 둘 사이의 차이가 크면 클수록 감정에 따라 행동하는 것이 아닌 다른 방식으로 대처해야 할 더 많은 이유가 있는 것입니다. 높은 수준의 감정과 낮은 수준의 실제 위협 사이의 차이는 보통 '감정적 추론'이라고 불리는 것에 의해 더 강렬해지는데, *감정적 추론*이란 강렬한 감정을 어떤 상황의 실제로서 믿는 인간의 경향성을 말한다. 예를 들어, 어쩌면 당신은 아래의 내용처럼 믿고 있을 수 있습니다:

- 강렬한 분노는 당신에게 정말 나쁜 일이 일어났다는 것을 의미합니다.

- 강렬한 불안은 당신이 정말 위험한 상황에 처해있다는 것을 의미합니다.

- 강렬한 수치심은 당신이 비난받을 만한 일을 했다는 것을 의미합니다.

감정적 추론의 문제는 감정은 그저 감정일 뿐 어떤 것도 증명할 수 없다는 것입니다. 때때로 부정적 감정의 강도와 어떤 실제적인 삶의 문제, 위협, 혹은 실패 사이에는 거의 아무 관련이 없을 때가 있습니다. 7장 '감정 조절 기술-초급'에서 배울 수 있듯이, 감정은 단지 메시지일 뿐입니다. 때로는 감정이 아주 정확하지만, 또 어떨 때는 그렇지 않을 수 있습니다. 그렇다면 어떻게 실제 위협 수준과 감정 간의 차이를 비교할 수 있을까요?

감정-위협 균형 평가하기

(출판사 웹사이트에서 '감정-균형 평가하기' 워크시트를 다운받을 수 있습니다.)

우선, 감정의 강도를 0부터 10까지의 고통의 수준으로 평정하십시오(10은 당신이 경험해 본 중에 가장 높은 수준의 감정입니다).

0	1	2	3	4	5	6	7	8	9	10
낮음					중간					높음

이제 위협의 수준을 평정하십시오.

분노의 경우 :

불쾌감을 주는 사람이나 상황이 당신의 안녕에 얼마나 실제적인 피해를 입혔습니까?

0	1	2	3	4	5	6	7	8	9	10
거의 없음					어느 정도					상당한

불쾌감을 주는 사람이나 상황이 당신의 자기 가치감에 얼마나 지속적인 손상을 입혔습니까?

0	1	2	3	4	5	6	7	8	9	10
거의 없음					어느 정도					상당한

불안/두려움의 경우 :

이 상황에는 어느 정도의 잠재적 해로움이 있습니까?

0	1	2	3	4	5	6	7	8	9	10
거의 없음					어느 정도					상당한

이러한 피해가 발생할 가능성은 얼마나 됩니까?

0	1	2	3	4	5	6	7	8	9	10

거의 없음   어느 정도   상당한

죄책감/수치심의 경우 :

내가 얼마나 큰 피해를 끼쳤습니까?

0	1	2	3	4	5	6	7	8	9	10

거의 없음   어느 정도   상당한

내 행동이 옳다고 여기는 가치관이나 신념에서 얼마나 벗어나 있습니까?

0	1	2	3	4	5	6	7	8	9	10

거의 없음   어느 정도   상당한

슬픔의 경우 :

내가 겪은 상실의 정도가 얼마나 심각합니까?

0	1	2	3	4	5	6	7	8	9	10

거의 없음   어느 정도   상당한

나의 실패나 실수의 영향이 얼마나 심각합니까? 혹은 얼마나 오래 지속됩니까?

0	1	2	3	4	5	6	7	8	9	10

거의 없음   어느 정도   상당한

이제 감정의 강도와 가장 높은 위협의 강도를 함께 살펴보십시오(가장 높은 수치의 항목). 만약 그 숫자가 서로 가깝다면, 당신의 감정은 실제 위협 수준과 균형을 이루고 있는 것입니다. 왜냐하면 당신의 감정이 실제적인 위협을 반영하고 있는 것이기 때문이며, 행동을 취해야 할 때일 수 있습니다. 예를 들어, 이번 장에 포함되어 있는 당신이 행동을 선택할 수 있도록 돕기 위한 '가치 재발견하기'와 전념 행동 워크시트를 사용하십시오; 또한 5장에 있는 '지혜로운 마음' 선택하기와 8장의 '문제 해결하기'를 사용하십시오.

하지만 만약 당신의 감정과 위협의 수준 사이에 심각한 불균형이 있다면(감정의 수준은 높고, 실제 위협은 낮은), 감정 기반 행동에 따르지 않도록 최선을 다하십시오. 당신의 욕구와 충동에 따라 행동하지 마십시오. 이때는 다른 방식으로 대처해야 하는 때입니다. 반응하는 대신 감정을 조절하는 데 도움이 되는 고통 감내 기술을 사용하십시오.

- REST 전략

- 주의 분산

- 자기 위안

- 안전 장소 시각화

- 신호 조절 이완

- 타임아웃

- 마음챙김

- 대처 사고

- 온전한 수용

- 자기 확언 진술

감정-위협 균형 맞추기(FTB-Cope) 요약

당신이 강력한 감정을 경험할 때 그리고 어떤 행동에 대한 강한 충동을 느낄 때, 그럴 때면 언제든 감정-위협 균형 맞추기 기술을 사용하는 것을 기억하십시오. 충동에 따라 행동하는 대신에 아래의 순서를 따라 하십시오.

1. 감정의 강도에 점수를 매기십시오 (0-10).

2. 실제 위협 수준에 점수를 매기십시오 (0-10).

3. 만약 감정과 위협 수준이 균형을 이루고 있다면(점수가 비슷하다면), 당신의 가치와 지혜로운 마음(5장), 문제 해결하기(8장)의 내용을 바탕으로 대처할 수 있습니다.

4. 하지만 만약 감정의 강도가 위협 수준에 비해 훨씬 높다면, 감정에 따라 행동하지 마십시오. 감정을 가라앉히는 데 도움이 되는 대처 기술을 선택하십시오.

새로운 대처 전략 세우기

이제 모든 고통 감내 기술에 익숙해졌으니, 당신의 앞날을 위해 새로운 대처 전략을 만들 수 있습니다. 이것을 가장 쉽게 할 수 있는 방법은 과거에 겪었던 고통스러운 상황을 몇 가지 살펴보고 당시에 어떻게 대처했는지 확인하는 것입니다. 종종 다루기 힘든 감정으로 인해 괴로워하는 사람들은 유사한 스트레스 상황을 겪고 또 겪습니다. 그래서 어떤 경우에는 이러한 상황들이 예측 가능합니다. 이 연습에서 당신은 과거의 상황들이 무엇이었는지, 어떻게 대처했는지, 건강하지 못한 결과들이 무엇이었는지를 확인할 것입니다. 그리고 나서 당신은 앞으로 유사한 상황을 겪게 될 때 사용할 수 있는 새로운 대처 전략을 고려해볼 것이고, 새로운 전략을 사용함으로써 어떤 건강한 결과가 나타날 수 있을지에 대해 살펴볼 것입니다.

이제 아래에 나와 있는 것처럼 두 개의 다른 대처 전략 워크시트가 있습니다. 왜냐하면 당신이 혼자 있을 때 그리고 다른 누군가와 함께 있을 때, 각각의 상황에서 사용할 대처 전략을 다르게 구성할 필요가 있기 때문입니다. 가령 혼자 있는 상황에서 감정에 압도됐을 때는 신호 조절 이완이나 마음챙김 호흡을 사용하는 것이 진정에 효과적일 수 있습니다. 하지만 다른 사람과 있을 때는 이런 기술을 쓰기가 어색할 수도 있고 기술을 사용할 수 없을 수도 있습니다. 그렇기에 두 상황을 대비하여 각기 다른 기술을 준비할 필요가 있습니다.

여기 두 경우를 대비해 준비한 예시가 있습니다. 칼은 다른 누군가와 함께 있을 때 겪었던 스트레스 상황을 떠올렸습니다. 그리고 그는 아래와 같이 작성했습니다: '형과 함께 있을 때면 형은 내가 하는 모든 것을 바로잡으려고 했다.' 이는 앞으로도 형과 함께 있을 때 일어날 수 있는 일이기에 칼이 검토할 수 있는 적절한 상황입니다. 다음으로, 칼은 형과 함께 있는 상황에서 보통 어떤 대처를 했는지, 즉 어떻게 낡은 대처 전략을 사용해왔는지를 살펴보았습니다. 그는 아래와 같이 적었습니다: '형과 싸웠다. 나는 과식을 했다. 나는 내 몸에 상처를 냈다. 나는 형이 이전부터 계속해서 나를 모욕해왔다고 생각했다.' 그리고 나서 칼은 자신의 행동에 따른 건강하지 못한 결과에 대해 기록했습니다: '우리는 둘 다 화를 냈다. 나는 살이 쪘다. 나는 얼굴과 팔 전체에 상처를 냈다. 과거의 일을 생각하면서 며칠 동안 끔찍한 기분이 들었다.' 명백하게도 칼의 전략들 중 어떤 것도 장기적인 이점을 가진 것이 없었다. 다음으로 칼은 다음에 형과 함께 있을 때 사용할 수 있는 새로운 고통 감내 기술에 대해 고려했습니다. '새로운 대처 전략' 하에 칼은 이런 상황에 가장 적절한 고통 감내 기술을 작성했습니다. 그는 1장과 2장에서 그에게 도움이 되겠다고 생각하는 기술 중에서 선택했습니다. 그리고 그는 이렇게 작성했습니다: '타임 아웃하기. 새로운 대처 사고 사용하기: '나에겐 충분한 힘이 있고, 형과의 일을 해결할 수 있어.' 새로운 방식으로 나 자신과 이 상황을 온전히 수용할 수 있어' 그런 뒤 그는 이러한 새로운 전략을 사용하면 나타날 수 있는 건강한 결과에 대해 예상해보았습니다: '우린 그렇게 심하게 싸우지 않을 거야. 나는 그렇게 많이 먹지 않게 될 거야. 내가 더 강해졌다고 느끼게 될 거야. 앞으로는 이런 상황을 더 잘 해결할 수 있을 거야.' 분명히 그의 새로운 고통 감내 기술을 사용한 결과는 칼에게 훨씬 더 유익할 것입니다.

그러나 이러한 대처 전략들은 고통스러운 상황에 그가 혼자 있을 때 선택할 수 있는 전략들과는 다를 것입니다. 그래서 칼은 혼자 있을 때 겪게 되는 스트레스 상황을 위해 워크시트를 추가로 작성하였습니다. 그가 선택한 상황은 다음과 같습니다: '때때로 나는 혼자 있을 때 두려움을 느낀다.' 역시 이 상황은 칼이 살펴보기에 좋은 상황으로, 다음에 혼자 있게 되면 감정에 휩싸이는 경험을 유사하게 할 수 있기 때문입니다. 이러한 상황에서 칼이 보통 사용했던 낡은 대처 전략은 이러합니다: '대마초를 피운다', '술집에 가서 술을 마신다. 자해를 한다. 신용카드로 돈을 쓴다.' 그리고 이러한 행동에 따른 건강하지 못한 결과들은 다음과 같습니다: '대마초를 피우거나 술을 많이 마시고 나면 너무 힘들다. 술집에서 싸움에 휘말린다. 피를 흘린다. 필요하지 않은 것에 너무 많은 돈을 쓴다.' 다음으로 앞으로의 시간을 대비하기 위해 칼은 이러한 상황에 대처하기 위한 새로운 전략을 선택했습니다: '마음챙김 호흡을 사용한다. 우주와의 연결을 기억한다. 안전 장소 시각화 기술을 사용한다. 내게 중요한 가치를 기억한다' 그리고 마지막으로 그는 예상되는 건강한 결과들을 고려해보았습니다: '그렇게 불안하지는 않을 것이다. 나 자신을 다치게 하지 않을 것이다. 돈을 더 많이 남길 수 있다. 보다 편안한 기분을 느낄 것이다.' 다시 말하지만, 칼의 새로운 고통 감내 기술이 그의 낡은 대처 전략보다 훨씬 더 건강하다는 것을 쉽게 알 수 있습니다. 예측 가능한 미래의 상황에 대비하기 위해 시간을 할애한다면 당신도 동일한 유익함을 경험할 수 있습니다.

고통스러운 상황에 사용할 새로운 대처 전략 만들기-다른 사람과 함께 있을 때

고통스러운 상황	낡은 대처 전략	건강하지 않은 결과	새로운 대처 전략	예상되는 건강한 결과
예: 형과 함께 있을 때, 형은 항상 내가 하는 모든 것을 바로잡는다.	형과 싸운다. 포식을 한다. 내 몸을 해킨다. 형이 나를 모욕했던 모든 과거의 일들에 대해 생각한다.	우리 둘 모두 화가 난다. 싸움이 커진다. 얼굴과 팔 전체에 상처가 생긴다. 과거의 일들을 생각하며 끔찍한 기분이 든다.	타임아웃하기. 대처 사고 사용하기: "나는 충분한 힘이 있고, 형과의 이 일을 해결할 수 있어." "나 자신과 이 상황을 새로운 방식으로 온전히 수용하기."	형과 그렇게 심하게 싸우지 않을 것이다. 그렇게 많이 먹지 않을 것이다. 더 강해졌다고 느낄 것이다. 다음에는 이런 상황을 더 잘 다룰 수 있을 것이다.
1.				
2.				
3.				
4.				

고통스러운 상황에 사용할 새로운 대처 전략 만들기-혼자 있을 때

고통스러운 상황	낡은 대처 전략	건강하지 않은 결과	새로운 대처 전략	예상되는 건강한 결과
예: 때때로 나는 혼자 있을 때 두려운 기분이 든다.	대마초를 피운다. 술집에 가서 술을 마신다. 자해를 한다. 신용카드의 돈을 쓴다.	대마초를 피우거나 술을 많이 마시고 나면 너무 힘들다. 술집에서 싸움에 휘말린다. 피를 흘린다. 피우하지 않은 것에 너무 많은 돈을 쓴다.	마음챙김 호흡하기. 우주와의 연결을 기억하기. 안전 장소 시각화 기술 사용하기. 나에게 중요한 가치 기억하기.	그런 것까지 불안하지는 않을 것이다. 나 자신을 다치게 하지 않을 것이다. 더 많은 돈을 낭길 수 있다. 보다 편안한 기분을 느낄 것이다.
1.				
2.				
3.				
4.				

각 워크시트에 과거에 겪은 고통스러운 상황을 4가지 선택하고, 이러한 상황에 어떻게 대처했는지 확인하십시오. 당신이 사용한 건강하지 않은 대처 전략을 확인하고, 당신과 관련된 다른 사람들에게 어떤 영향을 미쳤는지 파악하십시오. 그런 뒤에 이러한 상황에 더 건강한 방법으로 대처하기 위해 어떤 새로운 고통 감내 기술을 사용할지 작성하십시오. 워크시트의 '새로운 대처 전략'에 대한 추가 사항이라고 생각하십시오. 가장 중요한 것은 구체적으로 작성하는 것입니다. 만약 당신이 '새로운 대처 사고 사용하기'라고 적는다면, 그 대처 사고가 무엇인지도 적으십시오. 또는 만약 '타임 아웃하기'를 적는다면, 무엇을 할 것인지도 포함시키십시오. 나중에 잊지 않도록 구체적으로 작성하십시오. 마지막으로 당신의 새로운 고통 감내 기술을 사용하면 어떤 건강한 결과가 나타날 것인지 작성하십시오.

제시된 예시를 사용하십시오. 만약 추가 공간이 필요하다면, 워크시트를 복사하여 사용하거나, 출판사 웹사이트에서 추가로 다운받으십시오.

위기 대처 계획 세우기

희망적이게도 당신은 1장에서부터 2장에 이르기까지 REST 전략을 포함해 새로운 고통 감내 기술을 연습해오고 있으며, 이제 어떤 것이 당신에게 가장 효과적인지 잘 알게 되었습니다. 어쩌면 이전 섹션의 새로운 대처 전략 워크시트를 사용하는 것이 당신에게 가장 적절한 기술이 무엇인지 예측하는 데 도움이 될 것입니다. 이제 당신은 몇몇 반복되는 고통스러운 상황을 다루기 위한 개인 맞춤형 계획을 세우는 데 도움이 될 다음 단계를 준비하게 될 것입니다. 그리고 이 계획은 혼자 있을 때와 다른 누군가와 함께 있을 때 두 경우 모두를 위한 계획이 될 것입니다.

다른 사람과 함께 있는 상황을 위해 당신에게 가장 효과적일 거라고 생각되는 4가지 대처 전략을 목록화하십시오. 다시 말하지만, 그 전략에 대해 할 수 있는 한 많은 세부 사항을 포함하여 구체적으로 작성하십시오. 가장 효과적인 전략부터 시작하여, 두 번째로 효과적인 전략, 그리고 그 다음 전략을 작성하십시오. 그 계획은 당신이 고통스러운 상황에 대처하는 데 도움이 되는지 알아보기 위해 첫 번째 전략을 시도하고, 만약 그게 효과가 없다면 두 번째 전략으로 넘어가고, 또 다시 다음으로 넘어가는 방식으로 사용될 것입니다. 1장과 2장에서 도움이 된다고 생각되는 모든 고통 감내 기술, 당신의 REST 전략, 이전 섹션의 새로운 대처 전략 워크시트, 그리고 지금까지 고통 감내 기술을 사용한 경험을 다시 한 번 참고하십시오. (출판사 웹사이트에서 위기 대처 계획 양식을 다운로드받을 수 있습니다.) 또한 다음 장에서 몇 가지 생리적인 대처 기술을 배우게 될 것이며, 각각의 기술을 시도한 이후에 원하는 기술을 당신의 위기 대처 계획에 추가할 수 있습니다.

상황을 다루기 위한 나의 위기 대처 계획

여러 사람과 함께 있을 때 기분이 안 좋으면

첫 번째, 나는＿＿＿＿＿＿＿＿＿＿＿＿＿＿＿＿＿＿＿＿＿＿＿＿＿＿＿＿

＿＿＿＿＿＿＿＿＿＿＿＿＿＿＿＿＿＿＿＿＿＿＿＿＿＿＿＿＿＿할 것이다.

두 번째, 나는＿＿＿＿＿＿＿＿＿＿＿＿＿＿＿＿＿＿＿＿＿＿＿＿＿＿＿＿

＿＿＿＿＿＿＿＿＿＿＿＿＿＿＿＿＿＿＿＿＿＿＿＿＿＿＿＿＿＿할 것이다.

세 번째, 나는＿＿＿＿＿＿＿＿＿＿＿＿＿＿＿＿＿＿＿＿＿＿＿＿＿＿＿＿

＿＿＿＿＿＿＿＿＿＿＿＿＿＿＿＿＿＿＿＿＿＿＿＿＿＿＿＿＿＿할 것이다.

마지막으로, 나는＿＿＿＿＿＿＿＿＿＿＿＿＿＿＿＿＿＿＿＿＿＿＿＿＿＿

＿＿＿＿＿＿＿＿＿＿＿＿＿＿＿＿＿＿＿＿＿＿＿＿＿＿＿＿＿＿할 것이다.

상황을 다루기 위한 나의 위기 대처 계획

혼자 있을 때 기분이 안 좋으면

첫 번째, 나는＿＿＿＿＿＿＿＿＿＿＿＿＿＿＿＿＿＿＿＿＿＿＿＿＿＿＿＿

＿＿＿＿＿＿＿＿＿＿＿＿＿＿＿＿＿＿＿＿＿＿＿＿＿＿＿＿＿＿할 것이다.

두 번째, 나는＿＿＿＿＿＿＿＿＿＿＿＿＿＿＿＿＿＿＿＿＿＿＿＿＿＿＿＿

＿＿＿＿＿＿＿＿＿＿＿＿＿＿＿＿＿＿＿＿＿＿＿＿＿＿＿＿＿＿할 것이다.

세 번째, 나는＿＿＿＿＿＿＿＿＿＿＿＿＿＿＿＿＿＿＿＿＿＿＿＿＿＿＿＿

＿＿＿＿＿＿＿＿＿＿＿＿＿＿＿＿＿＿＿＿＿＿＿＿＿＿＿＿＿＿할 것이다.

마지막으로, 나는＿＿＿＿＿＿＿＿＿＿＿＿＿＿＿＿＿＿＿＿＿＿＿＿＿＿

＿＿＿＿＿＿＿＿＿＿＿＿＿＿＿＿＿＿＿＿＿＿＿＿＿＿＿＿＿＿할 것이다.

이제, 두 경우를 위한 계획을 마쳤으면, 각각의 계획을 지갑이나 지갑에 보관할 하나의 노트 카드에 복사하거나, 당신의 지갑이나 손가방에 넣거나, 혹은 스마트폰 앱에 당신이 세운 계획을 저장해두십시오. 이 전략은 당신의 새로운 고통 감내 기술을 계속해서 떠올리는 데 도움이 될 것이며, 더 이상 당신의 비효율적인 낡은 전략에 의존하지 않게 해줄 것입니다. 나아가 다음 번에 화가 나거나, 상처받거나, 기분이 나쁠 때 무엇을 해야 할지 기억하려고 애쓰지 않아도 됩니다. 당신은 단지 카드를 꺼내서 자신만의 위기 대처 계획에 따르면 됩니다.

결론

가능한 한 자주 당신의 새로운 고통 감내 기술을 연습해야 한다는 것을 유념하십시오. 그리고 만약 기술 연습의 첫 시도가 잘되지 않더라도 좌절하지 마십시오. 새로운 기술을 배우는 것은 어려운 일이고, 종종 어색하게 느껴지기도 합니다. 하지만 누구든 여기에 있는 고통 감내 기술을 배울 수 있고, 그리고 이 기술들은 당신과 같은 수천 명의 사람들에게 이미 도움이 되어왔습니다. 행운을 빕니다!

제 3 장

고통 감내 기술
-고급-

고통 감내를 위한 생리학적 대처 기술

이전 두 장에서 배운 모든 인지적·행동적 고통 감내 기술 외에도 몇 가지 생리학적 대처 기술 역시 도움이 됩니다. 생리학적 기술 중 일부는 이미 안내되었지만, 충분히 반복할 가치가 있습니다.

이 기술들은 압도적인 감정의 강도를 빠르게 진정시킬 수 있으며, 특히 과도하게 슬픔을 느끼거나, 짜증이 날 때, 혹은 화가 나서 다른 고통 감내 기술을 사용하기 힘들 때 도움이 됩니다. 많은 면에서 생리학적 스트레스 대처 기술은 '명료한 사고'가 필요치 않은데, 그 이유는 이 기술은 생물학적 원리와 생리학적 반사작용에 주로 기반을 두기 때문입니다. 이 기술이 어떠한 원리로 작용하는지를 기억하든 그렇지 않든 간에 당신은 이 기술을 사용하기만 하면 됩니다.

이후 7장에서 위험에 처했을 때 생존할 수 있도록 하는 신경계의 '투쟁, 도피, 정지' 반응에 대해 조금 더 배우게 될 것입니다. 하지만 지금으로서는 신경계의 많은 목적 중 생존과 이완이라는 두 가지 내용만 알아도 충분합니다. 생존 모드가 되면 신경계는 당신의 신체에서 '투쟁, 도피, 정지' 반응을 가동하는데, 이것은 생존에 필수적인 반응으로 심장 박동이 빨라지고 근육의 긴장이 높아지는 반응이 나타납니다. 대조적으로 이완 반응은 심박수 감소와 근육 긴장 감소와 같은 반응을 유발하여 휴식을 취하고 편안함을 느끼도록 합니다. 곧 배우게 될 생리학적 대처 기술은 신체에 생물학적 반응을 유발함으로써 이완 반응을 촉진합니다.

이 대처 기술의 몇몇은 다른 기술에 비해 당신에게 더 효과적일 수 있습니다. 어떤 기술이 당신에게 가장 효과적인지 계속해서 살피고, 2장의 마지막 부분에서 작성한 위기 대처 계획에 포함시키십시오. 그리고 주의해야 할 것은 만약 당신에게 생물학적 균형, 혈압, 심박수에 영향을 미칠만한 어떤 의학적 문제를 가지고 있다면, 특히 심장 문제, 호흡 문제, 고혈압, 임신과 같은 문제나 상황에 처해 있다면, 이 기술을 시도하기 전에 전문적인 진료를 받아야만 합니다. 왜냐하면 어떤 기술은 심박수와 혈압을 빠르게 감소시킬 수 있기 때문입니다. 또한 만약 이런 종류의 의학적 문제들을 조절하기 위해 어떤 약을 복용하고 있다면 그에 대해 확인하는 것 역시 중요합니다.

좌우 안구 운동

머리를 움직이지 않고 눈을 좌우로 빠르게 움직이는 것이 스트레스를 경험하는 사람들에게 긴장을 이완해주는 효과가 있는 것으로 확인되었습니다(Barrowcliff, Gray, MacCulloch, Freeman, & MacCulloch, 2003). 이러한 안구 운동 방법은 고통스로운 기억과 관련된 감정적 스트레스를 줄이고 그런 기억을 감소시키는 것으로 밝혀졌습니다(Barrowcliff, Gray, Freeman, & MacCulloch, 2004). 트라우마와 관련된 만성적인 감정적 고통을 완화하기 위해 안구 운동과 생리학적 처치를 통합한 한 심리치료 기법이 있는데, EMDR이라고도 불리는 안구운동 민감소실 재처리 기법입니다(Shapiro, 2001). 치료 기법의 형태는 상당히 간단하지만, 눈을 빠른 속도로 약 30초 동안 좌우로 움직이는 것을 통해 많은 사람들이 긴장을 이완하는 효과를 보았습니다. 학자들은 여전히 이 기법이 왜 효과가 있는 건지 논쟁을 이어가고 있습니다(Lee & Cuijpers, 2013). 하지만 그럼에도 불구하고 이 기법이 사용하기에 쉽고 빠르며, 시도해 볼 가치가 있다는 것은 자명합니다.

지시문

이상적으로는, 이 기법을 처음 할 때는 감정에 방해받지 않는 이완된 상태에서 연습해야 합니다. 앉을 수 있는 편안한 장소를 찾고, 눈을 뜬 상태로 유지하며 안구를 좌우로 움직입니다. 눈을 1초에 한 번 왔다 갔다 한다 생각하고 편안한 속도로 움직이십시오. 마치 탁구 경기에서 빠르게 움직이는 공을 보는 것처럼 움직이면 됩니다. 최대한 머리를 움직이지 않도록 하고, 방의 한쪽 구석을 보고 다시 다른 쪽 구석을 보는 것처럼 그저 눈만 좌우로 움직입니다. 만약 과도한 눈의 피로나 통증을 느낀다면 움직임을 멈추거나, 더 편안한 속도로 천천히 움직이도록 합니다.

다음으로는, 덜 불쾌한 기억에 이 기법을 사용하여 연습합니다. 당시의 기억과 감정 반응을 떠올려 봅니다. 그 감정적 고통에 0부터 10까지의 수치로 평정해 봅니다. 당신이 상상할 수 있는 최악의 고통을 10점으로 평정합니다. 그리고 그 기억으로 인해 당신의 몸에 나타나는 스트레스나 긴장을 기록합니다. 이제 약 30초간 좌우 안구 운동을 합니다. 눈을 움직일 때 불쾌한 기억을 붙잡으려고 하지 않습니다. 오히려 어떤 기억 혹은 감정이 떠오르던지 그것을 그냥 자연스럽게 둡니다. 30초 정도의 시간이 흐른 뒤, 감정적으로나 신체적으로 당신에게 어떠한 변화가 일어났는지 기록합니다. 그러고 나서 이 기법을 한 번 더 시도하는데, 원래의 고통스런 기억에서 시작해서 30초 동안 무엇이 떠오르던지 간에 자연스럽게 지나가도록 내버려 둡니다. 그런 후에, 감정적 또는 신체적으로 변화된 느낌이 있는지 살펴 그 내용을 기록합니다. 이러한 방식으로 4회에서 5회 정도 시도하고, 감정적으로나 신체적으로 느낀 어떠한 개선점이 있다면 기록하십시오.

만약 당신이 이 기술을 연습하는 동안 어떤 개선점을 발견했다면, 다음에 당신이 어떠한 고통스럽고 항진된 감정적 반응을 경험할 때 이 기법을 사용하도록 합니다. 그 사건에서 가장 방해가 되는 부분이 무엇이었는지, 어떤 감정이 가장 고통스러웠는지, 무엇이 그 고통스러운 감정을 촉발시켰는지 살펴봅니다. 거기서부터 시작하십시오. 만약 당신이 안구 운동 기법을 사용한다고 해서 다른 사람의 주의를 끌지 않을 수 있는 사적인 공간에 있다면, 그곳이 어디든 자리에 앉아 이 기법을 사용합니다. 반면에 만약 당신이 편하게 안구 운동 기법을 사용할 수 있는 상황이 아니라면, 눈을 감고 같은 방식으로 기법을 사용합니다. 눈을 감은 채 약 30초간 안구를 빠르게 움직이고, 감정적으로 신체적으로 느끼는 어떠한 변화를 기록한 뒤, 필요하다면 이 기법을 3회에서 4회 정도 반복합니다. 다시 말하지만, 30초씩 진행되는 매회 마다 어떤 기억이나 생각이 떠오르던지 그것을 자연스럽게 내버려 둡니다. 그러고 나서 다시 시작할 때, 원래의 고통스러웠던 기억이나 감정으로 돌아갑니다.

이 워크북의 저자 중 한 명은 가끔 불면증을 겪거나 잠자려고 누웠을 때 불안한 생각이 떠올라 힘들어하는 사람들에게 종종 이 기법을 추천합니다. 다음에 당신이 수면 문제를 겪는다면 이 기법을 시도해 봅니다. 눈을 감고 자리에 누운 상태로, 앞서 연습에서 했던 방식대로 눈을 좌우로 30초간 움직입니다. 눈을 좌우로 움직이는 동안 당신을 힘들게 하는 생각 혹은 기억이 '지워지는' 것을 상상합니다. 다시 말하지만, 4회에서 5회 정도 이 기법을 사용하고, 그런 후에 다시 자려고 해봅니다.

차가운 온도를 이용하여 이완하기

차가운 온도를 이용하여 이완할 수 있는 두 가지 방법이 있습니다. 하나는 얼굴에 차가운 것을 대는 방법이고, 다른 하나는 차가운 무언가를 손에 쥐는 방법입니다.

연습 : 잠수 반응

언뜻 이해되지 않을 수 있지만, 연구 결과에 따르면 숨을 참고 얼굴을 아주 차가운 물에 담그고 있으면 당신의 몸은 신경계의 이완 반응을 일으켜 심박수가 감소하게 됩니다(Kinoshita, Nagata, Baba, Kohmoto, & Iwagaki, 2005). 이러한 현상은 *잠수 반응*이라고 알려져 있으며(Gooden, 1994), 대부분의 포유류 동물에게서 나타나는 자연스러운 반사 반응입니다. 이 반응은 물속에 있는 동안 뇌와 심장의 산소를 보존하기 위해 일어나는 것으로 여겨집니다. 다만, 만일 당신이 임신을 했거나, 심장이나 혈압과 관련된 의학적 문제를 가지고 있다면, 이 기술을 시도하기 전에 먼저 전문적인 의학적 진료를 받도록 합니다.

지시문

이완을 돕는 잠수 반응을 일으키기 위해 매우 차가운 물로 적신 수건이나, 절반 정도 녹은 아이스팩을 수건으로 감싸 이마나 볼에 가져다 대는 방법을 추천합니다. (절대 완전히 얼은 아이스팩을 바로 피부에 대지 마십시오. 피부를 손상시키지 않기 위해 아이스팩을 항시 수건으로 감싸서 사용하십시오.) 얼굴 전체를 차가운 물에 담그기보다는 이 방법 중 하나를 먼저 사용해 봅니다. 이마나 볼에 냉찜질을 하는 것은 매우 차가운 물에 얼굴을 담그는 것과 비슷한 방식으로 얼굴의 삼차신경에 영향을 줍니다. (만약 이 방법을 사용하는 중에 어떤 통증을 느끼게 되면 즉시 멈추십시오.) 만약 차가운 물로 적신 수건을 사용한다면, 잠수 반응을 일으키기 위해 수건의 온도가 섭씨 21도(화씨 70도) 이하여야만 합니다. 그 다음에 얼굴을 물에 담그는 효과를 더 보기 위해 이마나 볼을 차가운 수건을 누르면서 몇 초 동안(혹은 힘들지 않을 정도까지) 숨을 유지합니다. 하지만 의도적으로 호흡을 차단하기 위해 다른 어떤 방법을 사용하지 않도록 합니다. 그렇게 하면 현기증을 느끼거나, 기절을 하거나, 심하게는 죽음에 이를 수도 있습니다.

연습 : 냉압 기술

차가운 온도를 이용하여 감정적 이완을 유발하는 또 다른 방법은 아주 차가운 아이스팩을 손에 쥐거나, 2~4분 정도 아주 차가운 물 속에 손을 넣고 있는 것입니다. 의도적으로 자해 행동(커팅, 할퀴기 등)을 하는 사람들에 대해 연구한 결과 따르면, 그런 고통스러운 행동이 어떤 사람들에게는 실제로 감정적 안도감을 가져다준다는 사실이 확인되었습니다. 하지만 이와 동시에 그런 자해 행동을 하는 것은 상처를 남기고, 의학적 응급 상황으로 이어질 것이 분명하기에 추천하지 않습니다. 사실 변증법적 행동치료의 목적 중 하나는 자신에게 해로운 행동들을 멈추는 것입니다. 몇몇 연구에서는 해로운 행동 대신에 그와 유사한 방식으로 대체하고자 냉압 실험을 종종 실시합니다. 냉압 실험에서 피실험자는 섭씨 0~10도(화씨 32~50도)의 얼음물이 담긴 양동이에 손목 위까지 손을 집어넣고 2분에서 4분 동안을 보냅니다. 냉압 실험을 진행한 한 연구에서 경계선 성격장애를 가진 몇몇 참가자들의 분노, 혼란, 우울, 불안이 확연히 줄어드는 결과가 확인되었으며(Russ et al., 1992), 이후 냉압 실험을 한 다른 연구에서도 유사한 결과가 나타났습니다(Franklin et al., 2010). 고통스러운 자극을 없애는 것이 어떻게 그렇게 큰 감정적 안도감을 주는지에 대한 정확한 이유는 여전히 논의되고 있지만, 그러한 실험의 결과는 압도되는 감정으로 인해 고통받는 사람들에게 희망적인 일입니다.

지시문

얼음물이 담긴 양동이에 2-4분 정도 손을 담그는 방식 대신에, 같은 시간 동안 매우 차가운 물에 손을 담그거나 수건에 감싼 얼음팩을 쥐고 있는 것이 좋습니다. (극심한 스트레스 상황에 있을 때는 양동이를 찾아 얼음물을 만든다는 것은 불가능에 가깝습니다. 특히 집에 있지 않은 상황에서는 더 그렇습니다. 반면에 아이스팩이나 차가운 물을 준비하는 것은 훨씬 수월할 것입니다. 혹시 이 두 가지가 모두 불가능하다면, 아주 차가운 음료 캔이나 물병을 손에 쥐는 방법을 사용하십시오.) 차가운 물이나 얼음팩의 온도를 섭씨 0도에서 10도 사이(화씨 32도에서 50도 사이)에서 견딜 수 있는 한 최대한 차갑게 하십시오. 이렇게 함으로써 당신은 가벼운 정도에서 중간 정도까지의 불편감을 경험하게 되겠지만, 높은 수준의 고통을 유발하는 방식이 되어서는 안 됩니다. 만약 어느 시점에라도 큰 고통이나 불편감이 느껴진다면 즉시 연습을 멈추십시오. 스마트폰으로 4분 이하로 타이머를 맞춰두고, 그 불편감을 최대한 참아보려고 노력하십시오. 만약 연습을 하는 동안 집중할 다른 무언가가 필요하다면 마음챙김 호흡을 하도록 합니다.

고강도 인터벌 트레이닝(high-intensity interval training; HIIT) 연습

운동 요법이 수많은 건강상의 이점을 가져다준다는 것은 그리 놀랄만한 일은 아닙니다(Warburton, Nicol, & Bredin, 2006). 운동은 경도에서 중등도의 우울, 불안, 공포증, 공황 발작, 심지어 외상후 스트레스 장애의 치료에도 효과적입니다(Ströhle, 2009). 유산소 운동을 하는 것은 항우울제와 항불안제를 복용할 때와 유사한 뇌 화학물질을 증가시킵니다(Dishman, 1997). 이런 이유만으로도 운동은 고통스러운 감정과 압도적인 감정을 다루기 위한 대처 전략이 되기에 손색이 없습니다. 그러나 많은 사람들이 여전히 정기적으로 운동하는 것을 꺼려하는데, 재미가 없고, 너무 어렵고, 시간이 오래 걸린다는 이유 때문입니다(Trost, Owen, Bauman, Sallis, & Brown, 2002). 다행히도 지난 몇 년 동안 새로운 유형의 운동을 지지하는 좋은 연구들이 발표되었고, 연구들은 더 재미있고, 시간이 덜 걸리고, 훨씬 더 많은 건강상의 이점을 제공하는 운동들입니다. 이전에는 미국 보건 및 인적 서비스부와 같은 기관에서 일주일에 5일을 한 번에 30분 정도 적당한 강도의 운동을 하도록 권고하였습니다(Physical Activity Guidelines Advisory Commitee, 2008). 하지만 운동 요법에 대한 새로운 연구는 짧은 시간 동안 고강도의 운동을 하고 그 뒤에 회복을 위한 짧은 휴식 시간을 갖는 방식이 긴 시간 운동하는 것과 동일한 이점을 갖는다는 결과를 내놓았습니다(Gibala & McGee, 2008). 이런 유형의 운동을 보통 고강도 인터벌 트레이닝(HIIT)이라고 합니다. 성공적인 연구에서 사용한 HIIT의 한 버전은 단 1분간 고강도 운동을 하고, 뒤이어 1분간 낮은 강도의 회복 시간을 갖는 방식으로 총 10회의 '고강도-중등도' 세트로 진행됩니다(Little, Safdar, Wilkin, Tarnopolsky, & Gibala, 2010). 이 얘기는 참가자들이 약 10분 동안만 집중적으로 운동을 했다는 것입니다. 아마도 이렇게 짧은 시간만 노력하면 되기에 HIIT 훈련이 더 재미있고, 다른 시간이 오래 걸리는 형태의 유산소 운동보다 더 선호되는 것으로 보입니다(Jung, Bourne, & Little, 2014).

HIIT는 제2형 당뇨병과 같은 질병을 가진 사람들뿐만 아니라, 모든 연령대의 사람들에게 이 훈련을 권장하는 많은 긍정적 연구 결과를 얻었습니다(Little et al., 2011). 한 연구에서는 HIIT가 심지어 인간 세포 내의 몇몇 노화 징후를 뒤집는 결과가 나타났습니다(Robinson et al., 2017). 그 연구에서 참가자들은 4분간 높은 강도로 자전거 페달을 밟는 운동을 하고, 뒤이어 3분간 중간 정도의 강도로 페달을 밟는 방식으로 '고강도-중등도' 루틴의 운동을 4회 수행했습니다. 참가자들은 이런 식으로 주당 3일 운동을 한 다음, 주당 2일은 빠른 속도로 걸었고, 이렇게 총 12주 간 운동을 하였습니다.

몇몇 HIIT 연구에서는 참가자들의 심박수를 모니터링하여 운동 수준을 측정했습니다. 고강도의 운동을 하는 동안 참가자들의 심박수가 그들의 최대 심박수의 약 90% 정도로 유지되도록 하였습니다(Gibala, Little, MacDonald, & Hawley, 2012). 그리고 중등도의 운동을 하는 동안은 운동의 강도를 낮추고, 심박수도 낮아지게 하여 회복할 수 있도록 했습니다. '최대 심박수의 90%를 유지하라'는 지시를 기억하면서 운동을 지속하는 것과 심지어 심박수를 계산하는 것이 힘들지 않을까 걱정이 될 수도 있지만, 그럴 필요는 없습니다. 예를 들어, 만약 당신이 HIIT 운동법을 시도하기로 결정했는데 90%라는 말이 너무 위협적으로 들린다면, 당신이 힘, 자신감, 지구력을 얻을 때까지는 최대 심박수의 75-80%만 유지하는 것을 처음 목표로 삼도록 합니다. 그런 뒤에 목표 심박수를 90%로 높입니다.

운동할 때의 최대 심박수를 계산하는 한 가지 쉬운 방법은 당신의 나이에 0.64를 곱하고, 211에서 그 나온 수만큼을 빼는 것입니다(Nes, Jansky, Wisløff, stølen, & Karlsen, 2013). 예를 들어보면, 만약 당신의 나이가 41세라면, 41 × 0.64 = 26.24, 211 − 26.24 = 184.76 이렇게 계산하면 됩니다. 그리고 나서 최대 심박수의 90%로 운동 목표를 계산하려면, 이 수에 0.9를 곱해야 합니다(예: 184.76 × 0.9 = 166.28). 그러므로 41세인 사람의 경우 목표 심박수인 90%는 분당 166회 정도가 되겠습니다. (하지만 약물, 의학적 상태, 당신의 일반적인 건강 수준이 목표 심박수에 영향을 미칠 수 있다는 점을 유념합니다. 그리고 만약 당신이 운동 요법을 막 시작하는 거라면, 더 낮은 목표치로 시작할 수 있습니다. 예를 들어, 당신의 최대 심박수의 80% 혹은 75% 정도도 괜찮습니다. 이 경우 최대 심박수의 80%는 0.8을, 75%는 0.75를 곱하면 됩니다.)

운동을 하는 동안 심박수를 모니터링하는 것은 운동 심박수 모니터를 사용하면 쉽게 할 수 있는데, 이런 용품은 온라인이나 대부분의 스포츠용품점에서 구입할 수 있습니다. 하지만 운동 중에 당신의 심박수를 확인할 수 있는 일반적인 방법은 '토크 테스트'를 사용하는 것입니다(Downing, 2016). 운동을 하는 동안 만약 숨차지 않게 말하거나 노래할 수 있다면, 낮은 강도로 운동을 하고 있는 것입니다. 중등도의 강도로 운동을 할 때는 말은 할 수 있지만, 노래는 숨이 가빠지기 전에 단지 몇 마디만 부를 수 있는 상태가 됩니다. 그리고 고강도의 운동을 하는 중에는 전혀 노래를 부를 수 없고, 한 번에 몇 마디 이상의 말을 하는 것이 어렵다는 것을 알게 될 것입니다. 만약 당신이 HIIT 운동법을 수행하면서 토크 테스트를 사용한다면, 운동을 하는 동안 고강도 수준을 유지하기 위해 최선을 다하고, 대화를 시도함으로써 자신의 운동 수준을 계속 점검하십시오. 만약 말하는 게 너무 쉽게 느껴진다면, 충분히 노력하고 있지 않을 가능성이 높습니다. 고강도 운동 중에는 당신이 더 많은 노력을 할수록 더 숨이 가빠질 것이기 때문에 말하는 게 어려울 것입니다; 또한 이때 몇 분 이상은 그 속도를 유지할 수 없을 것처럼 운동의 강도가 격하게 느껴질 것입니다. 그런 다음, 회복 기간 동안에는 다시 편안하게 말하고 숨을 쉴 수 있는 수준으로 운동 강도를 낮추도록 합니다.

지금까지의 내용을 요약하자면, 운동 요법은 수많은 신체 및 심리적 이점을 가지고 있는 것으로 밝혀졌고, 그 중에서도 HIIT 운동법은 다른 형태의 유산소 운동보다 더 재미있고 선호되는 것으로 나타났습니다. 게다가 HIIT는 운동을 하는 데 그리 오랜 시간을 필요로 하지도 않고, 비싼 체육관 회원권이 있어야 하는 것도 아니며(아래에서 몇 가지 대안을 확인합니다), 심박수를 확인하기 위한 장비도 그렇게 비싸지 않고, 노화의 영향을 막아주기도 하며, 모든 연령의 참가자들에게 안전하고, 불쾌한 감정을 다루는 데 효과적인 대처 기술이 될 수 있습니다. 대체로 일주일에 두, 세 번 정도 정기적으로 HIIT 운동법을 실천하도록 합니다. 아니면 적어도 분노, 불안, 슬픔 등의 감정이 휘몰아칠 때만이라도 HIIT를 사용하면 도움이 될 것입니다.

HIIT 운동 프로그램을 시작하기 위해 아래의 일반적인 지시문을 살펴봅니다. 하지만 어떤 운동 규칙이든 시작하기 전에는, 특히 심장 질환, 뇌졸중, 당뇨병, 호흡 장애, 만성 통증, 관절 문제를 가지고 있다면, 당신의 건강 상태에 대한 의료적 확인을 받는 것이 필수입니다. 그런 후에, 운동을 할 때는 천천히 시작하고 점차 운동 강도와 지구력을 높여나갑니다.

지시문

HIIT 운동법을 수행하기 위해 러닝머신, 실내 자전거, 일립티컬 트레이너, 스테퍼, 로잉 머신, 또는 몇 분 동안 집중적인 힘을 발휘할 수 있는 다른 기구를 사용하는 것을 고려해 봅니다(만약 익숙하지 않은 기구를 사용하는 방법을 알고 싶다면, 먼저 전문 트레이너에게 상담을 받으십시오). 하지만 만약 이런 기구를 이용할 수 없는 상황이라면, 달리기, 제자리 뛰기, 줄넘기, 버피, 팔 벌려뛰기와 같은 운동을 합니다.

HIIT 운동법의 각 세트를 시작하기에 앞서, 스트레칭으로 준비운동을 하거나 근육을 풀고 열을 올리기 위해 일련의 느린 동작을 하도록 합니다. 어떤 새로운 운동 요법을 시작할 때는 '낮은 강도로 천천히' 해야 하는데, 그 의미는 총 운동 시간 중 적은 시간의 운동량으로 시작하고, 만약 최대 심박수의 90%를 유지하는 것이 너무 힘들게 여겨진다면 처음부터 이렇게 높은 목표를 잡지 않아야 한다는 뜻입니다. 대신에 3초간의 고강도 운동으로 시작할 때는 운동 중 최대 심박수의 75% 정도로만 유지하는 것을 목표로 하고(혹은 '토크 테스트'를 사용하여 중등도 수준으로 운동을 하거나), 2분 동안은 낮은 강도의 운동으로 진행하면서 심박수를 낮추고 호흡을 편안하게 할 수 있도록 합니다. 그 후에 힘과 지구력을 향상되면, 운동 시간, 운동 강도, 목표 심박수를 높일 수 있습니다.

그리고 몇 회의 세트로 운동을 진행할지도 고려하십시오. HIIT를 이제 막 처음 시작할 때는 1분 간격으로 '고강도-중등도' 세트의 운동을 3회에서 4회 정도 진행하는 것이 좋습니다(총 6-8분 정도의 시간이 소요됩니다). 그리고 나서 힘이 좀 나고 운동 방식에 익숙해지고 나면, 1분 간격의 운동을 5회 또는 6회로 늘릴 수 있습니다(총 10-12분 정도의 시간이 소요됩니다). 그리고 기억해야 할 것은 당신이 운동을 시작하는 수준과 발전하는 양은 주로 나이, 활동 수준, 의학적 상태, 얼마나 일관되게 운동을 진행하는지에 따라 결정될 것입니다. 당신의 목표와 기대를 합리적인 수준으로 유지하고, 너무 많은 것 그리고 너무 빠른 발전을 기대하지 않도록 합니다.

마지막으로, 다음의 제안들을 유념하도록 합니다. 한 피트니스 작가가 전문 HIIT 트레이너와 인터뷰한 내용으로, 사람들이 HIIT 운동 요법을 시작할 때 종종 저지르는 7가지 일반적인 실수를 피하라는 권고 사항입니다(Migala, 2017) : (1) HIIT를 시작하기 전에 준비운동을 건너뛰지 마십시오. (2) 각 운동 시간이 20분 혹은 30분이 넘지 않도록 하십시오. (3) HIIT의 이점을 얻기 위해 운동하는 동안 고강도 수준으로 운동하십시오. (4) 각 고강도 구간 사이에 낮은 강도의 구간을 확보하고 회복하는 데 충분한 시간을 두어 다음 고강도 구간에 다시 전력을 다할 수 있도록 하십시오. (5) 어떤 형태의 HIIT를 수행하든, 동작이 간단한지 확인하십시오. 왜냐하면 너무 복잡한 동작을 하게 되면, 빨리 지치고 운동을 할 수 있는 힘을 잃을 수 있기 때문입니다. (6) 첫 주에는 운동 시간을 너무 빨리 늘리지 마십시오(예: 5분으로 시작한 운동을 20분으로 늘림); 대신에 더 어려운 단계로 넘어가기 전에 먼저 당신의 몸이 힘을 늘릴 수 있는 충분한 시간을 가지십시오. (7) 운동을 하고 나서 당신의 몸이 회복할 시간을 가질 수 있도록 일주일에 두 번 혹은 3번 이상 HIIT를 진행하지 마십시오.

HIIT 운동 일지를 사용하여 운동 강도, 전반적인 진행 상황, HIIT가 기분에 미치는 영향을 살펴봅니다. 필요에 따라 일지 복사본을 추가로 만들도록 합니다(출판사 웹사이트에서 일지를 다운받을 수 있습니다).

HIIT 운동 일지

날짜	운동 유형	고강도 운동 시간과 전체 회수	고강도 운동의 최대 치(심박수 혹은 토크 테스트)	중등도 강도의 운동 시간	HIIT 운동 전 기분 상태와 강도 0~10(최대)	HIIT 운동 이후 기분 상태와 강도 0~10(최대)
예시 : 6/12, 월	헬스장에 있는 실내 자전거 타기	고강도 운동 1분, 총 회수 5회	고강도 운동 중 말하기 힘들었음. 초대 심박수의 80%	중등도 운동 2분. 말할 수 있었고, 숨을 보다 쉽게 쉴 수 있었음	이 때문에 매우 화가 났 었음. 8/10	기분 나아짐. 그렇게까지 화나지 않음. 4/10

날짜	운동 유형	고강도 운동 시간과 전체 횟수	고강도 운동의 최대치(심박수 혹은 토크 테스트)	중등도 강도의 운동 시간	HIIT 운동 전 기분 상태와 강도 0~10(최대)	HIIT 운동 이후 기분상태와 강도 0~10(최대)

천천히 호흡하기

당신은 현재 순간에 주의를 유지할 수 있도록 돕는 기술인 마음챙김 호흡법을 이미 배웠습니다. 그러나 전반적인 호흡 속도를 조절하는 것 역시 불안하고 고통스러울 때 이완하는 데 도움이 될 수 있습니다(McCaul, Solomon, & Holmes, 1979). 그 이유는 이러합니다. 호흡을 하는 방식은 심박수와 신경계에 직접적인 영향을 미칩니다. 숨을 들이마실 때마다 심박수가 약간 상승하게 되고, 숨을 내쉴 때는 심박수가 약간 느려집니다(Hirsch & Bishop, 1981). 또한 숨을 내쉬는 것은 신경계의 이완 반응을 촉발하는 기능을 합니다. 이에 더해 전반적인 호흡의 속도를 느리게 하는 것과 들이마시는 속도보다 내쉬는 속도를 느리게 하는 것은 모두 이완 효과를 일으키는 것으로 나타났습니다(Lehrer & Gevirtz, 2014).

한 연구에서 호흡 속도를 느리게 한 사람들의 경우 불안과 긴장의 정도가 눈에 띄게 줄어들었습니다(Clark & Hirschman, 1990). 그 연구에서 참가자들은 1분에 6회 정도로 호흡을 느리게 했고, 이는 10초에 한 번씩 들숨과 날숨을 쉬는 순환을 의미하는 것이다. 이 정도의 속도는 일반적인 사람들의 호흡 속도보다 느린 것이며, 보통 1분에 9회에서 24회 정도의 호흡을 합니다(Lehrer & Gevirtz, 2014). 그러므로 호흡 속도를 1분에 6회로 느리게 하기까지는 어느 정도 시간과 노력이 필요할 것입니다.

이와 유사하게, 들숨보다 날숨의 속도를 느리게 하는 것은 이완하는 데 유의미한 효과가 있었습니다. 또 다른 연구에서 참가자들은 스트레스를 받는 상황에서 2초 동안 빠르게 숨을 들이마신 다음 8초 이상 천천히 숨을 내쉬는 방법을 통해 그들의 심리적 동요가 줄어들었습니다(Cappo & Holmes, 1984). 그리고 또한 이 연구에서 참가자들은 호흡 속도를 1분에 6회로 늦췄습니다. (1분에 6회 호흡하기는 많은 사람들에게 상당한 이완을 불러일으키는 '마법의' 숫자인 것처럼 보입니다.)

간단히 요약하자면, (1) 전반적인 호흡의 속도를 늦추는 것과 (2) 날숨의 길이를 늦추는 것 두 경우 모두 이완하는 것과 스트레스 받는 상황을 다루는 데 도움이 됩니다.

아래에서 배우게 될 천천히 호흡하기 기술은 고통 감내 기술로 매일 3~5분 정도 연습을 해야만 합니다. 하지만 걱정은 하지 마십시오. 하루 종일 이렇게 느리게 호흡을 해야 하는 것은 아닙니다. 대신에 이 기술을 또 다른 고통 감내 기술이라고 생각하고, 실제 감정이 고양되어 기술 사용이 필요할 때가 되기 전에 진정된 상태에서 이 기술을 연습해야 합니다. 충분한 연습을 통해 마침내 당신은 매우 스트레스가 되는 상황에 처했을 때 이 대처 기술을 사용할 수 있게 될 것입니다.

하지만 천천히 호흡하기 기술을 연습하기 전에, 우선 당신이 평소 얼마나 빠르게 호흡하는지 확인합니다. 시계나 스톱워치를 사용하여 당신이 대체로 편안한 상태일 때, 앉아서 1분에 몇 회 호흡을 하는지 세어봅니다. 들숨과 날숨을 한 쌍으로 수를 헤아리도록 합니다. 예를 들어, 들숨-날숨에 1을 세고, 그다음 들숨-날숨에 2를 세고, 이런 방식으로 계속해서 수를 확인합니다. 1분이 다 지나면 당신의 호흡 회수를 기록하고, 아래의 표를 사용하여 당신이 얼마나 빠르게 호흡하는지 그 근사값을 확인합니다. 가령 만약 당신의 호흡 회수가 1분에 23회였다면 표에서 24를 찾고, 호흡 회수가 14회였다면 15를 찾도록 합니다.

분당 호흡 회수	들숨-날숨의 길이
24	2.5초
20	3초
15	4초
10	6초
8	8초(대략)
6	10초

아마 당신은 호흡 속도를 1분에 6회(10초 한 번씩 호흡)로 즉시 줄이는 게 어렵다는 걸 확인했을 것이며, 특히 당신이 현재 1분에 20회(2초에서 2.5초에 한 번씩 호흡) 정도로 빠르게 호흡하고 있다면, 며칠에서 몇 주 이상은 위의 표를 가이드로 활용합니다. 분당 6회 호흡에 도달할 때까지 며칠 혹은 몇 주에 한 번씩 호흡 회수를 줄여나갑니다. 예를 들어, 만약 당신이 현재 분당 14회 호흡하고 있다면, 첫 주에는 분당 10회로 호흡 회수를 줄여봅니다. 그런 뒤 그게 편안하게 느껴지면, 분당 8회로 회수를 줄입니다. 그리고 마지막으로 며칠 혹은 몇 주 후에는 분당 6회로 호흡 회수를 줄이도록 합니다.

전반적인 호흡 회수를 줄이는 것과 더불어 들숨에 비해 날숨을 1, 2초 더 길게 내쉴 수 있도록 합니다. 가령 당신이 분당 10회(6초에 한 번씩 호흡)로 호흡 회수를 줄일 수 있게 되고 나면, 2초 동안 숨을 들이마시고 4초 동안 내쉬는 것에 집중할 수 있습니다. 그러고 나서 분당 6회(10초에 한 번씩 호흡)로 천천히 호흡할 수 있게 되고 나면, 4초 동안 숨을 들이마시고 6초 동안 숨을 내쉬거나, 혹은 2초간 숨을 들이마시고 8초간 숨을 내쉬는 게 가능할 것입니다. 그러나 다시 말하지만, 이걸 바로 할 수 있을 거라고 기대하지 않도록 합니다. 특히 당신이 전형적으로 빠르게 호흡하는 편이라면 말입니다.

만약 이 기술을 연습하다가 어느 순간에라도 어지럽거나 정신을 잃거나 입술 혹은 손끝이 저리는 느낌이 든다면, 연습을 멈추고 호흡을 평소 속도로 되돌립니다. 이런 증상은 과호흡의 일반적인 증상으로, 당신이 너무 빠르게 호흡하고 있다는 걸 의미합니다. 이후에 안정을 되찾고 나면 다시 이 연습을 시도하고, 더 천천히 호흡하도록 합니다.

마지막으로, 호흡하기 앱을 사용하여 연습을 진행하면 매우 도움이 될 것이고, 앱은 스마트폰에서 다운받을 수 있습니다. 온라인에 있는 많은 호흡하기 앱은 무료이며 언제 숨을 들이마시고 언제 내쉬어야 하는지를 보여주는 시각 가이드를 제공합니다. 게다가 어떤 앱은 들숨과 날숨의 길이(예: 10초)뿐만 아니라, 들숨과 날숨의 길이(예: 들숨 2초, 날숨 8초)를 각각 설정할 수도 있습니다. 그런 뒤 앱의 시각 가이드를 보면서 호흡할 수 있습니다. 또 다르게는 스마트폰의 타이머 기능을 사용하여 초를 셀 수 있습니다. 타이머를 사용하여 수를 헤아리며 호흡하도록 합니다(예: 들숨, 2, 3. 날숨, 2, 3, 4, 5).

천천히 호흡하기 연습에 익숙해질 수 있도록 연습을 시작하기에 앞서 먼저 지시문을 읽어보도록 합니다. 지시문 내용에 익숙해졌다면, 스마트폰을 사용하여 느린 속도에 일정한 목소리로 지시문을 녹음합니다. 이렇게 하면 지시문의 내용을 들으면서 이 기술을 연습할 수 있습니다.

만약 스마트폰의 호흡하기 앱을 사용한다면, 전체 호흡의 길이와 들숨과 날숨 각각의 길이를 설정하고, 그런 뒤에 시간이 다 될 때까지 시각 가이드를 따라 연습을 진행합니다. 아니면 스마트폰의 타이머를 3분에서 5분 정도로 설정하고 호흡을 세는 동안 타이머를 지켜봅니다. 아래에 있는 예시는 분당 10회 호흡하고(6초에 한 번씩 호흡), 2초간 숨을 들이마시고 4초간 숨을 내쉬는 방식입니다. 하지만 당신이 연습하고 있는 들숨과 날숨의 길이에 따라 숫자를 바꿔보면서 합니다.

지시문

우선 당신이 타이머를 설정한 시간 동안 방해받지 않을 수 있는 편안한 장소를 찾아 앉습니다. 방해가 될만한 소리는 모두 차단합니다. 몇 차례 천천히 길게 호흡하며 이완합니다. 한 손을 당신의 아랫배에 올려놓습니다. 이제 코를 통해 천천히 숨을 들이마시고, 입으로 천천히 숨을 내쉽니다. 호흡할 때 아랫배가 오르락내리락하는 것을 느껴 봅니다. 숨을 들이마실 때 당신의 아랫배가 마치 풍선처럼 바람으로 가득 차는 것을 상상하고, 숨을 내쉴 때 다시 수축되는 것을 느껴봅니다. 코끝을 스쳐 들어오는 들숨을 느껴보고, 마치 생일 케이크 초를 불어 끄듯이 입술을 스쳐 나가는 날숨을 느껴봅니다.

이제 호흡을 계속 이어가면서, 들숨과 날숨의 길이를 헤아리기 시작합니다. 타이머를 보면서 조용히 세어봅니다. 천천히 숨을 들이마시면서 확인합니다. '들숨, 2'. 그리고 숨을 내쉴 때는 '날숨, 2, 3, 4'. 이러한 방식으로 다시 시작합니다: '들숨, 2. 아웃, 2, 3, 4,'. 천천히 계속해서 숨을 쉬기 위해 최선을 다하면서, 타이머를 통해 당신의 호흡 페이스를 유지합니다. 천천히, 계속해서 호흡합니다. 빠르게 호흡하지 않도록 합니다. 그리고 유념합니다. 호흡할 때 폐에 숨을 가득 채울 필요는 없습니다. 대신에 천천히 공기가 채워지는 풍선처럼 당신의 배에 천천히 숨이 들어오고 나가는 것을 인식합니다. '들숨, 2. 날숨, 2, 3, 4. 들숨, 2. 날숨, 2, 3, 4. 들숨, 2. 날숨, 2, 3, 4.' 주의가 분산되거나 헤아리던 수를 잊어버렸을 때는 다시 부드럽게 호흡으로 주의를 되돌려 아랫배의 움직임에 집중하거나 타이머에 다시 집중하십시오. '들숨, 2. 날숨, 2, 3, 4. 들숨, 2. 날숨, 2, 3, 4.'

설정한 시간이 끝날 때까지 계속해서 호흡하고, 시간이 다 되면 당신이 있는 장소로 다시 주의를 되돌립니다.

점진적 근육 이완

점진적 근육 이완은 불안을 진정시키고 이완을 돕기 위한 기술로 특정 근육 집단을 수축했다가 다시 이완하는 체계적인 기술입니다. 이 기술은 의사 에드먼드 제이콥슨이 20세 초에 개발하였고, 이 기술에 대한 그의 연구 결과는 1929년에 「점진적 이완」이라는 제목으로 마침내 발간되었습니다. 제이콥슨 박사는 초기 심신의학의 선구자들 중 한 명으로, 그는 정신과 감정의 관련성 및 정신과 감정 상태가 신체에 미치는 영향에 대해 연구했습니다. 연구를 통해 그가 밝혀낸 내용은 인간이 스트레스를 받거나 불안할 때 근육이 긴장되는 반응을 보인다는 것이었습니다. 다르게 말하면, 감정적인 스트레스가 근육의 긴장을 유발한다는 것을 발견했습니다. 이런 스트레스 반응을 바로잡고 불안을 낮추기 위한 방법으로 제이콥슨 박사는 근육을 긴장시켰다가 이완하는 방식의 점진적 이완을 고안하였고, 이는 정신적 스트레스뿐만 아니라 정서적 고통까지 동시에 진정시키는 기술이었습니다. 정기적인 연습을 통해 제이콥슨 박사는 이 근육 이완 기술이 즉각적인 고통과 더불어 미래의 고통까지 예방할 수 있다는 것을 발견하였는데, 신체의 근육은 이완하면서 동시에 긴장할 수 없기 때문입니다.

약 30년의 시간이 흐른 뒤, 정신과 의사 조셉 월피는 점진적 이완을 불안을 위한 치료에 적용하였고, 이완을 이끄는 언어적 제안을 포함하는 짧은 버전의 기술을 사용하였습니다(1958). 근육 이완 과정에 언어적 신호('평화'와 같은 단어)를 반복적으로 붙임으로써, 앞으로는 신호 단어를 사용하는 것을 통해 근육의 긴장을 이완하는 것을 훈련할 수 있습니다. 즉 단순히 '평화'라는 단어를 말하는 것만으로 근육을 이완하게 되는 것입니다. 월피 박사는 점진적 이완의 짧은 버전을 사용한 환자들이 불안과 두려움을 유발하는 상황을 더욱 잘 직면하게 되는 결과를 확인했습니다.

월피 박사가 제이콥슨 박사의 기술을 적용한 이래로 셀 수 없이 많은 정신 건강 전문가들이 그들의 필요에 따라 이 기술을 차용하였습니다. 아래에서 설명하는 점진적 근육 이완 형식은 데이비스, 에셀만, 맥케이의 「이완과 스트레스 감소 워크북」에서 가져온 내용입니다(1980).

지시문

불행히도 대부분의 사람들은 자신의 근육이 긴장되어 있다는 사실을 알아차리지 못합니다. 차후에 여러 사람들과 함께 있을 때, 얼마나 많은 사람들이 몸의 긴장을 보이는지 살펴보십시오. 움츠린 어깨, 바르지 않은 자세, 꽉 다문 턱, 움켜진 주먹, 찡그려진 여러 얼굴 근육을 찾아보십시오. 안타깝게도 우리 중 많은 사람들이 몸이 긴장되어 있는 것에 너무 익숙해져서 그것을 '정상'의 상태로 받아들입니다. 하지만 그 상태가 정상이든 그렇지 않든 간에 대부분의 경우 바로잡을 수 있는 여지가 있습니다.

점진적 근육 이완은 당신의 근육이 수축되고 긴장되었을 때의 느낌과 풀어지고 이완되었을 때 느낌의 차이를 인식하도록 돕는 것에 초점을 둡니다. 그 감각을 더 쉽게 인식할 수 있도록 돕기 위해 점진적 근육 이완은 한 번에 작은 근육 집단을 긴장시키고 이완하는 것에 초점을 맞춥니다. 근육을 천천히 긴장시키고 이완하는 방식을 통해 그 차이를 인식하는 법을 배우게 되면 근육들이 긴장되어 있을 때 그 긴장을 더 쉽게 인식하고 풀어줄 수 있습니다. 아래의 기술을 통해 작은 근육 집단을 긴장시키고 이완하며 점차 당신의 몸 전체 곳곳을 살피면서 긴장을 확인하고 이완하며 점진적으로 근육 이완을 만들어내는 것을 배웁니다.

각각의 근육마다 약 5초간 근육을 긴장시키고 그 뒤에 바로 긴장을 이완할 것입니다. 가능한 한 빠르게 근육의 긴장을 이완하는 것이 중요한데, 그래야 이완되었을 때의 느낌을 더 잘 구별할 수 있기 때문입니다. 그리고 나서 근육이 풀리고 이완되는 느낌을 알아차리기 위해 15초에서 30초 정도 시간을 가지십시오. 그런 뒤 같은 근육을 다시 긴장시켰다가 이완하고, 긴장되었을 때 느낌과 이완되었을 때 느낌의 차이를 계속해서 알아차리십시오. 일반적으로 근육마다 최소한 두 번 이상의 긴장과 이완을 반복합니다. 하지만 이완을 위해 특정 근육에 보다 집중할 필요가 있다면, 다섯 번까지 긴장과 이완을 반복해도 좋습니다. 점진적 근육 이완을 연습할 때의 자세는 앉는 것과 눕는 것 모두 괜찮습니다. 또한 연습을 위해 이동을 하면서 걸을 때나 서 있는 동안 근육을 긴장시키고 풀어주는 것도 좋습니다.

시작하기 전에, 지시문의 내용은 보통 세 파트로 구분된다는 걸 염두에 두십시오. 첫 번째, 어떤 방식으로 긴장시킬지 결정해야 합니다. 세 가지 종류가 있습니다: 능동적 긴장, 한계점 긴장, 수동적 긴장. 이에 대해 아래에서 설명할 것입니다. 두 번째, 이완하면서 사용할 언어적 신호를 선택하십시오. 몇 가지 신호 단어가 제공됩니다. 언어적 신호와 근육 이완 행동을 반복적으로 연결지음으로써 당신의 언어적 신호를 사용하여 간단하게 근육을 이완하는 훈련을 할 수 있습니다. 그리고 세 번째, 기본적인 절차의 점진적 근육 이완을 사용할지 간략한 절차의 것을 사용할지 결정하십시오. 근육 그룹을 긴장시키고 이완하는 것을 처음 배운다면 기본적인 절차를 사용할 것을 추천하며, 근육의 긴장을 더 쉽게 알아차리고 효과적으로 이완할 수 있게 될 때까지 몇 주간은 기본 절차에 따라 연습하십시오. 그 이후에 간략한 절차를 사용할 수 있고, 간략한 절차는 여러 개의 근육 그룹을 통합해서 큰 근육 그룹을 동시에 이완하는 방식입니다. 눈을 감고 이완하면서 점진적 근육 이완을 진행할 수 있도록 스마트폰에 스크립트의 내용을 녹음하는 것을 고려해보십시오.

점진적 근육 이완을 시작하기에 앞서, 만약 어떠한 신체적 제약이 있다면 먼저 그에 대해 고려하십시오. 그리고 현재 허리, 목, 관절, 어깨 통증이 있는 경우에는 각별하게 주의하여 진행하십시오. 혹시 근육을 긴장시키고 이완시키는 걸 할 수 있을지에 대한 작은 의심이라도 있다면, 시작 전에 먼저 의료 서비스 제공자와 상의하십시오. 또한 현재 임신 중이거나 정신을 잃기 쉬운 상태라면, 이 기술을 시도하기 전에 전문의와 상담하십시오. 그리고 건강에 어떤 문제도 없을지라도 등, 목, 하물며 발의 근육을 긴장시킬 때 조심해서 진행하십시오. 이런 부위의 근육을 긴장시킬 때는 절대 고통을 느낄 정도로 강하게 긴장시키지 마십시오.

3가지 수준의 긴장

점진적 근육 이완을 진행할 때, 시도할 수 있는 3가지 각기 다른 유형의 긴장이 있습니다. 일반적으로 능동적 긴장으로 시작하여, 그 다음에는 한계점 긴장을, 마지막으로 수동적 긴장의 순서로 진행합니다. 하지만 어떤 이유에서든 다른 유형에 비해 어떤 한 유형을 사용하는 것이 편안하게 느껴진다면, 그게 무엇이든 당신에게 가장 효과적인 유형을 사용하십시오.

1. 적극적 긴장은 당신이 긴장을 알아차릴 때까지 근육 그룹을 신체적으로 수축시키는 방식으로, 5초 동안 긴장을 유지한 뒤 빠르게 긴장을 이완합니다. 어떤 지도자들은 근육 그룹을 최대한 세게 긴장하라고 권하지만, 이렇게 하는 것은 종종 사람

들에게 너무 강한 긴장감을 주거나 때때로 근육을 너무 세게 수축하여 통증을 느끼게 됩니다. 그러므로 너무 강하게 하는 대신에 긴장감을 알아차릴 수 있을 정도지만 고통을 느낄 정도로 강하지는 않게 근육 그룹을 수축하면 됩니다. 한 근육 그룹을 긴장시키는 동안에는 몸의 나머지 부분은 이완될 수 있도록 합니다. 또한 능동적으로 근육을 긴장시키면서 계속해서 호흡하십시오. 어떤 사람들은 이 연습을 하면서 평소처럼 호흡하거나 횡경막 호흡법을 사용하는 것을 선호합니다. 다른 사람들은 숨을 들이마시고, 긴장을 유지하고, 그런 뒤에 긴장을 이완하며 숨을 내쉬는 방식을 선호합니다. 어떤 방식을 사용하든 간에 당신에게 가장 효과적인 것이라면 괜찮습니다. 평소에 통증 문제가 없는 사람들은 대개 능동적 긴장 방법을 선호합니다. 왜냐하면 긴장을 유지하고 이완하는 방식의 경험이 마치 마사지를 하는 것과 같은 즐거움을 가져다주기 때문입니다.

2. 한계점 긴장은 적극적 긴장에 비해 긴장의 수준이 낮은 유형입니다. 그리고 한계점 긴장 에서도 적극적으로 근육을 긴장시켜야 하지만, 긴장감이 거의 느껴지지 않을 정도로만 긴장시켜야 합니다. 다시 최소한 5초 동안 긴장 상태를 유지하십시오. 그런 뒤 가볍게 긴장된 근육을 이완하며 15초에서 30초 동안 근육이 더 이완되는 것을 알아차리십시오. 연습을 하는 중에 계속해서 호흡하십시오. 많은 사람들이 능동적 긴장의 절차를 통해 긴장과 이완을 인식하는데 익숙해진 뒤에는 한계점 긴장을 적용하곤 합니다. 하지만 다른 어떤 사람들은 허리가 안 좋거나 부상을 입었을 때 자신을 보호하기 위해 한계점 긴장을 사용합니다.

3. 수동적 긴장은 근육 그룹을 전부 긴장시키는 대신에 특정 근육 그룹의 긴장을 단순히 알아차리는 방식으로 진행됩니다. 다시 5초간 근육의 긴장을 알아차리고, 그 뒤에는 창의적인 생각을 사용하여 근육 이완에 집중합니다. 예를 들어, 근육이 마치 태양에 녹는 왁스처럼 점점 더 길어지고 느슨해지는 것을 상상하십시오. 혹은 숨을 들이마시고, 잠시 참았다가 숨을 내쉴 때는 근육에서 빠져나오는 긴장을 상상해보십시오. 그리고 나서 15~30초 동안 이완된 신체 감각에 집중하십시오. 수동적 긴장은 먼저 근육을 긴장시키는 것과 긴장을 알아차리는 것에 익숙해진 뒤에 사용하는 것이 수월합니다. 하지만 다시 말하지만 어떤 사람들의 경우에는 근육을 긴장시키는 행동을 지양해야 하는 그들의 부상이나 건강 상태 때문에 수동적 긴장을 선호합니다. 만약 당신이 수동적 긴장을 사용하고자 한다면, 아래의 기본 절차를 따라 연습을 진행할 때, 스크립트에서 근육을 물리적으로 긴장시키라고 지시하면서 사용하는 '긴장을 알아차리십시오'라는 문구를 다르게 대체하십시오.

이완 신호

근육의 긴장을 이완하면서 사용할 언어적 신호를 고르십시오. 언어적 신호는 이완을 기억하도록 하는 역할을 할 뿐만 아니라, 반복적으로 신호와 이완 행동을 연결 지음으로써 결국에는 신호 단어를 말하는 것만으로도 이완하게 되는 훈련입니다. 아래에 이완을 도울 몇 가지 신호 단어가 제시되어 있습니다. 혹은 자신의 신호 단어를 만들어 볼 수도 있습니다.

- 이완과 놓아주기

- 진정

- 안정과 휴식

- 평화

- 더욱 놓아주기

- 느슨하게 이완하기

- 부드럽게 근육 이완

- 평온

기본 절차

우선 방해받지 않는 편안한 장소를 찾아 앉거나 누우십시오. 방해가 되는 소리를 차단하십시오. 너무 꽉 끼거나 방해가 될 수 있는 모든 옷의 부분들을 느슨하게 하십시오. 몇 차례 느리고 길게 호흡하고 이완하십시오.

이제 신체 다른 부분은 이완시키면서, 주먹을 쥐고 손목을 뒤로 젖히는 것으로 시작하십시오. 당신의 주먹, 손목, 팔뚝에 긴장감을 알아차릴 때까지 꽉 쥐어보십시오. 5초간 유지합니다. [녹음할 때 여기서 1, 2, 3, 4, 5를 세고 아래 다른 근육 그룹에서도 동일한 방식으로 진행하십시오.] 이제 긴장을 풀고 이완하십시오. 이완을 도울 신호 단어를 사용한다면, 긴장을 이완할 때 그 단어를 말하십시오: '평화' [신호 단어를 사용한다면, 여기에서 그리고 긴장을 풀 때마다 당신의 단어나 구로 대체하십시오.] 당신의 근육이 늘어나고, 느슨해지고, 이완하면서 근육을 긴장시켰을 때 느낌과 이완했을 때 느낌의 차이를 알아차리십시오. 이제 이완된 근육의 감각을 더 충분히 인식할 수 있도록 몇 초간 시간을 가지십시오. [녹음할 때 여기서 15초 동안 멈추고, 아래 다른 근육 그룹에서도 동일한 방식으로 진행하십시오.] 이제는 같은 근육 그룹을 긴장시키고 이완하기를 반복하십시오. [녹음할 때 여기에서 그리고 아래의 각 근육 그룹에서도 동일한 지시를 반복하십시오.]

이제 팔꿈치를 구부려 이두근을 긴장시키십시오. 팔에 긴장감이 느껴질 때까지 이두근을 조이십시오. 5초간 긴장을 유지하십시오. 그런 뒤 양손을 내려놓고, 긴장을 풀며 이완하십시오. [신호 단어 삽입] 이완된 감각을 더 충분히 인식할 수 있도록 몇 초간 시간을 갖고 그 차이를 느끼십시오. [반복합니다.]

이제 눈을 찌푸리고, 이마가 늘어나면서 느껴지는 이마와 눈썹의 긴장을 알아차리십시오. 이마의 긴장을 알아차릴 때까지 근육을 긴장시키십시오. 5초간 유지합니다. 그런 뒤 긴장을 풀면서 이마와 눈썹이 다시 부드러워지고 이완되는 것을 상상하십시오. [신호 단어 삽입] 이완된 감각을 더 충분히 인식하기 위해 몇 초간 시간을 갖고 그 차이를 느끼십시오. [반복합니다.]

이제 눈을 꼭 감고, 눈, 코, 볼 주위의 긴장을 느껴보십시오. 5초간 유지합니다. 그런 뒤 눈은 계속 감은 채로 긴장을 이완하고, 눈 주위의 근육이 다시 부드러워지고 이완되는 것을 상상하십시오. [신호 단어 삽입] 이완된 감각을 더 충분히 인식하기 위해 몇 초간 시간을 갖고 그 차이를 느끼십시오. [반복합니다.]

이제 입을 크게 벌리고 턱의 긴장을 느껴보십시오. 5초간 유지합니다. 그런 뒤 입을 다물고 긴장을 이완하십시오. [신호 단어 삽입] 이완된 감각을 더 충분히 인식하기 위해 몇 초간 시간을 갖고 그 차이를 느끼십시오. [반복합니다.]

이제 입천장으로 혀를 꾹 눌러보십시오. 혀와 입 안쪽에 긴장감이 느껴질 때까지 혀를 더 세게 누르십시오. 5초간 유지합니다. 그런 뒤 긴장을 이완하고 혀를 편안하게 합니다. [신호 단어 삽입] 이완된 감각을 더 충분히 인식하기 위해 몇 초간 시간을 갖고 그 차이를 느끼십시오. [반복합니다.]

이제 입술을 O 모양으로 오므리고 입과 턱 주변의 긴장을 느껴보십시오. 5초간 유지합니다. 그런 뒤 입술의 긴장을 풀고 입을 편안하게 합니다. [신호 단어 삽입] 이완된 감각을 더 충분히 인식하기 위해 몇 초간 시간을 갖고 그 차이를 느끼십시오. [반복합니다.]

이제 당신의 이마, 두피, 눈, 턱, 혀, 입술 전체의 이완된 감각을 알아차리십시오. 이 부분들을 마음속으로 스캔하고, 만약 여전히 긴장이 느껴지는 부분이 있다면 그 근육 그룹으로 돌아가서 그 부위를 긴장시켰다가 이완하기를 반복하십시오. 당신의 몸에 이완된 감각이 전체적으로 퍼져나가게 하십시오. [신호 단어 삽입]

이제 천천히 머리를 돌리십시오. 한 쪽 귀가 어깨에 거의 닿을 정도로 머리를 옆으로 숙이고, 천천히 턱을 가슴까지 내려 반대쪽 어깨로 머리를 돌리십시오. 머리를 좌우로 움직일 때 긴장이 어느 부위로 옮겨가는지 느끼십시오. 그런 뒤 천천히 다시 턱을 내리고 반대쪽 어깨로 돌아갑니다. 이제 긴장을 풀고 머리가 편안하게 원래 위치로 돌아오도록 하십시오. [신호 단어 삽입] [반복합니다.]

이제 양쪽 어깨를 으쓱 끌어올려 귀를 향하도록 하십시오. 목, 어깨, 등의 긴장감을 알아차릴 때까지 어깨를 올리고 있으십시오. 5초간 유지합니다. 그런 뒤 빠르게 어깨의 긴장을 풀고, 어깨를 툭 떨어트리십시오. 이완된 감각이 목, 어깨, 등으로 퍼져가는 것을 느끼십시오. [신호 단어 삽입] 이완된 감각을 더 충분히 인식하기 위해 몇 초간 시간을 갖고 그 차이를 느끼십시오. [반복합니다.]

이제 폐에 숨이 가득 차도록 호흡을 들이마십시오. 가슴의 긴장감을 느끼십시오. 숨을 참고 5초간 긴장감을 느끼십시오. 그런 뒤에 가슴의 긴장을 풀고 평소처럼 호흡하십시오. [신호 단어 삽입] 이완된 감각을 더 충분히 인식하기 위해 몇 초간 시간을 갖고 그 차이를 느끼십시오. [반복합니다.]

이제 아랫배 근육에 힘을 주십시오. 5초간 긴장을 유지하고 나서, 긴장을 푸십시오. [신호 단어 삽입] 아랫배의 이완된 감각을 알아차리십시오. 이제 한 손을 아랫배 위에 올려두십시오. 숨을 들이마실 때 당신의 배가 마치 풍선처럼 부드럽게 부풀어 오르도록 천천히 그리고 깊게 호흡하십시오. 아랫배의 긴장감을 알아차리면서 숨을 참으십시오. 그리고 마지막으로 숨을 내쉬면서 배를 편안하게 이완하십시오. 숨을 내쉴 때 긴장이 사라지는 걸 느껴보십시오. [신호 단어 삽입] 이완된 감각을 더 충분히 인식하기 위해 몇 초간 시간을 갖고 그 차이를 느끼십시오. [반복합니다.]

이제 무리하지 않는 선에서 부드럽게 등을 뒤로 굽히십시오. 허리 근육의 긴장이 고조되는 것을 느낄 수 있을 정도까지 충분히 굽히십시오. 등 외의 다른 부분은 가능한 한 이완 상태를 유지하십시오. 5초간 허리의 부드러운 긴장감을 유지합니다. 그런 뒤 다시 허리를 바르게 세워 긴장을 푸십시오. [신호 단어 삽입] 이완된 감각을 더 충분히 인식하기 위해 몇 초간 시간을 갖고 그 차이를 느끼십시오. [반복합니다.]

이제 허벅지와 엉덩이 부위에 힘을 주십시오. 다리의 대퇴사두근과 햄스트링 근육뿐만 아니라 둔근을 쥐어짜십시오. 5초간 긴장을 유지합니다. 그런 뒤 긴장을 풀고 이완하십시오. [신호 단어 삽입] 이완된 감각을 더 충분히 인식하기 위해 몇 초간 시간을 갖고 그 차이를 느끼십시오. [반복합니다.]

이제 발가락을 아래로 향하게 하여 다리를 곧게 펴고 힘을 주십시오. 다리 전체에 걸쳐 긴장감을 느껴보십시오. 5초간 긴장을 유지합니다. 그런 뒤 긴장을 풀고 이완하십시오. [신호 단어 삽입] 이완된 감각을 더 충분히 인식하기 위해 몇 초간 시간을 갖고 그 차이를 느끼십시오. [반복합니다.]

이제 당신의 발가락을 하늘을 향해 정강이에 가까워지도록 구부리고 다리를 곧게 펴 힘을 주십시오. 다리 전체에 걸쳐 느껴지는 긴장감을 느껴보고, 특히 종아리 근육의 긴장을 느껴보십시오. 5초간 긴장을 유지합니다. 그런 뒤 긴장을 풀고 이완하십시오. [신호 단어 삽입] 이완된 감각을 더 충분히 인식하기 위해 몇 초간 시간을 갖고 그 차이를 느끼십시오. [반복합니다.]

마지막으로, 당신의 몸 전체가 이완되고 편안해지는 것을 알아차리십시오. 이완의 편안한 온기가 당신의 몸 전체로 계속 퍼져나가고, 더 커지고, 확장되게 하십시오. [신호 단어 삽입] 발끝에서부터 머리끝까지 마음속으로 당신의 몸을 스캔하면서 좀 더 완전히 이완되어야 할 근육이 있는지 살피고, 그 근육들이 늘어나고, 느슨해지고, 이완되도록 하십시오. 다리에서부터 시작하여, 발... 발목... 종아리... 정강이... 무릎... 허벅지... 엉덩이... 각 부분의 긴장을 이완하십시오. 그러고 나서 복부와 허리까지 이완이 확장되도록 하십시오. 그런 다음 가슴과 등으로 이완의 감각이 퍼져나가도록 하십시오. 모든 근육들이 늘어나고, 느슨해지고, 이완되도록 하십시오. 이제 이완이 더 커지고 확장되어서 어깨... 팔... 손... 손가락으로 옮겨가도록 하십시오. 그리고 이완이 계속해서 더 커지고 확장되어서 목... 턱... 입... 볼... 눈 주위... 이마... 두피... 뒤통수까지 퍼져나가도록 하십시오. 계속해서 천천히 호흡하며 매호흡마다 이완의 감각이 더 커지고 확장되게 하십시오. [신호 단어 삽입]

준비가 되면 천천히 눈을 뜨고, 당신이 있는 장소를 주의를 옮겨와서, 이완을 느끼며 주의를 맑게 하고 주변을 의식해보십시오.

간략한 절차

위에서 기본 절차를 사용하여 각각의 근육을 이완하는 성공적인 경험을 한 이후에 이 간략한 절차의 점진적 근육 이완을 시도하십시오. 간략한 절차는 근육 그룹을 5가지 기본 자세로 구분하고, 이렇게 함으로써 더 빠르게 이완할 수 있도록 합니다. 각각의 자세에서 모든 근육 그룹을 함께 긴장시키고 이완하여 몸 전체를 이완하는 데 걸리는 시간을 단축합니다. 간략한 절차의 과정은 기본 절차와 동일합니다: 각 자세가 진행되는 동안 5초간 긴장을 유지하고, 그런 뒤 근육을 이완하며 15~30초간 이완된 감각을 알아차립니다. 그리고 나서 최소 한 번 이상 반복합니다. 또한 만약 당신이 신호 단어를 계속해서 사용하고 싶다면, 긴장을 이완할 때마다 신호 단어를 말하십시오.

1. 양손은 주먹을 쥐고, 이두근과 팔뚝에 힘을 주고, 거울 앞에서 포즈를 취하고 있는 보디빌더처럼 팔을 드십시오. 양손, 팔, 어깨, 등에서 느껴지는 긴장감을 느껴보십시오. 그런 다음 긴장을 풀어 근육을 이완하십시오. [반복합니다.]

2. 왼쪽 귀가 왼쪽 어깨에 닿듯이 고개를 떨구고, 천천히 턱을 가슴을 향해 돌립니다; 오른쪽 귀가 오른쪽 어깨에 닿을 정도로 계속해서 천천히 머리를 돌리십시오. 그리고 나서 다시 턱을 가슴을 지나 아래로 움직이면서 왼쪽 어깨로 돌아갑니다. 머리를 천천히 돌리면서 목, 등, 턱의 긴장을 느껴보십시오. 이제 근육을 풀고 이완하십시오. [반복합니다.]

3. 얼굴과 어깨의 모든 근육을 수축시키고, 마치 신 것을 먹은 것처럼 얼굴을 꽉 조이고 어깨를 위로 당기십시오. (혹은 어깨를 구부릴 때 마치 호두의 주름처럼 얼굴을 찡그린다고 상상해보십시오.) 눈, 입, 이마, 어깨 주변의 근육을 수축시키십시오. 그런 뒤 긴장을 풀고 근육을 이완하십시오. [반복합니다.]

4. 어깨를 부드럽게 뒤로 향해 등의 아치를 만들고 가슴을 쭉 펴십시오. 그런 뒤 가슴과 복부를 넓히면서 숨을 크게 쉬십시오. 가슴, 어깨, 등, 복부의 긴장감을 느끼면서 5초간 호흡을 멈춥니다. 이제 숨을 내쉬면서 긴장을 풀고 근육을 이완하십시오. [반복합니다.]

5. 양쪽 다리를 쭉 펴고 발가락이 얼굴을 향하도록 당기십시오. 다리의 위쪽과 아래쪽에서 느껴지는 긴장감을 느껴보십시오. 그리고 나서 긴장을 풀고 이완하십시오. 이제 다리를 쭉 펴고 발가락을 얼굴에서 멀리 떨어지도록 밀어내십시오. 다시 다리의 위쪽과 아래쪽에서 느껴지는 긴장감을 느껴보고, 긴장을 풀고 이완하십시오. [반복합니다.]

마지막으로, 점진적 근육 이완을 시작하면서 연습을 더 효과적으로 할 수 있는 몇 가지 조언이 아래에 나와있습니다.

1. 점진적 근육 이완의 효과를 경험하기 위해서는 정기적인 연습이 필요합니다. 첫 2주 동안은 하루에 한 번 연습하도록 하십시오. 혹은 최소한 일주일에 3번 연습하십시오. 우선 기본 절차에 따라 연습을 시작하고, 근육의 긴장되었을 때와 이완되었을 때의 차이를 인식할 수 있게 된 뒤에 간략한 절차로 바꾸어야 한다는 걸 유념하십시오. 점진적 근육 이완을 더 많이 연습할수록, 당신이 감정에 압도되었을 때 고통 감내 기술로서 더 큰 효과를 발휘할 것입니다.

2. 목과 등의 근육을 긴장시킬 때는 더욱 주의를 기울이십시오. 특히 목과 등에 부상이 있거나, 퇴행성 상태가 의심되거나 진단된 경우에는 더욱 주의해야 합니다. 통증을 유발하는 어떤 긴장도 피하십시오. 또한 너무 과하게 수축하면 경련을 일으킬 수 있으니 발가락이나 발을 지나치게 조이는 것도 피하십시오.

3. 근육의 긴장을 풀 때는 아주 빠르게 하십시오. 예를 들어, 만약 어깨를 끌어올린 상태라면 긴장을 풀 때 천천히 내리는 게 아니라 빠르게 툭 떨어트리십시오. 근육을 빠르게 풀어줘야 이완되었을 때의 느낌이 강조됩니다.

4. 점진적 근육 이완을 연습하면서 긴장을 유지하는 부위를 더 잘 알게 될 것입니다. 이렇게 인식 능력이 향상되면 당신이 직장에 있거나 완전히 긴장을 풀 수 없는 다른 곳에 있더라도 하루 종일 규칙적으로 근육을 살펴보십시오. 아마도 당신이 어디에 있든지 상관없이 계속해서 근육을 긴장시키고 이완하는 게 가능할 것입니다.

5. 만약 스마트폰이나 다른 방법을 사용해서 스스로 지시문을 녹음한다면, 근육을 긴장시켰을 때와 이완했을 때 둘 모두를 충분히 경험할 수 있도록 멈추는 시간을 넉넉히 가져야만 합니다.

생리학적 대처 기술 사용하기

당연하게도 모든 생리학적 대처 기술은 연습이 필요합니다. 감정에 압도된 상태일 때 이 기술을 단순히 처음 사용하고는 기술이 효과가 있을 거라고 기대해서는 안됩니다. 이에 더해 당신에게 있어 어떤 기술은 다른 기술보다 더 효과적일 수 있고, 또 어떤 기술은 도움이 되었을지라도 모든 상황에 효과적이지는 않을 수도 있습니다. 예를 들어보면, 차를 운전하는 동안에 잠수 반응 기술을 사용하는 것은 현실적이지도 않고 안전하지도 않을 수 있습니다. 그러니 각 기술을 시도해 보고, 효과가 있는 기술을 규칙적으로 연습하십시오. 또한 2장 마지막에 만들었던 위기 대처 계획에 당신에게 효과가 있는 생리학적 대처 기술을 포함하십시오.

추가로, 스트레스 상황에 생리학적 대처 기술을 사용하는 것을 상상해보는 시간을 가져보는 것도 좋습니다. 이렇게 하면 미래에 스트레스 상황에 처했을 때 그 기술을 사용할 가능성이 더 높아질 것입니다. 예를 들어, 과거에 감정에 압도되었던 스트레스 경험을 떠올려보십시오. 어떤 상황이었습니까? 어떤 기분이 들었습니까? 어떤 반응을 했습니까? 그 경험의 최종 결과는 무엇이었습니까? 이제 처음 감정에 압도되기 시작했을 때, 생리학적 대처 기술 중 하나를 사용했다고 상상해보십시오. 어떤 기술을 사용할 수 있었겠습니까? 그 기술을 사용함으로써 당신의 기분은 어떻게 달라졌을까요? 어떻게 다르게 반응했을까요? 그 상황은 어떻게 다르게 끝이 났을 것 같습니까? 질문에 대한 답을 아래의 빈칸에 작성하십시오.

과거에 감정에 압도되었을 때, 어떤 상황이었나요?

_____

_____

_____

그 상황에서 나의 기분은 어떠했나요?

_____

_____

_____

나의 반응은 어떠했나요?

_____

_____

_____

그 상황의 최종 결과는 무엇이었나요?

_____

_____

_____

그 상황에서 어떤 생리학적 대처 기술을 사용할 수 있었을까요?

_____

_____

_____

기술을 사용함으로써 나의 기분은 어떻게 달라질 수 있었을까요?

_____

_____

_____

나의 반응은 어떻게 달랐을까요?

_____

_____

_____

그 상황의 결과는 어떻게 달라질 수 있었을까요?

_____

_____

_____

　　이제 미래의 스트레스 상황을 상상해보고, 아마도 그 상황은 배우자나 파트너와 힘든 대화를 나누는 것과 같이 당신이 알고 있는 상황이 될 수 있습니다. 어떤 일이 벌어질 거라고 생각합니까? 당신이 감정적으로 어떻게 반응할 거라고 상상합니까? 그 상황에 어떤 생리학적 대처 기술이 가장 효과적일 것 같습니까? 이제 천천히 호흡하기 기술을 사용하기 위해 화장실에 가는 것과 같이 비록 당신이 그 상황에서 잠시 물러나야 한다고 할지라도, 그 기술을 수행하는 걸 상상해보십시오. 그 기술이 그 상황에 대처하는 데 어떻게 도움이 될 거라고 상상하십니까? 만약 그 기술을 사용한다면 상황이 어떻게 다르게 진행될 수 있을까요? 상황이 벌어졌을 때 어떻게 그 기술을 사용해야 한다는 것을 상기시킬 수 있을까요? 질문에 대한 답을 아래의 빈칸에 작성하십시오.

어떤 상황이 일어날 것 같나요?

_____

_____

_____

어떤 일이 벌어질 거라고 생각하나요?

_____

_____

_____

당신은 감정적으로 어떻게 반응할 것 같나요?

_____

_____

_____

그 상황에 어떤 생리학적 대처 기술이 가장 효과적일 것 같은가요?

_____

_____

_____

그 상황에 대처하는 데 그 기술이 어떻게 도움이 되리라 생각하나요?

_____

_____

_____

만약 당신이 그 기술을 사용했다면, 상황이 어떻게 다르게 진행될 수 있었을까요?

_____

_____

_____

상황이 벌어졌을 때 어떻게 그 기술을 사용해야 한다는 걸 상기시킬 수 있을까요?

_____

_____

_____

제 **4** 장

마음챙김 기술
-초급-

마음챙김의 실제적인 정의는 다음과 같습니다. 현재 순간에 의도적으로 주의를 기울이고, 비판단적으로 매 순간의 경험에 주의를 기울임으로써 생기는 자각입니다.

존 카밧진(Jon Kabat-Zinn, 2003)

마음챙김 기술 : 마음챙김이란 무엇인가?

　명상으로도 알려진 마음챙김은 기독교(Merton, 1960), 유대교(Pinson, 2004), 불교(Rahula, 1974), 이슬람(Inayat Khan, 2000)을 포함해 세계의 여러 종교에서 수천 년간 전승되어 온 가치 있는 기술입니다. 존 카밧진은 1980년대부터 입원 환자들이 그들의 만성 통증 문제를 다룰 수 있도록 돕기 위해 비종교적인 마음챙김 기술을 사용하기 시작했습니다(Kabat-Zinn, 1982; Kabat-Zinn, Lipworth, & Burney, 1985; Kabat-Zinn, Lipworth, Burney, & Sellers, 1987). 좀 더 최근에는 변증법적 행동치료를 포함해(Linehan, 1993a) 다른 형태의 심리치료에 유사한 마음챙김 기술들이 통합되기도 했습니다(Segal, Williams, & Teasdale, 2002). 여러 연구들에서 마음챙김 기술이 주요 우울 삽화를 일으킬 가능성을 낮추는 데 효과적이며(Teasdale et al., 2000); 불안 증상을 낮추는 데 효과적이고(Kabat-Zinn et al., 1992); 만성통증 감소(Kabat-Zinn et al., 1985; Kabat-Zinn et al., 1987); 폭식 행동 감소(Kristeller & Hallett, 1999), 고통스러운 상황에 대한 감내 능력을 증가시키며 이완을 증가시키고, 어려운 상황에 대처하는 기술 증진에도 효과적인 것으로 밝혀졌습니다(Baer, 2003). 이러한 연구 결과를 바탕으로 마음챙김은 변증법적 행동치료의 가장 중요한 핵심 기술로 자리 잡게 되었습니다.

　그렇다면 마음챙김은 정확하게 무엇일까요? 한 가지 정의는 위에 제시되어 있듯 마음챙김 연구자인 존 카밧진에 의한 정의입니다. 하지만 이 워크북의 목적에 의하면 마음챙김은 자신이나 자신의 경험을 판단하거나 비난하지 않은 채 지금 이 순간 자신의 생각, 감정, 신체적 감각, 행동을 알아차리는 능력입니다.

혹시 '지금 이 순간에', '지금 여기에'와 같은 표현을 들어본 적이 있습니까? 이런 표현은 '자신과 자신 주변에 일어나는 일에 마음챙김 하라'는 말의 다른 표현입니다. 하지만 그렇게 하는 것이 항상 쉬운 것은 아닙니다. 어떤 순간에라도 당신은 무언가 생각하고 있고, 감정을 느끼고 있고, 감각을 느끼고 있으며, 여러 다른 행동을 하고 있습니다. 예를 들면, 지금 바로 당신에게 어떤 일이 일어나고 있는지 생각해 보십시오. 아마 당신은 어딘가에 앉아서 이 글을 읽고 있을 것입니다. 하지만 이와 동시에 당신은 지금 호흡하고 있고, 주변의 소리를 듣고 있고, 책의 느낌이 어떠한지 느끼고 있고, 의자에 실린 몸의 무게를 느끼고 있고, 그리고 어쩌면 무언가 다른 것에 대해 생각하고 있을 수 있습니다. 또한 당신이 지금 행복한지, 슬픈지, 피곤한지, 흥분되어 있는지 자신의 감정 상태와 신체적인 상태를 인식하고 있을 수 있습니다. 그리고 어쩌면 당신은 심장 박동이나 숨을 쉴 때 오르내리는 가슴의 움직임과 같은 신체 감각을 인식하고 있을 수도 있습니다. 전혀 의식하고 있진 못하지만, 다리를 흔들거나, 콧노래를 부르거나, 머리를 손에 괴는 등의 어떤 행동을 하고 있을 수 있습니다. 이렇게 인식해야 할 것이 많은데, 바로 지금 당신은 책을 읽고 있습니다. 일상의 다른 일을 할 때 당신에게 어떤 일이 일어나는지 상상해보십시오. 누군가와 대화를 하거나 직장에서 사람들을 대할 때와 같은 일 말입니다. 사실 그 누구도 모든 시간에 100% 주의를 기울일 수 없습니다. 하지만 마음챙김을 배우면 배울수록, 당신의 삶에 대해 더 많은 통제력을 얻게 될 것입니다.

하지만 기억하십시오. 시간은 결코 멈춰있지 않고 당신의 삶의 매 순간이 다릅니다. 그렇기 때문에 '모든 현재 순간'에 깨어있는 법을 배우는 것이 중요합니다. 예를 들어보면, 당신이 이 문장을 다 읽을 때쯤엔 이 문장을 읽기 시작한 순간은 이미 지나가 버렸고, 이제 당신의 현재 순간은 달라졌습니다. 사실 당신도 이제 다릅니다. 당신의 몸의 세포들은 계속해서 죽고 다른 세포로 대체되고 있으며, 그 결과 신체적으로 당신은 다릅니다. 마찬가지로 중요한 것은 당신의 생각, 감정, 감각, 행동 역시 절대 모든 상황에서 정확히 똑같지 않으며, 그 결과 그것들 역시 다르다는 것입니다. 이러한 이유로 삶의 매 순간에 당신의 경험이 어떻게 변화되는지 마음챙김 하는 방법을 배우는 것은 매우 중요합니다.

끝으로, 현재 순간에 당신의 경험을 온전히 알아차리기 위해 당신 스스로에 대해, 당신이 처한 상황에 대해, 혹은 다른 사람들에 대해 비난하지 않는 것이 필요합니다. 변증법적 행동치료에서는 이것을 온전한 수용(Linehan, 1993a)이라고 부릅니다. 2장에서 설명하였듯 온전한 수용은 무언가에 대해 판단하지 않고 혹은 그것을 바꾸려고 시도하지 않고 있는 그대로 감내하는 것을 의미합니다. 이렇게 하는 게 매우 중요한데, 그 이유는 만약 당신이 자기 자신과 당신의 경험, 혹은 현재 순간에 있는 다른 누군가를 판단한다면, 그것은 현재 순간에 일어나고 있는 일에 진정으로 주의를 기울이는 것이 아니기 때문입니다. 예를 들어봅시다. 많은 사람들이 과거에 저지른 실수에 대해 걱정하거나 미래에 저지를지도 모르는 실수를 염려하며 여러 시간을 허비합니다. 하지만 그렇게 걱정하는 동안, 그들의 주의는 더이상 현재 그들에게 일어나고 있는 일에 머물러 있지 않습니다; 그들의 생각은 어딘가 다른 곳에 가 있는 것입니다. 그 결과, 그들은 고통스러운 과거 혹은 미래에 살게 되고, 삶은 매우 버겁게 느껴집니다.

지금까지 살펴본 것처럼 마음챙김은 당신 자신, 타인, 당신의 경험을 판단하거나 비난하지 않고, 현재 순간의 생각, 감정, 신체 감각, 행동을 인식하는 능력입니다.

'마음 놓침' 연습

마음챙김은 반드시 연습을 필요로 하는 기술입니다. 대부분의 사람들은 주의가 분산되고, '자리 이탈'하게 되고, 혹은 일상생활 동안 마음챙김이 없거나 삶을 자동 조종 장치에 맡겨버립니다. 그 결과, 그들은 자신이 기대했던 대로 상황이 진행되지 않으면 길을 잃고, 불안해하고, 좌절하고 맙니다. 여기에 우리가 마음챙김하지 못했던 몇 가지 일반적인 경우들이 나와 있습니다. 당신에게 해당되는 항목에 표시하십시오(✓):

☐ 운전이나 여행을 할 때, 당신이 어떤 길을 갔었는지 기억하지 못한다.

☐ 대화 도중에, 다른 사람이 무슨 말을 하는지 모르겠다는 걸 갑자기 깨닫게 된다.

☐ 대화 도중에, 다른 사람의 말이 미처 끝나기도 전에 이미 당신이 다음에 무슨 말을 할지 생각하고 있다.

☐ 글을 읽을 때, 다른 것에 대해 생각하고 있었다는 걸 갑자기 깨닫고, 당신이 방금 읽은 내용이 무엇인지 전혀 알지 못한다.

☐ 방으로 걸어가면서, 당신이 방에 무엇을 가지러 왔는지 갑자기 생각나지 않는다.

☐ 무언가 대상을 내려놓고 나면, 그걸 어디에 뒀는지 기억하지 못한다.

☐ 샤워를 할 때, 이후에 무엇을 해야 하는지 이미 생각하고 있고, 그런 뒤 머리를 감았는지 아닌지 혹은 몸의 다른 부분을 씻었는지 아닌지 잊어버린다.

☐ 성관계 도중에, 다른 일에 대해 혹은 다른 사람들에 대해 생각한다.

이 모든 예들이 결코 해가 되는 것은 아닙니다. 하지만 다루기 힘든 압도되는 감정을 갖는 사람들의 경우 마음챙김이 없다는 것은 종종 그들의 삶에 파괴적인 영향을 미칠 수 있습니다. 리(Lee)의 예시를 살펴보십시오. 리는 직장의 모든 사람들이 그를 싫어한다고 생각했습니다. 하루는 평소 리가 매력적이라고 생각했던 새로운 직원이 구내식당에서 그에게 다가와 앉으라고 말했습니다. 그 여직원은 친절한 태도를 보였고 대화를 이어가려고 노력했습니다. 하지만 리는 그 직원과 대화하는 것보다 자신의 머릿속에서 일어나는 대화에 더 몰두했습니다.

그는 '이 사람은 아마 다른 사람들처럼 잘난 척하고 있는 걸 거야'라고 생각했습니다. '어째서 이런 여자가 나한테 관심을 가지겠어?' '왜 나랑 같이 앉으려고 했지? 아마 다른 사람이 이 여자를 속이려는 장난이었을 거야.' 그 여성이 자리에 앉아 그와 대화를 하려고 하는 순간부터 리는 점점 더 화가 나고 더 의심하기 시작했습니다.

그녀는 가벼운 대화를 이어가려고 최선을 다했습니다. 그녀는 리에게 회사에서 일하는 것이 어땠는지, 얼마나 오래 있었는지, 심지어 날씨에 대해서도 물었지만 리는 알아채지 못했습니다. 그는 오로지 자신과의 대화에 몰두하고 있었고, 그의 자기 비판적인 생각에 온통 주의를 기울이고 있었으며, 심지어 그녀가 친절하게 대하려고 노력하는 것조차 알아차리지 못했습니다.

아무런 성공을 거두지 못한 5분간의 시도 끝에 그녀는 마침내 리에게 말하는 것을 멈췄습니다. 그리고 나서 몇 분이 흘렀고, 그녀는 다른 테이블로 옮겨갔고, 그녀가 자리를 옮겼을 때 리는 자축했습니다. '내 그럴 줄 알았어'라고 생각했고, '그 여자는 나한테 별로 관심이 없는 걸 알았어.' 그러나 자신이 맞았다는 생각의 대가로, 리는 그의 마음 놓침과 자기비판으로 인해 잠재적인 친구를 만날 수 있는 또 다른 기회를 잃게 되었습니다.

마음챙김 기술이 중요한 이유는 무엇일까?

이제 마음챙김이 무엇이며 무엇이 아닌지에 대해 더 잘 이해하게 되었기에, 이 기술이 왜 그렇게 중요한지 쉽게 알 수 있을 것입니다. 하지만 이 워크북의 목적을 위해 마음챙김을 왜 배워야 하는지에 대해 더 명확하게 하고자 합니다. 거기에는 3가지 이유가 있습니다:

1. 마음챙김 기술은 현재 순간에 한 번에 하나에만 집중하는 것을 도와줄 것입니다. 그리고 이렇게 하면 당신은 압도적인 감정을 더 잘 통제하고 진정시킬 수 있습니다.

2. 마음챙김은 당신의 경험에서 판단적인 생각을 확인하고 구분하는 것을 도와줄 것입니다. 이러한 판단적 생각은 종종 당신의 압도적인 감정에 기름을 붓는 역할을 합니다.

3. 마음챙김은 변증법적 행동치료에서 말하는 '지혜로운 마음'(Linehan, 1993a)이라는 아주 중요한 기술을 발전시키는 것을 도와줄 것입니다.

*지혜로운 마음*은 합리적인 생각과 감정을 둘 다 고려하여 당신의 삶에서 건강한 결정을 할 수 있도록 하는 능력입니다. 예를 들어, 당신의 감정이 강렬하거나, 통제를 벗어났거나, 이치에 어긋날 때, 좋은 선택을 한다는 것이 대개 어렵거나 불가능하다는 걸 당신은 아마 알고 있을 것입니다. 이와 마찬가지로 당신의 생각이 강렬하거나, 비이성적이거나, 당신이 느끼는 방식과 모순될 때 정보에 입각한 결정을 내린다는 건 종종 어려운 일입니다. 지혜로운 마음은 의사 결정 과정으로, 생각의 근거들과 감정의 필요를 균형 있게 고려하는 기술입니다. 이에 대해 5장에서 더 자세히 논의할 것입니다.

이 장에 대하여...

이 장과 다음 장에 걸쳐 당신은 순간순간의 경험에 더 마음챙김 할 수 있도록 돕는 연습을 할 것입니다. 이번 장에서는 당신의 생각과 감정을 더욱 세심하게 관찰하고 묘사할 수 있도록 돕는 마음챙김 연습을 소개할 것입니다. 이러한 기술을 변증법적 행동치료에서는 '무엇what' 기술이라고 하며(Linehan, 1993b), 당신이 주의를 두고 있는 것에 더 마음챙김 할 수 있도록 합니다. 그러고 나서 다음 장에서는 더 발전된 단계의 마음챙김 기술을 배우게 될 것입니다. 변증법적 행동치료에서는 이 기술을 '어떻게how' 기술이라고 하며(Linehan, 1993b), 당신의 일상적인 경험에서 어떻게 해야 마음챙김하고 비반단적으로 될지 배우게 될 것입니다.

이 장의 연습들은 4가지 '무엇what' 기술을 가르쳐 줄 것입니다:

1. 현재 순간에 더욱 온전히 집중하기

2. 당신의 생각, 감정, 신체 감각을 인식하고 그것에 집중하기

3. 순간 순간의 인식의 흐름에 집중하기

4. 감정과 신체 감각으로부터 생각 분리하기

아래에 제시된 연습 내용을 읽을 때, 제시된 순서대로 진행하는 것이 중요합니다. 이 장의 연습은 네 가지 '무엇what' 기술에 따라 분류되며, 각 연습은 이전 연습을 진행했다는 것을 전제로 합니다.

연습 : 1분간 집중하기 ⊠

이 연습은 현재 순간에 더욱 온전히 집중하는 것을 도와줄 첫 번째 연습입니다. 방법은 간단하지만, 그 효과는 정말 놀라울 때가 많습니다. 이 연습의 목적은 당신이 시간 감각에 더욱 마음챙김하도록 돕는 것입니다. 이 연습을 할 때는 초침이 있는 시계나 스마트폰의 스톱워치 앱을 준비해야 합니다.

많은 사람들이 시간이 아주 빨리 간다고 느낍니다. 그 결과, 항상 무언가를 하기 위해 서두르고, 다음에 해야 할 일이나 잘못될 수도 있는 다음 일에 대해 항상 생각합니다. 불행하게도 이런 행동은 그들이 현재 순간에 하고 있는 일에 더 마음챙김하지 못하도록 만들 뿐입니다. 반면에 어떤 사람들은 시간이 아주 천천히 흐른다고 느낍니다. 그 결과, 그들은 실제보다 더 많은 시간을

가지고 있다고 느끼고, 종종 지각을 하곤 합니다. 이 간단한 연습은 시간이 실제로 얼마나 빨리 흐르는지 혹은 천천히 흐르는지에 대해 더 마음챙김하도록 도와줄 것입니다.

지시문

우선 연습을 위해 몇 분간 방해받지 않을 수 있는 편안한 장소를 찾아 자리에 앉고, 주의를 분산시키는 소리를 모두 차단하십시오. 시계나 스마트폰을 사용하여 시간 측정을 시작하십시오. 그런 뒤 초를 세거나 시계를 보지 않고, 당신에 어디에 있든지 그저 그 자리에 앉아 있으십시오. 1분이 지났다고 생각할 때, 시계를 다시 확인하거나 타이머를 멈추십시오. 실제 시간이 얼마나 흘렀는지 기록하십시오.

1분의 시간을 충분히 채우지 못했습니까? 만약 그렇다면, 시간이 얼마나 되었습니까? 몇 초? 20초? 40초? 1분을 모두 채우지 못했다면, 이게 당신에게 어떤 영향을 미치는지 고려해보십시오. 혹시 당신에게 충분한 시간이 없다고 생각하면서 항상 무언가를 위해 서두르고 있지 않습니까? 실제 그렇다면 이 연습의 결과는 당신에게 어떤 의미로 다가옵니까?

혹은 반대로 1분보다 긴 시간을 흘려보냈습니까? 만약 그렇다면 시간이 얼마나 되었습니까? 1분 30초? 2분? 1분보다 더 긴 시간이 지났다면, 이게 당신에게 어떤 영향을 미치는지 고려해보십시오. 실제보다 시간이 더 많다고 생각하면서 약속에 늦는 일이 자주 있지 않습니까? 정말 그렇다면 이 연습의 결과는 당신에게 어떤 의미로 다가옵니까?

당신의 결과가 어떠하든지 마음챙김 기술을 배우는 한 가지 목적은 시간에 대한 자각을 포함해서 당신의 모든 순간순간의 경험을 더 정확하게 알아차리도록 하는 것입니다. 만약 원한다면, 몇 주간 마음챙김 기술을 연습한 후에 이 연습으로 돌아오도록 합니다. 그런 후에 당신의 시간에 대한 자각이 달라졌는지 살펴봅니다.

연습 : 하나의 대상에 주의 기울이기 ⊠

한 대상에 주의를 기울이는 것은 당신이 현재 순간에 더 온전히 집중할 수 있도록 도와주는 두 번째 마음챙김 기술입니다. 기억할 것은 마음챙김의 가장 큰 방해물 중의 하나는 당신의 주의가 무언가에서 또 다른 무언가로, 한 생각에서 다른 생각으로 떠도는 데 있습니다. 그리고 그 결과, 당신은 종종 길을 잃거나 주의가 분산되거나 좌절하게 됩니다. 이 연습은 하나의 대상에만 집중할 수 있도록 도울 것입니다. 이 연습의 목적은 "정신의 근육"을 단련할 수 있도록 하는 것입니다. 이 말은 당신이 무엇을 관찰하고 있든지 그것에 집중하고 집중을 유지하는 법을 배우게 될 것이라는 의미입니다. 그리고 이 기술을 연습함으로써 특정 근육을 더 단련하기 위해 운동하는 운동선수처럼 당신의 주의를 집중하는 데 더 능숙해질 것입니다.

연습을 하는 동안 생각이나 기억 혹은 어떤 감각으로 인해 결국 주의가 분산될 것입니다. 그렇다도 괜찮습니다; 이 연습을 하는 모든 사람들에게 일어나는 일이기 때문입니다. 주의가 분산되더라도 자신을 비난하거나 연습을 멈추지 않도록 최선을 다하십시오. 그저 마음이 떠도는 것을 알아차리고 당신이 관찰하고 있는 대상으로 다시 돌아옵니다.

주의를 기울일 수 있는 작은 대상을 선택합니다. 테이블에 올려둘 수 있고, 만져도 안전하고, 감정적 자극을 주지 않는 대상을 선택하십시오. 펜, 꽃, 시계, 반지, 컵 등 무엇이든 괜찮습니다. 당신을 아프게 하거나 당신이 좋아하지 않는 사람의 사진과 같은 것을 집중할 대상으로 선택하지 마십시오. 이런 대상은 지금 당장에라도 너무 많은 감정을 불러일으킬 것입니다.

몇 분 동안 방해받지 않을 수 있는 편안한 장소를 찾아 자리에 앉고, 선택한 대상을 앞에 있는 테이블 위에 올려두십시오. 방해가 되는 소리는 모두 차단하십시오. 스마트폰으로 5분간 타이머를 설정하십시오. 2주간 하루에 한 번에서 두 번 이 연습을 하고, 연습 때마다 다른 대상을 선택하십시오.

스마트폰의 녹음기 앱을 사용하는 것도 좋습니다. 느리고 편안한 목소리로 지시문을 녹음하여 이 연습을 하는 동안 녹음 파일을 재생하십시오.

지시문

　우선 편안하게 앉아 몇 차례 천천히 그리고 깊게 호흡하십시오. 그러고 나서 대상을 만지지 않고, 그저 눈으로만 바라보면서 그 대상의 여러 다른 면을 살펴보십시오. 그 대상이 어떻게 생겼는지 시간을 들여 천천히 살펴봅니다. 그런 뒤 그 대상이 지니는 다른 성질들을 상상하도록 합니다.

- 그 대상의 표면은 어떻게 생겼습니까?

- 반짝반짝 빛나나요, 아니면 칙칙합니까?

- 부드러워 보이나요, 아니면 딱딱해 보입니까?

- 여러 색인가요, 아니면 단색입니까?

- 그 대상의 독특해 보이는 점은 무엇입니까?

　대상을 천천히 탐색하십시오. 이제 그 대상을 손에 들거나 손을 뻗어 대상을 만져보십시오. 그 느낌이 어떻게 다른지 알아차려보십시오.

- 부드러운가요, 아니면 거칩니까?

- 굴곡이 있나요, 아니면 평평합니까?

- 말랑말랑한가요, 아니면 딱딱합니까?

- 구부릴 수 있나요, 아니면 단단합니까?

- 서로 다른 느낌이 드는 부분이 있습니까?

- 대상의 온도는 어떻게 느껴집니까?

- 대상을 손에 들 수 있다면, 무게는 어느 정도인가요?

- 또 어떤 것을 느낍니까?

　시각과 촉각을 모두 사용하여 대상을 계속해서 살펴봅니다. 계속해서 편안하게 호흡합니다. 주의가 흩어지면, 다시 대상에 집중합니다. 알람이 울릴 때까지 혹은 대상의 모든 성질을 충분히 탐색할 때까지 계속해서 대상을 살펴보십시오.

연습 : 빛의 밴드 ⊠

　이 연습은 현재 순간에 더 온전히 집중할 수 있도록 도와주는 세 번째 연습입니다. 이 기술은 당신의 신체 감각에 더 마음챙김 할 수 있도록 도와줄 것입니다. 연습을 시작하기 전에 연습 과정에 익숙해질 수 있도록 먼저 지시문을 읽어보십시오. 그런 뒤에 연습을 하면서 중간중간 확인할 수 있도록 지시문을 가까이에 두고, 아니면 스마트폰에 지시문을 느리고 편안한 목소리로 녹음하여 신체 감각을 관찰하는 동안 그 녹음 파일을 사용하십시오.

이 장의 다른 연습들과 마찬가지로 이 연습을 하는 동안 집중이 흐트러지기 시작할 가능성이 매우 높습니다. 그래도 괜찮습니다. 집중이 흐트러졌다는 걸 알아차리면, 부드럽게 연습으로 주의를 되돌리고, 당신 스스로를 비난하거나 판단하지 않도록 최선을 다하십시오.

지시문

우선 10분 동안 방해받지 않을 수 있는 편안한 장소를 찾아 자리에 앉으십시오. 방해가 되는 소리는 모두 차단하십시오. 몇 차례 천천히 그리고 길게 호흡하고 나서 눈을 감습니다. 상상력을 발휘하여 마치 후광 같은 하얗고 얇은 빛의 밴드가 당신의 정수리를 도는 것을 눈에 보이듯 그려보십시오. 이 연습이 진행되는 동안 빛의 밴드는 천천히 당신의 몸을 따라 내려올 것이고, 그때 빛의 밴드 아래에서 느끼는 각기 다른 신체 감각을 인식하게 될 것입니다.

눈을 감은 채로 계속 호흡하면서, 하얀 빛의 밴드가 당신의 정수리를 둥글게 감싸는 장면을 계속해서 바라보고, 그 신체 부분에서 느껴지는 어떤 감각을 알아차리십시오. 어쩌면 두피가 따끔거리거나 가려운 걸 느낄 수 있을 것입니다. 어떤 감각을 알아차리든 괜찮습니다.

- 빛의 밴드가 천천히 당신의 머리 주위로 내려와서, 양쪽 귀 끝을 지나가고, 눈을 지나고, 코끝으로 내려옵니다. 그때 그 부분에서 느껴지는 어떤 신체 감각을 알아차리기 시작합니다. 아주 작은 감각이라도 괜찮습니다.

- 정수리에서 느껴질지 모를 어떤 근육의 긴장을 알아차리십시오.

- 빛의 밴드가 코, 입, 턱 주위로 천천히 내려옵니다. 그 부분에서 어떤 감각이 느껴지는지 계속해서 집중하십시오.

- 혹시 뒤통수에서 어떤 감각이 느껴지는지 주의를 기울여보십시오.

- 입, 혀, 치아에서는 어떤 감각이 느껴지는지 알아차리십시오.

- 상상 속의 빛의 밴드가 당신의 목 주위로 내려오는 것을 계속해서 바라보십시오. 그리고 목구멍에서 느껴지는 감각 혹은 뒷 목에서 느껴지는 근육의 긴장을 알아차리십시오.

- 이제 빛의 밴드가 더 넓어지면서 어깨 전체를 가로질러 몸통으로 내려오기 시작합니다.

- 어깨, 등의 윗부분, 팔의 윗부분, 가슴 윗부분에서 느껴질 수도 있는 어떤 감각, 근육의 긴장, 또는 따끔거리는 느낌을 알아차리십시오.

- 빛의 밴드가 팔 주위로 계속해서 내려갈 때, 팔의 윗부분, 팔꿈치, 팔뚝, 손목, 양손, 손가락에서 느껴질 수도 있는 느낌을 알아차리십시오. 그 부분에서 따끔거리거나 가려운 느낌이나 긴장감이 느껴지는지 알아차리십시오.

- 이제 가슴, 등허리, 옆구리, 허리 아랫부분, 배 부분의 감각을 살펴보십시오. 이번에도 그 부위에서 어떤 긴장감이나 감각이 느껴지는지 알아차리십시오. 어떤 작은 감각이라도 상관없습니다.

- 빛의 밴드가 계속 움직여 당신의 하체로 내려옵니다. 골반 부위, 엉덩이, 그리고 허벅지의 감각을 알아차리십시오.

- 다리 뒷부분에 주의를 기울이고 어떤 감각이 느껴지는지 알아차리십시오.

- 계속해서 빛의 밴드가 당신의 다리 아래 주위로 내려오는 것을 바라보십시오. 당신의 종아리, 정강이, 양발과 발가락으로 내려옵니다. 어떤 감각이나 긴장이 느껴지는지 알아차리십시오.

그리고 나서 빛의 밴드가 끝까지 내려와 사라집니다. 이때 몇 차례 천천히 그리고 길게 호흡하고, 편안함을 느낄 때 천천히 눈을 뜨고 당신이 있는 장소로 주의를 가져옵니다.

연습 : 내적-외적 경험 ⊗

지금까지 당신 밖에 있는 대상과 당신 안의 신체 감각, 이 두 가지 모두에 마음챙김 연습을 했고, 이제 다음 단계는 두 경험을 결합하는 것입니다. 이 연습은 당신의 생각, 감정, 신체 감각을 어떻게 알아차릴 수 있는지 그 방법을 가르쳐주는 첫 번째 연습입니다. 이 기술은 당신이 마음챙김의 상태에서 주의를 왔다 갔다 움직이는 방법을 통해 배우게 되는데, 신체 감각이나 생각과 같이 내적인 경험에 주의를 기울였다가, 다시 눈, 귀, 코, 피부의 감각을 통해 알아차리는 외부의 경험에 주의를 기울이는 방식입니다.

이 연습 과정에 익숙해질 수 있도록 연습을 시작하기 전에 먼저 지시문을 읽어보십시오. 그런 뒤에 연습 중간중간 확인할 수 있도록 지시문을 가까이에 두거나, 혹은 스마트폰에 느리고 편안한 목소리로 지시문을 녹음해 두었다가 당신의 내적인 자각과 외적인 자각을 왔다 갔다 이동하는 연습을 하는 동안 녹음 파일을 재생하십시오.

지시문

우선 10분 동안 방해받지 않을 수 있는 편안한 장소를 찾아 자리에 앉으십시오. 방해가 되는 모든 소리를 차단하십시오. 몇 차례 천천히 그리고 길게 호흡하고 이완하십시오.

이제 눈을 뜬 채로 방 안에 있는 한 대상에 주의를 기울이십시오. 그 대상이 어떻게 생겼는지 살펴보십시오. 그 대상의 모양과 색깔을 확인하십시오. 그 대상을 손에 들 수 있다면 어떤 느낌일지 상상해보십시오. 그 대상이 어느 정도의 무게일지 상상해보십시오. 당신 자신에게 조용히 그 대상에 대해 가능한 한 자세히 설명해보십시오. 1분 동안 설명하십시오. 계속해서 호흡을 이어나갑니다. 주의가 흐트러지기 시작한다면, 자신에 대한 비판 없이 그저 연습으로 다시 주의를 되돌리십시오. [지시문을 녹음할 때는, 여기서 1분간 멈추십시오.]

대상에 대한 설명을 마쳤다면, 당신의 몸으로 다시 주의를 옮기십시오. 어떠한 감각이 느껴지는지 살펴보십시오. 머리에서부터 발끝까지 몸 전체를 스캔하십시오. 힘을 주어 긴장된 근육이 있지 않은지, 따끔거리는 느낌이 들지는 않는지, 그 외 알아차려지는 어떠한 감각이 있지 않은지 살펴보십시오. 1분 동안 살펴보며, 계속해서 천천히 깊은 호흡을 이어가십시오. [지시문을 녹음할 때는, 여기서 1분간 멈추십시오.]

이제 주의의 방향을 청각 감각으로 옮기십시오. 무언가 들리는 소리가 있는지 살펴보십시오. 방 밖에서 들려오는 소리에 주의를 기울여보고 그것이 무엇인지 마음속으로 기억해두십시오. 이제 방 안에서 들리는 소리에 주의를 기울여보고 그것이 무엇인지 마음속으로 기억해두십시오. 시계침이 움직이는 소리, 바람 소리, 심장이 뛰는 소리처럼 아주 작은 소리라도 알아차리려고 노력하십시오. 만약 어떤 생각으로 인해 주의가 분산되면, 청각 감각으로 다시 돌아오십시오. 1분 동안 청각에 주의를 기울이며, 계속해서 호흡하십시오. [지시문을 녹음할 때는, 여기서 1분간 멈추십시오.]

알아차릴 수 있는 소리에 집중하기를 마쳤다면, 당시 당신의 몸으로 주의를 옮깁니다. 다시 어떤 신체 감각이 느껴지는지 살펴보십시오. 의자에 실려있는 몸의 무게를 자각해보십시오. 바닥에 놓여있는 발의 무게를 알아차리십시오. 목에 실려있는 머리의 무게를 알아차리십시오. 보통 당신의 몸이 어떻게 느끼는지 주의를 기울이십시오. 생각으로 인해 주의가 흐트러지면, 그저 어떤 생각이 들었는지 알아차리고 신체 감각에 최대한 다시 주의를 기울일 수 있도록 하십시오. *1분간 주의를 기울이고, 계속해서 천천히 깊은 호흡을 이어가십시오. [지시문을 녹음할 때는, 여기서 1분간 멈추십시오.]*

다시 한 번, 주의의 방향을 옮깁니다. 이번에는 후각 감각에 집중하십시오. 방안에서 기분 좋은 냄새나 어떤 다른 냄새가 나는지 알아차리십시오. 어떤 냄새도 알아차릴 수 없다면, 코로 숨을 들이마실 때 콧구멍으로 들어가는 공기의 흐름을 인식하십시오. 후각에 둔 주의를 최대한 지속할 수 있도록 노력하십시오. 어떤 생각으로 인해 주의가 분산된다면, 다시 코로 주의를 가져오십시오. *1분간 주의를 기울이며, 호흡을 이어갑니다. [지시문을 녹음한다면, 여기서 1분간 멈추십시오.]*

후각 감각에 집중하기를 마쳤다면, 다시 신체 감각에 주의를 기울이십시오. 느껴지는 감각이 있는지 알아차리십시오. 그리고 다시 한 번, 머리에서부터 발끝까지 몸 전체를 스캔하고, 근육의 긴장이나 따끔거리는 느낌, 그 외의 신체 감각이 있는지 살펴보십시오. 생각에 의해 주의가 분산되면, 신체 감각으로 다시 주의를 가져올 수 있도록 최선을 다하십시오. *1분간 주의를 기울이며 천천히 그리고 깊게 호흡합니다. [지시문을 녹음한다면, 여기서 1분간 멈추십시오.]*

이제 마지막으로, 주의의 방향을 촉각 감각으로 옮깁니다. 닿을 수 있는 거리에 있는 대상을 만지기 위해 한 손을 뻗어보십시오. 혹시 팔이 닿을 수 있는 거리 안에 아무 대상도 없을 경우에는 당신이 앉아 있는 의자나 당신의 다리를 만져보십시오. 그 대상의 느낌이 어떠한지 알아차리십시오. 그것이 부드러운지 거친지 알아차리십시오. 잘 구부러지는지 단단한지 알아차리십시오. 말랑말랑한지 딱딱한지 알아차리십시오. 손끝 피부에서 느껴지는 느낌이 어떠한지 알아차리십시오. 생각에 의해 주의가 분산되기 시작하면, 만지고 있는 대상으로 그저 다시 주의를 가져오십시오. *1분간 주의를 기울이고, 천천히 깊은 호흡을 이어갑니다. [지시문을 녹음한다면, 여기서 1분간 멈추십시오.]*

모두 마쳤다면, 3번에서 5번 정도 천천히 길게 호흡하고 주의를 당신이 있는 장소로 다시 가져옵니다.

연습 : 3분 동안의 생각 기록하기

이 연습은 당신의 생각, 감정, 신체 감각을 알아차리고 그것에 집중할 수 있도록 도와주는 두 번째 연습입니다. 이번 연습에서는 3분 동안 떠오르는 생각의 수를 확인할 것입니다. 이 연습을 통해 당신의 마음이 얼마나 빠르게 작동하는지를 좀 더 마음챙김하게 될 것입니다. 또한 이 연습은 다음 연습인 '생각 탈융합'을 위한 준비 단계가 될 것입니다.

이 연습의 지시사항은 간단합니다. 타이머를 3분으로 설정하고 머릿속에 떠오르는 모든 생각을 종이에 적습니다. 하지만 그 생각의 모든 단어를 하나하나 다 기록하려고 하지는 마십시오. 떠오른 생각을 한 단어나 두 단어 정도로만 작성하십시오. 예를 들어, 직장에서 다음주까지 마쳐야만 하는 프로젝트에 대한 생각이 들었다면, 간단히 '프로젝트' 혹은 '업무 프로젝트'라고 적으십시오. 그런 다음 또 떠오르는 생각을 기록하십시오.

아무리 사소한 생각이라도 3분 동안 얼마나 많은 생각을 알아차릴 수 있는지 보십시오. 이 연습에 대한 생각이 떠오르기 시작할 때도, '연습'이라고 적으십시오. 혹은 당신이 작성하고 있는 종이에 대한 생각이 떠오르면, '종이'라고 적으십시오. 어느 누구도 당신의 기록을 볼 일은 없으니, 솔직하게 작성하십시오.

모두 작성했으면, 3분 동안 적은 생각의 개수를 세어보고, 그 개수에 20을 곱해서 1시간 동안에는 얼마나 많은 생각이 떠오르는지 알아보십시오.

연습 : 생각 탈융합 ⊠

이 연습은 당신의 생각, 감정, 신체 감각을 인식하고 그것에 집중하도록 도와주는 세 번째 연습입니다. 생각 탈융합은 감정적 고통을 위한 아주 효과적인 치료로 증명된 수용전념치료(Hayes, Strosahl, & Wilson, 1999)의 기술입니다.

고통스러운 생각이 계속 반복될 때, 마치 물고기가 미끼를 무는 것처럼 종종 그 생각에 쉽게 '물리게' 됩니다(Chodron, 2003). 이와 대조적으로 생각 탈융합은 그 생각에 사로잡히지 않고 당신의 생각을 마음챙김하며 관찰할 수 있도록 도와줍니다. 이 기술을 연습하면 당신이 집중하고 싶은 생각을 선택하고, 원하지 않는 생각에 사로잡히지 않은 채 흘려보내는 선택을 자유롭게 할 수 있을 것입니다.

생각 탈융합을 위해서는 심상기법을 사용해야 합니다. 이 기술의 목적은 당신의 생각을 사진이나 단어로 시각화하는 것인데, 그것에 집착하거나 분석하지 않고 조심스럽게 당신으로부터 멀어지게 하는 것입니다. 어떤 방식을 선택하든 좋습니다. 아래에 다른 사람에게 도움이 되었던 몇 가지 제안들이 있습니다.

- 당신의 생각이 구름 위에 떠다니는 것을 들판에 앉아 지켜보고 있다고 상상해보십시오.

- 당신의 생각이 나뭇잎 위를 떠다니는 것을 개울가에 앉아 보고 있다고 상상해보십시오.

- 당신은 운전을 하고 있고, 당신의 생각이 적힌 광고판이 스쳐 지나가는 장면을 상상해보십시오.

- 당신의 생각이 빠져나와 촛불의 불꽃에 타오르는 것을 상상해보십시오.

- 당신의 생각이 나뭇잎 위에 떨어지는 모습을 나무 옆에 앉아 보고 있다고 상상해보십시오.

- 당신은 두 개의 문이 있는 방에 서 있고, 당신의 생각이 한쪽 문으로 들어와 다른쪽 문으로 나가는 것을 상상해보십시오.

이 중 하나가 당신에게 효과적이라면, 아주 잘 된 일입니다. 만약 효과적인 것이 없다면, 자유롭게 당신만의 심상을 만들어보십시오. 다만 당신이 만든 심상이 생각을 분석하지 않고 붙잡으려고도 하지 않는, 당신의 생각이 오고 가는 것을 시각화하여 지켜보는 이 연습의 목적을 제대로 반영해야 한다는 것만 확실히 하십시오. 어떤 생각이 떠오르든 그냥 내버려두고, 떠오른 생각과 싸우려거나 그 생각을 떠올린 자신을 비난하면서 주의가 흐트러지지 않도록 하십시오. 그저 생각이 왔다가 가게 두십시오.

이 연습에 익숙해질 수 있도록 연습을 시작하기 전에 먼저 지시문을 읽어보십시오. 만약 지시문을 들으면서 연습하는 게 더 편하다면, 스마트폰을 사용하여 느리고 편안한 목소리로 녹음을 하고, 이 기술을 연습하는 동안 녹음 파일을 사용하십시오. 생각 탈융합을 처음으로 연습할 때는 타이머를 3분에서 5분으로 설정하고, 알람이 울릴 때까지 생각을 흘려보내는 연습을 하십시오. 그런 다음 이 기술에 좀 더 익숙해지고 난 뒤에는 8분이나 10분으로 시간을 더 늘려도 좋습니다. 하지만 처음부터 그렇게 긴 시간 동안 가만히 앉아 있을 수 있을 거라 기대하지는 마십시오. 처음 생각 탈융합을 연습할 때는 3분에서 5분도 긴 시간입니다. (아래에 있는 지시문의 사본이 필요하다면, 출판사 웹사이트에서 '사고 탈융합 방법'을 다운받으십시오.)

지시문

우선, 타이머에 설정한 시간 동안 방해받지 않을 수 있는 편안한 장소를 찾아 자리에 앉으십시오. 방해가 되는 모든 소리를 차단하십시오. 몇 차례 천천히 그리고 길게 호흡하고, 이완하면서 눈을 감습니다.

이제, 당신의 상상 속에서 당신이 선택한 시나리오에 맞게 당신의 모습을 그려보고, 당신의 생각이 왔다가 가는 것을 바라보십시오. 해변에 있는 장면, 시냇가, 들판, 방 안 등 어디든 좋습니다. 그 장면 안에 있는 당신의 모습을 최선을 다해 상상하십시오. 장면을 충분히 시각화한 뒤에 머릿속에 떠오르는 생각을 알아차리기 시작하십시오. 그게 어떤 생각이든 떠오르는 생각을 관찰하십시오. 생각을 멈추려고 노력하지 말고, 어떤 생각에 대해서도 자신을 비판하지 않도록 최선을 다하십시오. 그저 떠오르는 생각을 바라보고, 그런 다음 당신이 선택한 기술을 사용하여 생각이 사라지는 것을 지켜보십시오. 그 생각이 무엇이든, 크든 작든, 중요하든 그렇지 않은 간에 마음속에 떠오르는 생각을 바라보고, 당신이 선택한 시각화 도구를 사용하여 그 생각이 그저 흘러가도록 혹은 사라지는걸 보십시오.

생각이 떠오르고 사라지는걸 그저 계속 바라보십시오. 당신에게 가장 적합한 방법으로 떠오른 생각이나 단어를 상상하십시오. 떠오른 생각에 붙잡히거나 자신을 비판하지 않으면서, 최선을 다해 생각이 떠올랐다가 사라지는 것을 관찰하십시오.

만약 동시에 하나 이상의 생각이 떠오른다면, 나타났다가 사라지는 그 둘 모두를 바라보십시오. 만약 생각이 너무 빨리 떠오른다면, 어떤 생각에도 붙들리지 않고 그 모든 게 사라지는 것을 보기 위해 최선을 다하십시오. 계속해서 호흡하면서, 알람이 울릴 때까지 생각이 왔다가 가는 것을 바라보십시오.

시간이 다 되면, 몇 차례 천천히 그리고 길게 호흡하고, 그런 뒤에 천천히 눈을 뜨고 당신이 있는 장소로 다시 주의를 가져옵니다.

연습 : 감정 기술하기

이 연습은 당신의 생각, 감정, 신체 감각을 인식하고 그것에 집중할 수 있도록 도와주는 네 번째 연습입니다. 지금까지 이 장의 연습들은 생각과 감정에 마음챙김하는 방법을 배우는 기술이었습니다. 이번 연습은 당신의 감정에 더 마음챙김 하는 데 도움이 될 것입니다. 다른 연습들과 마찬가지로, 이 연습의 지시사항은 간단하게 보이겠지만, 그 효과는 강력할 것입니다. 이 연습은 감정을 선택하고, 그 감정을 그림 그리기나 탐색하기를 통해서 기술해 가며 진행될 것입니다.

자, 우선 감정을 고르십시오. 즐거운 감정도 괜찮고, 그렇지 않은 것도 괜찮습니다. 이상적으로는 당신이 바로 지금 느끼고 있는 감정을 선택해야 합니다. 그 감정이 압도적으로 슬프거나 자기 파괴적이지 않다면 말입니다. 만약 그렇다면, 이 연습을 시작하기 전에 당신의 감정을 더 잘 통제할 수 있다고 느낄 때까지 기다려야 합니다. 반면에 만약 지금 느끼는 감정을 알아차릴 수 없다면, 쉽게 기억할 수 있을 만한 최근의 감정의 선택하십시오. 하지만 어떤 감정을 선택하든, 구체적인 감정을 선택하도록 노력하십시오. 예를 들어, 최근에 당신의 남편이나 파트너가 당신에게 한 어떤 행동으로 인해 다투었다고 한다면, 그건 상황이지 감정이 아닙니다. 아마도 이런 상황이 당신을 화나게 하고, 상처받게 하고, 슬프게 하고, 멍청하게 만들고, 또는 다른 어떤 감정을 느끼게 했을 것입니다. 당신이 느끼는 것을 구체화하십시오. 다른 예를 또 들어보겠습니다. 최근에 누군가가 당신에게 선물을 주었다고 해봅시다. 이것은 상황입니다. 당신의 감정은 그 선물에 대해 어떻게 느꼈는지에 따라 결정될 것입니다. 만약 그 선물이 당신이 항상 원했던 거라면, 아마 기분이 들떴을 것입니다. 그리고 만약 잘 모르는 사람에게서 받은 선물이라면, 그 선물의 목적에 대해 불안한 기분이 들었을 수 있습니다. 이렇듯 당신이 느끼는 것을 구체화하십시오.

감정을 선택하는 데 도움이 필요하다면, 아래의 일반적으로 느끼는 감정 목록을 사용하십시오. (출판사 웹사이트에서 '일반적으로 느끼는 감정 목록'을 다운받을 수 있습니다.)

일반적으로 느끼는 감정 목록

흠모하는	정떨어지는	공포에 질린	슬픈
두려운	동요하는	상처 입은	흡족한
화나는	당혹스러운	히스테릭한	무서워하는
짜증나는	공허한	무관심한	정신 사나운
불안한	활달한	열중한	걱정이 없는
미안해하는	깨달음이 주어진	흥미를 가지고 있는	수줍은
수치스러운	생동감 있는	거슬리는	똑똑한
축복받은	격분한	질투 나는	유감스러운
더없이 행복한	열광적인	기쁨이 넘치는	강한
지루한	부러운	생기가 넘치는	깜짝 놀란
귀찮은	흥분되는	외로운	의심스러운
낙담한	고갈된	사랑 받는	몹시 무서워하는
쾌활한	경박한	애정이 깊은	짜릿한
조심스러운	어리석은	몹시 화가 난	피곤한
기운찬	유약한	신경이 과민한	불확실한
자신 있는	겁먹은	강박적인	마음이 상한
만족스러운	절망적인	만족스러운	명랑한
궁금한	기쁜	자랑스러운	상처 입긴 쉬운
아주 기쁜	죄책감이 느껴지는	후회스러운	걱정스러운
우울한	행복한	안심되는	가치 없는
결연한	희망적인	존중받는	가치 있는
실망스러운	희망이 없는	들 떠 있는	

당신이 탐색하고자 하는 감정을 선택했다면, 그 감정을 다음 페이지에 있는 '감정 기술하기' 워크시트 상단이나 빈 종이에 적으십시오.

그런 다음 상상력을 발휘하여 당신의 감정이 어떻게 생겼을지 그 모습을 그림으로 표현해보십시오. 어렵게 들릴 수도 있지만, 할 수 있는 한 최선을 다하십시오. 예를 들어, 만약 행복한 감정을 느낀다면, 태양의 그림으로 당신의 기분을 표현하거나 아니면 아이스크림콘이 기분을 더 잘 표현할 수도 있겠습니다. 당신 외의 다른 사람에게 그림에 대해 이해받을 필요는 없습니다. 그냥 한 번 해보십시오.

다음으로, 감정을 더 잘 묘사할 수 있는 소리를 생각해보도록 노력하십시오. 예를 들어, 만약 슬픈 감정을 느낀다면, '흐윽' 같은 앓는 소리가 당신의 기분을 잘 표현해 줄 수도 있습니다. 혹은 어떤 특정 노래가 당신의 기분을 더 잘 표현할 수도 있습니다.

그런 다음 당신의 감정에 딱 맞는 행동을 묘사하십시오. 가령 만약 지루한 기분을 느낀다면, 행동은 낮잠을 자는 것이 될 수 있습니다. 아니면 만약 쑥스러움을 느낀다면, 어쩌면 그 행동은 도망쳐서 숨는 행동이 될 수 있겠습니다. 최선을 다해 행동을 묘사하고, 그림 옆에 그 행동을 적으십시오.

이 연습의 다음 단계는 당신이 선택한 감정의 강도를 묘사하는 것입니다. 이를 위해 어느 정도 생각할 시간이 필요할 것입니다. 최선을 다해 감정의 감도를 묘사하십시오. 자유롭게 창의성을 발휘하고 필요하다면 비유를 사용해도 좋습니다. 예를 들어, 만약 너무 긴장되는 감정 상태라면, 감정의 강도가 너무 강해서 '심장이 락 콘서트의 드럼처럼 느껴진다.'라고 쓸 수도 있습니다. 또는 만약 살짝 화가 난 상태라면, 강도를 '모기한테 물림'으로 표현할 수도 있습니다.

감정의 강도를 묘사한 뒤에는 그 감정이 어떻게 느껴지는지 전반적인 감정의 질을 간단하게 묘사하십시오. 다시 말하지만, 감정을 묘사할 때 필요한 만큼 자유롭게 창의성을 발휘하십시오. 만약 긴장된다면, 그 감정은 '젤리로 만든 무릎'처럼 느끼게 한다고 묘사할 수 있을 것입니다. 혹은 만약 점점 화가 나고 있다면, 아마 '끓어오르는 물'이라고 기분을 표현할 수 있을 것입니다. 할 수 있는 한 정확하게 묘사하고, 감정을 전달하기 위해 필요한 만큼 창의적으로 표현하십시오.

마지막으로, 그 감정에 의해 떠오르는 생각들을 추가하십시오. 하지만 또 다른 감정이 아니라 생각을 묘사해야 한다는 걸 유념하십시오. 예를 들어봅시다. 당신의 생각을 묘사하기 위해 위의 감정 목록에 있는 어떤 단어도 선택하지 마십시오. 그것은 생각이 아니라, 감정 단어입니다. 생각은 다음 문장을 완성할 수 있어야 합니다: '나의 감정은 나로 하여금 ~을/를 생각하게 한다.' 또는 '나의 감정은 ~에 대해 생각하게 한다.' 당신의 생각과 감정을 구분하는 것을 시작하는 건 아주 중요한 일인데, 왜냐하면 이렇게 함으로써 앞으로 생각과 감정 둘 모두를 더 잘 통제할 수 있게 될 것이기 때문입니다. 여기 감정에 의해 유발되는 생각의 예시들이 있습니다. 만약 당신이 자신감을 느낀다면, 이와 관련하여 상사에게 월급을 인상해달라도 요청할 수 있다고 생각하거나, 자신감을 느끼고 성공했던 인생의 다른 시간들을 기억하게 만들 수 있다는 생각할 수 있습니다. 혹은 만약 유약한 기분이 든다면, 이와 관련하여 당신의 인생에서 더 이상은 스트레스를 다룰 수 없다고 생각하거나, 더 강해지지 못 한다면 앞으로 앞으로 겪게 될 문제와 어떻게 씨름할 것인지에 대해 생각할 수 있습니다. (출판사 웹사이트에서 감정 묘사하기 워크시트를 다운받을 수 있습니다.)

감정 기술하기

감정의 이름 : _____

감정을 그림으로 그려 보십시오

감정과 관련된 행동을 기술하십시오 : _____

_____

감정과 관련된 소리를 기술하십시오 : _____

_____

감정의 강도를 기술하십시오 : _____

_____

감정의 특징을 기술하십시오 : _____

_____

감정과 관련된 생각을 기술하십시오 : _____

_____

연습 : 주의 전환하기

이번 연습은 세 번째 '무엇^(what)' 기술로, 순간순간의 의식의 흐름 가운데 무엇에 집중을 하고 있는지를 명확히 하는 방법을 배우는 연습입니다. 지금까지 당신은 감정과 감각 경험(시각, 청각, 촉각) 두 가지에 마음챙김 연습을 해왔고, 이제 두 가지 경험을 종합해볼 때입니다. 이 연습은 '내적-외적 경험' 연습과 비슷합니다. 왜냐하면 이 연습 또한 마음챙김의 상태에서 집중하여 당신의 주의를 이리저리 이동하도록 도와줄 것이기 때문입니다. 그러나 주의 전환하기 연습은 당신의 감정과 감각 사이의 전환을 다루면서, 그 둘을 구별하도록 도울 것입니다.

삶의 어떤 지점에서 우리 모두는 감정에 붙들릴 때가 있습니다. 예를 들어, 누군가 당신에게 모욕적인 말을 할 때, 아마도 당신은 하루종일 기분이 나쁠 테고, 자신을 과소평가 하거나, 다른 누군가에게 화가 날 수도 있고, 세상을 훨씬 더 우울한 시각으로 바라볼 수도 있을 것입니다. 이런 '감정의 덫'은 모든 사람들에게 보편적으로 있는 일입니다. 하지만 압도적인 감정과 싸우는 어떤 사람들에게는 이런 경험이 더 자주 또 더 강렬하게 일어납니다. 마음챙김 기술은 당신 내면에서 감정적으로 일어나는 것으로부터 현재 순간의 경험을 구분할 수 있도록 도와줄 것이고, 따라서 당신은 무엇에 집중할 것인지에 대한 선택권을 갖게 될 것입니다.

연습을 시작하기 전에 현재 당신의 기분이 어떤지 파악할 필요가 있습니다. 이전에 다루었던 감정 목록을 참고해야 한다면 앞으로 돌아가십시오. 당신이 느끼는 기분을 가능한 한 정확해지도록 최선을 다하십시오. 비록 지금 아무 감정도 느끼지 않는다고 생각할지라도, 아마 무언가를 느끼고 있을 것입니다. 어떤 사람도 결코 감정이 전혀 없는 상태일 수 없습니다. 어쩌면 당신은 지루하다거나 만족스럽다고 느끼고 있는 상태일 수 있습니다. 지금 느끼는 감정이 무엇인지 파악하기 위해 최선을 다하십시오.

연습을 시작하기 전에 연습 과정에 익숙해 질 수 있도록 먼저 지시문을 읽어보십시오. 그리고 나서 연습을 하는 동안 참고하기 위해 지시문을 가까이에 둘 수도 있고, 아니면 스마트폰에 느리고 편안한 목소리로 지시문을 녹음하여 감정과 감각 사이로 집중을 이동하는 연습을 할 때 녹음 파일을 사용하십시오.

필요하다면 이 연습을 위해 5분에서 10분 정도로 타이머를 맞추십시오.

지시문

우선 10분간 방해받지 않을 수 있는 편안한 장소를 찾아 자리에 앉으십시오. 방해가 될만한 소리는 모두 차단하십시오. 몇 차례 천천히 그리고 길게 호흡하고 이완하십시오.

이제 눈을 감고 감정에 주의를 기울이십시오. 조용히 당신의 감정에 이름을 붙이십시오. 만약 감정이 모양을 가지고 있다면, 그 감정이 어떤 모습일 것 같은지 상상력을 발휘하여 시각화하십시오. 그 이미지는 당신 외의 다른 사람에게까지 이해될 만한 것일 필요는 없습니다. 당신의 감정이 형태나 모양을 가질 수 있도록 상상의 나래를 펼치십시오. 1분간 상상하면서, 천천히 호흡을 이어갑니다. [지시문을 녹음한다면, 여기서 1분간 멈추십시오.]

이제 눈을 뜨고 당신이 앉아 있는 장소 안에 있는 한 대상에 주의를 기울이십시오. 그 대상이 어떻게 생겼는지 살펴보십시오. 그 대상의 모양과 색깔을 확인하십시오. 그 대상을 손에 쥘 수 있다면 어떤 느낌일지 상상해보십시오. 그 대상의 무게는 어떠할지 상상해보십시오. 가능한 한 자세하게 당신 스스로에게 그 대상에 대해 묘사하십시오. 1분간 묘사합니다. 계속해서 호흡하십시오. 만약 주의가 흩어지기 시작한다면, 자신에 대한 비난 없이 그저 이 연습으로 주의를 되돌리십시오. [지시문을 녹음한다면, 여기서 1분간 멈추십시오.]

대상에 대한 묘사를 마쳤다면, 눈을 감고 다시 당신의 감정으로 주의를 되돌리십시오. 그 감정과 관련될 수도 있는 소리에 대해 생각해 보십시오. 당신의 감정을 묘사하는 것이라면 어떤 소리든 괜찮습니다. 소음, 노래 등 어떤 소리든 가능합니다. 당신 자신에게 소리에 대한 묘사를 다 마쳤으면, 감정과 관련되는 행동을 생각하십시오. 다시 말하지만, 당신의 감정에 대한 이해를 더욱 향상시킬 수 있는 거라면 어떤 것이든 괜찮습니다. 1분간 생각하면서 계속해서 천천히 깊게 호흡하십시오. [지시문을 녹음한다면, 여기서 1분간 멈추십시오.]

이제 눈을 계속 감은 채로 주의의 방향을 청감 감각으로 옮기십시오. 들을 수 있는 어떤 소리든 살펴보십시오. 방 밖에서 들려

오는 소리를 알아차리고, 어떤 소리인지 마음속으로 생각하십시오. 이제 방 안에서 들리는 소리를 알아차리고, 어떤 소리인지 마음속으로 생각하십시오. 시계침 소리, 바람 소리, 당신의 심장 박동처럼 아무리 작은 소리라도 인식하기 위해 노력하십시오. 어떤 생각으로 인해 주의가 분산되기 시작한다면, 청각 감각으로 다시 주의를 되돌리십시오. 1분간 소리에 집중하면서, 호흡을 이어갑니다. [지시문을 녹음한다면, 여기서 1분간 멈추십시오.]

알아차릴 수 있는 소리에 귀 기울이는 것이 끝났으면, 주의를 다시 감정으로 되돌리십시오. 눈은 계속 감고 있으면서 조용히 자신에게 감정의 강도와 특징을 기술하십시오. 다시 말하지만, 마음껏 창의력을 발휘하고, 필요하다면 비유를 사용하십시오. 1분간 주의를 기울이며 천천히 깊은 호흡을 이어가십시오. [지시문을 녹음한다면, 여기서 1분간 멈추십시오.]

다시 한 번, 당신의 주의를 전환합니다. 이번에는 후각 감각에 주의를 기울이십시오. 방에서 느껴지는 기분 좋은 냄새나 그렇지 않은 냄새처럼 어떤 냄새든 알아차리십시오. 만약 어떤 냄새도 느껴지지 않는다면, 코로 숨을 들이마실 때 콧구멍으로 들어가는 공기의 흐름을 알아차려보십시오. 후각 감각에 둔 주의를 유지하기 위해 최선을 다하십시오. 어떤 생각에 의해 주의가 분산되기 시작한다면, 코로 다시 주의를 되돌리십시오. 1분간 주의를 집중하면서, 계속해서 호흡합니다. [지시문을 녹음한다면, 여기서 1분간 멈추십시오.]

후각 감각을 사용한 연습을 마쳤으면, 다시 감정으로 주의를 되돌리십시오. 감정과 관련될 수도 있는 어떠한 생각이 있다면 그것을 알아차리십시오. 할 수 있는 한 그 생각을 구체화하고, 그 생각이 또 다른 감정은 아닌지 확실히 하십시오. 1분간 주의를 집중하고, 천천히 깊게 호흡하십시오. [지시문을 녹음한다면, 여기서 1분간 멈추십시오.]

이제 마지막으로, 주의의 방향을 촉각 감각으로 옮기십시오. 닿을 수 있는 거리에 있는 대상을 향해 양손을 뻗어보십시오. 혹은 닿을 수 있는 거리 안에 아무것도 없다면, 당신이 앉아있는 의자나 당신의 다리를 만져보십시오. 어떤 느낌인지 알아차리십시오. 부드러운 느낌인지 거친 느낌인지 알아차리십시오. 구부려지는지 단단하지 알아차리십시오. 말랑말랑한지 딱딱한지 알아차리십시오. 손가락 끝에 느껴지는 감각이 어떠한지 알아차리십시오. 당신의 생각이 주의를 분산시키면, 그저 다시 당신이 만지고 있는 대상으로 주의를 되돌리십시오. 1분간 주의를 집중하며, 천천히 깊게 호흡하십시오. [지시문을 녹음한다면, 여기서 1분간 멈추십시오.]

연습을 모두 마치면, 세 번에서 다섯 번 천천히 길게 호흡하고 당신이 있는 장소로 다시 주의를 가져오십시오.

연습 : 호흡 마음챙김

호흡 마음챙김 연습은 '무엇^{what} 기술을 배울 수 있도록 돕는 네 번째 연습으로, 감정과 신체 감각으로부터 생각을 구분하는 것을 배우는 기술입니다. (제 2장 고통감내 기술(중급)에서 이미 기본적인 호흡 마음챙김을 배웠으나, 이 연습은 이 기술에 대한 더 깊은 이해를 하게 될 것입니다.) 생각이나 다른 자극에 의해 주의가 분산될 때, 당신이 할 수 있는 가장 쉽고도 효과적인 방법 중 하나는 호흡이 들고 나는 것에 주의를 기울이는 것입니다. 또한 이런 유형의 호흡은 더 느리고, 깊게 호흡하도록 하고, 결과적으로 이완할 수 있게 됩니다.

호흡 마음챙김을 하기 위해, 당신은 세 가지 경험에 주의를 기울여야 합니다. 우선, 호흡의 수를 세야만 합니다. 호흡 세기는 주의 집중에 도움이 되고, 생각에 의해 주의가 분산될 때 마음을 진정시키는 데 효과적입니다. 두 번째로, 호흡할 때 일어나는 신체 경험에 집중해야 합니다. 신체 경험에 집중하기 위해 숨을 들이마시고 내쉴 때 오르내리는 가슴과 아랫배의 움직임을 관찰하는 방법을 사용하면 됩니다. 그리고 세 번째로, 호흡하는 동안 주의를 분산시키는 어떤 생각이 있는지 알아차려야 합니다. 그런 뒤에는 앞서 연습한 '생각 탈융합 연습'에서 했던 대로 그 생각에 붙들리지 않고 그냥 흘려보내야 합니다. 주의를 분산시키는 생각을 흘려보내는 것은 다시 호흡에 주의를 집중할 수 있도록 할 것이고, 마음을 진정시키는 데 훨씬 도움이 될 것입니다.

연습을 시작하기 전에 연습 과정에 익숙해질 수 있도록 먼저 지시문을 읽어보십시오. 지시문을 들으면서 연습을 진행하는 게 더 편하다면, 스마트폰에 느리고 편안한 목소리로 지시문을 녹음하고 이 기술을 연습하는 동안 녹음 파일을 사용하십시오. 이 기술을 처음으로 연습할 때는 타이머를 3분에서 5분으로 설정하고, 알람이 울릴 때까지 연습하십시오. 그리고 나서 이 기술에 더 익숙해져서 이완하는 데 도움이 되면, 타이머를 10분이나 15분 정도로 더 길게 설정해도 좋습니다. 하지만 첫 연습부터 그렇게 오래 가만히 앉아있을 수 있을 거라 기대하지는 마십시오. 처음에는 3분에서 5분의 시간도 집중하며 호흡하기에 긴 시간입니다. 이후에 이러한 방식으로 호흡하는 게 더 익숙해지고 나면, 걷기, 요리하기, TV 보기, 대화하기와 같이 다른 일상적인 일들을 하는 동안에도 마음챙김 호흡을 할 수 있습니다.

호흡 마음챙김을 하는 동안 많은 사람들이 그들의 호흡과 마치 '하나'가 되는 듯한 느낌을 경험하는데, 그것은 그들이 그 경험과 깊이 연결된 것을 의미합니다. 당신에게도 그런 일이 일어난다면, 잘된 일입니다. 하지만 그렇지 않다고 해도, 괜찮습니다. 그저 연습을 지속하십시오. 그리고 어떤 사람들은 이 기술을 처음 연습하기 시작할 때 어지러움을 느낍니다. 이런 증상은 너무 빠르게 호흡하거나, 너무 깊게 혹은 너무 느리게 호흡해서 일어날 수 있습니다. 만약 어지러움이 느껴지기 시작한다면, 필요할 경우 연습을 멈추고 평소 속도로 돌아가 호흡을 세십시오. (출판사 웹사이트에서 '호흡 마음챙김 방법' 복사본을 다운받을 수 있습니다.)

이 기술은 아주 간단하면서도 강력한 기술입니다. 그러므로 이상적으로는 매일 연습해야 합니다.

지시문

먼저 타이머에 설정한 시간 동안 방해받지 않을 수 있는 편안한 장소를 찾아 자리에 앉으십시오. 방해가 될만한 모든 소리를 차단하십시오. 눈을 감는 게 편하다면 이완을 위해 눈을 감으십시오.

시작을 위해 몇 차례 천천히 길게 호흡하면서 이완하십시오. 한 손을 아랫배에 올리십시오. 이제 코를 통해 천천히 숨을 들이마시고, 입으로 천천히 숨을 내쉽니다. 호흡할 때 아랫배가 오르내리는 것을 느껴보십시오. 숨을 들이쉴 때 당신의 아랫배가 풍선처럼 공기로 가득 차 있다고 상상해보고, 그런 뒤에 숨을 내쉴 때 배가 다시 수축되는 것을 느껴보십시오. 콧구멍을 통해 들어오는 들숨을 느끼고 나서, 마치 생일 케이크의 초를 끄는 것처럼 입술을 통해 나오는 날숨을 느껴보십시오. 호흡을 하면서 몸에서 느껴지는 감각을 알아차리십시오. 횡격막 근육을 활성화시키고 폐를 공기로 가득 채우면서 배가 움직이는 것을 느끼십시오. 당신이 앉아 있는 자리에 실린 몸의 무게를 알아차리십시오. 매호흡과 함께 당신의 몸이 어떻게 점점 더 이완되는지 알아차리십시오.

이제, 계속해서 호흡하면서 호흡을 내쉴 때마다 수를 세기 시작합니다. 수를 셀 때 조용히 세도 좋고, 소리를 내도 좋습니다. 날숨을 4까지 세고 난 뒤에는 다시 1부터 세십시오. 시작을 위해 코로 천천히 숨을 들이마시고, 입으로 천천히 숨을 내쉽니다. 1. 다시 코로 천천히 숨을 들이마시고, 입으로 내쉽니다. 2. 반복합니다. 코로 천천히 숨을 들이마시고, 천천히 내쉽니다. 3. 마지막으로 코로 들이마시고 입으로 내쉽니다. 4. 이제 다시 1부터 시작하십시오.

그렇지만 이번 연습에서는 호흡을 계속 세면서 때때로 당신이 어떻게 호흡하고 있는지 주의를 기울이십시오. 숨을 들이마시고 내쉴 때 당신의 가슴과 아랫배가 오르내리는 것을 알아차리십시오. 다시 코를 통해 들어오는 호흡과 입을 통해 나가는 호흡을 느끼십시오. 원한다면 한 손을 아랫배에 올려두고 호흡과 함께 오르내리는 느낌을 느껴보십시오. 천천히 그리고 길게 호흡하면서 계속해서 호흡을 세십시오. 숨을 들이마실 때 배가 풍선처럼 확장하는 것을 느껴보고, 숨을 내쉴 때 배가 수축되는 것을 느껴보십시오. 계속해서 주의를 옮기면서 숫자를 세는 것과 호흡에 의한 신체적인 경험 간을 알아차리도록 하십시오.

이제 마지막으로 호흡에 둔 주의를 흩어놓는 어떤 생각이나 다른 방해 요소가 있는지 알아차리기 시작하십시오. 어쩌면 기억, 소리, 신체 감각, 감정이 방해 요소가 될 수 있습니다. 당신의 주의가 떠돌기 시작하고 무언가 생각하고 있는 자신을 발견하면, 호흡 세기로 주의를 되돌리십시오. 또는 주의를 호흡에 의한 신체 감각으로 되돌리십시오. 주의가 분산되더라도 자신을 비판하지 않도록 노력하십시오. 그저 계속해서 천천히 길게 호흡하면서 아랫배에 공기가 들고 나도록 하십시오. 풍선에 공기를 채우듯 당신의 아랫배를 공기로 가득 채운다고 상상해보십시오. 숨을 들이마실 때마다 확장되고, 숨을 내쉴 때마다 수축되는 것을 느껴보십시오. 계속해서 매 호흡을 세고, 숨을 내쉴 때마다 당신의 몸이 점점 더 깊게 이완되는 것을 느끼십시오.

알람이 울릴 때까지 계속해서 호흡하십시오. 그리고 호흡 세기를 이어가면서, 호흡에 의한 신체 감각을 알아차림하고, 주의를 분산시키는 생각이나 다른 자극을 흘려보내십시오. 그러고 나서 알람이 울리면 천천히 눈을 뜨고 당신이 있는 장소로 다시 주의를 가져오십시오.

연습 : 감정 마음챙김

이 연습은 생각, 감정, 신체 감각을 구분하는 법을 배울 수 있도록 돕는 두 번째 연습입니다. 감정 마음챙김은 호흡에 집중하는 것으로부터 시작합니다. 폐를 공기로 채웠다가 비우면서 코로 들어오고 입으로 나가는 공기의 흐름을 단순히 알아차리는 것입니다. 그리고 나서 네 번 혹은 다섯 번 느리고 긴 호흡을 한 뒤, 주의를 전환하여 현재 순간에 감정적으로 어떻게 느끼고 있는지 집중합니다. 단순히 기분이 좋은지 나쁜지 알아차리는 것으로 시작하십시오. 당신의 기본적인 내적 감정은 행복합니까, 그렇지 않습니까?

그런 뒤에 당신의 감정을 더 자세히 관찰할 수 있는지 보십시오. 그 감정을 가장 잘 기술할 수 있는 단어는 무엇입니까? 가장 정확하게 기술하기에 어려움이 있다면 앞에서 진행한 감정 기술하기 연습을 참고하십시오. 계속해서 감정을 관찰하면서, 관찰한 것을 스스로에게 계속 설명하십시오. 감정의 뉘앙스나 그 감정 안에 뒤섞여 있을 수 있는 다른 감정들의 실타래를 알아차리십시오. 예를 들면, 때때로 슬픔은 불안이나 심지어 분노의 줄기를 갖고 있습니다. 수치심은 때때로 상실이나 원망과 얽혀 있습니다. 그리고 감정의 강도를 알아차리고 관찰을 하는 동안 강도가 어떻게 바뀌는지 확인하십시오.

감정은 언제나 파도처럼 밀려옵니다. 감정은 고조되고, 정점에 도달한 뒤, 결국에는 사그라듭니다. 당신은 감정을 관찰하면서 고조되고 흘러가는 가는 감정의 파도의 각 지점을 당신 자신에게 설명할 수 있습니다.

만약 현재 순간에 느끼는 감정을 찾기 어렵다면, 가까운 과거에 겪은 감정을 찾음으로써 이 연습을 계속할 수 있습니다. 강렬한 감정을 경험했던 지난 몇 주간의 상황을 돌아보십시오. 당신이 어디에 있었는지, 어떤 일이 벌어졌는지, 당신이 뭐라고 말했는지, 어떤 기분이 들었는지 당시 사건을 시각화하십시오. 그때 느꼈던 감정을 지금 다시 느낄 때까지 그 장면의 세부사항을 계속 떠올리십시오.

하지만 감정을 관찰하기로 선택하고, 일단 그 감정이 명확하게 인식되고 나면, 그 감정에 계속 머무십시오. 당신이 느끼는 감정의 특징, 강도, 유형의 변화를 자신에게 계속 설명하십시오.

이상적으로는 감정의 특징이나 강도가 크게 변화하고, 감정의 파도의 영향을 어느 정도 느낄 때까지 그 느낌을 관찰해야 합니다. 감정을 관찰하는 동안 생각, 감각, 그 외 주의를 가져가려고 시도하는 방해 요소들도 알아차리게 될 것입니다. 이것은 자연스러운 일입니다. 주의가 흩어질 때마다 주의를 다시 감정으로 되돌리기 위해 그저 최선을 다하십시오. 당신의 감정이 고조되고, 변하고, 사그라드는 것을 관찰할 수 있을 만큼 충분히 오랫동안 지켜보십시오.

당신이 하나의 감정을 알아차리며 관찰함에 따라, 두 가지 중요한 깨달음이 생길 수 있습니다. 하나는 모든 감정은 자연적인 수명을 가지고 있다는 인식입니다. 만약 당신이 계속해서 감정을 관찰한다면, 감정은 절정에 달했다가 점차 가라앉을 것입니다. 두 번째 인식은 감정을 기술하는 단순한 행동이 그 감정에 대한 조절 능력을 가져다줄 수 있다는 것입니다. 감정 기술하기는 종종 감정 주변에 울타리를 만들어 당신이 감정에 압도되는 것을 막아주는 효과를 지닙니다.

연습을 시작하기 전에 이 경험에 익숙해질 수 있도록 먼저 지시문을 읽어보십시오. 만약 지시문을 들으면서 연습하는 게 더 편하게 느껴진다면, 스마트폰에 느리고 편안한 목소리로 지시문을 녹음해 두고, 연습하면서 그 녹음 파일을 사용하십시오. 지시문을 녹음할 경우에는 연습의 과정을 온전히 경험할 수 있도록 각 단락 사이에서 잠시 멈추십시오.

지시문

길고 느리게 숨을 들이마시면서 코를 통해 들어오는 공기의 느낌, 목구멍 뒤쪽으로 공기가 내려가는 느낌, 폐로 공기가 들어가는 느낌을 알아차리십시오. 다시 호흡하면서 숨을 들이마시고 내쉴 때 당신의 몸에 나타나는 일들을 바라보십시오. 숨을 쉴 때 몸의 감각을 계속 알아차리십시오. [지시문을 녹음한다면, 여기서 1분간 멈추십시오.]

이제 당신이 감정적으로 느끼는 것으로 주의를 전환하십시오. 내면을 들여다보고 바로 지금 느끼고 있는 감정을 찾으십시오. 혹은 최근에 느낀 감정을 찾으십시오. 그 감정이 좋은 감정인지 나쁜 감정인지 구분하십시오. 또 그 감정이 즐거운지 즐겁지 않은지 구분하십시오. 그 감정을 느낄 때까지 계속해서 감정에 주의를 기울이십시오. [지시문을 녹음한다면, 여기서 1분간 멈추십시오.]

이제 그 감정을 묘사할 수 있는 단어들을 찾아보십시오. 예를 들어, 그 감정이 고양감, 만족감, 흥분입니까? 아니면 슬픔, 불안, 수치심, 상실감입니까? 무슨 감정이든지 당신의 마음속에 있는 그 감정을 계속해서 바라보고 기술하십시오. 어떤 감정의 변화가 있는지 알아차리고 무엇이 다른지 기술하십시오. 주의가 분산되거나 마음속에 어떤 생각이 떠오른다면, 그것에 붙들리지 않고 흘려보내기 위해 최선을 다하십시오. 감정이 격렬해지거나 감소하는지 주의를 기울이고, 어떤 변화가 있는지 설명하십시오. [지시문을 녹음한다면, 여기서 1분간 멈추십시오.]

계속해서 감정을 관찰하고 방해 요소들은 흘려보내십시오. 감정의 특징이나 강도의 아주 작은 변화라도 그것을 기술할 단어가 있는지 계속해서 찾아보십시오. 만약 다른 감정들이 끼어들기 시작하면, 계속해서 그것들도 기술하십시오. 만약 당신의 감정이 완전히 새로운 감정으로 바뀐다면, 그것을 계속 관찰하면서 이를 기술할 수 있는 단어를 찾아보도록 하십시오 [지시문을 녹음한다면, 여기서 1분간 멈추십시오.]

생각, 신체 감각, 그 외 다른 방해 요소들이 당신의 주의를 빼앗으려고 할 것입니다. 그것들을 알아차리고, 흘려보내고, 당신의 감정으로 주의를 되돌리십시오. 감정에 머물면서 그것을 계속 관찰하십시오. 당신의 감정이 변하거나 사라지는 것을 발견할 때까지 계속해서 관찰하십시오.

결론

지금까지 몇 가지 기본적인 마음챙김 기술을 배웠습니다. 바라건대, 당신의 마음이 어떻게 작동하는지에 대해서 그리고 이 기술들을 배우는 게 왜 중요한지에 대해 더 잘 이해하기를 바랍니다. 당신은 계속해서 매일 그 기술들을 사용해야 합니다. 다음 장에서는 이 기술들을 바탕으로 더 발전된 마음챙김 기술을 배울 것입니다.

제 **5** 장

마음챙김 기술
-중급-

이전 장에서 마음챙김이 무엇인지 배웠고, 또한 변증법적 행동치료의 '무엇what' 기술의 기초를 배웠습니다. 이것이 의미하는 바는, 아래의 방법들을 사용하여 당신이 주의를 기울이고 있는 것에 더욱 마음챙김 하는 법을 배웠다는 것을 의미합니다.

- 현재 순간에 더욱 온전히 집중하기

- 생각, 감정, 신체 감각을 알아차리고 집중하기

- 매 순간 일어나는 자각의 흐름에 집중하기

- 감정과 신체 감각으로부터 생각을 분리하기

이 장에서 배우게 될 내용

이제 이 장에서는 더 심화된 마음챙김 기술인 '어떻게how' 기술이 소개될 것입니다(Linehan, 1993a). 이 기술들은 매일의 경험에 *어떻게* 더 마음챙김하며 비판단적일 수 있는지를 배우는 데 도움이 될 것입니다. 이 장에서 당신은 다섯 가지 '어떻게how' 기술을 배우게 될 것입니다.

1. 지혜로운 마음을 사용하는 방법

2. 일상의 경험을 판단하지 않고 인식하기 위해 온전한 수용을 사용하는 방법

3. 효과적인 것을 실천하는 방법

4. 더 깨어있고, 더 집중적인 삶을 살기 위해 스스로 마음챙김 계획을 만드는 방법

5. 마음챙김 연습을 방해하는 것들을 극복하는 방법

이전 장에서처럼 이 장의 연습은 제시된 순서대로 하는 것이 중요합니다. 각각의 연습은 이전 장의 연습에 기초합니다.

지혜로운 마음 ⊠

이전 장에서 설명했던 것처럼 지혜로운 마음은 당신의 삶에 관해 건강한 결정을 내리는 능력을 말합니다. "지혜로운 마음"이라는 용어는 기존의 불교 명상법에서 사용되어 왔습니다(Chodron, 1991). 이것은 동시에 두 가지를 인식하는 사람의 능력을 설명하고 있습니다. 첫 번째, 사람은 질병, 압도적인 감정, 건강하지 못한 행동의 결과로 고통받고 있습니다. 그리고 두 번째, 사람은 건강해지기를 원하고 변화할 잠재력을 가지고 있습니다. 리네한은 선불교의 수행이 변증법적 행동치료의 발전에 크게 영향을 미쳤음을 알려왔습니다(Linehan, 1993a). 그러므로 변증법적 행동치료 역시 고통을 완화시키기 위한 행동을 하는 동시에 고통을 수용할 필요가 있다는 원리를 가지고 있다는 것은 놀라운 일이 아닙니다. 그리고 변증법적 행동치료에서 이러한 목표에 도달하기 위해 사용하는 주요한 도구 중 하나가 또한 '지혜로운 마음'을 사용하는 것이며, 이것은 당신의 이성적인 생각과 감정을 모두 고려하여 결정을 내리는 능력입니다(Linehan, 1993a). 이게 듣기에는 쉬워 보일지 몰라도, 많은 사람들이 종종 빠지는 함정이 있습니다.

다음의 예시를 보십시오. 레오는 새로운 회사의 성공적인 영업사원이었습니다. 그에게는 전도유망한 미래와 행복한 가정이 있었습니다. 그러나 레오는 계약을 체결하지 못했을 때 자주 화가 났고, 그래서 그는 종종 우울함을 느꼈으며, 자신은 인생에서 절대 충분한 성공을 할 수 없는 사람이라고 생각했습니다. 그의 상관으로부터 긍정적인 피드백을 받더라도, 레오는 그가 체결하지 못한 거래에 대한 실패감을 떨칠 수 없었습니다. 그 결과, 일을 시작하고 몇 달이 지난 뒤, 레오는 과거에도 그랬던 것처럼 일을 그만두었습니다. 그는 계속해서 새로운 직장을 구했지만, 어디를 가든 이전과 같은 실패감이 늘 그를 따라다녔고, 그는 자신에 대해 결코 충분히 만족할 수 없었습니다.

타키샤의 경우도 비슷합니다. 그녀는 인기 있는 대학 교수로서, 학생들과 다른 교수들로부터 항상 높은 평가를 받았습니다. 그렇지만 몇 차례 성공적인지 못한 개인적 관계들을 겪으며 타키샤는 굉장히 외로웠습니다. 결국에 그녀는 새로운 사람들을 만나려는 시도를 그만두었는데, 그 이유는 그녀는 결국 그 관계들도 실패로 끝날 거라고 예상했기 때문입니다. 결과적으로 그녀는 자신은 그 누구에게도 사랑받을 가치가 없는 사람이라고 느꼈고, 혼자 사는 데 여생을 보내기로 체념하였습니다.

안타깝게도 레오와 타키샤 둘 모두 변증법적 행동치료에서 "감정적 마음"이라고 부르는 것에 의해 압도되었습니다(Linehan, 1993a). *감정적 마음*은 오로지 당신이 어떻게 느끼는지에 기반하여 판단이나 결정을 내릴 때 일어납니다. 그러나 감정 그 자체가 나쁘거나 문제되는 것이 아님을 유념하십시오. 우리 모두 건강한 삶을 살기 위해서는 감정이 필요합니다. (7장과 8장에서 감정의 역할에 대해 더 배울 것입니다.) 감정적 마음과 관련된 문제는 감정이 당신의 삶을 통제할 때 발생합니다. 이런 함정은 특히 감정에 압도되는 사람들에게 위험합니다. 왜냐하면 감정적 마음은 당신의 생각과 판단을 왜곡하고, 그 결과 이러한 왜곡이 당신의 삶에서 건강한 결정을 내리는 걸 어렵게 만들기 때문입니다. 레오와 타키샤에게 일어난 일을 생각해 봅시다. 그들의 성공에도 불구하고 감정은 그들의 삶을 압도했으며 건강하지 못한 결정을 내리도록 이끌었습니다.

감정적 마음과 균형을 이룰 대응 관계에 있는 것은 "합리적 마음"입니다(Linehan, 1993a). *합리적 마음*은 의사 결정 과정의 일부로서 상황의 객관적 사실을 분석하고, 일어난 일을 명료하게 생각하고, 세부 사항들을 고려하고, 이 모든 과정을 통해 합리적인 결정을 내리는 것입니다. 명백하게, 합리적인 생각은 문제를 해결하고 일상의 결정들을 내리는 데 도움이 됩니다. 그러나 다시 말하지만, 감정적 마음처럼 과도한 합리적인 생각 역시 문제가 될 수 있습니다. 우리는 매우 지적이지만 자신의 감정을 어

뗗게 표현해야 할지 몰라서 너무 외로운 삶을 사는 사람들의 이야기를 알고 있습니다. 결국 여기서도 만족스럽고 건강한 삶을 살기 위해서는 균형이 필요합니다.

당신의 삶에서 건강한 결정을 내릴 수 있는 해결책은 지혜로운 마음을 사용하는 것입니다. 지혜로운 마음은 감정적 마음과 합리적 마음을 모두 사용하는 것입니다(Linehan, 1993a). 지혜로운 마음은 감정과 합리적인 생각 간의 균형을 이루는 것입니다.

다시 레오와 타키샤의 예시를 생각해봅시다. 그들 모두 자신의 감정적 마음에 의해 조종당했습니다. 만약 레오가 지혜로운 마음으로 의사 결정을 했더라면, 일을 그만두기 전에 이성적인 마음으로 균형 잡힌 결정을 내렸을 것입니다. 그는 그 상황의 객관적 사실들을 스스로 상기했어야만 했습니다: 그는 이미 성공적인 영업사원이었고, 계약을 체결하지 못했을 때 단지 기분이 엉망이 된다는 것입니다. 이런 사실들을 고려하면 그가 일을 그만두는 것이 합리적이었을까요? 분명히 아닙니다. 타키샤는 어떻습니까? 그녀는 학생들과 다른 교수들에게 훌륭한 피드백을 받았습니다. 그렇다면 몇 차례 관계적인 실패를 겪은 이후 새로운 사람들을 만나기를 그만두는 게 과연 합리적이었을까요? 절대 아닙니다. 이것이 바로 지혜로운 마음을 사용하는 게 중요한 이유입니다.

4장에서 이미 연습했던 마음챙김 기술을 사용함으로써 지혜로운 마음을 기를 수 있습니다. 이전에 했던 연습 중 일부는 당신의 생각을 인식하고, 그 생각을 감정으로부터 분리하는 것을 돕는 거라는 걸 기억하십시오. 이 말은 결국 당신이 이미 감정적인 마음과 합리적인 마음을 모두 사용하고 있다는 것입니다. 그리고 이러한 마음챙김 기술들을 더 많이 연습하면, 당신의 감정과 합리적인 생각이 말하는 내용을 바탕으로 건강한 의사 결정을 내리는 것이 더 쉬워질 것입니다.

지혜로운 마음과 직관

변증법적 행동치료에 따르면, 지혜로운 마음은 직관과 유사합니다(Linehan, 1993b). 종종 지혜로운 마음과 직관 모두 위 부위나 '내장'에서 오는 '느낌'으로 설명됩니다. 다음에 진행할 연습은 신체적으로나 정신적으로나 직감에 더 많이 접촉하도록 돕는 연습입니다. 이러한 연습은 당신의 몸에서 지혜로운 마음의 중심을 찾는 데 도움이 될 것입니다. 그 중심은 많은 사람들이 무엇을 해야 할지 알고 그들의 삶에 대한 현명하고 지혜로운 결정을 내리는 곳입니다.

흥미롭게도 이러한 직감 현상은 과학적 근거에 의해 뒷받침될 수도 있습니다. 연구자들은 거대한 신경망이 소화기관을 뒤덮고 있다는 것을 발견했습니다. 이 신경망은 인간의 뇌 다음으로 복잡하고, 이러한 이유로 일부 연구원들은 이 부분을 장뇌라고 불렀는데, 이것은 장에 있는 뇌를 의미합니다.

연습 : 지혜로운 마음 명상

처음 이 연습을 시작할 때는 타이머를 3~5분으로 맞추고, 알람이 울릴 때까지 연습하십시오. 그리고 이 기술에 좀 더 익숙해지고 나면, 타이머를 10분이나 15분 정도로 더 길게 설정해도 좋습니다. 지시문을 들으면서 연습하는 게 더 편하다면, 스마트폰에 느리고 편안한 목소리로 지시문을 녹음해 두고, 연습하는 동안 그 녹음 파일을 사용하십시오.

지시문

우선, 타이머에 설정한 시간 동안 방해받지 않을 수 있는 편안한 장소를 찾아 자리에 앉으십시오. 방해가 될 만한 모든 소리를 차단하십시오. 눈을 감는 게 편하게 느껴진다면, 이완을 위해 눈을 감으십시오.

이제 흉곽의 흉골 아랫부분의 위치를 찾으십시오. 가슴 중앙에 있는 뼈를 뼈가 끝날 때까지 복부쪽으로 내려가며 만지는 방법으로 가능합니다. 이제 한 손을 흉골 아랫부분과 배꼽 사이 복부에 올리십시오. 이곳이 지혜로운 마음의 중심입니다.

몇 차례 천천히 길게 호흡하며 이완하십시오. 이제 코로 천천히 숨을 들이마시고, 입으로 천천히 숨을 내쉽니다. 호흡할 때 배가 오르내리는 것을 느껴보십시오. 숨을 들이마실 때 풍선처럼 배에 바람이 가득 채워지는 것을 상상해보고, 숨을 내쉴 때 다시 수축하는 것을 느껴보십시오. 콧구멍으로 들어오는 공기를 느껴보고, 생일 케이크 초를 끌 때처럼 입술을 통해 나오는 공기를 느껴보십시오. 호흡하면서 몸에서 느껴지는 감각을 알아차리십시오. 폐가 공기로 가득 채워지는 것을 느껴보십시오. 당신이 앉아 있는 의자에 실리는 몸의 무게를 알아차리십시오. 매호흡마다 당신의 몸이 어떻게 느끼는지 알아차리고, 몸이 점점 더 이완되도록 하십시오.

이제, 계속해서 호흡하면서 주의를 손 아래 지점에 집중하십시오. 지혜로운 마음의 중심부에 주의를 기울이십시오. 계속해서 천천히 길게 호흡하십시오. 주의를 분산시키는 생각이 일어난다면, 그 생각과 싸우지 말고 또 그 생각에 붙들리지도 말고 그저 흘려보내십시오. 계속해서 호흡하며 지혜로운 마음의 중심에 집중하십시오. 손이 올려져 있는 배를 느껴보십시오.

지혜로운 마음의 중심에 주의를 집중할 때 어떤 일이 일어나는지 알아차리십시오. 만약 어떤 골치 아픈 생각, 문제들, 살면서 내린 결정들이 떠오른다면, 몇 초 동안 그것에 대해 생각해보십시오. 그러고 나서 지혜로운 마음에게 이러한 문제나 결정들에 대해 어떤 결정을 내려야만 하는지 물어보십시오. 당신 내면의 직관적인 자아에게 조언을 구하고, 당신의 지혜로운 마음 중심에서 어떤 생각과 해결책이 나오는지 알아차리십시오. 어떤 대답을 얻든지 그것을 판단하지 마십시오. 그저 그 내용을 자각하고 계속해서 호흡하십시오. 계속 이어서 당신의 지혜로운 마음 중심에 주의를 집중하십시오. 질문에 대한 생각이나 답이 없다면, 그냥 계속 호흡하십시오.

호흡에 의해 오르내리는 움직임을 계속해서 인식하십시오. 호흡을 이어가며 알람이 울릴 때까지 계속 지혜로운 마음의 중심에 집중을 되돌리십시오. 모든 과정을 마치고 나서 천천히 눈을 뜨고 당신이 있는 장소로 다시 주의를 가져오십시오.

지혜로운 마음의 결정을 내리는 방법

지금까지 당신의 지혜로운 마음의 위치를 찾는 연습을 하였고, 결정을 내리기 전에 몸의 지혜로운 마음 부위와 '접촉'할 수 있습니다. 이 연습을 통해 어떤 결정이 좋은 결정인지 결심하는 데 도움을 받을 수 있습니다. 이를 위해 간단히 당신이 이제 막 취하려던 행동에 대해 생각하고 당신의 주의를 지혜로운 마음의 중심에 집중하십시오. 그러고 나서 지혜로운 마음이 당신에게 말하는 내용을 고려하십시오. 당신의 결정이 좋은 결정으로 느껴집니까? 그렇다면 당신은 그대로 해야 할 것입니다. 좋은 결정이 아니라고 느껴진다면, 다른 선택지를 고려해야만 할 것입니다.

당신의 인생에서 합리적이고 좋은 결정을 내리는 방법을 배우는 것은 당신이 살아있는 내내 진화하는 과정이며 이 방법 외에는 다른 방법이 없습니다. 지혜로운 마음의 중심과 접촉하는 것은 사람들에게 효과가 있는 방법 중 하나입니다. 그러나 몇 가지 주의해야 할 사항이 있습니다. 삶의 결정을 내리기 위해 지혜로운 마음을 처음 사용할 때, 그것인 직관적인 직감에 의한 것인지 아니면 낡은 방식인 감정적 마음에 의한 결정인지 구분하는 것이 어려울 것입니다. 그 차이는 아래의 세 가지 방법을 통해 구분할 수 있습니다.

1. 결정을 내릴 때 당신의 감정과 그 상황의 객관적 사실 둘 모두에 마음챙김이 된 상태였습니까? 다시 말해, 결정을 위해 감정적 마음과 합리적 마음을 모두 고려하였습니까? 만약 그 상황의 객관적 사실들을 고려하지 않고 당신의 감정에 의해 조종당하고 있다면, 지혜로운 마음을 사용하고 있지 않은 것입니다. 때때로 우리는 좋은 결정을 내리기 전에 감정을 가라앉

히고 "진정시키는 것"이 필요합니다. 혹시 최근에 좋은 것이든 나쁜 것이든 매우 감정적인 상황을 겪은 적이 있다면, 합리적 마음을 사용할 수 있도록 뜨거운 감정이 식을 수 있는 충분한 시간을 자신에게 주어야 합니다.

2. *그 결정이 옳다는 "느낌"이 듭니까?* 결정을 내리기 전에 지혜로운 마음의 중심과 접촉하고 어떻게 느껴지는지 살펴봅니다. 지혜로운 마음의 중심과 접촉하고 불안한 느낌이 든다면, 아마도 당신이 내리려던 그 결정은 좋지 않은 결정이거나 안전하지 않은 결정일 것입니다. 하지만 어쩌면 무언가 좋은 새로운 결정을 하는 것에 대한 흥분 때문에 불안한 것일 수도 있습니다. 때때로 그 차이를 구분하는 게 어려우며, 바로 그 때문에 결정을 내리기 위해 합리적인 마음을 사용하는 것이 중요합니다. 이후에 당신의 삶을 위한 건강한 결정을 내리는 경험이 더 많아지면, 좋은 불안과 나쁜 불안 간의 차이를 구분하는 게 더 수월해질 것입니다.

3. *때때로 당신의 결정의 결과를 살펴봄으로써 지혜로운 마음을 사용했는지 알 수 있습니다.* 만약 당신의 결정이 삶을 유익한 방향으로 이끌어 주었다면, 지혜로운 마음을 사용하여 결정을 내릴 가능성이 있습니다. 지혜로운 마음을 사용하기 시작할 때, 당신이 정말로 지혜로운 마음을 사용하고 있는지 확인하기 위해 당신의 결정과 그 결정의 결과를 살펴봅니다. 기억해야 할 것은 지혜로운 마음은 당신의 삶에 대한 건강한 결정을 내리는 데 도움이 되어야 한다는 것입니다.

(출판사 웹사이트에 방문하면 '지혜로운 결정 내리는 방법'을 다운받을 수 있습니다.)

온전한 수용

보통 마음챙김과 함께 지혜로운 마음의 또 다른 매우 중요한 또 다른 부분은 온전한 수용이라고 불리는 기술입니다(Linehan, 1993a). (1장과 2장에서 이미 온전한 수용에 대해 살펴보았습니다. 그러나 이어지는 설명을 통해 온전한 수용이 마음챙김 기술과 어떻게 관련되는지 이해하게 될 것입니다). 온전한 수용은 무언가를 판단하거나 바꾸려고 하지 않고 그것을 감내하는 것을 의미합니다. 이전 장에서 소개했던 마음챙김의 정의를 기억하십니까? 마음챙김은 지금 이 순간 *자신, 타인, 경험에 대한 판단이나 비난 없이* 생각, 감정, 신체 감각, 행동을 알아차리는 능력입니다. 온전한 수용은 마음챙김에 있어 매우 중요한 부분인데, 그 이유는 만약 당신이 현재 순간에 자신과 경험 혹은 다른 누군가를 판단한다면, 당신은 그 순간에 일어난 일에 실제로 주의를 기울이고 있는 것이 아니기 때문입니다. 여러모로 판단하는 것은 고통으로 가는 왕도입니다. 왜냐하면 당신이 다른 사람을 판단하게 되면 화가 나고, 자신을 판단하게 되면 우울해지기 때문입니다. 그러므로 당신이 진정으로 현재 순간에 마음챙김하고 지혜로운 마음에 충분히 머물기 위해서는 판단하지 않는 연습을 해야 합니다.

온전한 수용이 숙련되기 어려운 기술처럼 들릴지도 모르지만, 분명히 노력할 가치가 있습니다. 다음의 예시를 고려해보십시오. 토마스는 감정에 압도되는 사람들이 아주 흔하게 겪는 문제들과 씨름하고 있었습니다. 그는 모든 사람과 대상을 모두 좋거나, 혹은 모두 나쁘거나 둘 중의 하나라고 구분하였습니다. 그에게 중간은 없었습니다. 사람들이 그를 친절하게 대하면 그들은 좋은 쪽입니다. 그러나 누군가 그에게 동의하지 않으면 그는 그들을 나쁘다고 여겼고, 심지어 불과 몇 분 전만 해도 좋은 쪽에 있던 사람일지라도 그들을 나쁜 쪽으로 생각했습니다. 좋은 쪽과 나쁜 쪽으로의 빠른 변동은 토마스가 자신과 다른 사람들에 대해 많은 판단과 비판적인 발언을 하게 했습니다. 몇 년 동안 이러한 변동과 판단이 축적되어 토마스는 잘못될 수도 있는 상황에 매우 민감하게 반응했습니다. 그는 항상 다른 사람들이 실수하거나 그를 모욕하거나 아니면 어떤 식으로든 그를 배신할 거라고 예상했습니다. 어느 날 그의 여동생이 그의 차를 수리하는 곳에 함께 갈 수 없겠다고 말하자, 그는 그녀에게 화를 냈습니다. 그는 그녀가 감사할 줄을 모르고 이기적이라고 비난했습니다. 그렇지만 사실 그때 동생은 자신의 딸을 병원에 데려가야만 했는데, 토마스는 그녀의 이유를 전혀 듣지 않았습니다. 그는 자신의 판단에 완전히 사로잡혀서 다른 사람의 말을 제대로 듣지 못했습니다. 사실, 토마스는 그의 삶에서 자신의 판단과 비판적인 생각이 현실이 되고 마는 하나의 패턴을 갖게 되었고, 이로 인해 그의 삶은 매우 외롭고 괴로운 삶이 되었습니다.

토마스가 마침내 온전한 수용의 기술을 접하게 됐을 때, 그때도 역시 비판적이었습니다. 그는 이렇게 생각했습니다. '이것 참 멍청한 생각이군', '이 멍청한 생각은 나에게 도움이 안 될 거야. 난 이따위 것 필요 없어. 어떻게 비판하지 않을 수가 있어?' 하지만 가족들의 권유로 토마스는 온전한 수용을 시도해보기로 결심했습니다. 처음에 그는 자신과 다른 사람들을 비판하지 않는 걸 너무 어려워했습니다. 그렇지만 그는 이 워크북의 연습들을 계속 사용하고 훈련하여 온전한 수용을 보다 쉽게 느끼게 되었습니다. 천천히 그의 생각이 바뀌기 시작했습니다. 토마스는 판단적 사고와 비판적인 발언에 집착하는 데 시간을 덜 보냈고, 다른 사람들이 자신을 모욕하거나 배신할 거라고 예측에 시간을 덜 쓰게 됐습니다. 또한 그는 더 이상 사람들을 좋거나 나쁜 쪽으로 생각하지 않았습니다. 그는 모든 사람들이 실수를 하고, 그래도 괜찮다는 걸 깨닫기 시작했습니다. 나아가 그는 현재 순간의 생각, 감정, 감각, 행동에 더 마음챙김 할 수 있게 되었고, 이로써 그의 일상적인 경험에 더 집중하고 그의 삶을 위한 더 건강한 선택을 할 수 있게 되었습니다.

이 예시에서 보았듯이 온전한 수용을 사용하는 가장 어려운 부분 중의 하나는 자신과 타인들을 판단할 때를 자각하는 것입니다. 이를 위해 훈련이 필요하고, 이 워크북에 포함된 기술들이 도움이 될 것입니다. 그러나 판단하고 있는 순간을 알아차리려면 역시 시간이 필요합니다. 연습을 하는 동안 실수할 수도 있습니다. 당신이 처음으로 판단하지 않는 것을 배운다면, 판단하고 있는 순간이 여러 번 나타날 것입니다. 그때 당신은 판단하고 있는 걸 깨닫게 될 것이며, 판단한 것에 대해 자신을 더욱 비판하게 될 것입니다. 하지만 그것 역시 괜찮습니다. 그런 것도 배워가는 과정 중의 일부입니다. 온전한 수용을 활용하는 법을 배우는 것은 도시의 거리를 걷다가 열려있는 맨홀에 빠져 하수구로 떨어진 한 남자의 이야기와 매우 흡사합니다. 그는 맨홀에서 기어 나와 구멍 속을 들여다보며 "다시는 그러지 않는 게 좋겠어."라고 말합니다. 하지만 다음 날, 같은 거리를 걸어가다가 그는 똑같은 맨홀로 걸음을 옮겼고 "내가 또 그랬다는 게 믿기지 않는군."이라고 말합니다. 그리고 셋째 날, 그는 열려있는 맨홀로 걸음을 옮기려는 찰나에 갑자기 어제 그리고 그제 일어난 일이 생각났고, 마침내 그 구멍을 피합니다. 넷째 날, 그 남자는 길을 걷기 시작하자마자 열린 맨홀 주변을 돌아가는 것을 기억합니다. 그리고 닷새째 날, 그는 그 문제를 완전히 피하기 위해 다른 거리로 걸어가기로 선택합니다. 온전한 수용을 활용하는 방법을 배우는 데는 분명 5일보다 더 오래 걸리겠지만, 같은 판단의 덫에 빠지는 과정은 예시와 매우 비슷한 방식으로 일어날 것입니다.

아래의 몇몇 예들은 당신이 판단하지 않는 태도를 계발하고 온전한 수용의 기술을 사용할 수 있도록 도와줄 것입니다. 하지만 연습을 시작하기 전에 온전한 수용에 대해 조금 더 명확히 합시다. 종종 그 개념은 많은 사람들에게 혼란스러운 것이 될 수 있기 때문입니다. 온전한 수용을 사용하는 것은 당신의 삶에서 잠재되어있는 해롭고 위험한 상황을 가만히 참는 것을 의미하지 않습니다. 예를 들어, 만약 당신이 폭력적이고 학대적인 관계에 있고 그 관계에서 벗어날 필요가 있다면, 벗어나십시오. 당신 자신을 위험한 상황에 놓아두지 말고, 당신에게 어떤 일이 일어나든 가만히 참고 있지 마십시오. 온전한 수용은 당신이 더 건강한 삶을 살아가도록 돕는 기술입니다. 당신의 삶에 더 많은 고통을 채워 넣는 기술이 아닙니다.

하지만 온전한 수용을 시작하는 것이 어려울 것이라는 것에는 의심의 여지가 없는 게, 그것은 당신 자신과 당신의 삶 그리고 다른 사람들에 대해 새로운 방식으로 생각할 것을 요구하기 때문입니다. 그러나 일단 온전한 수용을 사용하기 시작하고 나면, 그것이 실제로는 당신에게 더 많은 자유를 가져다준다는 것을 알게 될 것입니다. 당신 자신과 다른 사람들에 대해 비판하는 데 그렇게 긴 시간을 쓰지 않게 될 것이며, 그 대신에 다른 많은 것들을 할 수 있는 자유를 얻게 될 것입니다. 변증법적 행동치료에서 온전한 수용은 가장 중요한 기술 중 하나이며, 그것은 분명 노력할 가치가 있습니다.

연습 : 부정적 판단 ⊠

어떤 문제를 바꾸기 위한 첫 번째 단계는 언제 그 문제가 일어났는지를 아는 것입니다. 그래서 당신의 판단적인 생각을 변화시키는 시작은 언제 당신이 판단하고 비판하는가를 인식하는 것입니다. 다음 한 주간 아래의 부정적 판단 기록지를 사용하십시오. 당신이 내리는 모든 부정적인 판단과 비판을 추적하기 위해 최선을 다하십시오. 당신이 신문에서 읽거나 TV에서 보는 것들에 대한 판단과 비판, 자신과 다른 사람들에 대해 내리는 판단 등을 포함합니다. 필요한 경우 부정적 판단 기록지를 복사하고(혹은 출판사 웹사이트에서 다운받으십시오), 한 장을 접어서 가지고 다니다가 판단이나 비판을 하게 될 때 즉시 그 내용을 적을 수 있도록 하십시오. 만약 잠자기 전에 기록하는 것처럼 하루에 한 번만 당신의 부정적 판단을 작성하기로 결정한다면, 온전한 수용을 배우는 과정은 더 길어질 것입니다. 그리고 하루를 마무리 할 때 쯤엔 당신이 내렸던 부정적 판단들의 대부분을 잊어버릴 것입니다.

부정적 판단 기록하기를 기억하기 위해 시각적인 것을 사용하는 게 도움이 될 것입니다. 어떤 사람들은 새로운 반지나 팔찌와 같이 특별한 무언가를 착용하는 방법을 통해 그들의 판단을 기억하고 적는 데 도움이 된다는 걸 발견했습니다. 또 다른 사람들은 그들의 집이나 사무실 주변에 '판단'이라고 적힌 접착식 메모지를 붙여두었습니다. 당신에게 가장 효과가 좋은 방법을 사용하십시오. 적어도 일주일 동안 혹은 부정적인 판단을 하는 순간을 스스로 알아차리기 시작할 때까지 이 연습을 하십시오. 언제 판단하고, 어디에서 판단하고, 어떤 부정적인 판단을 하는지 계속해서 추적하십시오. 아래의 예시가 도움이 될 것입니다.

(안내: 부정적 판단 기록지를 완성하고 나면, 이 장 다음에 있는 판단 탈융합 연습에서 사용할 수 있도록 기록지를 보관하십시오.)

예시 : 부정적 판단 기록지

언제?	어디서?	무엇을?
일요일, 오후 2:00	집에서	'난 일요일이 싫어; 일요일은 항상 너무 지루해'라고 생각했다.
일요일, 오후 6:30	집에서	여자친구에게 그녀가 입고 있는 셔츠가 마음에 안 든다고 말했다.
월요일, 오전 8:30	출근길 카풀 자리에서	언제나 멍청이처럼 운전하는 사람들이 얼마나 싫은지에 대해 생각했다.
월요일, 오전 11:00	직장에서	매일 똑같은 질문을 하는 동료들이 얼마나 바보 같은지 생각했다.
월요일, 오후 12:30	직장에서	내 일을 할 수 있을 만큼 빠르지 않은 컴퓨터를 사준 상사가 얼마나 싫은지 생각했다.
월요일, 오후 1:45	직장에서	나는 내 실수에 대해 너무 화가 났고, 나 자신을 '멍청이'라고 불렀다.
월요일, 오후 2:30	직장에서	나는 신문에서 대통령의 외교 정책에 대한 견해를 읽고 너무 화가 났다.
월요일, 오후 4:15	직장에서	나는 내 사무실 공간을 이상한 색으로 칠한 것에 대해 생각했다.
월요일, 오후 5:15	퇴근길 카풀 자리에서	나는 산드라에게 그녀가 자동차 라디오를 너무 크게 틀어서 무례하다고 말했다.
월요일, 오후 11:30	집에서	나는 너무 늦게까지 깨어있고, 충분히 자지 못하는 것 때문에 스스로에게 짜증이 났다.

부정적 판단 기록지

언제?	어디서?	무엇을?

온전한 수용과 초심자의 마음 ⊠

지금까지 당신의 많은 부정적 판단을 인식하였기에 이제 온전한 수용을 사용하는 것에 더 가까워졌습니다. 온전한 수용은 자신과 다른 사람에 대해 판단하거나 비판하지 않고 삶에 일어나는 상황들을 관찰하는 것을 의미함을 기억하십시오. 이전의 연습에서는 당신의 부정적 판단을 인식하는 것에 집중하였는데, 그 이유는 부정적 판단은 보통 발견하기 가장 쉽기 때문입니다. 그러나 긍정적 판단 역시 문제가 될 수 있습니다.

최근 살펴본 토마스의 예시를 기억하십니까? 그는 모든 사람을 다 좋거나 혹은 다 나쁜 두 가지 범주로 구분했습니다. 그는 다른 사람들이 친절할 때는 그들을 좋아했지만, 그를 기분 나쁘게 할 때는 화를 내며 '나쁨'이라고 딱지를 붙였습니다. 그렇다면 어떤 사람들이나 무언가에 대해 긍정적 판단을 하는 것조차 문제가 될 수 있다는 사실을 알고 있습니까? 당신이 누군가 혹은 무언가에 대해 생각할 때, 경직되고 미리 정해진 기준을 갖고 그 사람이 당신을 어떻게 대해줄지에 대해 생각하면, 실망하기 쉽습니다. 왜냐하면 그 누구도(그리고 아무것도) 완벽하지 않기 때문입니다.

대통령도 가끔은 거짓말을 하고, 종교인들도 때때로 도박을 하고, 우리가 좋아하는 물건들도 이따금 부숴져 버리고, 우리가 신뢰하던 사람들이 종종 우리에게 상처를 줍니다. 결과적으로, 누군가를 100% 좋은 사람, 신뢰할 수 있는 사람, 성숙한 사람, 건전한 사람, 또는 정직한 사람이라는 범주에 넣을 때 실망하기 쉽습니다.

그러나 이 말은 절대 아무도 신뢰하지 말라는 의미는 아닙니다. 온전한 수용이 말하고자 하는 것은 당신의 삶에서 다른 사람들과 상황들을 접할 때 좋거나 나쁘다는 판단 없이 그리고 긍정적이거나 부정적이라는 판단 없이 다가가야 한다는 것입니다. 어떤 형태의 명상에서는 이것을 *초심자의 마음*이라고 부릅니다(Suzuki, 1970). 그 의미는 모든 상황과 모든 관계를 접할 때 마치 완전히 처음인 것처럼 나아가야 한다는 뜻입니다. 이처럼 반복적으로 새로움을 경험하는 것은 당신이 현재 순간에 어떤 낡은 판단(좋거나 나쁜)을 끌어들이는 걸 막아주고, 이로써 당신은 더욱 마음챙김의 상태에 머물게 됩니다. 더불어 상황을 새롭게 경험함으로써 감정을 더 잘 조절할 수 있게 됩니다. 결론적으로, 긍정적이든 부정적이든 어떤 판단을 내리는 것을 멈추도록 돕는 것이 왜 변증법적 행동치료의 목표 중 하나인지 쉽게 알 수 있습니다.

연습 : 초심자의 마음

이번 연습에서 온전한 수용을 사용하는 것과 초심자의 마음을 연습할 것입니다. 이전 연습과 비슷하지만, 이번에는 당신이 만들어내는 긍정적 판단과 부정적 판단을 모두 자각해야 합니다. 다시 말하지만, 만약 판단의 내용을 기록하는 걸 쉽게 기억하기 위해 시각적 장치를 사용할 필요를 느낀다면, 무엇이든 당신에게 효과적인 것을 사용하십시오: 팔찌, 반지, '판단'이라고 적은 접착식 메모지, 스마트폰 알림 등등.

이 연습을 적어도 일주일 동안 아니면 당신이 긍정적인 판단과 부정적인 판단을 하는 순간을 잘 알아차리기 시작할 때까지 계속 연습하십시오. 언제 판단을 하는지, 어디에서 판단하는지, 긍정적이거나 부정적인 판단이 무엇인지를 계속해서 추적하십시오. 이전 연습 때처럼 필요할 경우 초심자 마음 기록지를 복사하여(혹은 출판사 웹사이트에서 다운받으십시오.), 한 장을 접어서 가지고 다니다가 판단을 하는 즉시 그 내용을 적도록 하십시오. 판단을 하고 나서 더 빨리 그 내용을 적을수록, 온전한 수용이 더 빨리 당신의 삶에 단단히 자리 잡게 될 것입니다. 다음 페이지에 있는 초심자 마음 기록지 예시를 보면 도움이 될 것입니다. 당신이 사용할 수 있는 빈칸의 초심자 마음 기록지는 그 다음 페이지에 있습니다. (안내: 초심자 마음 기록지 작성을 마치면, 이 장의 다음에 있는 판단 탈융합 연습을 위해 기록지를 보관하십시오.)

예시 : 초심자 마음 기록지

언제?	어디서?	무엇을?
금요일, 오후 12:00	로라와의 점심식사 자리에서	'로라는 절대 실수하지 않는 믿기지 않을 만큼 재능 있는 사람이야.'라고 생각했다.
금요일, 오후 2:30	직장에서	나는 내 자신을 '무능한 사람'이라고 불렀다. 5시 전까지 모든 서류 작업을 끝낼 수 없을 것 같았기 때문이다.
금요일, 오후 2:45	직장에서	엄마와 전화 통화를 하고 나서, 나는 엄마가 나를 얼마나 형편없이 키웠는지 생각했다.
금요일, 오후 5:30	퇴근 후 술집에서	바텐더가 정말 잘생겼다고 생각했고, 아마도 정말 좋은 남편이 될 수 있는 타입의 사람이라고 생각했다.
금요일, 오후 7:30	집에서	남자친구가 저녁을 만들어줘서 처음엔 스윗하다고 말했다. 하지만 그가 내 음식에 소금을 너무 많이 넣었을 때는 그에게 멍청이라고 했다.
토요일, 오후 2:30	쇼핑몰에서	나를 환상적으로 보이게 할 만한 '완벽한' 청바지를 찾았다.
토요일, 오후 3:00	쇼핑몰에서	가게에 있는 남자들 중 한 명이 얼마나 못생겼는지 생각하고 있었다.
토요일, 오후 4:15	집에서	청바지 사이즈가 맞지 않는다는 걸 알았을 때, 짜증이 나서 나를 멍청이라고 불렀다.
토요일, 오후 9:00	집에서	오늘 내 모든 집안일을 마치는 걸 도와주지 않은 남자친구에게 너무 화가 났다.
토요일, 오후 10:30	집에서	내일은 얼마나 완벽한 하루가 될지에 대해 생각하고 있었다.

예시 : 초심자 마음 기록지

언제?	어디서?	무엇을?

판단과 라벨링

아마 앞의 연습 이후 사람, 생각, 사물에 대해 좋거나 나쁘다고 라벨링하는 것이 나중에 어떻게 실망으로 이어질 수 있는지 쉽게 알게 되었기를 바랍니다. 온전한 수용에 조금 더 가까워지기 위해서 계속해서 다음 연습에서도 당신이 만들어내는 판단을 확인하는 것을 돕고, 그러한 판단을 흘려보낼 수 있도록 할 것입니다.

지금까지 이 장에서 이미 당신은 많은 문제들이 판단과 관련되어 있음을 인식했습니다:

- 판단은 압도적인 감정을 촉발할 수 있다.

- 판단은 종종 실망과 괴로움으로 이어진다.

- 판단은 지금 순간에서의 온전한 마음챙김을 방해한다.

명백히, 판단과 비판이 지닌 문제 중 하나는 그것들이 당신의 생각을 차지한다는 것이다. 많은 경우에, 하나의 판단에 사로잡히는 일은 매우 쉽게 시작될 수 있습니다. 어쩌면 당신은 단 하나의 판단이 온종일 당신의 생각을 차지하고 있던 경험이 있을 것입니다. 아마도 그것은 자신이나 다른 누군가에 대한 좋지 않은 어떤 것일 수 있습니다. 혹은 당신 자신과 다른 누군가에 대한 좋은 판단이었을 수도 있습니다. 우리 모두에겐 이런 경험이 있습니다. 그렇다면 과거에 일어난 일이나 아니면 미래에 일어날 지도 모르는 일에 대한 무언가가 당신의 생각을 차지했을 때, 당신은 현재의 순간에 어떻게 마음챙김할 수 있습니까? 아마도 마음챙김이 쉽지 않을 것입니다. 그리고 그러한 강박적인 생각들이 자신과 다른 누군가에 대한 판단일 때, 당신의 감정은 얼마나 쉽게 촉발됩니까? 아마 매우 쉽게 일어날 것입니다. 특히 당신이 압도적인 감정과 씨름하고 있다면 말입니다.

연습 : 판단 탈융합

판단 탈융합 연습은 당신의 판단과 다른 강박적인 생각들을 놓아주거나 "흘러가도록" 돕기 위한 것입니다. 이전 장에서 당신은 기본적인 마음챙김 연습으로 사고 탈융합 기술을 훈련했습니다. 이번 연습도 그와 매우 유사합니다. 이번에도 연습의 목적은 떠오르는 당신의 판단을 관찰하고 그것에 붙들리지 않은 채 흘려보내는 것입니다.

사고 탈융합처럼 판단 탈융합도 당신의 상상력이 필요합니다. 이 연습의 목적은 당신의 판단에 사로잡히거나 분석하지 않고 그것을 그림이나 단어로 시각화하여, 당신에게 해로움 없이 흘러가게 하는 것입니다. 시각화를 위해 어떤 방식을 선택하든 모두 괜찮습니다. 이전 장에서 연습한 방식이 효과가 있었다면, 이번에도 그 방식을 사용하십시오. 다른 시각화 기술이 필요하다면, 아래에 다른 사람들에게 도움이 되었던 몇 가지 시각화 방법이 제시되어 있습니다:

- 들판에 앉아 당신의 판단이 구름 위에 떠가는 것을 보고 있다고 상상해보십시오.

- 시냇가에 앉아 당신의 판단이 나뭇잎에 떠내려가는 것을 보고 있다고 상상해보십시오.

- 두 개의 문이 있는 방에 서서 당신의 판단이 한 쪽 문으로 들어와 다른 쪽 문으로 나가는 것을 지켜본다고 상상해보십시오.

이 제안들 중 하나가 당신에게 효과적이라면 잘된 일입니다. 그렇지 않다면, 자유롭게 당신만의 상상을 만드십시오. 단지, 당신의 상상이 판단이 일어날 때 그것에 사로잡히거나 분석하지 않고 흘려보내는 장면을 시각적으로 관찰하는 이 연습의 목적을 잘 반영하였는가를 확실히 합니다.

이 연습을 시작하기 전에 지난 몇 주간 당신이 했던 판단들에 다시 익숙해질 수 있도록 당신이 작성한 부정적 판단 기록지와 초심자 마음 기록지를 다시 검토하십시오. 그리고 최근 있었던 판단들을 기억하는 데 어려움이 있을 때 참고하기 위한 목적으로 기록지를 근처에 두는 것도 좋습니다. 연습하는 동안 눈을 감고 당신이 선택한 방식의 시각화를 상상할 것입니다. 그런 다음 판단에 붙들리지 않고 당신의 생각 속으로 들어온 과거의 판단(그리고 새로운 판단)이 떠내려가는 것을 지켜볼 것입니다.

연습을 시작하기 전에 연습에 익숙해질 수 있도록 먼저 지시문을 읽어보십시오. 만약 지시문을 듣는 게 더 편하다면, 스마트폰에 느리고 편안한 목소리로 지시문을 녹음해 두고, 연습하는 동안 그 녹음 파일을 사용하십시오. 처음 판단 탈융합을 연습할 때는 타이머를 3~5분으로 설정하고 알람이 울릴 때까지 판단을 흘려보내는 연습을 하십시오. 그리고 나서 이 기술에 좀 더 익숙해지면, 타이머를 8~10분 정도로 늘려도 좋습니다. (출판사 웹사이트에서 아래의 지시문을 다운받을 수 있습니다.)

지시문

우선, 타이머에 설정한 시간 동안 방해받지 않을 수 있는 편안한 장소를 찾아 자리에 앉으십시오. 방해가 될 만한 모든 소리를 차단하십시오. 몇 차례 천천히 길게 호흡하며 이완하고 눈을 감습니다.

이제 상상 속에서 당신의 판단이 일어났다가 지나가는 것을 관찰하기 위해 당신이 선택한 시나리오대로 자신의 모습을 떠올려보십시오. 시냇가든, 들판이든, 방이든, 아니면 그 외 다른 곳이든 상관없습니다. 그 장면 속에 있는 당신을 상상하는 데 최선을 다하십시오. 그렇게 한 뒤에는 당신의 판단을 적었던 지난 연습에서처럼, 당신에게 일어나는 판단을 자각하기 시작하십시오. 어떤 판단이던지 당신 마음에 떠오르는 판단을 관찰하도록 합니다. 생각을 멈추려고 하지 말고, 어떤 판단이 떠오르든 자신을 비판하지 않기 위해 최선을 다하십시오. 그저 떠오르는 판단을 관찰하고, 그런 뒤에는 당신이 선택한 기술을 사용하여 그 판단이 사라지는 것을 관찰하십시오. 최근의 판단을 떠올리기 위해 이전의 연습에서 작성했던 기록들을 참고하고자 한다면 원하는 대로 하십시오. 하지만 확인하고 나서 다시 눈을 감고 그 판단들이 떠내려가는 것을 관찰하십시오.

그 판단이 어떠하든지, 크든 작든, 중요하든 중요하지 않든 간에 당신의 마음에 떠오르는 판단을 관찰하고, 그런 뒤에는 당신이 선택한 상상을 통해 떠내려가도록 하거나 사라지게 두십시오. 그저 계속해서 떠올랐다가 사라지는 판단들을 관찰하십시오. 판단을 표현하기 위해 당신에게 도움이 되는 그림이나 단어를 사용하십시오. 그 판단에 사로잡히지 않고 당신 자신을 비판하지 않으면서 떠올랐다가 사라지는 판단을 관찰하기 위해 최선을 다하십시오. 동시에 하나 이상의 판단이 떠오른다면, 떠올랐다가 사라지는 그 모든 판단을 관찰하십시오. 만약 판단이 너무 빠르게 떠오른다면, 그 판단에 사로잡히지 않고 그것들이 완전히 사라질 때까지 관찰하기 위해 최선을 다하십시오. 알람이 울릴 때까지 계속해서 호흡하며 떠올랐다가 사라지는 판단을 관찰하십시오.

연습을 모두 마치면, 몇 차례 더 천천히 그리고 길게 호흡한 뒤, 천천히 눈을 뜨고 당신이 있는 자리로 다시 주의를 가져오십시오.

비판단 그리고 일상 경험들

이전 연습의 목적은 당신의 판단을 흘려보내도록 돕는 것이었고, 연습을 많이 할수록 더 수월해질 것입니다. 그렇기에 적어도 몇 주 동안 꾸준히 연습하다 보면, 현재 순간에 일어나는 당신의 판단을 흘려보내는 게 쉬워질 것입니다. 원하기는 언젠가 단시일 내에, 당신의 생각에 긍정적이든 부정적이든 어떤 판단이 떠올랐을 때 그것을 단지 흘려보낼 수 있기를 바랍니다. 만약 당신이 안전한 장소에 있다면 몇 초 동안 눈을 감고 그 생각이 흘러가는 것을 상상할 것입니다. 혹은 누군가와 대화 중에 마음속에 판단이 떠오를 수 있고, 그때도 간단히 판단을 흘려보낼 수 있을 것입니다. 이때가 바로 당신이 진정으로 온전한 수용을 사용하는 때입니다.

연습 : 판단 VS 현재 순간

지금까지 이전 장에서는 당신의 생각, 감정, 감각에 대한 마음챙김 연습을 하였고, 이번 장에서는 당신의 판단에 마음챙김 하도록 연습을 하였으며, 다음 단계는 이 두 경험을 통합하는 것입니다. 이 연습에서는 당신의 판단과 신체 감각 사이를 마음챙김으로 집중하는 방식으로 주의를 이리저리 옮기는 것을 배우게 될 것입니다.

당신의 생각과 판단에 집착하며 많은 시간을 보낼 때는 세상이 어떻게 되어야만 하는지에 대한 당신 자신의 환상에 빠지기 쉽습니다. 이러한 환상은 종종 당신을 실망과 괴로움으로 인도합니다. 당신의 삶에서 계속해서 마음챙김 기술들을 연습할 때, 그 순간에 실제로 일어난 일에서 파생된 판단과 환상을 인식하고 구분하는 것이 계속해서 중요할 것입니다. 그렇게 하기 위한 가장 쉬운 방법 중 하나는 눈, 귀, 코, 촉각, 미각을 통한 당신의 신체 감각에 마음챙김 하는 것입니다. 종종 사람들은 이것을 그들 자신을 그라운딩하는 것이라고 합니다. 당신을 당신의 신체 감각에 그라운딩하는 것은 당신의 판단에 집착하는 걸 멈추게 할 수 있고, 또한 현재 순간에 일어나는 일에 더 마음챙김으로 머물 수 있도록 도와줍니다.

연습을 시작하기 전에 연습 과정에 익숙해 질 수 있도록 먼저 아래의 지시문을 읽어보십시오. 그러고 나서 연습을 진행하는 동안 참고하기 위한 목적으로 이 지시문을 근처에 둬도 좋고, 또는 스마트폰에 이 지시문을 느리고 편안한 목소리로 녹음하여 판단과 현재 순간의 자각 사이로 주의를 이동시키는 연습을 하는 동안 그 녹음 파일을 사용해도 좋습니다.

지시문

우선, 10분 동안 방해받지 않을 수 있는 편안한 장소를 찾아 자리에 앉으십시오. 방해가 될만한 소리는 모두 차단하십시오. 몇 차례 천천히 길게 호흡하며 눈을 감고 이완하십시오.

이제 눈을 감은 채로 앉아있는 자리에 실려있는 당신의 몸의 무게에 주의를 기울여보십시오. 바닥에 놓인 당신의 발과 다리의 무게를 알아차리십시오. 당신의 손과 팔의 무게를 알아차리십시오. 목에 실린 머리의 무게를 알아차리십시오. 머리부터 발까지 당신의 몸을 정신적으로 스캔하고 느껴지는 감각들을 알아차리십시오. 얼마간 시간을 갖습니다. [지시문을 녹음한다면, 여기서 1분간 멈추십시오.]

이제 당신의 몸 어딘가에서 느껴질 수도 있는 긴장감을 알아차리고, 뜨거운 태양에 녹아내리는 왁스처럼 그 긴장감이 녹아버리는 걸 상상해보십시오. 다시 시간을 들여 어떠한 긴장감이 있는지 몸을 스캔하고, 계속해서 천천히 깊게 호흡하십시오. [지시문을 녹음한다면, 여기서 1분간 멈추십시오.]

당신의 몸을 스캔하는 것을 모두 마쳤으면, 당신의 생각과 판단으로 주의를 옮기십시오. 당신의 마음속에 떠오르는 생각과 판단을 그저 알아차리고, 그렇게 하면서 이전 연습에서 당신에게 성공적이었던 방법을 시각화 기법을 사용하여 그 판단과 생각이 떠내려가도록 두십시오. 생각과 판단에 붙들리지 않고 그것들이 떠나가도록 두십시오. 1분간 주의를 기울이며, 계속해서 천천히 길게 호흡하십시오. [지시문을 녹음한다면, 여기서 1분간 멈추십시오.]

이제 당신의 주의를 청각으로 옮기십시오. 방 밖에서 들려오는 소리를 알아차리고, 그 소리가 무엇인지 속으로 생각하십시오. 이제 방 안에서 들리는 소리에 주의를 기울이고, 그 소리가 무엇인지 속으로 생각하십시오. 시계침 소리, 바람 소리, 혹은 당신의 심장 박동 소리처럼 아주 작은 소리라도 알아차리기 위해 노력하십시오. 어떤 생각에 의해 주의가 분산되기 시작한다면, 주의를 청각으로 되돌리십시오. 1분간 주의를 기울이며, 계속 호흡합니다. [지시문을 녹음한다면, 여기서 1분간 멈추십시오.]

소리 알아차림을 마친 뒤에는 다시 당신의 생각과 판단으로 주의를 옮기십시오. 마음속에 떠오르는 생각과 판단을 알아차리고, 그렇게 하면서 이전 연습에서 당신에게 성공적이었던 시각화 기법을 사용하여 그 판단과 생각이 떠내려가도록 두십시오. 생각과 판단에 붙들리지 않고 그것들이 떠나가도록 두십시오. 1분간 주의를 기울이며, 계속해서 천천히 깊은 호흡을 하십시오. [지시문을 녹음한다면, 여기서 1분간 멈추십시오.]

이제 다시 한 번 주의의 방향을 옮깁니다. 이번에는 후각에 주의를 기울이십시오. 기분 좋은 것이든 그렇지 않은 것이든 방 안에서 느껴지는 냄새를 알아차리십시오. 아무 냄새도 알아차릴 수 없다면, 코로 숨을 들이마실 때 콧구멍을 통해 들어오는 공기의 흐름을 자각하십시오. 후각에 둔 주의를 유지하기 위해 최선을 다하십시오. 어떤 생각에 의해 주의가 분산되기 시작한다면, 주의를 당신의 코로 되돌리십시오. 1분간 주의를 기울이며, 천천히 깊은 호흡을 이어가십시오. [지시문을 녹음한다면, 여기서 1분간 멈추십시오.]

냄새 알아차림을 마친 뒤에는 다시 당신의 생각과 판단으로 주의를 옮기십시오. 마음속에 떠오르는 생각과 판단을 알아차리고, 그렇게 하면서 이전 연습에서 성공적이었던 시각화 기법을 사용하여 그 판단과 생각이 떠내려가도록 두십시오. 생각과 판단에 붙들리지 않고 그것들이 떠나가도록 두십시오. 1분간 주의를 기울이며, 계속해서 천천히 깊은 호흡을 하십시오. [지시문을 녹음한다면, 여기서 1분간 멈추십시오.]

이제 촉각으로 주의를 옮기십시오. 당신의 손이 놓여있는 곳에서 느껴지는 감각을 알아차리십시오. 혹은 계속 눈을 감은 채로 손이 닿을 수 있는 거리에 있는 대상을 향해 한 손을 뻗어보십시오. 혹은 손이 닿을 수 있는 거리 내에 아무 대상도 없다면, 당신이 앉아있는 의자나 당신의 다리를 만져보십시오. 그 대상이 어떤 느낌인지 알아차리십시오. 그 대상이 부드러운지 거친지 알아차리십시오. 잘 구부러지는지 딱딱한지 알아차리십시오. 말랑말랑한지 단단하지 알아차리십시오. 손가락 끝의 피부에서 느껴지는 감각이 어떤 느낌인지 알아차리십시오. 생각에 의해 주의가 분산되기 시작한다면, 그저 당신이 만지고 있는 대상으로 주의를 되돌리십시오. 1분간 주의를 기울이며, 천천히 길게 계속해서 호흡하십시오. [지시문을 녹음한다면, 여기서 1분간 멈추십시오.]

촉각 알아차림을 마친 뒤에는 다시 당신의 생각과 판단으로 주의를 옮기십시오. 마음속에 떠오르는 생각과 판단을 알아차리고, 그렇게 하면서 이전 연습에서 성공적이었던 시각화 기법을 사용하여 그 판단과 생각이 떠내려가도록 두십시오. 생각과 판단에 붙들리지 않고 그것들이 떠나가도록 두십시오. 1분간 주의를 기울이며, 계속해서 천천히 길게 호흡을 하십시오. [지시문을 녹음한다면, 여기서 1분간 멈추십시오.]

이제 천천히 눈을 뜨십시오. 계속해서 천천히 깊은 호흡을 이어갑니다. 몇 분 동안 당신이 앉아있는 방에 시각적 주의를 기울여보십시오. 방 안에 있는 대상들을 살펴보십시오. 방이 얼마나 밝은지 아니면 어두운지 알아차리십시오. 방에 있는 여러 다른 색깔들을 살펴보십시오. 당신이 방의 어느 위치에 있는지 확인하십시오. 고개를 움직여 주변을 둘러보십시오. 당신이 알아차릴 수 있는 모든 시각적 정보를 확인하십시오. 생각에 의해 주의가 분산되기 시작한다면, 그저 당신이 둘러보고 있는 방으로 주의를 되돌리십시오. 1분간 주의를 기울이며, 계속해서 천천히 길게 호흡합니다. [지시문을 녹음한다면, 여기서 1분간 멈추십시오.]

시각 알아차림을 마친 뒤에는 다시 당신의 생각과 판단으로 주의를 옮기십시오. 하지만 이번에는 눈을 뜬 채로 진행합니다. 방 안에 있는 대상 중 주의를 기울일 대상을 몇 개 고르십시오. 그러나 마음속으로는 떠오르는 생각과 판단을 계속해서 알아차리고, 그렇게 하면서 그 판단과 생각이 떠내려가도록 두십시오. 생각과 판단에 붙들리지 않고 그것들이 떠나가도록 두십시오. 이를 위해 눈을 감아야겠다면, 그렇게 해도 좋습니다. 하지만 생각이 떠내려가고 나면 다시 눈을 뜨고, 당신이 있는 방으로 다시 주의를 되돌리십시오. 계속해서 당신의 생각과 판단을 관찰하고, 계속해서 그것들에 붙들리지 않고 흘려보내십시오. 1분간 이렇게 하며, 계속해서 천천히 길게 호흡하십시오. [지시문을 녹음한다면, 여기서 1분간 멈추십시오.]

연습을 마치고 여전히 시간이 남아있다면, 당신의 생각과 판단 그리고 시각적으로 알아차린 것 사이로 계속해서 주의를 이동시켜 보십시오. 그러고 나서 알람이 울리면, 세 번에서 다섯 번 천천히 길게 호흡하고, 당신이 있는 장소로 다시 주의를 가져오십시오.

자기 자비 ⊠

누군가에 대한 '자비를 갖는다'는 것은 그 사람이 고통을 느끼고 있고 도움을 필요로 한다는 것을 인식한다는 것을 의미합니다. 이와 유사하게, 우리가 다른 누군가에게 '자비를 보여주는' 것은 그들을 친절하게 대하고, 누구의 잘못이든 상관없이 그들의 상황이나 감정으로 그들을 판단하지 않는 것입니다. 그렇지만 너무나 많은 사람들은 우리 자신에게 친절하게 대하는 것보다 다른 사람들 심지어 완전히 낯선 사람들을 돕고 용서하는 것이 종종 더 쉽습니다. 그렇다면 어째서 다른 사람들에게 자비로워지는 것은 훨씬 더 쉽고, 자신에게 자비로워지는 것은 더 어려운 걸까요?

- 아마도 당신은 당신 자신보다 다른 사람들이 더 도움받고 존경받을 만 하다고 생각할 것입니다.

- 아마도 당신은 지금까지 너무나 많은 과오를 저질러서 아무도 당신을 용서할 수 없고, 자비로운 대우를 받을 자격이 없다고 생각할 것입니다.

- 아마도 당신은 자신을 용서하는 것은 당신의 행동을 변명하고 결과를 회피하는 것과 동일하다고 생각할 것입니다.

- 혹은 아마도 과거에 그 누구도 당신을 자비롭게 대한 경험이 없고, 그래서 당신에게 뭔가 문제가 있다고 생각할 수도 있습니다.

사실, 위 내용 중 어떤 것도 사실이 아닙니다. 만약 당신이 가장 사랑하는 친구나 가족 중 한 명이 당신에게 와서 "나는 자비로운 대우를 받을 자격이 없어. 왜냐하면 나는 [위 내용 중 하나를 채우십시오.]" 라고 말했다고 상상해보십시오. 당신은 그들의 말에 동의하지 않고 다른 방법으로 설득하려고 노력했을 것입니다. 이와 비슷하게, 이제 당신 자신에게 자비로워지는 연습을 시작할 때입니다. 그리고 다른 모든 사람들처럼 당신 역시 친절한 대우를 받고 도움을 받을 자격이 있는 사람이라는 사실을 알아야 할 때입니다. (만약 당신이 이 내용을 이미 믿고 있다면, 당신의 믿음을 강하게 할 아래의 자기 자비 명상을 건너뛰십시오. 그렇지 않다면, 내용을 계속 읽어 가십시오.)

당신을 꼼짝 못하게 하는 믿음과 상관없이 당신 자신에게 자비로워지는 것은 이 워크북에서 배울 수 있는 가장 중요한 기술 중 하나입니다. 당신의 삶에서 지속적인 성장을 이루기 위해서는 이 자기 자비가 필요합니다. 치료사의 도움을 받든 아니면 혼자 이 워크북을 사용하든 모든 유형의 자조 작업은 자기 자비에서 시작됩니다. 자기 자비는 다른 모든 사람들처럼 그저 당신도 친절한 대우를 받고 용서받을 자격이 있다는 믿음입니다!

우리 모두 삶을 살면서 실수를 한다는 것은 자명한 사실이며, 안타깝게도 이런 실수들 중 어떤 것은 우리 자신과 다른 사람들에게 상처가 됩니다. 그렇지만 당신이 저지른 실수에 대해 계속 자책하는 것은 도움이 되지 않습니다; 단지 그 상황을 더 악화시킬 뿐입니다. 많은 경우에 자기 자비는 온전한 수용의 사용을 수반합니다. 기억하십시오. 온전한 수용은 판단을 내려놓는 기술이며, 긴 일련의 사건들로 인해 당신의 삶에서 실제로 일어나고 있는 것을 인식하는 기술입니다. 자기 자비도 같은 것을 필요로 합니다. 당신은 변하지 않는 사건들의 배경을 지닌 당신 그 자체이며, 그리고 여전히 평화, 안전, 건강, 행복을 누릴 자격이 있는 사람이라는 것을 인정해야 할 때입니다. 지금 당장 당신은 과거의 모든 실수와 함께 자신을 온전히 수용할 수 있고, 더 건강하고 가치를 기반으로 한 결정을 시작할 수 있습니다. 왜냐하면 다른 사람들처럼 그저 당신도 행복하고 용서받을 자격이 있기 때문입니다!

당신이 자비로운 대우를 받을 자격이 있는 중요한 이유가 하나 더 있습니다. 당신은 인생을 살아오면서 엄청난 고통을 겪었기 때문입니다. 당신은 여러 상실을 겪었습니다. 당신은 거절을 당하거나 어느 때에는 버림받았을 것입니다. 당신은 신체적 고통이나 질병을 마주했습니다. 그리고 당신은 간절히 원하던 일이 이루어지지 않았을 때 실망감을 경험했을 것입니다. 또한 당신은 어린 시절에도 비슷한 상처와 상실을 경험했을 수 있고, 이런 경험들에 대한 기억은 여전히 당신의 삶에 그림자를 드리울 수도 있습니다. 게다가 당신은 수치심, 슬픔, 두려움으로 인해 고통받아왔을 수 있고, 그리고 이런 고통스러운 감정들이 지금도 당신의 삶에 계속 나타날 수 있습니다. 당신은 자비로운 대우를 받을 자격이 있습니다. 당신은 당신의 고통과 투쟁의 몫을 직면해야 만 했기 때문입니다. 이러한 고통을 겪어온 다른 사람, 심지어 낯선 사람에게라도 자비를 느끼지 않겠습니까? 그렇다면 당신 자 신에게도 똑같은 자비를 가져야 하지 않겠습니까?

당신의 자기 자비심을 개발하고 강화하기 위해 아래의 명상을 사용하십시오. 규칙적으로 그리고 하루를 보낼 때마다 자신을 용서하고, 건강한 결정을 내리고, 자신에게 무언가 좋은 일을 하며 자신을 향해 자비를 표현할 수 있는 기회를 찾으십시오.

연습 : 자기 자비 명상

당신 자신을 친절하게 대하고 수용할 수 있는 능력을 기르고 강화하기 위해 아래의 자기 자비 명상을 사용하십시오(McKay & Wood, 2019). 우선, 이완하고 집중하기 위해 호흡 마음챙김을 사용하십시오. 그리고 연습에 익숙해질 수 있도록 연습을 시작 하기 전에 먼저 지시문을 읽어보십시오. 지시문을 들으면서 연습하는 게 더 편하게 느껴진다면, 스마트폰에 천천히 편안한 목소 리로 지시문을 녹음하고, 이 기술을 연습하는 동안 그 녹음 파일을 사용하십시오.

지시문

방해받지 않을 수 있는 편안한 장소를 찾아 자리에 앉으십시오. 방해가 될 만한 모든 소리를 차단하십시오. 눈을 감는 게 편안 하게 느껴진다면, 이완을 위해 눈을 감으십시오.

우선, 몇 차례 천천히 길게 호흡하며 이완하십시오. 한 손을 배 위에 올려두십시오. 이제 코로 천천히 숨을 들이마시고, 입으 로 천천히 숨을 내쉽니다. 호흡할 때 당신의 아랫배가 오르내리는 것을 느껴보십시오. 숨을 들이마실 때 풍선처럼 배에 공기가 가득 차는 것을 상상해보고, 숨을 내쉴 때 배가 수축되는 것을 느껴보십시오. 콧구멍을 통해 들어오는 숨결을 느껴보고, 입술을 통해 나오는 숨결을 느껴보십시오. 호흡하면서 몸에서 느껴지는 감각을 자각하십시오. 폐가 공기로 가득 차는 것을 느껴보십시 오. 당신이 앉아있는 자리에 실린 몸의 무게를 알아차려보십시오. 매 순간의 호흡과 함께 당신의 몸이 어떻게 점점 더 이완되는 지 살펴보십시오. [지시문을 녹음한다면, 여기서 30초간 멈추십시오.]

이제, 계속해서 호흡하면서 숨을 내쉴 때마다 수를 세십시오. 수를 셀 때 속으로 조용히 세도 좋고, 소리를 내어 세도 좋습니 다. 날숨을 4까지 세고, 다시 1부터 시작합니다. 우선, 코로 천천히 숨을 들이마시고, 입으로 천천히 숨을 내쉽니다. 1. 다시, 코로 천천히 숨을 들이마시고, 입으로 천천히 숨을 내쉽니다. 2. 반복합니다. 코로 천천히 숨을 들이마시고, 천천히 내쉽니다. 3. 마지 막으로 코로 숨을 들이마시고, 입으로 내쉽니다. 4. 이제 1부터 다시 시작하십시오. [지시문을 녹음한다면, 여기서 30초간 멈추십 시오.]

이제 주의를 당신의 신체 내부로 가져와 지금 여기의 세계에 집중해보십시오. 당신은 이 몸과 함께 있습니다. 당신의 숨결, 당 신의 생명력을 자각하도록 하십시오. 주의를 유지하면서 숨을 내쉴 때마다 다음 문구(속으로 혹은 소리 내어)를 천천히 반복하 십시오.

"내가 평안하기를"

"내가 안전하기를"

"내가 건강하기를"

"내가 행복하기를 그리고 내가 괴로움으로부터 자유롭기를"

이제 문구를 두 번에서 세 번 반복하고, 반복할 때마다 그 의미가 깊어질 수 있도록 하십시오. 당신 자신의 자비를 느끼고 수용하도록 하십시오. [지시문을 녹음한다면, 문구를 두 번 혹은 3번 더 반복하십시오.]

마지막으로, 연습을 모두 마치면 몇 차례 더 천천히 호흡하고, 조용히 휴식을 취하며, 당신 자신의 호의와 자비를 느껴보십시오.

다른 사람과 마음챙김 의사소통 ⊠

혼자서 마음챙김 기술을 계속 연습해 가면서, 다른 사람들과의 상호작용에 이러한 기술을 적용시키는 것 또한 중요합니다. 마음챙김 의사소통은 종종 성공적인 관계를 맺는 데 핵심이 됩니다. 만약 당신이 계속해서 누군가에 대한 판단적 진술을 만들어내고 있다면, 그건 그 관계를 잃을 가능성이 높습니다. 대인관계 효율성 기술을 다루는 장에서 당신이 원하는 것을 건강한 방식으로 다른 사람에게 요청하는 방법을 배울 것입니다. 하지만 지금은 당신이 다른 사람에게 전하는 메시지에 더욱 마음챙김 할 수 있는 방법을 살펴봅시다.

아래의 진술들을 고려해보십시오:

- "넌 날 너무 화나게 해."

- "넌 정말 멍청이야, 소리 지를 것만 같아."

- "가끔 넌 날 너무 속상하게 해. 그냥 모든 걸 끝내버리고 싶어."

- "네가 나에게 상처 주려고 일부러 그런 거 알아."

이 모든 진술의 공통점은 무엇입니까? 모든 진술이 분노, 고통스러움, 슬픔과 같은 종류의 감정을 표현하고 있다는 사실입니다. 하지만 더 중요하게는 이 진술들이 다른 사람에 대한 판단이라는 것입니다. 각 진술은 말하는 사람이 느끼는 방식에 의해 다른 사람을 비난하고 있습니다. 이제 만약 누군가가 그 진술들 중 하나를 당신에게 말했다면 기분이 어떨지 생각해보십시오. 어떻게 할 것 같은가요? 아마도 당신은 그 사람에게 화가 난 것처럼 말했을 것이고, 그렇게 함으로써 큰 싸움이 될 것입니다. 그 결과는 아무것도 해결되지 않을 것입니다. 혹은 아마도 당신은 감정적으로 차단하거나, 들리는 소리를 무시하거나, 자리를 옮겼을 것입니다. 역시 아무것도 해결되지 않을 것입니다. 이러한 판단적 진술은 모든 형태의 효과적인 의사소통을 막습니다. 그럼 어떤 대안이 있을까요?

해결책 중 하나는 "너" 진술을 마음챙김의 "나" 진술로 전환하는 것입니다.

- 마음챙김 "나" 진술은 당신이 어떻게 느끼는지에 대한 자각을 기반으로 합니다.

- 마음챙김 "나" 진술은 당신이 어떻게 느끼는지에 대한 더 정확한 설명입니다.

- 마음챙김 "나" 진술은 상대방으로 하여금 당신이 어떻게 느끼는지를 비판단적인 방식으로 알게 합니다.

- 마음챙김 "나" 진술은 다른 사람들로 하여금 엄청난 공감과 이해를 갖도록 하고, 그 결과 그 사람은 당신의 요구를 들어주게 됩니다.

앞의 네 가지 예를 살펴보고 "너" 진술에서 마음챙김 "나" 진술로 바꾸어보십시오.

"넌 날 너무 화나게 해."라고 말하는 대신에, "지금, 난 너무 화가 났어."라고 말해보십시오. 덜 판단적이고 비난하는 것처럼 들리지 않습니까? 만약 누군가 당신에게 대체적인 진술로 말하면("난 너무 화가 났어."), 그 상황에 대해 기꺼이 대화하고자 하는 마음이 더 들지 않겠습니까? 또 덜 화가 나지 않겠습니까?

두 번째 문장을 살펴봅시다. "넌 정말 멍청이야. 소리 지를 것만 같아."라고 말하는 대신에, "난 너무 화가 났어. 지금 당장 소리 지를 것만 같아."라고 말해보십시오. "너" 문장을 "나" 문장으로 바꿀 때 나타나는 차이를 알겠나요? 상대방은 더 이상 비난받는 기분을 느끼지 않고, 기꺼이 들으려는 마음이 더 생겼을 것입니다.

세 번째 문장을 봅시다. "가끔 넌 날 너무 속상하게 해. 그냥 모든 걸 끝내버리고 싶어."라고 말하는 대신에, "나는 너무 속상하고 절망적이어서 가끔 아주 우울해져."라고 얘기해보십시오.

그리고 끝으로, 마지막 문장을 살펴봅시다. "네가 나에게 상처 주려고 일부러 그런 거 알아."라고 말하는 대신, "난 그렇게 할 때 너무 상처받아."라고 말해보십시오.

다시 말하지만, 마음챙김 "나" 진술은 당신이 어떻게 느끼는지를 더 정확하게 전달하고, 덜 판단적이며, 당신이 "나" 진술을 사용한다면 상대방은 당신의 말을 더욱 기꺼이 들으려 할 것이고 들을 수 있을 것입니다. 그리고 가장 중요한 것은 "나" 진술을 사용하면 당신은 당신의 욕구를 충족시킬 가능성이 더 높습니다.

연습 : 마음챙김 "나" 진술

이제 판단적인 "너" 진술을 몇 가지 더 살펴보고, 그것들을 마음챙김 "나" 진술로 바꾸는 연습을 해봅시다. 판단적인 진술 아래 빈칸에 당신의 대안적인 마음챙김 "나" 진술을 작성하십시오.

1. "너는 날 너무 무섭게 해."

   _____

2. "네가 날 미치게 하려고 그러는 거 알아."

   _____

3. "너는 왜 자꾸 날 화나게 하는 거야?"

   _____

4. "너는 지금 모욕하고 있어."

   _____

5. "장난치지 마, 너 때문에 짜증 나."

   _____

6. "내가 하는 말을 듣지 않는다면, 더 이상 너와 얘기하지 않을 거야."

_____

7. "바보같이 굴지 마, 그만해."

_____

8. "넌 정말 @#$%^&*!, 어이가 없군."

_____

9. "나한테 자꾸 왜 그래?"

_____

10. "가끔 넌 너무 융통성이 없는 것 같아."

_____

어떻습니까? 뒤로 갈수록 마음챙김 "나" 진술을 생각하는 게 점점 더 어려워졌습니까? 뒤쪽의 몇몇 문장은 아마 더 많은 고민이 필요할 수 있습니다. 몇 가지 가능한 답을 살펴봅시다.

첫 번째 문장은 쉬웠습니다. 그 문장에서 화자는 매우 무서워하고 있습니다. 그렇다면 대체할 수 있는 마음챙김 "나" 진술은 "나는 너무 무서워." 혹은 "나는 네가 (그렇게 말할 때, 그렇게 할 때 등등) 가끔 너무 무서워."라고 적어볼 수 있을 것입니다.

두 번째 문장에서 화자는 미칠 것 같거나, 불안하거나, 기분이 상한 상태입니다. 그러므로 "나는 네가 그렇게 할 때 미칠 것 같아/불안해/기분이 상해."라는 마음챙김 "나" 진술로 대체할 수 있을 것입니다.

세 번째 문장에서 화자는 화가 나 있습니다. 그렇기에 "나는 지금 화가 나."라는 마음챙김 "나" 진술로 대체할 수 있을 것입니다.

네 번째 문장에서 화자는 모욕적이거나 바보 취급당한다고 느끼고 있습니다. 그러므로 대체적인 마음챙김 "나" 진술로 "네가 그렇게 할 때 난 바보가 되는 기분이야."라고 적어볼 수 있겠습니다.

다섯 번째 문장에서 화자는 불안하거나/피곤하거나/화가 난 상태입니다. 그렇기에 "네가 그렇게 놀리면 나는 불안해/피곤해/화가 나."라는 마음챙김 "나" 진술로 대체할 수 있을 것입니다.

여섯 번째 문장에서 화자는 모욕적이고, 무시당하는 기분을 느끼고 있습니다. 하지만 그 혹은 그녀는 무시당하는 것에 대해서도 기분이 상한 것 같습니다. 그러므로 대체적인 마음챙김 "나" 진술로 "네가 날 무시할 때 난 속상해."라고 할 수 있겠습니다.

일곱 번째 문장에서 화자는 많은 것을 느끼고 있는 것 같습니다. 보통 누군가에게 그만하라고 요구한다는 건, 그 행동이 상처가 되기 때문입니다. 그러므로 아마도 화자는 상처받은 것 같고, 대체할 수 있는 마음챙김 "나" 진술로는 "나는 그렇게 할 때 상처받아."라고 적어볼 수 있겠습니다.

여덟 번째 문장은 더 헷갈립니다. 화자는 상대방을 모욕적인 욕설로 부르고 있습니다. 이것 또한 보통 화자의 감정이 상했다는 것을 말해주는 것입니다. 그렇기에 이전 진술과 비슷하게 "나는 그렇게 할 때 너무 상처받아."라는 마음챙김 "나" 진술로 대체할 수 있을 것입니다.

아홉 번째 문장은 질문 형식이지만, 화자의 감정을 제대로 담고 있는 표현입니다. 이번에도 문장은 화자의 상처, 모욕, 경시,

또는 그런 비슷한 감정을 담고 있습니다. 그러므로 대체할 수 있는 마음챙김 "나" 진술로는 이런 버전의 문장이 될 수 있겠습니다: "나에게 그렇게 할 때 너무 상처받아(모욕적인 기분이야 등)."

그리고 마지막으로, 열 번째 문장은 화자가 "~인 것 같아"라는 말을 하고 있어서 가장 헛갈립니다. 어쩌면 당신은 그 말에 속아서 이 문장을 바꿀 필요가 없다고 생각했을 것입니다. 하지만 실제 이 문장에는 상대방에 대한 숨겨진 판단이 있습니다. 화자가 말하는 내용의 실제 의미는 "나는 네가 너무 융통성이 없다고 생각해."입니다. 하지만 사람들은 종종 그들의 비판을 숨기기 위해서 혹은 그들의 판단이 덜 가혹하게 들리게 하기 위해서 "생각한다"라는 말을 "느낀다"라는 말로 바꾸곤 합니다. 그러나 이제 당신은 더 많은 걸 알고 있으니 같은 함정에 빠지지 마십시오. 이 경우에, 상대방의 융통성 없는 어떤 행동이 화자의 기분을 불편하게 혹은 답답하게 한 것 같습니다. 그리고 아마도 그 상대는 그 혹은 그녀의 결정을 내리기 전에 다른 관점에 대해서는 전혀 고려하지 않은 것 같습니다. 그러므로 이를 대체할 수 있는 마음챙김 "나" 진술로 "내 관점을 고려하지 않을 때 나는 마음이 불편해."라는 문장을 적어볼 수 있겠습니다.

마음챙김 "나" 진술은 당신이 어떤 기분이고 무엇을 필요로 하는지에 대해 의사소통하는 데 분명히 더 효과적인 방법입니다. 하지만 그것은 당신의 기분에 대한 주의 깊은 자각에 달려있습니다. 바라건대 앞선 두 장의 연습 이후에 당신의 기분을 알아차리는 것에 더 능숙해졌기를 기대하고, 다른 사람들에게 당신의 기분을 알리기 위해 마음챙김 "나" 진술을 사용하기 시작할 수 있기를 바랍니다.

효과적인 행동하기 ⊠

마음챙김 "나" 진술과 같은 성공적인 의사소통 기술을 사용하는 것은 변증법적 행동치료에서 "효과적인 행동하기"하고 부르는 부분입니다(Linehan, 1993b). 그 의미는 당면한 문제를 해결하기 위해, 상황에 대처하기 위해, 목표에 도달하기 위해 현재 순간에 적절하고 필수적인 행동을 하는 걸 말합니다. 비록 당신이 부자연스럽거나, 불편하거나, 당신의 감정적 경험과 반대되는 방향으로 행동해야 할지라도 말입니다. 예를 들어, 상대방에게 자신의 감정을 직접 말하는 이전 연습에서 했던 것과 같은 진술을 만드는 게 편하지 않을 수 있습니다. 그러나 때때로 당신이 원하는 것을 얻기 위해서는 당신이 하고 싶은 행동을 수정해야 하며, 특히 당신이 압도적인 감정으로 고군분투하고 있다면 더욱 그래야 합니다. 아래에 효과적인 행동하기의 몇 가지 다른 예시가 있습니다:

- 당신은 한 주간 먹을 음식을 구매하기 위해 마트에 있습니다. 그런데 불행히도 사람이 너무 많습니다. 한 시간 동안 쇼핑을 하고 15분 동안 줄을 서서 기다린 끝에 당신은 너무 지쳤습니다. 또 당신은 너무 피곤하고 짜증이 나서 쇼핑카트를 놔두고 그냥 걸어 나갈 생각을 합니다. 하지만 그렇게 걸어 나간다면, 당신은 일주일 동안 먹을 음식을 사지 못하거나 다른 마트에서 처음부터 다시 시작해야 할 것입니다. 그렇기에 당신은 줄을 서서 그저 빨리 끝내기를 기다립니다.

- 고속도로를 타고 내려오는데 앞차가 왼쪽 차선에서 제한속도 이하로 달리고 있습니다. 당신은 너무 화가 나서 그 차의 뒤를 받아버려서 길 밖으로 밀쳐 낼까하는 생각을 합니다. 하지만 그렇게 한다면, 당신과 그 운전자는 심각한 상해를 입을 수 있고, 경찰에 체포될 것입니다. 그래서 당신은 그 차를 추월할 수 있는 기회가 오기를 인내심 있게 기다리거나, 당신이 나갈 고속도로 출구가 나와서 그 도로를 벗어날 때까지 기다립니다.

- 당신과 당신의 애인은 크게 다투게 되었습니다. 서로 소리를 지르고 있습니다. 당신은 너무 상처받았고 기분이 상해서 문밖으로 나가버리고 헤어질까하는 생각을 합니다. 하지만 마음 한 구석에는 지금 애인이 가장 오래 만난 최고의 관계라는 마음이 있었고, 앞으로도 만남을 이어가기를 원하고 있습니다. 그래서 그 자리를 뜨는 대신에 심호흡을 하고 애인에게 당신의 기분이 어떤지 알려주기 위해 마음챙김 "나"진술을 사용합니다.

- 이미 업무 시간에 다 할 수 없을 만큼 일이 넘치는 상황인데도 상사는 당신에게 새로운 일을 줍니다. 당신은 모욕당하는 기분이 들고, 화가 나고, 이용당했다고 느낍니다. 당신은 너무 화가 나서 상사에게 소리를 지르고, 그의 잘못을 지적하고, 일을 그만두겠다고 하고, 문밖으로 나가버릴까 생각합니다. 하지만 만약 그렇게 한다면, 당신은 오랫동안 무보수로 지내게 될 것입니다. 그래서 당신은 얼마 후 상사에게 좀 더 침착하게 말할 수 있을 때까지 일단 입을 다물고 최선을 다합니다.

- 당신은 차가 없지만 친구는 차를 가지고 있기에 친구에게 쇼핑몰에 데려다 달라고 부탁합니다. 그러나 친구는 지금 할 일이 있어서 바쁘다며 데려다줄 수 없다고 합니다. 당신은 친구가 부탁할 때면 항상 도와주었기 때문에 이 상황이 짜증이 나고 화가 납니다. 당신은 그녀에게 소리를 지르고 정말 치사하다고 말하고 싶습니다. 하지만 그렇게 한다면, 그녀와의 우정은 완전히 깨어질 것입니다. 그래서 소리를 지르는 대신에 당신을 데려다줄 수 있는 다른 친구에게 전화를 합니다.

예시를 통해 확인한 것처럼 효과적인 행동하기는 때때로 당신의 기분대로 행동하지 않는 것 혹은 당신이 수년간 해온 습관대로 행동하지 않는 것을 의미합니다. 이것이 바로 효과적인 행동하기에서 마음챙김이 왜 그렇게 중요한지 알려주는 대목입니다. 지금 이 순간 당신의 행동 방식을 바꾸려면, 효과적인 행동을 선택하기 위해 당신의 현재 순간의 생각, 감정, 행동에 깨어있어야만 합니다.

또한 효과적인 행동하기는 판단하지 않는 것에 달려있습니다. 당신은 이미 긍정적이고 부정적인 판단을 하는 게 실망감과 괴로움을 야기할 수 있다는 걸 알고 있습니다. 하지만 그뿐만 아니라 어떤 상황과 당신의 행동에 대해 판단하는 것은 효과적으로 행동하는 걸 방해하기도 합니다. 이하의 예시를 보십시오. 주디스의 수학 선생님은 주디스가 너무 어렵다고 생각했던 숙제를 내주었습니다. 그녀는 "이건 말도 안 돼. 이런 숙제를 내주다니 정말 불공평해. 이건 잘못된 일이야. 이런 숙제를 내주도록 둘 수 없어. 난 숙제 안 할 거야."라고 생각했습니다. 그리고 숙제를 하지 않았습니다. 하지만 그 결과 그 과목을 이수하지 못했습니다. 무엇이 "옳고", "그른지"에 대한 주디스의 판단은 효과적으로 행동하지 못하게 했습니다. 그녀가 자신의 생각과 감정에 마음챙김 했더라면, 그리고 숙제에 대해 판단하는 걸 피하고, 그녀가 할 수 있는 최선을 다했더라면 그렇게 하는 쪽이 그녀에게 분명 더 유익했을 것입니다.

효과적인 행동하기는 문제에 대한 해결책을 갖기 위해 주어진 상황에 필요한 일을 하는 것입니다. 효과적인 행동하기는 "방치하기", "포기하기", "굴복하기"가 아닙니다.

효과적인 행동하기는 연기하는 것과 같은 기술입니다. 때때로 당신이 원하는 것을 얻기 위해 당신은 특정 방식대로 행동해야만 합니다. 때때로 당신은 당신의 목표에 도달하기 위해 비록 그렇게 느껴지는 않더라도 당신이 유능하거나, 능숙하거나, 적임인 것처럼 연기해야만 합니다. 그리고 목표를 달성할 수 있도록 지원하는 것이 바로 효과적인 행동하기입니다. 위의 예시를 보면, 주디스의 목표는 수학 수업에서 만족스러운 점수를 받는 것이었습니다. 그러나 그녀는 그녀의 목표에 도달하지 못하도록 하는 판단과 감정을 내버려 두었습니다.

기억하십시오. 효과적으로 행동하기 위해서 다음을 수행해야만 합니다.

- 당신의 생각과 감정에 마음챙김 하십시오.

- 상황이나 당신의 행동에 대한 판단을 피하십시오.

- 당신의 목표에 도달하기에 적절하고 필요한 행동을 선택하십시오.

- 당신이 할 수 있는 한 최선을 다하십시오.

일상에서 마음챙김 하기 ⊠

지금까지 마음챙김 기술에 대한 두 개의 장을 거의 마쳤기 때문에, 당신은 아마도 일상생활에서 마음챙김을 하는 것의 이점을 알고 있을 것입니다. 하지만 현실적으로 그 누구도 온종일 알아차리지는 않습니다. 삶을 살아가며 마음챙김 해야 한다는 사실을 잊어버리는 순간이 분명히 있을 것입니다. 그렇다면 어떻게 해야 할까요?

심리학자 찰스 타르트는 그의 워크북 「마음챙김으로 삶을 살기: 지금 이 순간을 살기 위한 핸드북」에서(1994, p.13), "더욱 마음챙김하며 보다 현존하기 위해 드는 수고는 실제 그렇게 크지 않습니다. 그 수고는 아주 작습니다. 문제는 그것을 하는 걸 기억하는 것입니다! 우리는 항상 잊어버립니다. 어려운 일이 아님에도 우리는 그걸 하는 걸 기억하지 못할 뿐입니다."라고 언급했습니다. 그렇다면 어떻게 마음챙김하도록 기억해야 할까요? 그의 워크북 전체에서 타르트 박사는 정해진 시간 없이 무작위로 벨을 울리는 장치를 두었는데, 이것은 독자들로 하여금 자신이 어떻게 생각하고 느끼고 있는지를 마음챙김하도록 하기 위한 것입니다. 하지만 만약 무작위로 벨을 울리는 방법을 사용하고 싶지 않다면, 상기시킬 수 있는 다른 방법들이 있습니다. 이 장의 몇몇 연습에서 당신은 자신에게 상기시키기 위해 특별한 반지나 팔찌를 사용했을 수 있습니다. 아니면 어쩌면 접착식 메모지나 스마트폰 앱을 사용했을 수 있습니다. 만약 이러한 장치들이 당신에게 도움이 된다면, 마음챙김 상태에 머무는 것을 떠올리기 위해 그 장치들을 계속 사용하십시오.

그러나 일상에서 계속해서 마음챙김의 상태에 머물 수 있는 최고의 방법은 이를 연습하는 것입니다. 당신이 연습을 하면 할수록, 마음챙김 상태를 유지해야 한다는 것을 더 많이 기억하게 될 것입니다. 이 섹션 마지막 연습의 일부로 우리는 간단한 일상 마음챙김 훈련을 고안했고, 이 훈련은 당신의 기술을 끊임없이 연습하는 걸 도와줄 것입니다. 이 기술들을 계속해서 사용하는 것이 매우 중요하며, 심지어 이 워크북에 있는 다른 변증법적 행동 기술들을 배워나갈 때에도 이러한 기술을 계속 사용하고, 필요하다고 생각하는 다른 마음챙김 연습을 훈련하는 것이 매우 중요합니다. 마음챙김 기술은 변증법적 행동치료의 전반적인 효과를 위해서도 매우 중요하기에 "핵심" 기술이라고 이름 붙여졌습니다(Linehan, 1993a). 만약 당신이 DBT 기술 카드 묶음을 사용한다면, 이 연습은 카드 #25 '마음챙김 수행하기'에 나와 있습니다.

일상의 마음챙김 훈련

일상의 마음챙김 훈련은 이미 배운 3가지 기술로 구성되어 있습니다:

1. 호흡 마음챙김

2. 자기 자비 명상

3. 지혜로운 마음 명상

그리고 하나는 이후 몇 페이지를 통해 배우게 될:

4. 마음챙김 수행하기

호흡 마음챙김은 제 4장 마음챙김 기술(초급)에서 배운 기술입니다. 호흡 마음챙김을 위해서 3가지 부분의 경험에 집중해야 한다는 것을 기억하십시오.

1. 당신의 호흡을 세야 합니다. 이렇게 함으로써 주의를 집중하는 데 도움을 받을 수 있고, 생각에 의해 주의가 분산될 때 마음을 가라앉히는 데 도움이 될 것입니다.

2. 호흡할 때 일어나는 신체 경험에 집중해야 합니다. 이것은 천천히 숨을 들이마시고 내쉴 때 오르내리는 호흡의 움직임을 관찰하는 방법을 통해 가능합니다.

3. 호흡하는 동안 떠오르는 주의를 분산시키는 생각을 알아차려야 합니다. 그런 뒤에 생각 탈융합 연습을 했던 것처럼 그 생각에 붙들리지 않고 흘려보내야 합니다. 방해되는 생각을 흘려보냄으로써 다시 당신의 호흡에 주의를 집중할 수 있게 될 것이고, 마음을 더 진정하는 데 도움이 될 것입니다.

하루에 최소한 3~5분 동안 호흡 마음챙김을 연습하십시오. 그러나 만약 더 오래 연습하고 싶다면, 할 수 있는 만큼 시간을 늘리십시오. 마음챙김 기술을 더 자주 연습할수록, 더 안정되는 것을 느낄 수 있게 되고, 현재 순간의 경험을 더 잘 통제할 수 있게 될 거라는 사실을 기억하십시오. 호흡 마음챙김의 지시문을 다시 검토할 필요가 있다면 4장을 살펴보십시오.

그리고 나서 호흡 마음챙김 연습이 끝나면, 2~3분간 자기 자비 명상을 하여 자신에 대한 친절과 관대함을 강화하십시오. 우선, 당신의 자각을 신체 내부로 가져오고, 호흡의 움직임에 주의를 기울이십시오. 그런 뒤에 주의를 유지하면서 호흡할 때마다 천천히 다음 구절을 반복하십시오(속으로 혹은 소리 내어):

"내가 평안하기를."

"내가 안전하기를."

"내가 행복하고 괴로움으로부터 자유롭기를"

그런 뒤에 위 문구를 두 번 혹은 세 번 반복하며 매번 그 의미가 깊어지도록 하십시오.

지혜로운 마음 명상은 이 장의 앞에서 배운 기술입니다. 이 기술은 당신의 주의를 지혜로운 마음의 중심에 집중할 수 있도록 도와주는데, 지혜로운 마음의 중심은 때때로 직관의 중심 혹은 "직감"이라고도 불립니다. 지혜로운 마음은 많은 사람에게 도움이 되는 의사결정 과정의 일부분이라는 것을 기억하십시오. 지혜로운 마음은 당신의 감정적 마음과 합리적 마음을 모두 사용하는 것을 포함하는데, 이 말은 지혜로운 마음으로 의사 결정하는 것은 당신이 어떻게 느끼는지 뿐만 아니라 상황의 객관적 사실도 성찰해야 한다는 것을 의미합니다. 또한 이 기술은 당신이 옳다고 "느끼는" 직관적인 결정을 하는 데도 도움이 됩니다. 지혜로운 마음 명상은 당신의 몸이 결정에 반응하는 방식과 당신의 내적 지식(당신이 "진실"이라고 알고 있는 것)을 바탕으로 의사 결정하는 데 도움이 될 것입니다. 다시 말하지만, 하루에 최소한 3~5분 동안, 혹시 원한다면 더 긴 시간 동안 지혜로운 마음 명상을 연습하십시오.

그리고 마지막으로, 당신의 일상 마음챙김 훈련은 마음챙김 수행하기를 포함할 것입니다. 새로운 기술처럼 들릴 수 있지만, 당신은 이미 필요한 모든 단계를 연습했습니다. 마음챙김 수행하기는 당신의 삶에서 일상적으로 하는 것들, 예를 들어, 대화하기, 걷기, 먹기, 설거지하기와 같은 것들을 하면서 동시에 어떤 일이 일어나는지 판단하지 않고 현재 순간의 생각, 감정, 신체 감각, 행동에 주의를 기울이는 것을 의미합니다. 사실상 지난 두 장에서 배운 모든 기술이 마침내 합쳐지는 연습입니다. (출판사 웹사이트에서 마음챙김 수행하기 방법을 다운받을 수 있습니다.)

마음챙김 수행하기 연습

마음챙김 수행하기를 위해 다음의 사항을 유념하도록 합니다:

- 지금 이 순간의 경험에 마음챙김하기 위해 당신의 생각, 감정, 신체 감각, 행동에 주의를 이동하며 집중합니다.

- 현재 순간에 일어나는 일들에 의해 주의가 분산되지 않기 위해 주의를 분산시키는 생각이나 판단에 붙들리지 말고 그것들을 흘려보내십시오.

- 비판단적 상태에 머물기 위해 온전한 수용을 사용하십시오.

- 당신의 삶에 대한 건강한 결정들을 하기 위해 지혜로운 마음을 사용하십시오.

- 당신의 목표에 도달하기 위해 효과적인 행동을 하십시오.

어떤 사람들은 마음챙김 수행하기를 떠올리는 데 도움을 받기 위해 아래의 내용과 같은 기억 전략을 사용합니다.

"마음챙김은 불꽃FLAME과 같다"

Focus. 현재 순간을 알아차리기 위해 집중하고 주의를 이동하라.

Let go. 주의를 분산시키는 생각과 판단을 흘려보내라.

Acceptance. 비판단적 상태에 머물기 위해 온전한 수용을 사용하라.

wise **M**ind. 건강한 결정을 하기 위해 지혜로운 마음을 사용하라.

Effective. 목표에 도달하기 위해 효과적인 행동을 하라.

이 장과 4장에서 배운 모든 기술을 사용하여 마음챙김 수행하기의 몇 가지 예시를 살펴보겠습니다.

이 두 장을 읽은 뒤에 로레타는 많은 일에 마음챙김으로 다가가기 시작했습니다. 저녁에는 양치질하는 순간에 마음챙김을 했습니다. 첫째로, 그녀는 칫솔을 손에 들 때 어떤 느낌이 나는지 주의를 기울였고, 치약을 짤 때는 치약 튜브의 느낌이 어떤지 집중했습니다. 또한 욕실 거울 앞에 서서 몸에서 느껴지는 느낌을 자각했고, 세면대 앞에 섰을 때는 몸의 무게를 자각했습니다. 그런 뒤에 양치질을 시작하면, 입에서 느껴지는 맛, 칫솔의 솔이 잇몸에 닿는 느낌, 양치질 할 때 팔의 움직임을 자각하기 시작했습니다. 아침에 그녀가 했던 일들과 같이 주의를 분산시키는 생각들이 떠오르기 시작했을 때, 그녀의 생각이 나뭇잎 위에 놓여 강에 떠내려가는 장면을 상상했습니다. 그녀가 아는 사람들에 대한 판단이 떠오르면, 동일한 상상을 하면서 판단이 떠내려가는 것을 관찰했습니다. 그리고 나서 호흡이 오르내리는 것을 느끼며 매순간마다 호흡으로 주의를 되돌렸습니다. 로레타는 그 순간에 단순히 그녀의 이를 닦는 행동에 가능한 한 깨어있는 것을 잘 해냈습니다. 그날 하루를 지내며 다른 순간에는 다른 활동을 통해 비슷한 경험을 했습니다. 설거지를 할 때 그녀는 물의 느낌이 어떤지 그리고 주방 세제의 냄새가 어떤지에 주의를 기울였습니다. 요리를 할 때는 스토브에서 나오는 열기, 배에서 느껴지는 허기, 물이 끓는 소리, 보통 그녀의 남편이 식사를 좋아할지 안 좋아할지에 대한 걱정인 주의를 분산시키는 판단들을 민감하게 자각하였습니다. 그녀는 할 수 있는 한 이러한 판단들을 흘려보내기 위해 그리고 요리를 하고 있는 현재 순간에 온전히 머물기 위해 최선을 다했습니다.

로레타와 유사하게 스캇은 하루 내내 마음챙김을 하기 위해 최선을 다했습니다. 걸음을 걸을 때 그의 발이 바닥에 닿을 때 나는 느낌에 주의를 집중했습니다. 때로는 심지어 발을 움직일 때 느껴지는 양말의 느낌이 어떤지에 주의를 기울이기도 했습니다. 그런 뒤에는 시각 감각에 주의를 옮겼습니다. 걸어가면서 주변에 있는 것들을 시각적으로 스캔하였고, 보이는 것들을 마음속 노트에 기록했습니다: "바로 지금, 나는 한 여성, 나무, 빌딩을 보고 있다." 등등. 주의를 분산시키는 생각이 떠올랐을 때, 그는 생각들이 한 문으로 들어와서 다른 문으로 나가는 장면을 상상했습니다. 길을 가다가 그가 좋아하지 않는 사람을 보고 판단이 떠올랐다면, 그는 또한 그 판단들이 떠나가도록 내버려 두었습니다. 이와 비슷하게 그가 좋아하는 사람들이나 장소들에 대한 긍정적 판단이 떠올랐다면, 이 판단들도 지나가게 하기 위해 최선을 다했습니다. 예를 들어, 한 번은 "오, 봐봐. 저기 마이크가 있어. 전에 나한테 20달러를 빌려줬던 사람이야. 그는 세상에서 가장 좋은 사람이야. 나도 마이크처럼 되면 좋겠어."라는 그의 생각을 발견했습니다. 스캇은 이 판단이 떠오르는 것을 멈출 수 없다는 걸 알고 있었습니다. 그러나 그 판단들에 붙들리는 대신에 그것들을 흘려보냈습니다. 그리고 판단이 다시 떠올랐다면, 다시 또 흘려보냈습니다.

하지만 마음챙김 기술을 사용하기가 가장 어려운 때는 다른 누군가와 상호작용하고 있을 때가 분명합니다. 누군가와 대화를 하거나 다투면서 동시에 자각의 상태가 되는 것은 대개 어려운 일입니다. 그러나 그런 상황이야말로 가장 마음챙김 해야 하는 때이며, 특히 압도적인 감정으로 인해 고군분투하는 사람이라면 더욱 마음챙김이 필요한 때입니다. 아래의 예시를 살펴보십시오:

클레어는 그녀의 친구인 로라와 함께 새 드레스를 사기 위해 쇼핑을 갔을 때, 그녀는 몇 주 동안 그녀의 마음챙김 기술을 연습하고 있었을 때입니다. 때때로 클레어는 로라가 실제로는 자신을 싫어할까 봐 걱정했습니다. 그 결과, 로라가 어떤 제안을 했을 때, 클레어는 로라와의 우정이 깨질까 두려워하며 로라가 원하는 대로 했습니다. 하지만 사실 클레어는 로라가 무언가 하도록 강요하는 게 싫었습니다.

쇼핑몰로 가는 길에 클레어는 운전을 했고 그러면서 그녀가 하고 있는 일에 마음챙김 상태를 유지하기 위해 최선을 다했습니다. 그녀는 자신의 손에 느껴지는 핸들의 느낌을 자각했습니다. 그녀는 자동차 좌석에 실린 그녀의 몸의 무게를 느꼈습니다. 그녀는 호흡할 때 오르내리는 호흡의 움직임을 느꼈습니다. 또한 그녀는 그녀가 보는 것, 특히 다른 차들에 매우 주의를 기울였습니다. 그렇지만 운전을 하면서 동시에 로라가 하는 말에도 민감하게 주의를 기울였습니다. 당연하게도 운전을 하는 동안 로라에 대한 판단이 떠올랐고, 그 판단을 그냥 흘려보내기 위해 최선을 다했습니다. 그러나 어떤 판단들은 다른 것보다 흘려보내기가 쉬웠습니다.

그들이 쇼핑몰에 도착했을 때, 클레어는 온전한 수용을 사용할 수 있는 기회도 얻었습니다. 그곳에는 그녀가 좋아하는 특정 매장이 있었고, 어떤 매장들은 그녀가 좋아하지 않는 매장이었습니다. 처음에 그녀는 그녀가 정말 좋아하는 매장에서 "완벽한" 드레스를 찾을 수 있을 거라 확신했습니다. 그 매장에는 항상 "최고의" 옷들이 있었기 때문입니다. 그러나 클레어는 그녀가 만들어낸 긍정적 판단을 빠르게 알아차렸고, 그 판단을 흘려보냈습니다. 또 운이 좋았던 것은 그녀가 좋아하는 어떤 매장에서도 그녀가 원하는 옷을 찾지 못했습니다. 이전 같았으면 그녀는 좌절하고 화가 났을 것입니다. 그러나 온전한 수용 덕분에 그녀의 중립성과 비판단적 태도를 지킬 수 있었고, 이를 통해 더 건강한 방식으로 그 상황에 대처할 수 있었습니다.

얼마 후, 두 사람은 고급 매장에서 클레어가 살 수 있는 것보다 더 비싼 드레스를 보고 있는 자신들의 모습을 발견했습니다. 하지만 클레어와 로라는 둘 모두 마음에 드는 드레스를 찾았습니다. 그 즉시 로라는 클레어에게 그 옷을 사라고 밀어붙였습니다. 로라는 "얼마가 들든 걱정하지 마"라고 말했습니다. 클레어는 거울에 비친 자신의 모습을 보고 가격표와 상관없이 그 드레스에 반해버렸습니다. 클레어는 그 드레스를 막 사려고 할 때, 자신의 결정을 돕기 위해 지혜로운 마음을 사용해야 한다는 걸 기억했습니다. 그녀의 감정적 마음은 그 드레스를 마음에 들어 했고, 반면에 그녀의 합리적인 마음은 그녀가 이미 많은 신용카드 청구서를 가지고 있고 이 드레스는 너무 비싸다는 것을 상기시켰습니다. 피팅룸에서 클레어는 몇 차례 천천히 깊은 호흡을 했고 그녀의 손을 지혜로운 마음 중심부에 올렸습니다. 그녀의 복부는 매우 긴장되어 있고 행복하지 않았습니다. 그 순간, 그녀는 그 비싼 드레스를 사는 것은 매우 나쁜 생각이라는 것을 깨달았고, 그것을 점원에게 돌려주고 매장에서 나왔습니다.

클레어는 옳은 선택을 한 자신이 자랑스러웠으나, 그 드라마는 거기서 끝나지 않았습니다. 로라는 클레어가 그 드레스를 사기에는 "너무 짜다"고 놀리기 시작했습니다. 다시 클레어의 마음은 로라에 대한 판단으로 가득차기 시작했습니다. 그녀는 그 판단들을 흘려보내기 위해 애썼지만, 로라가 계속 그녀를 비웃자 클레어의 유일한 목표는 쇼핑몰을 떠나 로라를 집에 내려주는 것이 되었습니다. 마음속으로 클레어는 로라에게 소리를 지르고 싶었지만, 결국 큰 싸움으로 끝날 것을 알고 있었습니다. 클레어는 그 순간에 어떤 행동이 효과적인지에 대해 생각했습니다. 그녀는 나중에 후회할지도 모르는 싸움에 휘말리지 않고 가능한 한 빨리 안전하게 집에 가야 한다는 것을 깨달았습니다.

클레어는 로라의 비판적인 말들을 들으며, 조용히 집을 향해 운전했습니다. 클레어는 로라를 그녀의 집에 내려주었을 때 마침내 안도했습니다. 이후 클레어는 덜 화가 났을 때, 그때 일어난 일에 대해 논의하기 위해 로라에게 전화할 용기를 냈습니다. 클레어는 "나를 놀렸을 때 상처를 받았어."와 같이 마음챙김 "나" 진술을 잘 사용했습니다. 로라는 클레어에 대해 이해했고, 미안하다고 말했습니다. 클레어는 새롭고 더 건강한 방식으로 그 상황을 다룬 자신이 자랑스러웠습니다.

마음챙김 활동을 알아차리기

분명, 클레어만큼 알아차리기 위해서는 많은 연습이 필요할 것입니다. 하지만, 당신이 모든 일상에서 마음챙김을 함으로써 얻을 수 있는 이점을 얻기를 바랍니다.

제 4장 마음챙김 기술(초급)을 시작하면서, 당신은 마음챙김 기술을 배워야만 하는 3가지 주된 이유에 대해 배웠습니다.

1. 현재 순간에 한 번에 한 가지에만 집중하는 것을 도와줄 것이고, 이렇게 함으로써 당신의 압도적인 감정을 더 잘 조절하고 진정시킬 수 있습니다.

2. 당신의 경험에서 판단적인 생각을 알아차리고 분리하는 방법을 배우는 데 도움이 될 것입니다.

3. 지혜로운 마음을 기르는 데 도움이 될 것입니다.

안타깝게도, 즉각적이고 영구적인 마음챙김의 상태가 될 수 있는 지름길은 없습니다. 그렇지만 찰스 타르트 박사는 마음챙김을 배우는 것은 그리 어려운 활동이 아니며 단지 알아차려야 한다는 걸 기억하기만 하면 된다고 말했습니다. 그래서 당신이 알아차리는 것을 기억한다면, 우리는 그게 당신에게 효과가 있을 거라 기대합니다. 한 가지 방법은 다음 페이지에 나오는 주간 마음챙김 활동 기록지를 작성하는 것입니다. 이 방법은 일상의 마음챙김 훈련을 따르도록 기억하는 데 도움이 될 것입니다. 호흡 마음챙김, 자기 자비 명상, 지혜로운 마음 명상, 마음챙김 수행하기를 얼마나 자주 하는지 기록하기 위해 주간 마음챙김 활동 기록지를 복사하거나 출판사 웹사이트에서 다운받으십시오.

"호흡 마음챙김", "지혜로운 마음 명상", "자기 자비 명상"이라는 제목 아래에 각 연습을 진행한 시간을 기록하십시오. 이렇게 하면 이 연습을 통한 당신의 성장을 추적하는데 도움이 될 것입니다. "마음챙김 수행하기" 제목 아래에 당신이 마음챙김으로 한 행동은 무엇이며 어디에서 그 행동을 했는지 기록하십시오.

그런 뒤에 "다른 마음챙김 연습"이라는 제목 아래에 그 주간에 당신이 한 추가적인 마음챙김 연습을 기록하십시오.

이러한 마음챙김 기술들은 변증법적 행동치료의 "핵심" 기술임을 기억하십시오(Linehan, 1993a). 그러므로 이 워크북에 있는 다른 기술을 사용하는 단계로 넘어갈 때에도 마음챙김 기술을 계속 사용하십시오.

주간 마음챙김 활동 기록지

기간: _____

날짜	호흡 마음챙김	지혜로운 마음 명상	자기 자비 명상	마음챙김 수행하기	다른 마음챙김 연습	다른 마음챙김 연습
월요일	연습한 시간:	연습한 시간:	연습한 시간:	무엇을: 어디서:		
화요일	연습한 시간:	연습한 시간:	연습한 시간:	무엇을: 어디서:		
수요일	연습한 시간:	연습한 시간:	연습한 시간:	무엇을: 어디서:		

날짜	호흡 마음챙김	지혜로운 마음 명상	자기 자비 명상	마음챙김 수행하기	다른 마음챙김 연습	다른 마음챙김 연습
목요일	연습한 시간:	연습한 시간:	연습한 시간:	무엇을: 어디서:		
금요일	연습한 시간:	연습한 시간:	연습한 시간:	무엇을: 어디서:		
토요일	연습한 시간:	연습한 시간:	연습한 시간:	무엇을: 어디서:		
일요일	연습한 시간:	연습한 시간:	연습한 시간:	무엇을: 어디서:		

마음챙김 연습에 대한 저항과 방해물

마음챙김을 연습하고 기술을 숙련하는 과정에서 내적인 저항과 어려움을 맞닥뜨리는 것은 흔한 일입니다. 수천 년 동안 명상 지도자와 명상 수행자들이 마음챙김을 방해하는 아주 흔한 장애들이 있음을 인식하고 있다는 사실을 많은 사람들이 알지 못합니다!

5장의 이 마지막 부분은 마음챙김 명상을 방해하는 다섯 가지 흔한 장애물을 안내할 것이며, 각각의 장애물을 능숙하게 해결할 수 있는 방법을 제시할 것입니다.

다섯 가지 방해

욕망, 혐오, 졸음, 초조함, 의심은 오랫동안 명상(그리고 마음챙김)의 흔한 장애물로 인식되었습니다.

이러한 에너지들은 당신을 현재 순간에서 벗어나게 하거나, 당신이 판단 없이 정확하게 관찰하는 연습인 마음챙김 기술을 방해하는 생각과 감정에 빠지게 하면서 나타납니다. 하지만 그것들이 반드시 장애물이 되는 것은 아닙니다. 사실, 만약 당신이 그 장애물들을 인식하고, 관찰하고, 그것들로부터 배운다면, 그것들은 당신의 가장 현명한 지도자가 될 수 있습니다.

- 욕망은 지금 당장 어떤 것들이 달라지길 바라는 소망을 말합니다. 이것은 다른 경험을 바라는 것이 될 수도 있고, 아니면 지금 당신이 경험하는 것 대신에 다른 누군가 혹은 다른 무언가가 되기를 원하는 것일 수 있습니다(예를 들어, "완벽한 사람" 혹은 "완벽한 명상가"가 되는 것).

- 혐오는 여기 있는 것에 대한 악의를 갖거나 화를 내는 것을 의미합니다. 혐오는 지루함이나 두려움을 느끼는 것처럼 현재 순간에 대한 다른 형태의 저항을 포함합니다. 판단이나 판단적 생각이라는 행동은 종종 혐오의 표현입니다.

- 졸음은 단순히 졸리고, 무겁고, 둔감하다는 것을 의미합니다. 반드시 알아두어야 할 중요한 점은 졸음의 원인이 신체적 피로일 수 있지만, 사실 다른 유형의 졸음은 실제로는 심리적·신체적으로 두렵거나 고통스러울 수 있는 어떤 일에 대한 저항입니다. 이 둘을 구분하는 법을 배우는 것은 매우 도움이 됩니다.

- 초조함은 졸림의 반대입니다. 그것은 매우 불편한 상태입니다. 초조함은 움직임을 유발하고 꽤나 주의를 산만하게 하는 생각, 감정, 감각의 "폭풍"입니다.

- 의심은 이렇게 말하는 내면의 목소리입니다. "나는 이걸 해결할 수 없어. 나는 어떻게 해야 할지 모르겠어. 이게 무슨 소용이야? 이건 절대 날 위한 게 아니야." 의심은 종종 당신의 마음속에 있는 단어들로 표현되며, 지금 일어나고 있는 일에 대한 두려운 감정이자 저항입니다.

현명하게 장애물 해결하기

장애물을 처리할 수 있는 우선되고 가장 강력한 방법은 장애물이 되는 경험 자체를 마음챙김의 대상으로 만드는 것입니다. 장애물과 겨루지 않고 일어나고 있는 일을 인정하는 것입니다. 욕망, 혐오, 졸림, 초조함, 의심에 부드럽게 주의를 두고, 깊이 있게 살펴보며 그 에너지가 자신의 모든 형태를 드러낼 수 있도록 두십시오. 인내심을 갖고 당신의 부드럽고 호기심 넘치는 주의 집중 시간을 갖고, 그리고 필요한 만큼 자주 그 장애가 되는 에너지에 이름을 붙이면서 그 장애물이 당신에게 전하는 교훈을 배우십시오. 그 교훈은 생각, 기억, 감정, 신체 감각을 포함해 여러 다양한 방식으로 찾아올 수 있습니다. 예를 들어, 만약 초조한 감정에 집중한다면, "게을러" 혹은 "태만해"와 같은 비판을 받았던 어린 시절 기억을 떠올리게 될 것입니다. 혹은 만약 졸린 느낌에 집중한다면, 더 휴식하기 위해 삶의 우선순위를 재조정할 필요가 있다는 것을 떠올리게 될 것입니다. 이러한 교훈은 미래에 당신이 맞닥뜨릴 장애물들을 더 성공적으로 해결할 수 있도록 도울 수 있습니다.

더불어 각각의 아래에 나와 있는 내용에서 각 장애물의 이점을 알 수 있을 것입니다.

- 욕망에 대해서는, 당신이 원하는 것을 아무리 많이 얻더라도 항상 더 많은 것을 원한다는 것을 상기하십시오. 이 교훈을 통해 욕망의 유혹에 저항하는 대신에 그것으로부터 배우도록 하십시오. 욕망에 따라 행동하지 말고, 계속해서 그 욕망을 알아차리고 이름을 붙이십시오.

- 혐오에 대해서는, 당신의 가장 강력한 스승으로서의 분노와 악의를 알아차리게 한다는 것을 기억하십시오. 그 스승으로부터 배우겠다는 결심을 하십시오. 자비로운 생각, 친절한 생각, 용서의 생각을 발전시킴으로써 그 감정들의 균형을 맞출 수 있다면, 때로는 혐오라는 장애물이 도움이 되기도 합니다.

- 졸음에 대해서는, 당신의 완전한 주의를 요구하는 강력한 상태라는 걸 알아두십시오. 똑바로 앉거나, 서 있는 것이 도움이 될 수 있습니다. 얼굴에 물을 끼얹으십시오. 휴식을 취하고, 마음챙김 걷기와 같이 무언가 몸을 움직이는 활동을 하십시오.

- 초조함에 대해서는, 초조함을 마음챙김의 대상으로 만드는 것 외에도, 당신의 집중력을 더욱 예리하게 만드는 데 도움이 될 수 있다는 걸 기억하십시오. 예를 들어, 코 끝에 주의를 두고 마음챙김 호흡을 하거나, 초조함이 가라□을 때까지 이완하며 호흡을 1부터 10까지 세고 다시 1로 돌아가서 수를 헤아리는 방법을 통해 더 예리하고 섬세하게 주의를 기울이십시오.

- 의심에 대해서는, 특히 당신의 마음이 사방으로 흐트러질 때, 결심과 꾸준함으로 현재 순간에 주의를 집중하는 데 도움이 될 수 있다는 걸 기억하십시오. 혹은 마음챙김 지도자나 마음챙김을 훈련하는 다른 사람들과 대화를 해보는 방법 그리고 다른 사람들이 그들의 의심을 어떻게 다루었는지에 대한 영감을 얻을 수 있는 독서를 통해 의심이라는 장애물을 해결할 수 있습니다.

마지막으로, 장애물이 발생할 때 그것을 향해 친절하고, 관심을 기울이는 비판단적 태도를 취해야 한다는 걸 기억하십시오. 그것들을 장애물이 아닌 스승으로 대우할 수 있을 때, 더 이상 방해물이 되지 않을 것입니다!

제 **6** 장

마음챙김을 더욱 탐구하기

마음챙김과 명상

변증법적 행동치료 접근의 핵심인 마음챙김 기술은 훨씬 더 방대하고 오래된 명상의 고대 전통과 직접적으로 관련되어 있습니다. 그 거대한 전통은 마음챙김을 훈련하고 개발하는 것과 관련되는 경험과 지혜의 중요한 요체입니다. 이 경험과 지혜는 마음챙김에 관심이 있는 사람이라면, 그들이 심리적 혹은 신체적 건강을 추구하든, 개인적 풍요나 심지어 영적 성장을 추구하든 상관없이 누구에게든 많은 것을 제공합니다.

이번 장에서는 명상의 고대 전통에서 차용된 몇 가지 추가적인 훈련을 시도함으로써 마음챙김에 대한 더 깊은 탐구를 하게 될 것이며, 이러한 훈련은 현재 다양한 건강 상태에 마음챙김 접근법을 적용하는 임상 장면에서 사용되고 있는 훈련들입니다.

이번 장에서 당신에게 기대하고 의도하는 바는, 당신을 지지해주고, 당신의 행복감을 증진시키며, 당신이 더욱 지혜로운 마음에서 쉴 수 있도록 이끌어 주는 마음챙김의 힘에 대한 인식이 보다 더 깊어지는 것입니다.

변증법적 행동치료를 개발한 마샤 리네한은 변증법적 행동치료의 중심이 되는 마음챙김 기술에 대해 이하와 같이 언급하며 마음챙김의 더 큰 맥락에 주목해왔습니다. "변증법적 행동치료는 동양 영적 훈련에서 심리학적이며 행동적인 버전의 명상 훈련입니다." 그리고 리네한은 변증법적 행동치료를 개발하면서, "선불교의 수행법에서 가장 많은 내용을 가져왔지만, 변증법적 행동치료의 기술들은 서양의 명상과 동양의 수행법의 조화로 이루어진 치료입니다."라고 이야기합니다(Linehan, 1993b, p.63).

지난 25년 동안, 많은 헬스케어 전문가들이 마음챙김과 스트레스 관리에서부터 만성 통증, 불안, 우울, 암까지 여러 건강 관련 상태의 치료에 마음챙김을 접목하는 것에 관심을 갖게 되었습니다. 서양의 헬스케어 장면에서 마음챙김을 활성화시키는 데 있어서, 다양한 관조적이고 명상적인 고대의 전통적 가르침과 지혜들은 매우 가치있는 통찰을 제공했습니다.

(리네한과 같은)많은 사람들이 이러한 오랜 전통을 지침으로 삼았지만, 건강과 치료의 목적으로 사용되는 실제 훈련들은 어떤 특정한 믿음이나 종교적 신앙을 요구하지 않으며, 특정한 문화적 요구도 수반하지 않습니다. 마음챙김 훈련은 진정으로 모든 인간을 위한 것입니다. 또한 이 장에서 확인하게 될 훈련은 마음챙김 훈련에 관심이 있는 사람이라면 누구에게든 동일하게 적용됩니다.

우선, "진심어린" 친절과 자비의 자질이 어떤 역할을 하는지에 대해 배우게 될 것이고, 그것들이 마음챙김 활동에 실제로 어떻게 내재되어 있는 태도인지 배울 것입니다.

다음으로, 지금 이 순간의 한 호흡 한 호흡 속에서 광대하고 한결같은 차원에 주의를 기울임으로써 마음챙김이 어떻게 더 깊어질 수 있는지 배우게 될 것입니다.

친절, 자비, 청정함, 고요함 - 이번 장은 이러한 자질에 대해 보다 의식적으로 주의를 기울이고, 당신의 마음챙김 훈련을 더욱 지지하고 깊어지게 하는 힘으로 작용하는 것을 발견하도록 초대합니다.

친절과 자비를 통해 마음챙김 기술 향상시키기

변증법적 행동치료의 핵심인 "어떻게how" 기술은 비판단적인 상태가 되는 것입니다. 존 카밧진과 다른 연구자들에 의해 개발된 마음챙김 기반 스트레스 완화(Mindfulness Based Stress Reduction; MBSR)에서 비판단은 마음챙김 연습의 기초라고 여겨지는 7가지 태도 중 가장 우선되는 것입니다. 다른 태도들은 인내, 초심자의 마음, 신뢰, 애쓰지 않기, 수용, 내려놓기(Kabat-Zinn, 1990, p.33)입니다.

그러나 비판단적이 되는 것이 항상 그렇게 쉬운 것만은 아니라는 걸 알아차렸을지도 모릅니다. 사실 판단하고 비판하는 습관은 매우 다양한 이유로 거의 모든 사람들에게 깊이 뿌리박혀 있습니다.

이런 판단의 뿌리 깊은 습관의 힘 때문에 명상 지도자들은 친절과 자비의 태도 위에 마음챙김의 기초를 쌓는 것이 중요하다는 사실을 오랜 기간 가르쳐왔습니다.

예를 들어, 매우 존경받는 명상 지도자인 크리스티나 펠드먼은 그녀의 연구에서 "주의, 자각, 이해, 자비가 모든 명상 시스템의 기본 골자가 됩니다." 그리고 이어서 "자비는 명상의 기본 원리입니다. 명상은 자기애적이거나 자기 이익을 추구하는 것이 아닙니다. 명상은 사랑, 진실성, 연민, 존경심, 감성의 토대를 제공합니다."라고 이야기합니다(Feldman, 1993, p.2).

최근 몇 년 동안, 건강 심리학자들은 "긍정적인" 감정과 태도, 그리고 건강을 증진하는 데 있어 그것들이 어떤 역할을 하는지에 대해 더 깊이 관심을 갖기 시작했습니다. 긍정적 정신 건강 연구의 풍부한 전통은 심리학자 고든 올포트와 에이브러햄 매슬로우의 연구를 바탕으로 1960년대에 만들어졌으며 오늘날에도 강력하게 이어지고 있습니다. 긍정적 정신 건강 연구는 대체로 인간의 능력과 잠재력이 성장하고 확장될 것이라는 관점을 취하고 있습니다. 이 주제에 대한 특정한 관심은 확장된 인간의 잠재력이 고대부터 명상 훈련의 주요 목표 중 하나였다는 것입니다.

현대 건강 심리학자이자 연구자인 샤우나 샤피로(Shauna L. Shapiro)와 게리 슈워츠(Gary E. R. Schwartz)는 명상의 긍정적 측면에 대해 집필했습니다. 그들은 마음챙김은 *어떻게* 주의를 기울이는가에 대한 것이라고 했습니다. 존 카밧진이 제시한 7가지 태도에 더하여, 샤피로와 슈워츠는 마음챙김의 정서적(혹은 "마음의") 차원을 표현하기 위해 5가지 자질을 추가로 통합해야 한다고 제안합니다. 그들이 말하는 5가지 "마음의" 자질은 감사, 온화, 관대함, 공감, 자애입니다(Shapiro & Schwartz, 2000, pp. 253-273).

자애는 특별히 언급할 가치가 있습니다. 이는 명상 지도자 샤론 살츠버그(Sharon Salzberg)에 의해 대중화되었습니다(1995; 1997; 2005). 건강관리 전문가들이 자애에 관해 더 많이 배우게 되면서, 이러한 형태의 명상은 마음챙김 안에서 그리고 치유의 잠재력을 지닌 명상 실천으로서 여러 건강관리 장면에서 인기를 얻고 있습니다.

자애는 깊은 친밀함과 환대 또는 용서와 무조건적인 사랑으로 넘치는 자비와 소중함을 내재하는 자질 등으로 다양하게 기술됩니다. 이는 적어도 잠재적으로 항상 존재하는 깊은 인간의 능력입니다. 이는 아이를 부드럽게 보살피는 엄마를 관찰한다면 이해할 수 있을 것입니다.

자애는 당신의 마음챙김 훈련에 강력한 처치가 될 수 있습니다. 당신이 해야 할 것은 오직 마음챙김으로 주의를 기울이며 친절과 자비의 감정을 허용하고 수락하는 것뿐입니다. 당신의 주의에 자비와 애정을 담아 친절함 가운데 머물면, 판단하고 비판하는 오랜 습관으로부터 당신을 보호할 수 있고, 판단하지 않음에 대한 변증법적 행동치료의 "어떻게how"기술을 통해 당신을 도울 수 있습니다.

연습 : 자신과 타인을 향한 자애 명상 훈련

다음은 자신과 타인을 향한 자애를 함양하기 위한 간단한 명상 훈련입니다. 당신이 원하는 만큼 오래 그리고 언제든지 이것을 연습하십시오. 이 연습을 공식적인 마음챙김 연습의 도입으로써 시도해보십시오. 만약 지시문을 들으면서 연습하는 게 더 편하게 느껴진다면, 스마트폰에 느리고 편안한 목소리로 지시문을 녹음하고, 이 기술을 연습하는 동안 그 녹음 파일을 사용하십시오.

지시문

편안한 자세를 취하십시오. 몇 차례 호흡하면서 당신의 호흡이나 몸에 주의를 기울이십시오. 당신 내면의 자연스러운 감정인 타인을 향한 친절함과 자비의 감정과 연결되도록 하면서 안전하다고 느끼는 만큼 계속해서 마음을 열고 부드럽게 하십시오. [지시문을 녹음한다면, 여기서 1분간 멈추십시오.]

이제 주의를 당신 자신에게로 옮기십시오. 전인적 자기에 대한 감각일 수도 있고, 또는 신체적 부상, 질병, 정서적 고통과 같은 관리와 주의가 필요한 부분일 수도 있습니다.

마치 겁먹고 다친 자녀에게 말을 건네는 엄마처럼 자신에게 부드럽고 조용하게 말하는 상상을 해보십시오. "내가 안전하고 보호받기를", "내가 행복하기를", "내가 건강하고 잘 지내기를", "내가 편안하게 살기를"과 같은 문구를 사용하거나, 당신만의 문구를 만들어보십시오. 당신이 고른 구절이 누구나 원할 수 있는 것이 되도록 하십시오(안전, 편안함, 즐거움 등등). 당신에게 도움이 되는 것을 고르십시오. 단 한 구절이어도 괜찮습니다. 그런 뒤에 문구를 말할 때마다 당신의 모든 마음을 쏟으십시오. 당신을 통해 친절과 자비가 오도록 하십시오. [지시문을 녹음한다면, 여기서 1분간 멈추십시오.]

아기에게 자장가를 불러주는 것처럼 당신의 문구를 스스로에게 고요하게 반복해서 읊으십시오. 당신이 원하는 만큼 오래 연습하십시오. 처음에는 한 번에 몇 분 정도만 연습하다가 연습 경험이 늘어나면 더 긴 시간 연습하는 게 도움이 될 수 있습니다.

당신이 원할 때 당신의 주의와 집중을 당신이 아는 친구나 어려움을 겪고 있는 사람에게로 옮길 수 있습니다. 또한 "나의 모든 친구들"이나 "나의 모든 형제 자매들"과 같이 다수의 사람들에게 주의를 집중하는 것도 괜찮습니다. [지시문을 녹음한다면, 여기서 1분간 멈추십시오.]

당신이 원할 때, 당신의 삶에서 어려움을 주었던 사람으로 실험을 해볼 수 있습니다. 그들에게 친절과 그들이 행복하기를 바라는 기원을 보내 보고, 당신 내면의 반응을 관찰하십시오. 어려움을 주었던 사람에 대한 자애를 연습하는 것은 그들이 당신을 학대하거나 다치게 하는 것을 허용하는 것이 아니라, 그들 역시 행복을 추구하는 인간이라는 것을 보기 위한 시도를 하는 것입니다. 이렇게 함으로써 당신은 그 상황에 대한 관계를 변화시킬 수 있고, 당신이 가지고 있을지 모를 원망으로부터 해방될 수 있습니다.

자애 명상을 연습할 때, 여러 다른 감정을 경험할 수 있음을 알아두시기 바랍니다! 슬픔, 비통함, 분노와 같이 어떤 감정은 마음을 산란하게 할 수도 있습니다. 그런 일이 일어나는 건 당신이 실수를 해서가 아닙니다. 사랑을 담은 친절을 통해 마음속 깊이 품은 감정이 수면 위로 떠오르는 것은 일반적인 일입니다. 이렇듯 감정을 경험하게 되는 것은 사실 그 자체로 일종의 치유가 일어나는 것입니다. 그저 당신의 모든 감정에 주의를 기울이고, 각각의 감정을 존중하며, 연습을 지속하십시오.

마음챙김을 깊어지게 하는 공간과 고요함에 주의 기울이기

마음챙김의 핵심 변증법적 행동치료 기술에는 관찰하는 기술인 "무엇을what" 기술과 비판단적 상태가 되기 위한 기술인 "어떻게how"기술이 포함됩니다. 하지만 오래된 주의 습관은 종종 온전히 관찰하는 것 혹은 진정으로 비판단적이 되는 것을 어렵게 만들 수 있습니다. 마음챙김하기, 주의깊은 관찰하기, 비판단적으로 머물기가 어렵게 느껴질 때는, 당신의 긴장이 충분히 풀리지 않았거나 편안하지 않는 것일 수 있습니다. 이 경우, 어떠한 역동이나 순간의 작은 부분이나 당신의 어느 일부분에 지나치게 동일시되어 있을 수 있습니다.

명상 지도자들은 당신의 전체성을 자신의 작은 부분(예: 당신의 생각, 판단, 분노나 두려움의 감정)과 동일시해 버리는 것을 설명할 때 종종 대양의 비유를 사용하곤 합니다. 이 비유는 파도와 바다는 분리되어 있지 않다는 것에 주목합니다. 비록 파도의 모양이 다양하고, 강렬하고, 극적일지라도, 파도는 여전히 바닷물로 이루어져 있고 파도의 가장 깊은 곳까지도 역시 대양의 일부입니다. 이 말은 당신의 전체성(때때로 큰 마음 또는 이와 유사한 용어로 불림)은 대양이고, 반면에 부분은(마음속의 감정, 생각, 기억) 파도를 의미합니다. 파도가 지속적으로 상승했다 하강하고, 나타났다 사라지는 동안 파도의 본질인 대양은 항상 그곳에 존재하고 있습니다.

자신을 파도와 동일시하는 경향과 당신 그 자체인 대양과의 연결감을 잃어버리는 경향이 매우 강합니다. 마음챙김을 훈련하고 합리적인 마음과 감정적인 마음이 일어났을 때 그것을 인식하는 것을 배우는 것은 당신이 이미 배워서 알고 있는 것처럼 당신의 작은 부분들과 단단히 동일시된 경향으로부터 자유롭게 해줄 수 있습니다.

그리고 때때로 의도적으로 당신이 주목하지 않았거나 당연히 여겼던 경험에 주의를 옮김으로써, 당신은 훨씬 더 주의에 유연해질 수 있고, 더 많이 마음챙김 할 수 있으며, 생각과 감정에 자신을 동일시하는 오래된 습관을 더 많이 깨뜨릴 수 있습니다.

공간과 고요함(침묵)을 마음챙김의 대상으로 선택하는 것은 이러한 유연성과 마음의 "파도"와 동일시되는 습관으로부터 자유를 얻는 매우 강력한 연습이 될 수 있습니다.

연습 : 당신의 내적, 외적 공간에 대한 마음챙김 명상 수행

다음의 두 가지 명상 연습은 당신의 공간(내부와 외부)에 대한 자각과 고요함 및 침묵을 수련하도록 하는 도구를 제공합니다.

호기심과 재미를 갖고 이 연습들을 시도해보십시오. 어떤 특별한 일이 일어나게 하거나, 당신 자신이 아닌 다른 사람 혹은 다른 무엇이 될 필요가 없습니다!

사실, 당신은 이미 실제로 자신의 내면에 무한한 공간과 고요함(광활한 대양의 깊이처럼)을 지니고 있으며, 필요한 것은 단지 현재의 자각에 공간과 고요함을 불러들이는 것입니다. 말하자면, 그 공간과 고요함을 당신의 내면으로 "다시 들어오게" 하는 것입니다. 무엇이 됐든 당신이 해야 할 일은 전혀 없습니다! 그저 이미 있는 것에 친절한 주의를 기울이십시오. 다음의 두 가지 명상 연습을 진행할 때, 지시문을 들으면서 연습하는 게 더 편하게 느껴진다면, 스마트폰에 느리고 편안한 목소리로 지시문을 녹음하여 이 기술을 연습하는 동안 그 녹음 파일을 사용하십시오.

지시문

편안한 자세를 취하십시오. 몇 차례 호흡하면서 호흡 감각에 마음챙김으로 주의를 기울이며 집중하십시오. [지시문을 녹음한다면, 여기서 1분간 멈추십시오.]

안정되고 집중하고 있다고 느낄 때, 어떤 소리도 더하거나 빼지 말고 그 모든 소리를 포착하며 주의의 초점을 소리로 확장하십시오. 어떤 소리의 이름이나 기억에 사로잡히지 말고 소리 그 자체의 경험에 집중하십시오. [지시문을 녹음한다면, 여기서 1분간 멈추십시오.]

몇 차례 더 호흡하면서 호흡 마음챙김을 연습하십시오. [지시문을 녹음한다면, 여기서 1분간 멈추십시오.]

이제 호흡 사이의 공간에 주의를 기울이십시오. 들숨과 날숨 사이, 그리고 날숨이 끝날 때와 들숨이 시작하기 전의 사이에 주의를 기울이십시오. 매 호흡마다 그 사이의 공간에 주의를 기울이십시오. 주의가 분산될 때면 다시 그 공간으로 돌아오십시오. [지시문을 녹음한다면, 여기서 1분간 멈추십시오.]

당신의 주의를 끄는 소리들을 알아차렸을 때, 우선 그 소리를 알아차림하고, 그 소리 사이의 공간을 알아차리십시오. 어떤 소리가 얼마나 큰지, 또 다른 소리가 얼마나 부드러운지, 어떤 소리가 얼마나 가까운지, 얼마나 멀리 있는지, 그리고 그 소리들 사이와 주변과의 공간이 얼마나 되는지를 알아차려 보십시오. 그 소리들이 왔다가 가도록 내버려두면서 모든 소리를 담고 있는 그 공간에 주의를 두십시오. [지시문을 녹음한다면, 여기서 1분만 멈추십시오.]

당신이 원하는 때에 눈을 뜨십시오. 당신 앞에 있는 것을 둘러보십시오. 무엇이 보입니까? 물론 사물들이 보이겠지요. 그런데 그 사물들 사이의 공간이 보입니까? 더 구체적으로 살펴보십시오. 공간을 들여다보고 가까이에 있는 사물과 멀리 있는 사물들 사이의 공간이 어떤 모양인지 살펴보십시오. 당신이 바라보고 있는 모든 사물을 담고 있는 넓은 공간이 보입니까? 이완하며 더 면밀히 살펴보십시오. [지시문을 녹음한다면, 여기서 1분간 멈추십시오.]

당신이 원할 때면 언제든 공간 알아차림 연습을 하십시오. 공식적인 명상 훈련(앞서 안내되었던 호흡 감각, 소리, 물체에 집중하기)으로도 좋고, 보다 비공식적인 방식으로 단순히 당신의 하루 일과에 따른 각기 다른 상황에 주의를 기울이는 것도 좋습니다.

실험적인 방식을 원한다면 당신의 생각과 감정을 담고 있는 공간을 알아차림하는 것을 해볼 수도 있습니다. 당신은 이완하며 현재 순간의 공간에 나타났다가, 변화하고, 사라지는 생각과 감정을 그냥 두고 관찰할 수 있겠습니까?

연습 : 고요함과 침묵을 향해 나아가는 명상 훈련

지시문

편안한 자세를 취하십시오. 몇 차례 호흡하면서 당신의 호흡 감각에 마음챙김으로 집중함으로써 현재 순간에 당신의 주의를 고정시키고 안정시키십시오. [지시문을 녹음한다면, 여기서 1분간 멈추십시오.]

당신의 주의가 생각이나 소리와 같이 무언가 다른 것으로 옮겨 가는 걸 알아차릴 때는 그것들과 싸울 필요도 그것들을 따라갈 필요도 없습니다. 인내심과 친절함을 갖고 그저 다시 당신의 호흡 감각으로 주의를 되돌리십시오. [지시문을 녹음한다면, 여기서 1분간 멈추십시오.]

호흡 마음챙김을 연습할 때, 내면의 고요함이 일어나는 감각을 알아차리기 시작할 수도 있습니다. 처음에는 짧은 순간으로만 나타날 수 있으나, 낙담하지는 마십시오. 그저 오게 놔두십시오. 당신이 경험하는 고요함의 느낌을 계속 알아차리십시오. 고요함 가운데 이완하고, 그 고요함이 당신에게 다가오도록 두십시오. 처음에 당신의 몸의 고요함을 차분하고 편안한 느낌으로 알지도 모릅니다. 그러다가 생각이 잠잠해지면 마음속의 고요함을 경험하는 것이 더 쉬워질 것입니다. [지시문을 녹음한다면, 여기서 1분간 멈추십시오.]

때때로 고요함은 침묵으로 더 뚜렷하게 나타나기도 합니다. 예를 들어, 소리 사이, 생각 사이에 어떤 침묵의 감각이 느껴질 때, 거기에 당신의 주의를 두십시오. 주의가 분산될 때는 다시 주의를 되돌리십시오. [지시문을 녹음한다면, 여기서 1분간 멈추십시오.]

소리가 왔다가 갈 때 그 모든 소리에 섬세하게 귀기울이십시오. 한 가지 소리에 집중하지 말고, 그 대신 소리와 소리 사이의 고요함과 공간에 집중하십시오. 당신의 주의가 안정되면, 어떻게 그 소리들이 고요함 속에서 나타났다가 다시 고요함으로 돌아가는지 알아차리십시오. 다음 소리를 들을 때 당신의 주의를 침묵 속에 가만히 두십시오. [지시문을 녹음한다면, 연습을 마치기 전에 여기서 2분에서 3분 정도 멈추십시오.]

결론

마음챙김을 훈련함에 있어 당신은 수천 년간 수많은 사람들에 의해 발전된 거대하고 오래된 전통에 동참하고 있는 것입니다. 많은 지도자들은 마음챙김 훈련은 당신이 주의를 기울이는 방식에 친절함과 자비의 태도를 포함하는 것이라고 언급해왔습니다. 당신의 마음챙김이 명료해지면, 청정함과 고요함을 포함해 전체성의 감각이 커져 마음은 더욱 밝아지고, 이는 당신의 삶의 경험을 변화시키는 데 도움이 될 것입니다. 이번 장은 당신을 마음챙김 명상의 전통에 기반한 가치 있는 가르침으로 초대합니다. 이를 위해 친절함과 자비 그리고 청정함과 고요함에 초점을 두고, 당신의 삶을 치유하고 풍요롭게 하기 위한 놀라우면서도 강력한 자원들을 더 많이 찾을 수 있도록 구성되었습니다.

제 7 장

감정 조절 기술
-초급-

당신의 감정: 그것은 무엇인가?

간단히 말해서 감정은 당신에게 무슨 일이 일어나고 있는지 말해주는 몸 안의 신호입니다. 즐거운 일이 당신에게 일어날 때, 당신은 좋은 기분을 느낍니다. 괴로운 일이 당신에게 일어날 때, 당신은 나쁜 기분은 느낍니다. 많은 경우에 당신의 감정은 당신이 무엇을 하고 있는지, 무엇을 경하고 있는지에 대한 지속적인 업데이트를 제공하는 즉각적인 뉴스와 같습니다.

당신에게 일어난 일에 대한 최초의 반응을 *일차 감정*이라고 부릅니다. 이런 강렬한 감정들은 빠르게 나타나기 때문에 무슨 일이 일어나는지에 대한 생각을 담고 있지 않습니다. 예를 들어, 만약 당신이 한 콘테스트에서 우승을 했다면, 당신은 즉각적으로 놀라워할 수 있습니다. 당신이 아끼는 누군가가 죽는다면, 당신은 바로 슬픔을 느낍니다. 누군가 당신을 불쾌하게 하는 행동을 할 때, 당신은 즉시 화가 날 수 있습니다.

그러나 일차 감정을 느끼는 것에 더하여 *이차 감정*을 경험할 수 있습니다. 이차 감정은 당신의 일차 감정에 대한 감정적인 반응입니다. 다른 말로 하자면, 이차 감정은 당신의 감정에 대한 감정입니다(Marra, 2005). 다음의 예시를 보십시오. 에릭은 그의 동생이 그를 화나게 만드는 일을 해서 동생에게 소리를 질렀습니다. 그의 화난 감정은 아주 빠르게 일어났습니다. 하지만 잠시 뒤 그는 동생에게 화를 낸 일에 대해 죄책감을 느꼈습니다. 화는 그의 일차 감정이었고, 죄책감은 그의 이차 감정이었습니다.

하지만 하나의 일차 감정에 대한 수많은 이차 감정을 경험하는 것 역시 가능한 일입니다. 여기 조금 더 복잡한 예시가 있습니다. 쇼나는 직장에서 향후 업무 발표를 해달라는 요청을 받았을 때 불안해지기 시작했습니다. 발표 날이 가까워질수록 그녀는 자신이 얼마나 불안해지는지 생각하며 우울해졌고, 그 후 간단한 발표를 할 수 없을 정도로 자신을 무가치하게 느끼기 시작했습니다. 그리고 나서 발표가 끝난 다음 날, 그녀는 애초에 그런 큰 일을 벌인 것에 대해 죄책감을 느끼기 시작했습니다. 이런 예시를 통해 사람의 감정이 아주 빠르게 매우 복잡해지는 것을 볼 수 있습니다. 불안감은 쇼나의 일차 감정이었고, 우울감, 무가치감, 죄책감은 모두 그녀의 불안감에 대한 반응으로 나타난 이차 감정이었습니다.

상황에 대한 당신의 일차적인 감정 반응이 고통스러운 이차 감정의 끝없는 연쇄 반응을 일으킬 수 있고, 이런 연쇄 반응은 당신이 처음에 느낀 감정보다 더 큰 고통을 야기합니다. 이러한 이유로, 고통스러운 상황에서 당신의 원래 일차 감정이 무엇인지 분명히 하려는 노력이 중요하며, 이렇게 함으로써 이차 감정이 당신을 압도하기 전에 그 감정에 대처하는 방법을 배울 수 있습니다. 감정 조절 기술은 변증법적 행동치료의 중요한 부분입니다. 그 이유는 새롭고 건강한 방식으로 당신의 고통스러운 일차 감정과 이차 감정을 다룰 수 있도록 돕는 기술이기 때문입니다(Dodge, 1989; Linehan, 1993a).

감정 조절 기술들은 특히 유용한 기술인데, 왜냐하면 이런 기술 없이 사람들은 종종 더 큰 괴로움을 일으키기만 하는 방식으로 그들의 일차 감정과 이차 감정을 다루는 선택을 하기 때문입니다. 쇼나의 예시를 생각해보면, 그녀가 자신의 불안감을 다루기 위해 술이나 약물을 사용하고, 우울감을 다루기 위해 커팅 또는 자해를 하고, 죄책감을 다루기 위해 폭식을 하는 선택을 할 수 있었다는 것을 쉽게 상상할 수 있습니다. 이 모든 방법은 해로운 대처 전략이며, 압도적인 감정을 느끼는 사람들은 종종 이런 대처 전략을 사용합니다. 이러한 이유로, 당신이 일차 감정과 이차 감정에 더 건강한 방식으로 대처할 수 있게 하기 위해, 그리고 흔히 이와 함께 동반되는 고통의 연쇄를 피할 수 있게 하기 위해 이 워크북에 실린 감정 조절 기술을 배우는 것은 매우 중요합니다.

또한 감정 조절 기술은 *양가감정*이라고 불리는 또 다른 문제를 다루기 위해서도 중요합니다. 양가감정은 같은 사건에 대해 한 가지 이상의 감정적인 반응을 경험할 때 발생하는 것으로, 각각의 감정은 당신을 각기 다른 방향으로 이끌거나 각기 다른 행동을 하게끔 만듭니다. 예를 들면, 티나는 아버지 없이 성장했습니다. 그러던 어느 날, 그녀가 25살이 되었을 때, 아버지가 그녀를 보고 싶다고 연락을 해왔습니다. 티나는 아버지와 새로운 관계를 만들 수 있는 기회가 생겼다는 사실에 흥분했으나, 동시에 아버지가 가족을 버린 일에 대해 화가 나기도 했습니다. 분명히 티나의 감정은 갈라져 있었고, 그 감정들은 그녀가 무엇을 해야 할지에 대해 두 개의 다른 방향으로 끌어당겼습니다.

만약 당신이 오랜 기간 압도적인 감정을 겪어왔다면, 아마 당신의 감정적인 반응을 통제하는 것에 대해 느끼는 절망적이고 희망이 없는 기분을 이해하기 쉬울 것입니다. 하지만 기억하십시오. 비록 당신의 일차적인 감정 반응을 통제하는 게 어려울지라도, 당신의 이차적인 감정 반응을 조절하는 것뿐만 아니라 감정을 어떻게 다뤄야 하는지 배울 수 있다는 희망은 여전히 남아있습니다. 그리고 나중에 당신이 이 워크북에 있는 모든 기술, 특히 마음챙김 기술을 사용하기 시작하면, 당신의 일차 감정 반응도 어느 정도 조절할 수 있을 것입니다.

감정은 어떻게 작동하는가?

감정은 몸에서 일어나는 전기적이고 화학적인 신호로, 무슨 일이 일어나고 있는지 당신에게 알려줍니다. 이러한 신호들은 종종 당신의 시각, 촉각, 청각, 후각, 미각 감각에서 촉발됩니다. 그런 뒤 그 신호들은 뇌로 이동하게 되며, 감정적 상황에 반응할 수 있도록 감정을 관찰하고 처리하는 데 특화된 변연계라는 영역에서 처리됩니다. 또한 변연계는 당신의 뇌와 몸의 나머지 부분과도 연결되어 있어서 감정적인 상황에 반응하여 당신의 몸이 무엇을 해야 하는지 알려줍니다.

많은 이유로 감정은 상당히 중요한데, 특히 생존에 있어 중요합니다. 다음의 예시를 보십시오. 루이즈는 시내 거리를 걸어가고 있었다. 그때 갑자기 매우 크고 화가 잔뜩 난 개가 짖기 시작했고 그녀를 향해 달려왔습니다. 그 즉시 그녀의 눈과 귀로부터 시작된 감정적 신호가 그녀의 뇌로 전달되었습니다. 그런 뒤 변연계는 루이즈가 무엇을 해야 할지 생각할 겨를도 없는 사이에 그 정보들을 처리했습니다. 이런 유형의 반응을 투쟁, 도피, 정지 반응이라고 부르며, 이런 반응은 루이즈가 개와 싸우기 위해 남아 있어야 하는지, 도망쳐야 하는지, 아니면 얼어붙은 채로 그 개가 그녀를 보지 못했기를 바라야 하는지 결정했습니다. 현명하게도 그녀는 도망가는 걸 선택했고, 다치지 않고 벗어났습니다. 그녀의 감정은 그녀가 살아남고 고통을 피할 수 있도록 도와주었습니다.

이제 2주 후 그녀가 다시 시내 거리를 걷고 있었고 그 개를 만났던 거리로 들어섰다고 가정해봅시다. 매우 빠르게 그녀는 두려움을 느꼈을 것입니다. 이것을 *조건 반응*이라고 부릅니다. 루이즈의 변연계는 그 거리의 위험한 개를 기억하는 걸 도와서 그녀를 보호하려고 노력했습니다. 분별 있게 그녀는 그 개를 피하기 위해 다른 거리로 걸어가기로 선택했습니다. 이 예시에서, 루이즈의 감정은 처음에 그녀가 위험과 고통으로부터 벗어나도록 도와주었고, 이후에는 그녀가 잠재적인 피해를 피할 수 있도록 도와주었습니다.

여기 감정이 어떻게 작동하는지에 대한 다른 예시가 있습니다. 쉴라는 시내를 걸어가고 있었고, 그때 갑자기 몇 년 전의 좋은 친구였던 코트니를 보았습니다. 즉각적으로 쉴라는 행복한 기분이 들었습니다. 코트니가 쉴라를 보았을 때, 그녀는 바로 미소지었습니다. 쉴라는 그녀의 미소를 보고 생각했습니다. "그녀도 나를 봐서 행복한 게 분명해." 그래서 쉴라도 미소를 지었습니다. 두 사람은 빠르게 다시 연결되었고, 가까운 미래에 함께 무언가를 할 계획을 세웠습니다. 오랜 세월이 흐른 뒤에 이루어진 우연한 만남은 두 사람 모두 행복하게 만들었습니다.

이 예시에서 미소는 두 사람 모두에게 의사소통의 행동이었습니다. 미소짓는 행동은 각 사람이 상대방이 어떤 기분을 느끼고 있는지 인식하는 걸 도왔습니다. 만약 코트니가 쉴라를 봤을 때 얼굴을 찌푸리고 외면했다면, 쉴라는 그녀의 표현을 불쾌해하는 것으로 인식하고 아마도 그녀와 마주치는 걸 피했을 것입니다. 모든 사람들은 그들의 문화와 상관없이 동일한 방식으로 감정을 표현하고 다른 사람의 감정 표현을 인식하는 능력을 가지고 있습니다. 미소는 당신이 어디에서 태어났든 미소입니다.

이것은 단지 아주 간단한 예시에 불과하지만, 당신은 감정이 많은 목적을 수행한다는 것을 알 수 있습니다. 감정은 당신이 다음의 내용을 하도록 돕는 신호입니다:

- 생존("투쟁, 도피, 정지")

- 사람이나 상황을 기억하기

- 일상의 상황들에 대처하기

- 다른 사람들과 소통하기

- 고통 피하기

- 즐거움 찾기

감정 조절 기술이란 무엇인가?

이미 배웠듯이 감정 조절 기술은 새롭고 보다 효과적인 방법으로 당신의 일차, 이차 감정에 대한 반응을 다룰 수 있도록 도와줄 것입니다. (기억해야 할 것은, 당신이 느끼는 것을 항상 통제할 수는 없습니다. 그렇지만 그 감정에 어떻게 반응할지는 선택할 수 있습니다.) 이 기술들은 변증법적 행동치료에서 배워야 하는 가장 중요한 기술이며, 이미 고통 감내 기술과 마음챙김 기술에 대한 장에서 감정 조절 기술 중 몇 가지는 연습하고 있었습니다. 변증법적 행동치료의 4가지 기술 훈련(고통감내, 마음챙김, 감정 조절, 대인관계 효율성)은 서로 겹치기도 하면서 서로 강화해주기도 합니다. 왜냐하면 이 방식이 당신이 기술을 더 쉽게 배우고 기술들을 더 빨리 기억하도록 돕기 때문입니다.

변증법적 행동치료에는 9가지 감정 조절 기술이 있습니다. 이 기술들은 당신의 감정과 그 감정들과 관련된 행동을 조절하도록 도와줄 것입니다(Linehan, 1993b). 감정 조절 기술은 다음과 같습니다.

1. 감정 인식하기

2. 건강한 감정에 대한 방해물 극복하기

3. 신체적 취약성 줄이기

4. 인지적 취약성 줄이기

5. 긍정적인 감정 늘리기

6. 판단 없이 감정에 마음챙김 하기

7. 감정 노출

8. 감정적 충동에 반대되는 행동하기

9. 문제 해결하기

이번 장에서는 처음 다섯 가지의 감정 조절 기술을 다룰 것이며, 다음 장에서 나머지 네 가지 기술을 다룰 것입니다. 이전 장들처럼 이 두 장의 연습은 서로를 기반으로 이루어지기 때문에, 반드시 순서대로 연습하도록 하십시오.

감정 인식하기 ⊠

당신의 감정과 감정이 삶에 미치는 영향을 인식하는 방법을 배우는 것은 높은 강도의 감정적 반응을 조절하기 위한 첫 번째 단계입니다. 매우 자주 사람들은 그들이 어떻게 느끼는지에 거의 주의를 기울이지 않으며 삶을 살아갑니다. 그 결과, 그들 내부에서는 그들이 거의 알지 못하는 많은 중요한 일들이 일어나곤 합니다. 이는 압도적인 감정과 사투를 벌이는 사람들에게도 마찬가지입니다. 매우 자주 이러한 문제로 어려움을 겪는 사람들은 종종 그들을 압도하는 고통스러운 감정(슬픔, 분노, 죄책감, 수치심 등) 등의 감정의 파도를 감지하지만, 감정의 파도를 인식할 즈음에는 이미 어쩔 도리 없이 늦어버리는 경우가 너무 많습니다.

당신의 압도적인 감정 반응을 조절하기 위해서 감정적 반응을 일으키는 과정을 늦추는 것이 우선이며, 그렇게 해야만 당신의 감정을 확인할 수 있습니다. 그리고 나서, 감정을 검토하면 당신은 보다 건강한 결정을 내릴 수 있습니다. 이 연습은 과거에 이미 일어났던 감정적 상황을 검토함으로써 당신이 이 과정을 시작하도록 도울 것입니다. 그리고 이 연습에서는 자신에게 가능한 한 정직해질 필요가 있습니다. 이 연습의 목적은 당신이 느낀 감정(일차 감정과 이차 감정 모두)이 무엇인지 발견하는 것이고, 그런 뒤에는 그 감정들이 당신의 행동과 감정에 어떻게 영향을 미치는지 확인할 것입니다.

예시를 살펴봅시다. 링은 종종 통제되지 않는 압도적인 감정으로 인해 힘들어했습니다. 어느 날 저녁, 그녀는 퇴근하여 집에 돌아왔고 그녀의 남편이 또 소파에서 술을 마시고 있는 것을 보았습니다. 그는 심리치료를 받는 걸 거부했고, 자신이 알코올 중독자라고 생각하지 않는다며 단주 모임에도 참석하지 않았습니다. 링은 즉시 화가 났고, 그래서 그녀는 남편에게 소리 지르기 시작하면서 그를 "쓸모없는 술주정뱅이"라고 불렀습니다. 그러나 그는 싸우거나 움직이지 않고 그냥 그 자리에 누워있었습니다. 그녀는 그를 한 대 치고 싶었으나, 그러지는 않았습니다. 몇 분 후, 링은 절망적이고 수치스러운 기분이 들었습니다. 그녀는 남편을 돕기 위해 모든 것을 시도했지만, 아무것도 효과가 없는 것처럼 보였습니다. 그녀는 더는 결혼 생활을 유지할 수 없을 것 같은 기분이 들었으나, 이혼하는 것도 있을 수 없는 일이었습니다. 링은 화장실로 들어가 문을 잠갔습니다. 그녀는 자신이 느끼고 있는 고통을 끝내기 위해 자살을 생각했습니다. 하지만 그러는 대신에 면도날을 가져다가 피가 날 정도로 자신의 다리를 베기 시작했습니다. 그날 밤 그녀는 너무 기분이 상한 나머지 알람을 맞추는 걸 잊어버렸고, 그 결과 직장에 몇 시간을 지각해서 매니저에게 질책을 받았습니다.

링의 이야기는 많은 사람들에게 흔히 있는 일입니다. 이 이야기를 활용하여 당신의 감정을 인식하는데 도움이 되는 6단계 과정을 함께 해봅시다(Linehan, 1993b).

1. *무슨 일이 일어났습니까?* 이 질문은 감정을 유발한 상황을 설명할 수 있는 기회입니다. 이 예시에서 링은 집에 돌아와 또 다시 남편이 술을 마시는 걸 봅니다. 그는 도움받는 거나 그의 문제에 대해 이야기하는 것을 거절합니다.

2. *왜 그런 일이 일어났다고 생각합니까?* 이 질문은 당신의 상황의 잠재적인 원인을 확인하기 위한 기회입니다. 이것은 매우 중요한 단계인데, 왜냐하면 당신이 그 사건에 두는 의미가 종종 그 사건에 대한 당신의 감정적 반응을 결정하기 때문입니다. 예를 들어, 만약 누군가 일부러 당신에게 해를 가한다고 생각한다면, 누군가 실수로 당신에게 해를 가한다고 생각할 때와는 매우 다른 반응을 보일 것입니다. 이 예시에서, 링은 남편이 자신을 싫어하고 결혼에 대해 애초에 후회하는 알코올 중독자이며, 그래서 그는 그녀에게 상처 주기 위해 그의 삶을 포기해버린 거라고 믿고 있습니다.

3. *그 상황이 당신을 감정적으로, 신체적으로 어떻게 느끼게 합니까?* 가능하다면 일차 감정과 이차 감정을 인식하려고 노력하십시오. 감정을 인식하는 법을 배우는 것은 연습이 필요하지만, 당신의 노력은 그만한 가치가 있을 것입니다. 만약 당신이 느끼는 감정을 설명하기 위한 단어를 찾기 위해 도움이 필요하다면, 4장의 일반적으로 느끼는 감정 목록을 보십시오. 그리고 신체적으로는 어떻게 느꼈는지 인식하기 위해 노력하십시오. 감정과 신체 감각은 특히 근육의 긴장은 강하게 관련되어 있습니다. 이 예시에서, 링의 일차 감정은 분노입니다(남편이 술 마시는 걸 본 뒤). 그런 뒤 이차 감정으로 좌절감과 수치심을 느낍니다. 신체적으로는 얼굴과 팔의 모든 근육이 매우 긴장되는 걸 알아차리고, 속이 메스꺼운 느낌이 듭니다.

4. *당신의 느낌의 결과로 무엇을 하고 싶었습니까?* 이 질문은 당신의 충동을 인식하는 것이기 때문에 매우 중요합니다. 종종, 감정에 압도된 사람은 격렬하거나, 고통스럽거나, 매우 위험한 말이나 행동을 하려는 충동을 느낍니다. 그렇다고 사람들이 항상 이런 충동대로 행동하는 것은 아닙니다. 때때로 그 충동은 단지 생각과 자극일 뿐입니다. 당신이 무엇을 하고 싶은지 알아차리기 시작하고 그것을 실제로 행동으로 옮기는 것과 비교할 때, 그 결과는 희망의 시작이 될 수 있습니다. 만약 당신이 어떤 충동을 조절할 수 있다면, 다른 충동들도 조절할 가능성이 커집니다. 이 예시에서, 링은 매우 위험하고 치명적이었을 두 가지 충동을 느꼈습니다. 남편을 때리는 것과 그녀의 고통을 끝내기 위해 자살을 하는 것입니다. 다행스럽게도, 그녀는 둘 다 하지 않았고 이는 앞으로 다른 충동도 통제할 수 있을 거라는 희망을 주었습니다.

5. *당신은 어떤 말과 행동을 했습니까?* 이 질문은 당신의 감정의 결과로 실제 무엇을 했는지 확인하기 위한 것입니다. 이 예시에서, 링은 화장실에 들어가 문을 잠갔고, 자해하기 시작합니다. 또한 그녀는 남편에게 소리 지르며 남편을 "쓸모없는 술주정뱅이"라고 불렀습니다.

6. *이후 당신의 감정과 행동은 당신에게 어떻게 영향을 미쳤습니까?* 이 질문을 통해 당신은 당신이 느낀 것과 행동한 것의 장기적인 결과를 확인할 수 있습니다. 링의 예시에서, 그녀는 알람을 맞추는 걸 잊어버렸기 때문에 다음날 직장에 늦었고, 그녀의 상사에게 질책을 받아 직장을 잃을 위기에 처합니다.

연습 : 감정 인식하기

다음 페이지에는 링의 경험을 바탕으로 내용이 채워진 감정 인식하기 워크시트 예시가 나와 있습니다. 그리고 그 다음 페이지에는 당신의 삶의 경험으로 내용을 작성할 수 있는 빈 워크시트가 있습니다. 빈칸의 워크시트를 사용하기 전에, 다음에도 사용하기 위해 워크시트를 복사해두십시오. 아니면 빈 종이에 간단히 제목을 적고 당신만의 워크시트를 만들어보십시오. 혹은 원한다면 출판사 웹사이트에서 감정 인식하기 워크시트를 다운받으십시오.

이제, 워크시트를 사용하여 최근 있었던 감정적 사건을 살펴보십시오. 또렷하게 기억할 수 있는 한 가지 상황을 고르십시오. 당신의 일차 감정과 이차 감정을 분별하기 위해 최선을 다하십시오. 그리고 당신 자신에게 할 수 있는 한 정직해야 한다는 걸 기억하십시오. 당신 외의 다른 사람에게 이 워크시트를 보여줄 필요가 없습니다.

그리고 나서, 적어도 2주 동안 매일 있는 상황을 선택하고 감정 인식하기 워크시트를 사용하여 그 상황을 검토하십시오. 과거의 상황을 검토하는 연습을 할 필요가 있다는 사실을 기억하십시오. 그래야 나중에 그런 일이 일어나는 동안 당신의 감정과 감정의 결과를 분별하는 방법을 배울 수 있습니다.

예시: 감정 인식하기 워크시트

질문	당신의 반응
그 상황은 언제 발생했습니까?	어젯밤
어떤 일이 일어났습니까? (그 사건에 대해 설명하십시오.)	집에 돌아왔을 때 남편이 또 술을 마시며 소파에 누워있었다. 그는 여전히 심리치료를 받는 것과 단주 모임에 나가는 걸 거절하고 있다. 나는 그에게 소리를 질렀고, 그를 "쓸모없는 술주정뱅이"라고 불렀다. 하지만 그는 그냥 그 자리에 앉아있었고, 어떤 말도 하지 않았다. 그래서 나는 화장실에 들어가 자해를 했다.
그 상황이 왜 벌어졌다고 생각합니까? (원인을 분별하기)	남편은 나를 싫어하고 나와 결혼한 걸 후회하는 알코올 중독자다. 그리고 나는 그가 그의 삶을 포기해버렸고 나에게 상처를 주려고 일부러 이런 행동을 한다고 생각한다.
그 상황은 당신을 감정적으로 그리고 신체적으로 어떻게 느끼게 합니다. (일차 감정과 이차 감정을 모두 분별하기 위해 노력하십시오.)	일차 감정: 분노 이차 감정: 좌절감, 수치심 신체 감각: 얼굴과 팔이 긴장되었고, 속이 메스꺼웠다.
당신의 느낌의 결과로 어떤 행동을 하고 싶었습니까? (어떤 충동이 있었습니까?)	남편을 때리고 싶었고, 나의 고통을 끝내기 위해 자살을 하려는 충동이 있었다.
어떤 말과 행동을 했습니까? (당신의 느낌의 결과로 어떤 행동을 하게 되었습니까?	화장실에 들어가 문을 잠갔고, 자해를 시작했다. 그런 뒤 너무 화가 나서 혼자 침실로 들어갔다. 남편에게 소리를 질렀고, 그를 "쓸모없는 술주정뱅이"라고 불렀다.
이후 당신의 감정과 행동은 어떤 영향을 미쳤습니까? (행동의 결과로 어떤 단기적 혹은 장기적 결과가 있었습니까?)	침실로 들어갔을 때 너무 화가 났고, 알람을 맞추는 걸 잊어버렸다. 그래서 늦잠을 잤고 직장에 늦었다. 직장에 도착했을 때 나의 상사는 나에게 또 소리를 질렀다. 그는 내가 또 한 번 늦는다면 나를 해고할 것이라고 했다.

감정 인식하기 워크시트

질문	당신의 반응
그 상황은 언제 발생했습니까?	
어떤 일이 일어났습니까? (그 사건에 대해 설명하십시오.)	
그 상황이 왜 벌어졌다고 생각합니까? (원인을 분별하기)	
그 상황은 당신을 감정적으로 그리고 신체적으로 어떻게 느끼게 합니다. (일차 감정과 이차 감정을 모두 분별하기 위해 노력하십시오.)	
당신의 느낌의 결과로 어떤 행동을 하고 싶었습니까? (어떤 충동이 있었습니까?)	
어떤 말과 행동을 했습니까? (당신의 느낌의 결과로 어떤 행동을 하게 되었습니까?)	
이후 당신의 감정과 행동은 어떤 영향을 미쳤습니까? (행동의 결과로 어떤 단기적 혹은 장기적 결과가 있었습니까?)	

연습 : 감정 기록하기 ⊠

당신의 감정을 인식하기 위해 종종 당신이 어떻게 느끼는지를 소리 내어 말하는 게 도움이 됩니다. 이 라벨링 방법이 처음에는 유치하게 들릴 수도 있으나, 당신의 감정을 소리 내서 말하는 행동은 당신의 감정을 강조하고 당신이 경험하고 있는 감정에 더 많은 관심을 기울이도록 도울 것입니다. 당신의 감정을 소리 내어 설명하는 것은 특히 당신의 압도적인 감정을 소리 내어 말하는 것은 또한 당신의 고통스러운 감정을 가라앉히는 데 도움을 줄 수 있습니다. 그래서 감정을 더 많이 말할수록, 무언가 해야만 할 것 같은 충동이 줄어들게 할 것입니다. 당신이 어떻게 느끼는지를 소리를 지르며 말할 필요는 없습니다. 혼자 조용히 감정을 털어놓는 정도만 해도 충분할 것입니다. 당신에게 가장 효과적인 게 무엇인지 찾으십시오. 당신 자신에게 말하십시오. "바로 지금 나는 …을/를 느낀다" 그리고 즐겁고 신나는 감정에도 주의를 기울여야 한다는 걸 기억하십시오. 그러한 감정을 더 자주 인식하고 소리 내어 말할수록, 그런 감정을 보다 더 온전히 즐길 수 있을 것입니다.

그런 뒤에, 그 경험을 더욱 강화하기 위해 다음의 감정 기록지에 당신의 감정을 기록하십시오. 예시로 나와 있는 워크시트를 사용하면 도움이 될 것입니다. 일주일 내내 감정을 기록하는 것은 당신의 감정을 인식하고, 라벨링하고, 묘사하는 데 도움이 될 것입니다. (출판사 웹사이트에서 감정 기록지를 다운받을 수 있습니다.)

예시: 감정 기록지

언제, 어디에서 그 일이 발생했습니까?	어떤 기분이 들었습니까? ("바로 지금 나는…을/를 느낀다.")	당신이 느끼는 걸 소리 내어 말했습니까?	당신의 감정을 인식하고 나서 무엇을 했습니까?
목요일 밤, 집에서	나는 화가 난다.	예	나는 주방에 들어가 와인을 한잔 마셨다.
목요일 밤, 집에서	나는 슬프다.	아니오	나는 잠을 자려고 했지만, 내가 얼마나 슬픈지 계속 생각했다.
금요일 아침, 버스에서	나는 마음이 불안하다.	예	주의 분산하기 기술과 신문을 읽으며 마음을 진정시키려고 노력했다.
금요일 아침, 직장에서	나는 역겹다.	예	밖에 나가 담배를 피웠다.
금요일 오후, 직장에서	나는 부러움을 느낀다.	아니오	내가 좋아하는 여자와 시간을 친구를 계속 모른 체했다.
금요일 밤, 집에서	나는 외롭다.	예	혼자 영화를 보러 가서 좋은 시간을 보내기로 결심했다.
토요일 오후, 공원에서	나는 행복하다.	예	친구들과 공원에서 시간을 보냈다.
토요일 밤, 베이징에서	나는 즐겁다.	예	내 감정을 맞이고 싶지 않아서 앉아서 아무에게도 많은 말을 하지 않았다.

감정 기록지

언제, 어디에서 그 일이 발생했습니까?	어떤 기분이 들었습니까? ("바로 지금 나는…을/를 느낀다.")	당신이 느끼는 걸 소리 내어 말했습니까?	당신의 감정을 인식하고 나서 무엇을 했습니까?

건강한 감정에 대한 방해물 극복하기

이제 당신의 감정을 좀 더 완전하게 인식하기 시작했으니, 원하기는 감정이 당신의 행동과 감정에 어떻게 영향을 미칠 수 있는지도 알게 되기를 바랍니다. 다음의 그림을 주의 깊게 살펴보길 바랍니다.

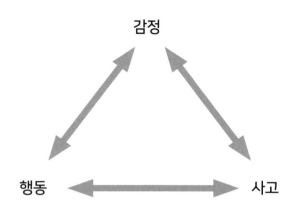

이 그림은 당신의 감정이 어떻게 당신의 사고와 행동에 영향을 미치는지, 그리고 감정이 사고와 행동으로부터 어떻게 영향을 받는지에 대해 묘사하는 것입니다. 예를 들어, 짐은 그가 가장 좋아하는 시계를 잃어버렸습니다(행동). 그는 슬펐고(감정), 자신에 대해 "난 너무 덤벙대; 난 바보야"라고 생각했습니다(사고). 그러나 이 생각은 그의 기분을 더 우울하게 만들었고(감정), 그래서 그는 집에 가서 술을 마셨으며(행동), 그 뒤엔 수치심을 느꼈습니다(감정). 당신의 감정이 결과이면서 동시에 당신의 사고와 행동의 원인이 될 수 있다는 게 보이십니까?

만약 당신이 자기 파괴적인 행동이나 자기 비판적인 생각에 사로잡히게 되면 이는 감정의 악순환을 만들 수 있습니다. 하지만 이러한 순환은 만약 당신이 건강한 행동과 자기 긍정 사고를 통해 보다 만족스러운 감정 경험으로도 이끌 수 있습니다. 예를 들어 보면, 아마도 짐이 시계를 잃어버리고(행동) 슬픔을 느낀 이후(감정), "실수할 수 있어. 누구도 완벽하지 않아"와 같은 대처 사고를 사용할 수 있었을 것입니다. 그리고 나서 그는 자신의 실수를 용서할 수 있었을 것이며(또 다른 사고), 편안한 마음(감정)으로 하루를 지낼 수 있었을 것입니다. 혹은 시계를 잃어버린 일에 대해 슬퍼한 뒤에, 어쩌면 그는 한동안 걸었을 수도 있고(행동), 기분이 한결 나아질 수도 있었을 것입니다(감정). 고통스러운 감정의 순환에 빠지는 것을 막기 위해 짐이 사용할 수 있었던 여러 대처 사고와 대처 행동들이 있었습니다.

감정과 행동

당신의 감정과 행동은 명백히 강력한 상관관계에 있고, 그리고 강렬한 감정이 종종 더 큰 행동 반응을 유발한다는 사실은 놀랄 일도 아닙니다. 그렇기에 압도적인 감정을 경험하는 많은 사람들이 그들의 통제되지 않는 행동으로 인해서도 어려움을 겪습니다. 때때로 압도적인 감정을 경험하는 사람들은 화가 나거나, 우울하거나, 불안할 때 자기 파괴적인 행동을 합니다. 가령, 그들은 커팅을 하거나 자해를 하거나, 다른 사람을 조종하거나(대개 싸움이나 파괴적인 관계로 이어지는), 과식하거나, 너무 적게 먹거나, 폭음하거나, 약물을 과다 복용하곤 합니다. 분명히 이런 유형의 행동들은 모든 사람에게 해롭습니다. 그렇지만 이러한 행동을 하는 사람들은 종종 같은 행동을 반복합니다. 그래서 이런 의문이 생깁니다. 사람들은 왜 이런 유형의 행동을 하는 걸까요? 정답은 감정에 있습니다.

기본부터 살펴봅시다. 많은 행동은 보상으로 인해 반복됩니다. 사람들은 월급이라는 보상을 받기 때문에 직장에 다닙니다. 학생들은 성적이라는 보상을 위해 학교에 다닙니다. 사람들은 경쟁이라는 보상을 위해 스포츠를 합니다. 뮤지션은 음악을 창작한다는 보상을 위해 악기를 연주합니다. 그리고 정원사는 꽃이 피는 것을 보는 보상을 위해 꽃을 심습니다. 이러한 모든 보상이 행동을 강화하며 앞으로도 그 행동을 반복할 가능성을 높입니다. 만약 당신이 일을 해도 월급을 받지 못했다면, 더는 직장에 나가지 않을 것입니다. 만약 선생님들이 당신에게 당신은 졸업할 기회가 없다고 말한다면, 당신은 학교를 그만둘 것입니다. 그리고 만약 당신이 정원에 식물을 심을 때마다 잡초만 자란다면, 당신은 아마 그 역시 그만뒀을 것입니다.

마찬가지로, 당신의 감정은 당신의 행동을 강화하는 보상으로 작용할 수 있습니다. 즐거운 감정이 어떻게 행동을 강화할 수 있는지에 대한 간단한 예시가 있습니다. 필은 친구 스테판이 새 아파트로 이사하는 것을 도와주었습니다. 스테판은 굉장히 고마워했고, 필은 그를 도와준 것에 대해 행복감을 느꼈습니다(감정). 그래서 다음에 스테판이 부탁을 했을 때, 필은 스테판을 돕는 일이 그를 또 기분 좋게 할 것이기 때문에(또 다른 감정) 스테판을 다시 도울 수 있어서 기뻤습니다(또 다른 행동).

하지만 감정은 자기 파괴적인 행동도 강화할 수 있습니다. 다음의 예시를 고려해보십시오. 테레사는 압도적인 감정으로 인해 힘들어했고, 한 번은 이렇게 말했습니다. "만약 내가 기분이 나쁘면, 남편 역시 기분이 나빠졌으면 좋겠어." 논리적으로 말이 안 되는 얘기지만, 사고, 감정, 행동은 항상 논리적인 것은 아닙니다. 테레사는 어렸을 때 고통스러운 감정을 어떻게 다루어야 하는지 배운 적이 없었습니다. 감정적으로 혹은 신체적으로 고통을 겪을 때, 그녀는 그 누구의 도움도 없이 홀로 고통받았습니다. 그녀가 어떤 기분인지에 대해 아무도 관심을 갖지 않았습니다.

그리고 성인이 되고 나서, 대개 그녀가 다른 사람들을 속상하게 만들어 상처를 주었을 때, 누군가가 그녀와 그녀의 아픔에 관심을 갖는다는 것을 알게 되었습니다. 예를 들어, 테레사가 직장에서 기분이 상했을 때, 그녀는 집에 가서 중요하지 않은 문제를 가지고 남편에게 싸움을 걸곤 했고(그녀의 행동), 남편 역시 비참함을 느꼈습니다. 그런 뒤에 그는 테레사가 어떤 기분을 느끼는지 깨닫고 그녀와 그녀의 감정에 관해 이야기를 나누었습니다(이것이 그녀의 감정적 보상이었습니다). 테레사는 자신이 고의로 남편에게 상처를 주고 있다는 것을 의식하지 못했을지도 모르지만, 그것은 그리 문제가 되지 않았습니다. 그녀의 삶의 어느 순간에 그녀의 사고가 자동화되곤 했습니다: "나는 기분이 안 좋아, 그러니까 다른 누군가의 기분도 나쁘게 해야 돼. 그러면 내 기분이 좀 나아질 거야." 그리고 그녀의 행동은 남편의 인정을 통해 긍정적인(비록 논리적이진 않지만) 감정 경험으로 지속적으로 보상되었고, 그 결과 그녀의 행동은 이후에 강화되고 반복됐습니다.

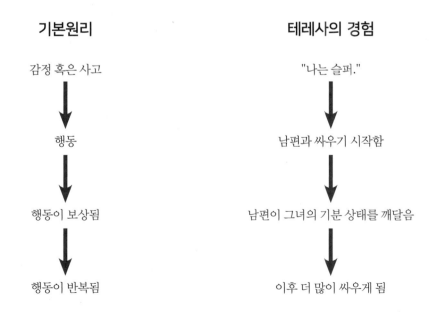

기본원리	테레사의 경험
감정 혹은 사고	"나는 슬퍼."
↓	↓
행동	남편과 싸우기 시작함
↓	↓
행동이 보상됨	남편이 그녀의 기분 상태를 깨달음
↓	↓
행동이 반복됨	이후 더 많이 싸우게 됨

그러나 테레사가 고통스러운 감정을 처리한 방식은 아주 제한적인 시간 동안만 기분이 나아지게 할 뿐이었습니다. 장기적으로 봤을 때는 그녀의 결혼 생활은 그녀의 감정을 인정받는 데 에너지를 쓰느라 고통받았습니다. 테레사와 그녀의 남편은 그녀의 행동의 결과로 자주 다퉜고, 그렇게 싸우고 나면 그녀는 항상 훨씬 더 기분이 나빠졌습니다.

자기 파괴적 행동을 강화하는 감정적 보상을 이해하는 것이 매우 중요합니다. 감정에 압도되는 사람들이 주로 사용하는 두 가지 자기 파괴적인 행동 유형은 커팅/자해 그리고 다른 사람을 조종하는 것입니다. 두 유형의 행동 모두 반복될 가능성이 높은 단기적인 보상을 제공하지만, 둘 다 장기적인 피해를 초래합니다. (잠시 후 "압도적인 감정에 영향을 미치는 신체적 유약성 줄이기" 부분에서 자기 파괴적 섭식 행동과 약물 사용 행동에 대해서도 배우게 될 것입니다.)

커팅/자해

자신의 몸을 베거나, 화상을 입히거나, 상처를 내는 많은 사람들이 말하기를 그들의 행동이 기분을 나아지게 하거나 그들의 행동이 고통을 완화해준다고 합니다. 어느 정도 그들의 말이 맞습니다. 커팅과 그 외 다른 유형의 자해 행동은 상처의 치유를 돕는 엔도르핀이라 불리는 천연 진통제를 방출하게 합니다. 이러한 진통제는 사람들의 신체적·감정적 상태를 아주 잠깐 나아지게 합니다. 그러나 이러한 보상이 일시적임에도, 신체적·감정적 느낌은 미래의 자해 행동을 강화하게 됩니다. 하지만 이러한 행동은 위험할 수 있고, 죽음이나 감염에 이르게 될 가능성이 있음을 기억하십시오. 그리고 고통의 완화는 일시적이지만 대개 이러한 행동에 동반되는 상처, 기억, 죄책감은 계속 남아있습니다.

만약 당신이 커팅이나 다른 자해 행동을 하고 있다면, 아래의 빈칸에 어떤 행동인지 작성하십시오. 그런 뒤 어떤 일시적 보상이 있을 수 있는지 작성하십시오. 그리고 마지막으로 그 행동들의 결과로 어떠한 장기적 비용과 위험을 치러야 하는지 작성하십시오.

내가 하는 커팅과 자해 행동들은＿＿＿＿＿＿＿＿＿＿＿＿＿＿＿＿＿＿＿＿＿＿＿＿＿＿＿＿＿

＿＿＿

＿＿＿

나의 행동의 일시적 보상은 ＿＿＿＿＿＿＿＿＿＿＿＿＿＿＿＿＿＿＿＿＿＿＿＿＿＿＿＿＿＿

＿＿＿

＿＿＿

나의 행동의 장기적 비용과 위험은 ＿＿＿＿＿＿＿＿＿＿＿＿＿＿＿＿＿＿＿＿＿＿＿＿＿＿＿

＿＿＿

＿＿＿

타인 조종하기

이전의 예시에서, 당신은 테레사가 기분이 상했을 때 어떤 이유로 남편과 싸우는 선택을 했는지 보았습니다. 그녀의 행동은 결혼 생활에 안 좋은 영향을 미침에도 불구하고 잠시나마 그녀의 기분을 나아지게 했습니다. 그녀의 행동은 감정적 승인을 통해 보상되었고, 그 결과 이후에도 그 행동이 반복되었습니다. 그러나 그녀와 남편의 잦은 싸움은 장기적으로는 그녀의 기분을 훨씬 나쁘게 만들었습니다.

이와 유사하게 다른 형태의 조종 행동도 그 행동을 반복하게 만드는 단기적인 감정적 보상을 줍니다. 당신이 누군가에게 당신이 원하는 것을 하도록 강요할 때, 당신은 아마도 만족감이나 통제감을 느낄 것입니다. 이 모든 것이 강력한 감정적 보상이 될 수 있고, 특히 압도적인 감정을 경험하는 많은 사람들의 경우 자신의 삶이 통제되지 않는다고 느낀다는 것을 고려하면 더욱 그렇습니다. 하지만 다시 말하지만 이러한 감정적 보상은 일시적일 뿐입니다.

다음의 예시를 보십시오. 브랜디는 지루함을 느낄 때면 항상 그저 재미를 느끼기 위해 "사람들과 장난치는 것"을 좋아했습니다. 종종 그녀는 친구들에게 거짓말을 했고 친구들에게 들었다며 가짜 소문을 말하곤 했습니다. 그런 뒤 친구들이 화를 낼 때, 브랜디는 그들을 위로하는 척했습니다. 이러한 행동을 통해 브랜디는 친구들이 진실을 알아채고 그녀에게 말을 걸지 않을 때까지 영향력이 있는 것처럼 느꼈습니다. 브랜디와 비슷하게 제이슨은 그의 여자친구 패트리샤를 심하게 통제했습니다. 저녁을 먹으러 나갈 때, 그는 그녀가 다른 메뉴를 원함에도 자신이 메뉴를 주문했습니다. 또한 그는 그녀가 그녀의 친구들과 시간을 보내는 걸 허락하지 않았습니다. 그는 그녀가 어디에 있는지 확인하기 위해 그녀의 휴대폰으로 계속 전화를 걸었고, 혹시나 그녀가 그를 떠난다면 죽어버리겠다고 말했습니다. 패트리샤는 진심으로 제이슨을 아꼈고 그가 다치는 걸 보고 싶지 않았습니다. 하지만 제이슨의 통제적인 행동들이 결국 그녀를 지치게 만들었습니다. 결과적으로 그의 자살 협박에도 불구하고 페트리샤는 그와 이별했습니다.

아무도 조종당하는 걸 원치 않는다는 걸 기억하십시오. 결국 조종당하는 사람은 통제당하는 것에 지쳐버리고 저항하게 됩니다. 그리고 그 관계는 갈등을 일삼게 되고 보람 없이 대개 매우 고통스럽게 끝이 납니다. 이는 압도적인 감정으로 어려움을 겪는 사람에게 있을 수 있는 가장 최악의 결과인데, 그 이유는 그런 사람은 다른 사람에게 버림당하는 것을 극도로 두려워하기 때문입니다. 사실, 모든 조종하는 행동은 대개 혼자 남겨지는 것에 대한 두려움에 대처하고, 사람들을 자신들 곁에 붙잡아두기 위한 시도입니다. 그렇지만 관계가 깨지면 버림받는 것에 대한 두려움은 현실이 되고, 이 경우 훨씬 더 많은 자기 파괴적 행동이 촉발될 수 있습니다.

만약 당신이 어떠한 자해 행동을 하고 있다면, 아래의 빈칸에 그 행동들을 작성하십시오. 그런 뒤에는 어떤 일시적인 보상이 있을 수 있는지 작성하십시오. 그리고 마지막으로, 그 행동들의 결과로 어떠한 장기적 비용과 위험을 치러야 하는지 작성하십시오.

내가 하는 조종 행동들은_____

_____

_____

나의 행동의 일시적 보상은 _____

_____

_____

나의 행동의 장기적 비용과 위험은_____

_____

_____

압도적인 감정에 영향을 미치는 신체적 취약성 줄이기 ⊠

당신의 사고와 행동이 감정에 어떻게 영향을 미칠 수 있는지 인식하는 것에 더하여 당신의 다른 건강 상태가 기분에 어떻게 영향을 미치는지 인식하는 것 역시 중요합니다. 아래에 몇 가지 예시가 나와 있습니다.

음식

당신의 몸은 기능을 적절히 유지하기 위해 음식으로부터 얻는 영양분을 필요로 합니다. 마치 자동차가 달리기 위해 연료를 필요로 하는 것처럼 말입니다. 그렇기에 당신이 먹는 음식은 감정적으로나 신체적으로 당신이 어떻게 느끼는지에 직접적인 영향을 미칩니다.

당신이 어느 정도 양의 음식을 먹는 것만큼이나 어떤 다른 음식을 먹는지가 당신이 느끼는 방식에 영향을 미칠 수 있습니다. 예를 들어, 아이스크림이나 패스츄리 지방 함량이 높은 음식을 먹으면 몸이 무겁고 둔해지는 걸 느끼기 시작할 것입니다. 오랜 기간 지방이나 설탕이 많이 들어간 음식을 과다하게 먹으면 살도 찌게 될 것입니다. 이러한 결과는 종종 사람들이 그들 자신에 대해 슬프고 불행하게 느끼게 만들고, 또한 당뇨병이나 심장 질환 같은 건강 문제를 초래할 수 있습니다. 캔디류나 탄산음료처럼 설탕 함량이 높은 다른 음식들을 먹으면 빠르게 몸에 힘이 나는 걸 느낄 수 있습니다. 하지만 그 효과가 사라지면서 매우 피곤하거나 심지어 우울한 기분을 느끼게 될 수 있습니다.

특정 음식을 너무 많이 먹으면 몸이 안 좋아질 수 있는 것처럼, 음식을 너무 적게 먹는 것 역시 당신을 건강하지 않다고 느끼게 할 수 있습니다. 영양분이 너무 적은 식단으로 식사하는 것은 어지럼증이나 머리가 핑 도는 것 같은 증상을 일으킬 수 있는데, 왜냐하면 신체 기능을 유지하기 위해 필요한 에너지를 얻지 못하기 때문입니다.

매일 과일, 채소, 곡물, 단백질을 포함하여 다양한 종류의 건강한 음식을 적당량 섭취할 것을 추천합니다. 만약 자신의 식단이 궁금하거나 건강한 식단을 구성하는 데 도움이 필요하다면 전문 의료진이나 공인 영양사에게 자문을 구하십시오. 혹은 건강에 좋고 균형 잡힌 식사를 위한 권장 사항과 가이드라인을 확인할 수 있는 평판이 좋은 영양 웹사이트를 방문하십시오.

아래의 빈칸에 당신의 기분에 영향을 미치는 식습관에 대해 떠오르는 생각을 작성하고, 기분이 더 나아지게 하기 위해 당신의 식습관을 개선할 수 있는 방법을 최소한 두 가지 작성하십시오.

나의 식습관은 다음의 이유로 내 기분에 영향을 미친다._____

_____

_____

나는 나의 식습관을 다음과 같은 방법을 통해 개선할 수 있다.

1. _____

_____

2. _____

_____

과식과 음식물 섭식 제한

　　더불어 압도적인 감정을 경험하는 어떤 사람들의 경우 극단적으로 많이 먹거나 적게 먹음으로써 자기 파괴적인 방식으로 음식을 섭취한다는 사실을 유념하십시오. 가끔 사람들은 음식이 잠시나마 그들을 감정적으로 안정되게 하거나, 심지어 무감각하게 만들기 때문에 과식을 합니다. 그리고 다시 이러한 감정은 그 사람의 행동이 미래에도 반복되도록 이끕니다. 어떤 사람들의 경우 구토와 같은 제거 행동을 통해 과식 행동을 통제하려고 노력하는데 이러한 행동도 위험하기는 마찬가지입니다. 빈번한 제거 행동은 폭식증이라 불리는 매우 위험한 섭식 장애를 유발할 수 있고, 폭식증은 당신의 신체에 파괴적인 영향을 미칠 수 있습니다.

　　과도하게 음식물 섭취를 제한하는 것 역시 잠시 동안은 기분을 좋게 만들 수 있습니다. 음식물 섭취 제한은 자기 통제의 한 형태로 기능할 수 있습니다. 오랜 기간 압도적인 감정으로 어려움을 겪는 사람들은 삶이 자신의 뜻대로 통제되지 않는다고 느끼곤 하는데, 음식물 섭취 제한 행동을 통해 자신의 삶에 대한 힘을 얻는 느낌을 얻고 이를 통해 기분이 한결 나아집니다. 하지만 이러한 통제 욕구는 위험할 수 있는데, 왜냐하면 과도하게 음식물 섭취를 제한하는 것은 *식욕부진증(거식증)*을 유발할 수 있으며, 이는 급격한 체중 감량으로 나타나며 극도로 건강에 해롭고 잠재적으로 생명에 위협이 되는 섭식 장애입니다.

　　만약 당신이 과식이나 음식물 섭취 제한 행동을 하고 있다면, 그것이 어떤 행동인지 아래의 빈칸에 작성하십시오. 그리고 나서 어떤 일시적 보상이 있을 수 있는지 확인하십시오. 그리고 마지막으로, 그러한 행동의 결과로 어떠한 장기적 비용과 위험을 치러야 하는지 확인하십시오.

내가 하는 과식 혹은 음식물 섭취 제한 행동들은_____

_____

_____

나의 행동의 일시적 보상은 _____

_____

_____

나의 행동의 장기적 비용과 위험은_____

_____

_____

약물과 알코올

음식과 마찬가지로 당신의 몸에 들어가는 무언가는 당신의 기분에 영향을 미칠 것입니다. 알코올과 약물은 종종 일시적으로 행복하거나, 무감각하거나, 흥분되거나, 그 외 다른 기분을 느끼게 합니다. 자연스럽게 이러한 기분들로 인해 그 물질을 반복적으로 사용하게 될 수 있고, 특히 그 일시적 감정이 사라진 후에는 더욱 그럴 수 있습니다. 하지만 알코올이나 마약류를 과도하게 사용하거나 처방 약물을 남용하는 것은 여러 건강상의 합병증, 중독 문제, 법적 문제, 재정적 어려움, 관계 문제를 초래할 수 있습니다.

예를 들어, 알코올은 당신을 지치고 나른하게 하며 우울하게 만드는 억제제입니다. 많은 사람들이 이 사실을 믿지 않는데, 알코올을 마시면 더 활력이 넘치고 사교적인 느낌이 들기 때문이라고 말합니다. 사실은 알코올이 그들로 하여금 자의식을 덜 느끼도록 만들기 때문에 평소에 하지 않던 행동을 하거나 말을 더 많이 하게 되는 것입니다. 그러나 많은 양의 알코올이 체내에 있으면, 슬프고 나른해지기 시작할 것입니다.

마약류와 특정 처방 약물을 사용하는 것은 유사한 효과를 낼 수 있습니다. 코카인과 메스암페타민(예: 필로폰)과 같은 약물은 처음에는 "좋은" 기분이나 "활력이 넘치는" 기분을 느끼게 합니다. 그러나 약효가 떨어지고 나면, 우울하거나, 불안하거나, 편집증적인 기분을 느끼기 시작할 것입니다. 마리화나, 배스 솔트, 헤로인과 같은 많은 다른 약물들도 마찬가지입니다. 특정 처방 약물도 우울하고 불안하게 만들 수 있으니, 만약 고통스러운 부작용이 있는지 그 약물을 처방해준 전문의에게 반드시 확인하십시오.

담배와 카페인에 들어있는 니코틴 역시 마약으로 여겨집니다. 비록 그것들이 합법적이고 우리 사회에서 매우 보편적인 것들이지만 말입니다. 어떤 사람들은 흡연을 하면 더 이완되는 느낌이라고 이야기하는 게 사실이지만, 사실 니코틴은 근육을 활성화시키는 흥분제입니다. 흡연을 할 때, 사람들이 실제 경험하는 것은 니코틴을 더욱 갈망해 온 그들의 몸이 일시적으로 느끼는 안도감입니다. 니코틴은 상당히 중독적인 물질로 사람들이 더 많은 담배와 전자담배를 피우고 싶게 만들고, 담배를 피우고 싶은 갈망은 다시 담배를 피울 때까지 그들을 매우 짜증날 것입니다.

커피, 차, 여러 음료, 스포츠 음료, 몇몇 진통제에 함유된 카페인 역시 흥분제입니다. 만약 카페인을 너무 많이 마신다면, 당신은 신경이 과민하고, 몸이 떨리고, 짜증스러워지기 시작할 것입니다. 또한 카페인에 중독될 수도 있고, 만약 카페인에 중독된 이후 당신의 몸에 충분한 카페인이 들어오지 않으면 짜증이 날 수 있고 두통과 다른 신체 증상을 경험하게 될 수 있습니다.

알코올, 마약류, 여러 처방 약물을 정기적으로 사용하면, 당신은 한 때 당신이 느꼈던 효과를 느끼거나 "정상적인" 기분을 느끼기 위해 더 많은 물질을 갈망하게 될 수 있습니다. 이것을 *내성*이라고 합니다. 만약 당신이 처방받은 약물을 포함해 어떤 물질을 통해 이러한 경험을 하고 있음을 깨달았다면, 전문의와 상의하십시오. 그리고 만약 당신이 알코올이나 약물 중독 개인력이 있고 중독을 멈추고 싶다면 이 역시 전문의와 상의하십시오. 알코올 및 기타 약물을 끊는 것은 잠재적인 위험을 일으킬 수 있습니다.

아래의 빈칸에 당신의 행동이 가져올 수 있는 일시적인 보상 그리고 장기적 비용과 위험을 작성하십시오. 그런 뒤에 알코올과 약물 사용이 당신의 기분에 어떻게 영향을 미치는지에 대한 생각을 작성하고, 기분이 더 나아지게 하기 위해 당신의 습관을 개선할 수 있는 방법을 최소한 두 가지 작성하십시오.

내가 하는 알코올 또는 약물 사용 행동은_____

_____

_____

나의 행동의 일시적 보상은_____

_____

_____

나의 행동의 장기적 비용과 위험은_____

_____

_____

나의 알코올과 약물 사용 행동은 다음의 이유로 내 기분에 영향을 미친다._____

_____

_____

나는 나의 알코올과 약물 사용 습관을 다음과 같은 방법을 통해 개선할 수 있다.

1._____

_____

2._____

_____

신체 운동

　인간의 몸은 움직이고 활동하기 위해 만들어졌습니다. 그렇기에 모든 사람에게 있어서 신체 건강과 적절한 기능을 유지하기 위해 적정량의 정기적인 운동을 하는 것이 중요합니다. 운동을 하지 않으면 당신의 몸은 음식물 섭취를 통해 축적한 여분의 에너지를 모두 사용할 수 없게 됩니다. 그 결과, 당신은 몸이 둔해지는 느낌을 경험할 수 있고, 체중이 늘 수도 있으며, 심지어는 살짝 우울한 기분을 느낄 수도 있습니다. 모든 사람들은 일주일 중 대부분 30분 정도 중간 정도의 강도 혹은 격렬한 강도의 운동을 하는 것이 좋습니다. 이러한 운동에는 걷기, 조깅, 수영하기, 자전거 타기, 웨이트 트레이닝, 혹은 평소보다 힘들게 느껴지는 수준의 다른 활동이 포함됩니다. 정기적인 운동은 특히 심장 건강을 유지하는 데 중요합니다.

비록 몸을 움직이는 일이 별로 없고 이전에는 전혀 운동을 하지 않았다고 할지라도 안전한 범위 안에서 할 수 있는 활동이 항상 있습니다. 역도와 같은 격렬한 유형의 운동을 하기 전에는 전문의나 운동 처방사와 꼭 상의하십시오. 그리고 운동을 할 때 만약 평소와 다른 통증을 경험한다면 전문의와 상의하십시오.

아래의 빈칸에 당신의 운동 습관(또는 운동 부족)이 당신의 기분에 어떤 영향을 미치는지에 대한 당신의 생각을 작성한 후, 기분이 나아지기 위해 당신의 습관을 개선할 수 있는 방법을 최소한 두 가지 작성하십시오.

나의 운동 습관은 다음의 이유로 내 기분에 영향을 미친다. _____

_____

_____

나는 나의 운동 습관을 다음과 같은 방법을 통해 개선할 수 있다.

1. _____

_____

2. _____

_____

수면

충분한 수면을 취하는 것은 건강한 기분을 느끼기 위해 가장 중요한 요소 중 하나입니다. 성인의 평균 권장 수면 시간은 매일 밤 대략 7~8시간입니다. 아이들과 어떤 성인들의 경우에는 조금 더 많은 수면이 필요합니다. 만약 당신이 매일 밤 충분한 수면을 취하고 있지 못하다면, 아마도 매일 몸이 둔하고 피곤한 느낌을 경험할 것이며, 또한 또렷하게 생각하는 게 힘들다고 느낄 수 있습니다. 수면 부족이 종종 사고의 원인이 되거나 의사 결정 능력의 저하를 유발하는 것은 당연한 일입니다.

카페인을 아무리 많이 섭취해도 당신이 어젯밤에 놓친 잠을 보충할 수는 없습니다. 사실, 카페인, 알코올, 그 외 다른 약물들은 당신의 밤잠을 설치게 할 수 있습니다. 당신의 몸은 잠을 자는 시간에 스스로 몸을 회복하기 때문에 적절한 양의 휴식을 취할 필요가 있습니다. 만약 잠을 자지 않는다면, 당신의 몸은 적절히 회복할 수 없습니다.

밤 새 여러 번 잠을 깨거나, 코를 심하게 골거나, 숨이 차서 일어나면 모두 수면장애의 징후일 수 있으니 전문의와 상담해야 합니다.

필요한 만큼 휴식을 취하기 위해 적절한 수면 습관을 기르도록 최선을 다하십시오. 건강한 수면 습관을 기르기 위해 다음 페이지에 있는 수면 위생 가이드를 참고하십시오. 그리고 아래의 빈칸에 당신의 수면 습관이 당신의 기분에 어떤 영향을 미치는지에 대한 당신의 생각을 작성하고, 기분이 나아지기 위해 수면 습관을 개선할 수 있는 방법을 최소한 두 가지 작성하십시오.

나의 수면(또는 수면 부족)은 다음의 이유로 내 기분에 영향을 미친다._____

_____

_____

나는 나의 수면 습관을 다음과 같은 방법을 통해 개선할 수 있다.

1. _____

_____

2. _____

_____

질병과 신체적 고통

만약 당신이 어떤 질병이나 신체적 고통을 경험하고 있다면 이러한 상태가 분명히 당신이 감정적으로 어떻게 느끼는지에 영향을 미칠 것입니다. 당신의 신체적 상태와 감정적 상태는 직접적으로 관련되어 있으며, 때때로 신체적으로 건강하다고 느끼지 못하면서 감정적으로 건강하게 느끼는 것은 어렵거나 불가능한 일입니다. 그러므로 어떤 질병이나 신체적 고통을 경험하고 있다면 이에 대해 의학적 도움을 받는 것이 매우 중요합니다. 더 나아가 당신의 질병을 치료하고 있는 전문의의 조언을 따르고 당신이 받게 되는 약을 처방 계획에 따라 복용하는 것이 매우 중요합니다.

만약 당신이 질병이나 신체적 고통을 아직 경험하지 않고 있다면, 미래에 있을 수 있는 질병과 신체적 고통을 예방하기 위해 이 섹션의 가이드라인을 참조하여 적절한 영양 섭취, 충분한 운동, 알코올 및 처방받지 않은 약물 복용 지양, 충분한 수면 등을 바탕으로 하여 보다 건강한 삶을 만들어 가십시오.

아래의 빈칸에 당신의 질병이나 신체적 고통이 당신의 기분에 어떻게 영향을 미치는지에 대한 생각을 작성하고, 그런 뒤에 기분이 나아지기 위해 질병이나 고통을 치료할 수 있는 방법을 최소한 두 가지 작성하십시오.

나의 질병 또는 고통은 다음의 이유로 내 기분에 영향을 미친다._____

_____

_____

나는 나의 질병 또는 고통을 다음과 같은 방법을 통해 치료할 수 있다.

1. _____

_____

2. _____

_____

수면 위생 가이드

적절한 수면 습관은 건강한 생활 습관을 위한 핵심 요소입니다. 만약 수면 개시나 수면 유지에 문제가 있다면 다음의 제안을 적용하십시오. (출판사 웹사이트에서 수면 위생 가이드를 다운받을 수 있습니다.)

- 잠들기 최소한 6시간 전에는 카페인 섭취를 피하십시오.

- 잠들기 전 그리고 밤에는 알코올, 니코틴, 기분 전환 약물을 피하십시오.

- 잠들기 전에는 TV 화면과 컴퓨터 화면을 포함해 밝은 빛을 피하십시오. 왜냐하면 그러한 빛이 당신의 뇌를 자극하여 각성 상태를 만들 수 있기 때문입니다.

- 잠들기 직전에는 운동 또는 과식을 하지 마십시오.

- 낮 동안에 낮잠을 피하십시오. 낮잠은 밤에 피곤함을 덜 느끼게 합니다.

- 침실을 가능한 한 편안하게 만드십시오. 온도를 서늘하지만 편안한 수준으로 유지하고, 방을 최대한 어둡게 하고(필요하다면 수면 마스크를 사용하십시오), 소음을 최소화 하십시오(필요하다면 귀마개를 사용하십시오).

- 당신의 침대를 수면과 성적 활동을 위해서만 사용하고, 침대에서 일을 하거나, 책을 읽거나, TV를 보지 마십시오. 이렇게 함으로써 당신의 몸은 침대를 다른 활동이 아닌 수면과 연관시킬 것입니다.

- 만약 수면 개시의 어려움을 겪고 있거나, 한밤중에 잠에서 깨어 다시 잠들지 못한다면 침대에서 나와 다시 졸릴 만큼 충분히 피곤을 느낄 때까지 이완되는 다른 활동을 하십시오. 여러 생각을 하면서 침대에 누워있지 마십시오. 이렇게 하는 것은 단지 당신을 더 짜증나게 할 뿐이며 다시 잠드는 걸 더 어렵게 할 것입니다.

- 매일 밤 같은 시간에 자고, 매일 아침 같은 시간이 일어나십시오. 당신의 몸이 예측할 수 있는 규칙적인 수면과 기상 패턴을 만드십시오.

- 당신의 몸과 마음을 이완하기 위해 잠들기 전 이완 기법을 사용하십시오: 목욕하기, 명상하기, 기도하기, 생각 적기, 이완 기술 사용하기 등등.

- 수면 문제가 지속되거나, 낮에 끼어있을 수 없거나, 우울한 기분이 든다면 전문의에게 조언을 구하십시오.

신체적 긴장과 스트레스

만약 당신이 정기적으로 신체적 긴장을 경험한다면, 아마도 감정적으로도 스트레스를 받거나, 불안하거나, 지치거나, 짜증일 날 것입니다. 근육의 긴장은 질병처럼 감정에 직접적으로 영향을 미칩니다. 마찬가지로, 만약 당신이 불안하다면 당신의 감정은 종종 근육의 긴장을 초래할 수 있는데, 속이 불편하거나 피부 문제뿐만 아니라 특히 목과 어깨의 근육 긴장을 초래할 수 있습니다.

현대인의 생활에는 신체적으로 긴장되고 스트레스 받을 수 있는 일이 많이 있습니다: 긴 업무 시간, 좋아하지 않는 직업, 통근, 어려운 관계, 여러 가족 일정, 세계 뉴스에서 벌어지는 일, 정치 등등. 그 결과, 긴장감과 스트레스가 더 심각한 질병이 되지 않도록 하기 위해 건강하게 긴장감과 스트레스를 해결할 수 있는 방법을 찾는 것이 매우 중요합니다.

이 워크북의 마음챙김과 고통 감내를 다루는 장에 많은 좋은 대처 기술이 포함되어 있습니다. 마음챙김 호흡 연습은 다양한 자기 진정 연습과 마찬가지로 긴장을 이완하는 데 매우 효과적입니다. 필요하다면 마음챙김과 고통 감내 장으로 돌아가 당신에게 효과적인 연습을 찾아보십시오.

아래의 빈칸에 당신의 신체적 긴장과 스트레스가 당신의 기분에 어떤 영향을 미치는지에 대한 당신의 생각을 작성한 후, 기분이 나아지기 위해 스트레스와 긴장을 해결할 수 있는 방법을 최소한 두 가지 작성하십시오.

나의 긴장감과 스트레스는 다음의 이유로 내 기분에 영향을 미친다._____

_____

_____

나는 나의 김장과 스트레스를 다음과 같은 방법을 통해 해결할 수 있다.

1. _____

_____

2. _____

_____

연습 : 자기 파괴적인 행동 인식하기

지금까지 각기 다른 유형의 자기 파괴적 행동과 신체적 취약성에 대해 배웠습니다. 다음 2주간 당신의 자기 파괴적인 행동을 관찰하기 위해 다음의 자기 파괴적인 행동 인식하기 워크시트를 복사해두십시오(혹은 출판사 웹사이트에서 다운받으십시오). 이 워크시트는 이전 장에서 살펴본 감정 인식하기 워크시트와 상당히 유사합니다. 하지만 이 연습에서는 당신의 자기 파괴적인 행동을 관찰하는 것이 요구되며, 그런 뒤에 당신의 행동에 의한 감정적 보상이 무엇인지 분별하고 어떤 이유로 그러한 보상이 단지 일시적일 뿐인지를 확인합니다. 다음의 예시를 보면 도움이 될 것입니다.

예시: 자기 파괴적인 행동 인식하기 워크시트

질문	당신의 반응
그 상황은 언제 발생했습니까?	오늘 밤
어떤 일이 일어났습니까? (그 사건에 대해 설명하십시오.)	여자친구와 다퉜다. 나는 여자친구에게 오라고 했지만, 그녀는 너무 바빴다고 했다. 그리고 나서 그녀가 오지 않으면 내 자신을 어떻게 하지 모른다고 말해, 결국 그녀가 왔다.
그 상황이 왜 벌어졌다고 생각합니까? (원인을 분석하기)	여자친구는 가끔 이기적이다. 그러나 그녀가 틀린 후에 피곤하다는 것 역시 알고 있다. 또한 그녀는 수강하고 있는 수업을 위해 공부하고 있다. 우리 둘 다 기분이 안 좋았다.
그 상황은 당신을 감정적으로 그리고 신체적으로 어떻게 느끼게 합니다. (일차 감정과 이차 감정을 모두 분별하기 위해 노력하십시오.)	일차 감정: 분노 이차 감정: 죄책감, 짜증스러움, 여자친구가 나를 떠나는 것에 대한 두려움 신체 감각: 얼굴이 뜨거워지고, 얕은 호흡 및 떨림
당신의 느낌이 결과로 어떤 행동을 하고 싶었습니까? (어떤 충동이 있었습니까?)	그녀에게 소리를 지르고 싶었고 그녀가 엄마나 이기적인지 말하고 싶었다. 또한 이전에 그랬던 것처럼 팔에 상처를 내고 싶었다.
어떤 말과 행동을 했습니까? (당신의 느낌의 결과로 어떤 자기 파괴적인 행동을 하게 되었습니까?)	만약 나를 정말 사랑한다면 나에게 와야 한다고 말했고, 오지 않으면 어떻게 해야 할지 모르겠다고 했다. 그런 뒤 그녀의 당장 기다리지 않고 전화를 끊어다. 주방에 가 그녀가 오기를 기다리면서 아이스크림 한 통을 먹었다. 밤새도록 잠을 자지 못했다.
자기 파괴적인 행동의 감정적 보상은 무엇이 있었습니까? (감정적 보상이 얼마나 일시적이었는지 파악하십시오.)	그녀를 조종함으로써 내게 오게 만들었고, 그녀가 와서 기분이 좋았다. 하지만 그녀가 와서 있을 때 우린 싸웠다. 아이스크림도 잠시 기분이 좋게 만들었는데, 요즘 살이 너무 많이 쪄서 죄책감이 들었다. 잠을 잘 못 자서 다음 날 아침에 기분이 더 안 좋아졌다.

자기 파괴적인 행동 인식하기 워크시트

질문	당신의 반응
그 상황은 언제 발생했습니까?	
어떤 일이 일어났습니까? (그 사건에 대해 설명하십시오.)	
그 상황이 왜 벌어졌다고 생각합니까? (원인을 분별하기)	
그 상황은 당신을 감정적으로 그리고 신체적으로 어떻게 느끼게 합니다. (일차 감정과 이차 감정을 모두 분별하기 위해 노력하십시오.)	
당신의 느낌의 결과로 어떤 행동을 하고 싶었습니까? (어떤 충동이 있었습니까?)	
어떤 말과 행동을 했습니까? (당신의 느낌의 결과로 어떤 자기 파괴적인 행동을 하게 되었습니까?)	
자기 파괴적인 행동의 감정적 보상은 무엇이었습니까? (감정적 보상이 얼마나 일시적이었는지 파악하십시오.)	

판단 없이 자신을 관찰하기 ⊠

이전 연습에서 볼 수 있었던 것처럼, 자기 파괴적인 행동은 일시적인 안도만을 가져다 줄 뿐입니다. 장기적으로 볼 때 모든 자기 파괴적인 행동은 당신과 타인에게 더 큰 피해를 줍니다. 이러한 이유로, 당신의 모든 행동 특히 자기 파괴적인 행동에 대한 보상이 무엇인지 깨닫기 시작하는 것이 중요합니다.

그러나 이와 동시에, 당신의 행동을 강화하는 건강하지 못한 보상을 발견했을 때 자신을 비판하거나 판단하지 않아야 한다는 것 역시 기억하십시오. 변증법적 행동치료는 명백히 모순되는 두 가지 사항이 동시에 사실일 수도 있다 원리를 기초로 한다는 것을 기억하십시오. 가장 중요한 변증법은 자신을 판단 없이 수용하는 동시에 파괴적인 행동을 바꿔 더 건강한 삶을 살 수 있도록 하는 것입니다(Linehan, 1993a). 당신의 행동 중 일부가 바뀌어야 한다는 것을 인정하는 것은 잘못된 것이 아닙니다. 당신은 여전히 좋고, 친절하고, 사랑스러운 사람일 수 있습니다. 당신은 아마도 압도적이고 고통스러운 감정을 어떻게 다른 방식으로 다루어야 하는지 배운 적이 없기 때문에 그렇게 행동하는 것일 것입니다. 만약 당신의 감정을 더 건강한 방식으로 다루는 것을 배운 적이 있다면, 당신은 아마 건강한 방식으로 행동했을 것입니다. 그렇지 않습니까? 감정에 대처할 수 있는 더 건강한 방법을 가르치는 것, 이것이 바로 이 워크북스킬의 전부입니다.

인지적 취약성 줄이기 ⊠

당신의 사고가 당신의 기분에 어떻게 영향을 미치는지에 대해서 이미 배웠습니다. 시계를 잃어버린 짐의 예시를 기억합니까? 그는 원래 "나는 너무 덤벙대. 난 바보야"라고 생각했고, 이러한 생각은 단지 그의 행동에 대해 더 기분을 상하게 할 뿐이었습니다. 이런 유형의 생각을 *촉발 사고*(McKay, Roger, & McKay, 2003)라고 부르는데, 이러한 사고가 감정적 고통과 괴로움의 촉매제나 원인이 되기 때문입니다.

"난 너무 덤벙대; 난 바보야"라고 생각했습니다(사고). 그러나 이 생각은 그의 기분을 더 우울하게 만들었고(감정), 그래서 그는 집에 가서 술을 마셨으며(행동), 그 뒤엔 수치심을 느꼈습니다(감정). 당신의 감정이 결과이면서 동시에 당신의 사고와 행동의 원인이 될 수 있다는 게 보이십니까?

만약 당신이 자기 파괴적인 행동이나 자기 비판적인 생각에 사로잡히게 되면 이는 감정의 악순환을 만들 수 있습니다. 하지만 이러한 순환은 만약 당신이 건강한 행동과 자기 긍정 사고를 통해 보다 만족스러운 감정 경험으로도 이끌 수 있습니다. 예를 들어 보면, 아마도 짐이 시계를 잃어버리고(행동) 슬픔을 느낀 이후(감정), "실수할 수 있어; 누구도 완벽하지 않아"와 같은 대처 사고를 사용할 수 있었을 것입니다. 그리고 나서 그는 자신의 실수를 용서할 수 있었을 것이며(또 다른 사고), 편안한 마음(감정)으로 하루를 지낼 수 있었을 것입니다. 혹은 시계를 잃어버린 일에 대해 슬퍼한 뒤에, 어쩌면 그는 한동안 걸었을 수도 있고(행동), 기분이 한결 나아질 수도 있었을 것입니다(감정). 고통스러운 감정의 순환에 빠지는 것을 막기 위해 짐이 사용할 수 있었던 여러 대처 사고와 대처 행동들이 있었습니다. 만약 당신이 자주 촉발 사고를 곱씹는다면, 당신은 아마 다른 사람들에 비해 더 자주 압도적인 감정을 경험할 것입니다. 감정 조절 기술을 기르는 목표는 이러한 촉발 사고가 일어났을 때 그 생각을 지닌 채 무엇을 해야 하는지 배우는 것입니다. 어떤 촉발 사고들은 우리가 어렸을 때 부모님, 보호자, 선생님, 그 외 다른 사람들에게 들었던 비판과 관련됩니다. 하지만 다른 촉발 사고들은 우리가 우리 자신을 모욕하거나 우리의 삶을 더 어렵게 만들려고 사용하는 자기 비난입니다.

아래에 사람들로 하여금 종종 감정적 고통을 경험하도록 하는 몇 가지 촉발 사고가 나와 있습니다. 당신이 사용하는 것에 표시하고 나서(✓), 빈칸에 당신의 촉발 사고들을 추가로 작성해 보십시오. 만약 당신의 촉발 사고를 떠올리기 힘들다면, 당신이 마지막으로 기분이 상하거나, 슬프거나, 우울하거나, 걱정되거나, 불안했던 때를 떠올리고, 당신의 기분을 더 나쁘게 만든 생각을 기억해보십시오. 아래의 생각이 당신의 생각을 촉발시키는 것입니다. 다음의 예시를 보십시오:

☐ "나는 바보/머저리/멍청이야."

☐ "나는 어떤 것도 제대로 해낼 수 없어."

☐ "나는 실패자야."

☐ "나는 무능해."

☐ "아무도 날 사랑하지 않을 거야."

☐ "나는 사랑스럽지 않아."

☐ "나는 뭔가 문제가 있어."

☐ "난 망했어."

☐ "아무도 날 아끼지 않아."

☐ "모든 사람들이 항상 날 떠나."

☐ " 사람들은 항상 나에게 상처를 줘."

☐ "나는 누구도 믿을 수 없어."

☐ "나는 영원히 혼자일 거야."

☐ "나는_의 도움 없이는 인생에서 성공할 수 없어."

☐ "난 행복할/성공할/사랑받을 자격이 없어."

☐ 그 외:_ _____

_____

만약 촉발 사고가 계속해서 당신의 마음속에 떠오르고 감정적 고통을 유발한다면, 그것은 분명 당신의 삶에 있어 강력한 부정적 힘이 될 수 있습니다. 하지만 기억하십시오. 짐은 촉발 사고에 더하여 "실수할 수 있어. 누구도 완벽하지 않아"라는 대처 사고를 사용했고, 그런 뒤 그는 보다 편안함을 느낄 수 있었습니다. 만약 당신이 대처 사고를 사용하는 방법을 안다면, 대처 사고는 촉발 사고와 동일하게 강력한 힘이 될 수 있습니다. 이 장에서 당신은 촉발 사고와 압도적인 감정에 대처할 수 있는 세 가지 인지 기술을 배우게 될 것입니다. 생각과 감정 탈융합, 대처 사고, 생각과 감정 균형 맞추기.

연습 : 생각과 감정 탈융합

생각 탈융합(Hayes et al., 1999)은 제 4장 마음챙김 기술(초급)에서 이미 배운 기술이지만, 여기에서 다시 반복할만한 가치가 있는 아주 중요한 감정 조절 기술입니다. 생각 탈융합은 당신의 생각과 감정으로부터 "벗어나는" 것을 도와주는 기술입니다. 이 기술은 시각화 기법을 필요로 합니다. 시각화를 사용하여 당신의 생각과 감정을 그림이나 단어로 시각화하여 해가 되지 않게 당신으로부터 멀리 떠내려가도록 하고, 그리고 이 과정에서 그것에 집착하거나, 분석하거나, 붙들리지 않는 것입니다.

전형적으로 사람들은 다음 방법들 중 하나로 생각과 감정이 떠내려가는 상상을 하는 데 도움을 받습니다. 하지만 만약 당신이 이미 다른 시각화 방법을 사용하고 있다면, 혹은 유사한 방식으로 당신만의 시각화를 만들고 싶다면, 당신에게 가장 효과적인 방법을 사용하십시오. 다음의 예시를 보십시오:

- 당신의 생각과 감정이 구름 위에 떠서 흘러가는 것을 들판에 앉아 바라본다고 상상하십시오.

- 당신의 생각과 감정이 나뭇잎 위에 떠서 흘러가는 것을 시냇가에 앉아 바라본다고 상상하십시오.

- 당신의 생각과 감정이 모래 위에 쓰여 있고, 파도가 밀려와 그것을 지워버리는 것을 상상하십시오.

이 연습을 하는 동안 온전한 수용의 개념을 계속해서 사용하는 것을 유념하십시오. 당신의 생각 그리고 그 생각과 관련된 감정이 무엇이든지 그대로 두고, 그 생각과 감정과 대립하거나 생각과 감정을 가진 자신을 비판하는 행동으로 인해 주의가 흐트러지지 않도록 하십시오. 그저 생각과 감정이 왔다가 가도록 두십시오.

감정 조절 기술을 배우기 위해서 당신은 생각과 감정 탈융합 연습의 두 가지 응용 중 하나를 사용할 수 있습니다. 당신은 아무 선입견 없이 어떤 생각과 그와 관련된 감정이 떠오르든지 그것을 단순히 바라보고, 그런 뒤에는 생각과 감정에 붙들리지 않은 채 다만 오고 가도록 내버려 두는 방식으로 이 연습을 할 수 있습니다. 또는 우선 당신의 촉발 사고 중 하나에 집중하는 방식으로 이 연습을 시작할 수 있습니다. 촉발 사고를 일으킨 최근의 고통스러운 기억을 떠올리십시오. 감정적으로 그리고 신체적으로 어떻게 느끼는지 알아차리고 나서, 생각 탈융합 연습을 시작하십시오. 이 방식의 경우, 그 사건으로부터(그리고 그 촉발 사고 자체만으로) 많은 기억이 당신의 생각에 자동적으로 떠오를 것입니다. 그럴 때 그 생각과 감정을 분석하거나 그것에 붙들리지 말고 그저 오고 가는 것을 평소처럼 계속 지켜보십시오.

연습을 시작하기 전에 이 연습에 익숙해질 수 있도록 지시문을 먼저 읽어보십시오. 만약 지시문을 들으면서 연습하는 게 더 편하게 느껴진다면, 스마트폰에 지시문을 느리고 편안한 목소리로 녹음하고 이 기술을 연습하는 동안 그 녹음 파일을 사용하십시오. 처음으로 생각 탈융합을 시도할 때는 3-5분으로 타이머를 설정하고 알람이 울릴 때까지 당신의 생각과 그 생각과 관련된 감정을 내버려두는 연습을 하십시오. 그리고 나서, 이 기술에 좀 더 익숙해지고 나면, 8-10분 정도로 타이머 시간을 길게 설정해도 좋습니다. 그러나 첫 연습부터 그렇게 오래 가만히 앉아있을 수 있을 거라 기대하지 마십시오.

가능한 한 자주 이 기술을 연습하십시오. 그리고 이 기술이 보다 더 편안하게 느껴지게 되면, 단순히 눈을 감고 당신의 생각과 감정이 떠가는 것을 상상하는 것만으로도 일상에서 일어나는 촉발 사고와 고통스러운 감정을 흘려보낼 수 있게 됩니다.

지시문

시작하기 위해 타이머에 설정한 시간 동안 방해받지 않을 수 있는 편안한 장소를 찾아 자리에 앉으십시오. 방해가 될만한 모든 소리를 차단하십시오. 몇 차례 천천히 길게 호흡하며 이완하고 눈을 감습니다.

이제, 당신의 상상 속에서 당신의 생각이 오고 가는 것을 보기 위해 선택한 장면 속의 당신 모습을 상상하십시오. 해변이나 시냇가에 있는 장면이든, 들판이나 방에 있는 장면이든 어디든 상관없습니다. 최선을 다해 그 장면 안에 있는 당신 자신의 모습을 상상하십시오.

그렇게 하고 나서, 당신이 가지고 있는 생각 또한 자각하기 시작하십시오. 어떤 생각이든 떠오르는 생각을 관찰하기 시작하십시오. 생각을 멈추려고 노력하지 말고, 떠오른 생각에 대해 자신을 비판하지 않기 위해 최선을 다하십시오. 그저 생각이 떠오르는 것을 관찰하고, 그런 뒤에는 당신이 선택한 시각화를 사용하여 그 생각이 지나가는 것을 관찰하십시오.

만약 떠오른 생각이 촉발 사고라면, 그저 촉발 사고가 있다는 걸 마음속으로 인식하고 촉발 사고가 일으키는 감정을 관찰한 다음, 그 생각과 감정에 붙들리거나 그것을 분석하지 않고 당신이 선택한 시각화를 사용하여 흘러가도록 두십시오. [지시문을 녹음한다면, 여기서 1분간 멈추십시오.]

어떤 생각과 감정이든, 그것이 크든 작든, 중요하든 중요하지 않든, 마음속에 떠오르는 것을 관찰하고, 당신이 선택한 시각화

를 통해 떠내려가거나 사라지도록 두십시오. [지시문을 녹음한다면, 여기서 1분간 멈추십시오.]

당신의 생각과 감정이 지나가는 것을 관찰하면서 계속해서 천천히 들숨과 날숨을 이어가십시오.

당신의 생각으로 인해 고통스러운 감정이 일어날 때 당신의 상상 속에서 그 감정이 흘러가도록 두십시오. [지시문을 녹음한다면, 여기서 1분간 멈추십시오.]

그저 생각과 감정이 떠오르고 사라지는 것을 계속 관찰하십시오. 당신의 생각과 감정을 표현하기 위해 당신에게 가장 효과적인 그림이나 단어를 사용하십시오. 당신의 생각 그리고 그와 관련된 감정에 빠져들지 않고 또한 그 생각과 감정에 대해 자신을 비판하지 않고, 최선을 다해 생각과 감정이 떠올랐다가 사라지는 것을 관찰하십시오. [지시문을 녹음한다면, 여기서 1분간 멈추십시오.]

만약 동시에 하나 이상의 생각과 감정이 떠오른다면, 그 모두가 떠올랐다가 사라지는 것을 바라보십시오. 만약 생각과 감정이 너무 빠르게 떠오른다면, 그것에 사로잡히지 않은 채 그것들 모두가 사라지는 것을 관찰하기 위해 최선을 다하십시오.

계속 호흡하면서 알람이 울릴 때까지 당신의 생각과 감정이 오고 가는 것을 관찰하십시오. [지시문을 녹음한다면, 여기서 1분간 멈추십시오.]

시간이 다 되면, 몇 차례 천천히 그리고 길게 호흡하고 나서, 천천히 눈을 뜨고 당신이 있는 장소로 다시 주의를 가져오십시오.

대처 사고 사용하기

대처 사고는 당신이 고통스러운 상황에 처했을 때 감정을 진정하기 위해 고안되었습니다. 대처 사고는 당신의 힘, 과거의 성공, 일반적인 진리들 중 일부를 상기시키는 진술입니다. 짐이 그의 시계를 잃어버렸을 때 어떤 일이 일어났는지 기억합니까? 원래 그는 "나는 너무 덤벙대; 나는 바보야."라고 생각했고, 그 생각을 그를 우울하게 만들었습니다. 그러나 그러고 나서 그는 "실수할 수 있어. 누구도 완벽하지 않아"라는 대처 사고를 사용했고, 더 편안하게 느낄 수 있었습니다. 제 2장 고통 감내 기술(중급)에서 자기 격려 대처 사고 사용하기를 이미 배웠으나, 감정 조절에 도움을 주는 것에 있어 너무 중요하기에 여기서 반복하고자 합니다. 다음의 대처 사고 목록에서 당신이 사용할 수 있는 많은 대처 사고를 확인할 수 있을 것입니다. 이러한 대처 사고를 통해 고통스러운 상황에 처했을 때 당신의 힘과 과거의 성공을 스스로 상기할 수 있을 것입니다.

당신에게 강력하고 동기 부여가 된다고 여겨지는 몇 가지 대처 사고를 찾아보고, 또는 당신만의 대처 사고를 만들어보십시오. 그런 뒤에 그것을 메모지에 적어 가지고 다니거나, 스마트폰 메모 앱을 사용하여 기록하십시오. 그리고 고통스러운 상황에서 적어둔 당신의 대처 사고를 떠올리십시오. 또한 당신의 대처 사고를 접착식 메모지에 적어 냉장고나 거울과 같이 정기적으로 볼 수 있는 장소에 붙여두십시오. 이완과 자기 격려에 도움이 되는 이러한 대처 사고를 더 자주 볼수록, 더 빨리 당신의 사고 과정의 자동적인 부분이 될 것입니다.

아래에 많은 사람들이 도움이 된다고 생각하는 대처 사고 목록이 있습니다(McKay, Davis, & Fanning, 1997). 당신에게 도움이 될 것 같은 항목에 표시하고(✓), 당신만의 대처 사고를 만들어보십시오.

대처 사고 목록

☐ "실수할 수 있어. 누구도 완벽하지 않아."

☐ "이 상황이 영원히 지속되지는 않아."

☐ "나는 이미 많은 고통스러운 상황을 경험해왔고, 그 경험으로부터 살아남았어."

☐ "이것 또한 지나갈 거야."

☐ "나의 감정은 오고 가는 파도 같은 거야."

☐ "내 감정이 지금 당장은 나를 불편하게 하지만, 난 이 감정을 받아들일 수 있어."

☐ "불안하지만 난 여전히 이 상황을 해결할 수 있어."

☐ "나는 지금 나에게 일어난 일을 해결할 수 있는 충분한 힘이 있어."

☐ "이건 나의 두려움을 다루는 방법을 배울 수 있는 기회야."

☐ "나는 이걸 이겨낼 수 있고, 이 일이 날 힘들게 하지 않을 수 있어."

☐ "난 지금 필요한 만큼 충분히 시간을 들여서 마음 편히 긴장을 이완할 수 있어."

☐ "난 이전에도 이런 상황에서 살아남았고, 이번에도 역시 살아남을 거야."

☐ "나의 불안/두려움/슬픔은 날 죽일 수 없어. 단지 지금 당장 즐거운 기분을 느끼지 못할 뿐이야."

☐ "이것은 나의 감정일 뿐이고, 결국엔 모두 지나갈 거야."

☐ "때때로 슬픔/불안/두려움을 느껴도 괜찮아."

☐ "나의 생각은 내 삶을 통제하지 못해. 내가 통제하지."

☐ "내가 원한다면 다른 생각을 할 수 있어."

☐ "지금 내 상황은 위험한 게 아니야."

☐ "그래서 뭐 어쩌라고?"

☐ "이 상황은 정말 별로야. 하지만 이건 일시적일 뿐이야."

☐ "나는 강해. 그리고 이걸 해결할 수 있어."

☐ 그 외 : _____

_____

_____

생각과 감정 균형 맞추기 ⊠

이미 배운 것처럼, 압도적인 감정은 여러 사건을 통해 유발될 수 있습니다. 그러나 실제 일어나고 있는 일의 일부분에만 집중할 때 감정에 압도될 수도 있습니다. 이런 유형의 생각을 *정신적 여과*이라고 부릅니다(Beck, Rush, Shaw, & Emery, 1979). 당신이 DBT 기술 카드 묶음을 사용한다면, 이 연습은 #34 '큰 그림을 보라'에 나와 있습니다. 다음에 몇 가지 예시가 있습니다:

• 제바는 전 과목에서 A를 받는 학생이었고, 그녀는 항상 우등생 명단에 올랐으며, 처음으로 선택한 대학에서 이미 전액 장학금을 받았습니다. 그러나 수학 시험에서 낮은 성적을 받았을 때, 그녀는 절망했습니다. 자신에 대해 "난 완전 실패자야"라고 생각했고, 그 즉시 짜증과 화에 압도되었습니다.

- 안토니오는 여자친구에게 3시에 올 수 있는지 물어보았습니다. 그녀는 7시까지 바쁘다고 말했고, 그 이후에 들를 수 있다고 했습니다. 안토니오는 곧바로 화가 났고, 자신을 버렸다며 여자친구를 비난했습니다.

- 제니퍼는 꽤 좋은 동네의 전형적인 중산층 가정에서 자랐습니다. 대부분 그녀의 부모님은 친절하고 지지적이었고, 항상 그녀를 위해 최선을 다하려고 하셨습니다. 하지만 제니퍼가 다섯 살이었던 어느 날, 말대꾸를 해서 아버지에게 벌을 받았고 일주일 동안 외출금지를 당했습니다. 이후 성인이 되고 나서, 제니퍼는 자신의 어린 시절을 생각할 때마다 그 사건만을 떠올렸고, 그 일을 생각할 때마다 기분이 상했습니다.

각 개인의 사고 과정에서 정신적 여과가 보입니까? 제바는 과거의 모든 성공을 걸러냈기 때문에 한 번의 완벽에 미치지 못하는 성적에 엄청난 충격을 받았습니다. 안토니오는 여자친구가 더 편안한 다른 시간에 들르겠다고 말한 사실을 걸러냈습니다. 그리고 제니퍼는 어린 시절의 긍정적인 경험을 전부 걸러냈고, 오직 단 한 번 겪은 시련에만 집중했습니다.

세상의 색깔을 볼 수 없을 정도로 어두운 선글라스를 항상 끼고 산다고 상상해보십시오. 얼마나 제한적이고 음울한 삶을 살게 될지 생각해보십시오. 이처럼 당신의 경험을 걸러내고 오직 삶의 고통스러운 요소에만 집중하면, 당신 또한 제한적이고 만족스럽지 못한 삶을 선택하는 것입니다.

당신의 생각과 감정 사이의 균형을 맞추기 위해서는 감정을 촉발하는 사건의 양 측면을 지지하는 증거들을 살펴볼 필요가 있습니다.

- 자기비판을 지지하는 증거 VS 당신이 좋은 사람이라는 증거

- 당신에게 나쁜 일만 일어난다는 증거 VS 좋은 일도 일어난다는 증거

- 아무도 당신을 신경 쓰지 않는다는 증거 VS 사람들이 당신을 신경 쓴다는 증거

- 어떤 것도 제대로 해내지 못한다는 증거 VS 과거에 성공한 증거

- 현재 상황이 끔찍하다는 증거 VS 당신이 생각하는 것 만큼 나쁘지 않다는 증거

- 일반적으로, 나쁜 것에 대한 증거 VS 좋은 것에 대한 증거

"큰 그림"을 보는 것은 정신적 여과와 상반됩니다. 만약 당신이 인생을 살아오며 좁은 시야로 부정적인 증거들에만 집중하며 시간을 보냈다면, 큰 그림을 보는 게 어려울 수 있습니다. 하지만 당신의 고통스러운 생각과 감정에 반하는 증거들을 분석함으로써 큰 그림을 보는 법을 배울 수 있습니다. 압도적인 감정을 경험하는 사람들은 종종 이러한 사실을 간과하는데, 이러한 사실은 큰 그림의 나머지를 채워주고 대개 상황에 대한 당신의 감정을 바꿔줄 수 있습니다. 이제 연습을 통해, 당신은 당신의 경험을 덜 걸러내고 감정에 덜 압도될 것입니다.

큰 그림을 보기 위해 다음의 가이드라인을 사용하십시오. 당신의 감정에 압도되었다고 느끼는 상황임을 깨달을 때, 자신에게 아래의 질문들을 던져보십시오:

1. 어떤 일이 일어났는가?

2. 그 결과, 당신은 어떤 생각을 하고 어떤 감정을 느꼈는가? (구체적으로)

3. 당신의 생각과 감정을 *지지하는* 증거는 무엇인가?

4. 당신의 생각과 감정을 *반박하는* 증거는 무엇인가?

5. 이 상황에 대해 더 정확하고 공정하게 생각하고 느낄 수 있는 방향은 무엇인가?

6. 건강한 방식으로 이 상황을 해결하기 위해 무엇을 할 수 있는가?

당신이 어떤 상황에 압도되기 시작할 때, 당연히 먼저 무슨 일이 일어났는지 자신에게 물어보십시오. 시작을 위한 가장 좋은 지점입니다. 당신의 기분을 상하게 한 것이 무엇인지 확인하십시오. 테바의 예시를 생각해보면, 그녀는 수학 시험에서 낮은 점수를 받았다는 것을 확인했을 것입니다.

두 번째, 당신의 생각과 감정을 확인하십시오. 당신의 생각은 당신의 감정에 강력한 영향을 미친다는 것을 기억하십시오. 그러나 만약 그 상황에 대한 당신의 생각이 여과되고 있고 큰 그림을 보지 못한다면, 당신의 생각은 압도적이고 고통스러운 감정을 유발할 가능성이 더 높습니다. 제바의 경우, 그녀는 "난 완전 실패자야"라고 생각했고, 그런 뒤 짜증과 화에 압도되었습니다.

세 번째, 어떤 증거가 그 상황에 대한 당신의 생각과 감정을 지지하는지 질문하십시오. 이것은 보통 답하기 쉬운 질문입니다. 만약 당신이 부정적이고 고통스러운 사실만을 보기 위해서 당신의 경험을 걸러낸다면, 당신이 왜 그렇게 고통스럽고 압도되는지에 대한 수많은 이유를 쉽게 알 수 있습니다. 어쨌든 이것이 당신이 평소에 하는 일입니다. 제바는 왜 그렇게 짜증이 났는지 쉽게 확인할 수 있었습니다. 그녀는 항상 그러했듯 공부를 열심히 했지만, 시험에서 낮은 점수를 받았고, 평생에 가장 낮은 점수였습니다.

네 번째, 이 질문은 압도적인 감정으로 힘들어하는 사람들에게 보통 새로운 도전이 됩니다. 그 상황에 대한 당신의 생각과 감정을 반박하는 증거를 식별하기 위한 질문을 자신에게 하는 것은 그 상황을 새롭고 더 깊은 방식으로 살피라는 것입니다. 예를 들어, 거리에 서 있는 사람과 비행기를 타고 하늘을 나는 사람을 비교했을 때, 그들이 보는 세상이 얼마나 다를지 상상해보십시오. 그 둘 모두 똑같은 풍경을 보고 있지만, 비행기 안에 있는 사람은 전체 풍경을 더 잘 볼 수 있습니다. 이게 바로 큰 그림입니다.

마찬가지로, 당신은 상황에 영향을 미치는 사실과 증거를 더 검토하고 당신의 큰 그림을 그릴 필요가 있습니다. 앞의 예시에서 본 것처럼, 사람들은 종종 삶의 긍정적 요소를 걸러내 버리고, 그 상황에 대해 느끼는 방식을 바꿀 수도 있는 사실을 무시합니다. 만약 당신이 감정에 압도되는 것을 진정으로 멈추고 싶다면, 모든 사실을 살펴야만 할 것입니다. 제바가 무엇을 걸러냈는지 기억합니까? 그녀는 전부 A를 받는 학생이며, 우등생 명단에 올라있고, 처음으로 선택한 대학에서 전액 장학금을 받았습니다. 그럼 이제 그녀의 생각("난 실패자야")과 감정(짜증과 화에 압도)을 어떤 정보로 반박할 수 있을지 고려해보십시오. 명백하게, 제바는 그녀의 큰 그림에서 몇 가지 아주 중요한 조각을 걸러냈습니다.

이 질문이 당신에게 새롭기 때문에 종종 답을 생각하는 데 시간이 좀 걸린다는 걸 기억하십시오. 그러니 "반박할만한 증거가 없어."라고 말하기 전에, 가능한 사실들에 대해 생각하기 위해 몇 분의 시간을 가지십시오. 자신에게 공정하고 친절하십시오. 어떤 주제든 항상 찬반 증거가 있습니다. 그리고 비록 반박 증거가 사소한 것일지라도, 그 증거는 여전히 당신의 큰 그림을 덧붙여 갑니다. 제바의 예시를 고려해보십시오. 만약 그녀의 예시가 B학점을 받는 학생이거나 열심히 공부하는 학생이라는 내용과 같이 달랐을지라도, 이러한 사실들은 여전히 그녀가 낮은 성적을 받은 일에 대해 느끼는 방식을 바꿀 수 있었을 것입니다. 어떤 사실이나 반박 증거도 간과할 만큼 작지 않습니다.

다음으로, 촉발 사고를 반박하는 새로운 증거를 염두에 두면서, 그 상황에 대해 더 정확하고 공정하게 생각하고 느낄 수 있을지 자문하십시오. 이 연습은 당신의 감정을 알아차리고 온전한 수용을 할 수 있는 좋은 기회입니다. 이 연습은 당신의 감정적인 반응을 새로운 방식으로 보는 것을 돕기 위해 고안된 것이라는 걸 기억하십시오. 당신을 비판하기 위해 고안된 것이 아닙니다. 그러므로 자신을 비판하지 마십시오. 당신의 감정을 계속해서 새로운 방식으로 보면서, 당신 자신과 당신의 감정을 수용하기 위해 노력하십시오. 이 단계에서, 당신의 큰 그림에 새로운 증거를 추가하고, 그 상황에 대한 당신의 생각과 감정을 더 정확하고 공정하게 생각할 수 있는 방법을 만들려고 노력하십시오. 사실 이렇게 한다고 해서 지금 당장 당신의 기분이 바뀌진 않을 것입니다. 그러나 미래에는 이 상황에 대해 어떻게 느낄 수 있을지 알 수 있도록 도와줄 것입니다. 이 기술을 사용하면, 제바의 답은 "공부를 많이 했는데도 성적이 좋지 않은 것 때문에 실망해도 괜찮아. 그러나 이런 낮은 성적은 단지 한 번뿐이야. 나는 거의 A학점을 받았고, 전반적으로 잘 하고 있어."와 같은 내용이 될 수 있었을 것입니다.

마지막으로, 제바는 이렇게 물을 수 있었을 것입니다. "이 상황을 건강한 방식으로 해결하기 위해 뭘 할 수 있을까?" 이때는 이 워크북에서 배운 모든 기술과 연습들을 끌어와야 할 때입니다. 여기에는 이완하고, 평가하고, 목적을 구체화하고, 행동을 취하기 위해 도움이 되는 REST전략이 포함되어야 하겠습니다. 예를 들어, 제바는 친구와 대화를 하거나 이완 음악을 듣는 것과 같은 감정을 가라앉히기 위한 몇몇 고통 감내 기술과 자기 진정 기술을 사용할 수 있었을 것입니다. 또한 그녀는 호흡 마음챙김이나 생각 탈융합과 같은 마음챙김 기술을 사용할 수도 있었을 것입니다. 또는 "누구도 완벽하지 않아; 모든 사람들이 실수하기 마련이야."와 같은 대처 사고를 사용할 수 있었을 것입니다.

분명히 이 연습의 질문들을 사용하는 것이 당신의 감정을 당장에 마법처럼 바꾸어주지는 못할 것입니다. 그러나 이 질문들을 자문하는 것은 당신이 걸러낸 사실들을 인식하는 데 도움이 될 것이며, 또한 미래에 비슷한 상황을 겪을 때 어떻게 반응할 수 있을지 그 가능성을 보여줄 것입니다. 그리고 마침내 이 기술을 연습함으로써, 당신은 이와 비슷한 상황에 새롭고 더 건강한 방식으로 반응하기 시작할 것입니다.

나아가 큰 그림을 보는 것은 당신의 미래에 희망을 가져다줄 것입니다. 자신의 경험을 걸러내는 많은 사람들이 무망감과 좌절감을 느끼는데, 그 이유는 그들은 그들 삶에서 문제와 어려움만을 보기 때문입니다. 하지만 반대되는 증거를 살피는 것은 그들의 관점을 열어주고, 그들의 삶이 긍정적 경험 역시 포함하고 있음을 보도록 해줍니다. 압도적인 감정에 반하는 증거를 살피는 것은 당신의 삶의 다양한 색깔을 보기 위해 어두운 선글라스를 벗는 것과 같고, 이는 참 희망적인 경험입니다.

다음의 증거 일지를 사용하여 당신이 생각하고 느끼는 방식에 대한 증거와 그에 반대되는 증거를 살펴보십시오. 큰 그림 증거 일지를 복사하여 소지하십시오(혹은 출판사 웹사이트에서 다운받으십시오). 그러면 당신이 압도적인 감정을 느끼는 상황에 있을 때 큰 그림을 보기 위해 그 일지를 사용할 수 있습니다. 제바의 경험으로 작성된 다음의 예시가 도움이 될 것입니다.

예시: 큰 그림 증거 일지

질문	당신의 반응
어떤 일이 일어났습니까?	수학 시험에서 낮은 점수를 받았다.
그 결과, 당신은 어떤 생각을 하고 어떤 기분을 느꼈습니까? (구체적으로)	생각: "난 완전 실패자야." 감정: 좌절과 화에 압도됨
당신의 생각과 감정을 지지하는 증거는 무엇입니까?	평소에 그랬던 것처럼 조건을 대해 공부했다. 그런데도 교각 그런 낮은 점수를 받았다. 그것은 내 평생에 가장 낮은 점수였다.
당신의 생각과 감정을 반박하는 증거는 무엇입니까?	난 전부 A학점을 받은 학생이다. 나는 우등생 명단에 올라있다. 그리고 저음으로 선택한 대학에서 전액 장학금을 받았다.
이 상황에 대해 더 정확하고 공정하게 생각하고 느낄 수 있는 방향은 무엇입니까?	열심히 공부했는데도 잘 해내지 못한 것 때문에 실망해도 괜찮아. 하지만 이런 낮은 점수는 딱 한 번뿐이잖아. 난 거의 A를 받았고, 전반적으로 잘 해나고 있어.
건강한 방식으로 이 상황을 해결하기 위해 무엇을 할 수 있습니까?	친구와 이야기 나누기, 좋아하는 음악 듣기, 생각 타용을 사용하기, 마음챙김 호흡하기, 나의 대처 사고 사용하기: "누구도 완벽하지 않아. 모든 사람이 가끔은 실수하기 마련이야."

큰 그림 증거 일지

질문	당신의 반응
어떤 일이 일어났습니까?	
그 결과, 당신은 어떤 생각을 하고 어떤 기분을 느꼈습니까? (구체적으로)	
당신의 생각과 감정을 지지하는 증거는 무엇입니까?	
당신의 생각과 감정을 반박하는 증거는 무엇입니까?	
이 상황에 대해 더 정확하고 공정하게 생각하고 느낄 수 있는 방향은 무엇입니까?	
건강한 방식으로 이 상황을 해결하기 위해 무엇을 할 수 있습니까?	

긍정적 감정 늘리기 ⊠

처음에 이 워크북을 선택하기 전에 당신은 어쩌면 고통스러운 감정의 전문가였을 수 있고, 그런 감정들로 가득 찬 삶이 어떤 느낌인지 이해하고 있었을 것입니다. 그렇지만 이제, 당신은 압도적인 감정을 경험하는 많은 사람들이 그들의 즐거운 감정을 평가절하하거나, 걸러내거나, 애초에 즐거운 감정을 경험할 기회를 갖지 않는다는 것을 알고 있습니다. 그 결과, 그들은 분노, 두려움, 슬픔처럼 그들의 고통스러운 감정에만 집중하고, 행복, 놀라움, 사랑과 같은 즐거운 감정들은 거의 알아차리지 못합니다.

아마 당신도 전에는 그랬을 수 있습니다. 하지만 이제 당신은 당신의 즐거운 감정을 알아차리기 시작하는 것이 당신에게 얼마나 중요한지 알고 있습니다. 당신의 삶이 더 나아지게 하기 위한 변증법적 행동치료를 계속 사용해 가면서, 만약 당신의 삶에서 아직 즐거운 감정을 충분히 경험하고 있지 못하다면 그런 감정을 경험하기 위한 더 많은 방법을 찾고 싶어질 것입니다. 이 말은 당신이 또다른 고통스러운 감정을 절대 경험하지 않을 것이라는 의미가 아닙니다. 그것은 불가능한 일입니다. 우리 모두는 우리 삶의 각기 다른 지점에서 고통스러운 감정을 경험합니다. 그렇다고해서 당신의 삶이 고통스러운 감정에 지배될 필요는 없습니다.

즐거운 감정에 집중하기 위한 아주 신뢰할 만한 한 가지 방법은 당신 자신을 위해 즐거운 경험을 만드는 것입니다. 다시 말하지만, 이것은 제 1장 고통 감내 기술(초급)에서 이미 배운 기술입니다. 그렇지만 반복할 가치가 있는 기술입니다. 당신 자신을 위해 더 균형 잡히고 더 건강한 삶을 세워가기 위해 매일 시간을 내어 스스로 즐거운 경험을 만들고, 그 경험의 결과로 어떤 기분을 느끼고 어떤 생각을 했는지 기록하십시오.

즐거운 경험을 생각하는 데 도움이 필요하다면, 1장의 즐거운 활동 목록을 참고하십시오. 그런 뒤에 다음의 즐거운 활동 일지와 예시를 사용하여 당신이 무엇을 했는지, 그 경험에 대한 느낌과 생각이 무엇인지 기록하십시오. 매일 당신에게 즐거운 무언가를 하려고 노력해야 한다는 것을 기억하십시오. 당신은 즐거운 활동을 할 가치가 있습니다. (출판사 웹사이트에서 즐거운 활동 일지를 다운받을 수 있습니다.)

예시: 즐거운 활동 일지

언제?	무엇을?	어떤 감정을 느꼈습니까?	어떤 생각을 했습니까?
수요일 밤	뜨거운 목욕을 했다.	매우 이완되고 편안함	"이걸 더 자주 해야겠어."
목요일 오후	직장에서 나에게 맛있는 점심 식사를 대접했다.	만족스러움, 행복함	"항상 그럴 여유는 없더라도 난 좋은 음식을 즐길 거야."
목요일 밤	휴대폰을 끄고 영화를 봤다.	아주 좋음, 많이 웃음	"난 코미디 영화를 충분히 보지 않는구나."
금요일 밤	남자친구와 저녁을 먹으러 갔다.	흥분됨, 긴장됨, 행복함	"우리가 그런 식으로 더 자주 외출하면 좋겠어."
토요일 아침	예배를 위해 절에 갔다.	신성스러움, 특별함, 편안함	"더 자주 와야겠어."
토요일 오후	호수로 산책을 갔다.	편안함, 평화로움	"호수가 아름답다."
토요일 오후	산책을 하고 아이스크림을 사러 갔다.	어렸을 때처럼 행복함	"이렇게 행복했던 때가 그립다."
토요일 밤	집에서 책을 읽었다.	이완됨, 고요함	"가끔 조용한 무언가를 하는 것도 좋네."
일요일 아침	늦잠을 잤다.	푹 쉰 느낌	"주중에는 충분히 자지 못했어."
일요일 밤	또 거품 목욕을 했다.	평화로운 아늑함	"매일 밤 이걸 해야겠어요."

즐거운 활동 일지

언제?	무엇을?	어떤 감정을 느꼈습니까?	어떤 생각을 했습니까?

제 8 장

감정 조절 기술
-중급-

이 장에서는 더 발전된 감정 조절 기술을 배우게 될 것입니다:

1. 판단 없이 감정에 마음챙김 하기

2. 감정 노출

3. 감정적 충동에 반대되는 행동하기

4. 문제 해결하기

제 4장 마음챙김 기술(초급)에서 마음챙김으로 감정을 인식하고 표현하는 방법을 배웠습니다. 판단 없이 감정을 알아차리는 것을 배우는 것은 감정이 강렬해지고 훨씬 더 고통스러워질 가능성을 줄여줍니다. 이제 이 장에서 감정 노출을 통해 매우 중요한 두 가지를 연습하게 될 것입니다. 첫 번째, 새로운 감정이 이전의 감정을 대체함으로써 감정이 일어나고 잦아들며 변화하는 것을 보면서 감정의 자연스러운 순환 주기를 관찰하는 방법을 배울 것입니다. 두 번째, 감정을 회피하거나 저항하지 않고 강렬한 감정을 감내할 수 있는 방법을 배울 것입니다. 비록 당신이 감정으로부터 도망치고 싶거나 감정을 해로운 행동(예: 소리치기, 때리기, 무언가 부숴버리기)을 나타내고 싶을지라도, 그 감정 "안"에 머무는 연습을 하게 될 것입니다. 감정 노출은 당신의 감정을 두려워하지 않는 것을 배우기 위한 결정적인 과정이며, 이를 통해 감정 조절 기술을 강화하게 될 것입니다. 더 많이 이 노출하기 작업을 연습할수록, 강렬한 감정적 도전을 마주할 때 더 큰 자신감을 느끼게 될 것입니다.

판단 없이 감정에 마음챙김하는 것과 감정 노출에 더하여 당신은 *감정적 충동에 반대되는 행동하기*라고 불리는 행동 기술을 배울 것입니다. 이 기술은 당신이 현저하게 강렬한 감정을 경험할 때 흔히 취하게 되는 행동을 바꾸는 데 도움을 줄 것입니다. 당신이 강렬한 감정을 경험할 때, 그 감정은 당신의 행동에 보통 두 가지 방식으로 영향을 미칩니다. 하나는 당신의 감정에 따라 얼굴 표정과 신체 언어가 바뀝니다. 예를 들어, 만약 화가 난다면, 당신은 얼굴을 찡그리고 주먹을 꽉 쥐게 될 것입니다. 아니면 혹시 무서움을 느낀다면, 어깨를 구부리고 눈을 크게 뜰 것입니다. 강렬한 감정이 당신의 행동에 미치는 다른 한 방식은 대개 저항하기 힘든 강력한 충동을 일으키는 것입니다. 가령, 분노의 경우 소리치거나 때리고 싶은 충동을 일으킬 수 있고, 반면에 두려움은 움츠리거나 물러나고 싶은 충동을 일으킬 수 있습니다. "감정적 충동에 반대되는 행동하기"는 이러한 비효율적이고 감정에 따른 반응을 차단하는 동시에 당신이 감정을 가라앉힐 수 있도록 돕는 전략입니다.

이번 장에서 배우게 될 중요한 다음 단계는 높은 수준의 감정이 개입된 상황을 더 효과적으로 다루는 데 도움이 될 행동 분석과 문제 해결 기술입니다. 당신의 감정적 반응을 일으키는 원인이 무엇인지 확인하게 될 것이며, 감정을 자극하는 사건들을 해결할 수 있는 대안적 전략들을 훈련하는 방법을 배울 것입니다.

이 장에서 다룰 마지막 내용은 주간 조절 장치라고 불리는 훈련 요법을 소개하는 것입니다. 이 요법은 여기서 배운 핵심적인 정서 조절 기술을 꾸준히 연습하는 데 도움을 줄 것입니다.

판단 없이 감정에 마음챙김 하기 ⊠

판단 없이 감정에 마음챙김 하는 법을 배우는 것은 감정의 수준이 높아지는 것과 훨씬 더 고통스러운 감정으로 발전할 가능성을 줄여줍니다.

연습 : 판단 없이 감정에 마음챙김 하기

이 기술은 당신의 호흡을 마음챙김하며 자각하는 것으로 시작합니다. 매호흡마다 코를 통해 들어오는 공기의 흐름과 가슴이 확장되었다가 수축되는 느낌 그리고 복부가 오르내리는 느낌에 집중하십시오. 네 번에서 다섯 번 천천히 길게 호흡한 뒤에 다음 두 가지 중 하나를 할 수 있습니다: (1) 당신이 느끼고 있을 수 있는 현재의 감정을 관찰하는 것, 또는 만약 감정을 알아차릴 수 없다면 (2) 감정적 반응을 경험했던 최근 일상에서의 사건을 시각화하는 것입니다. 어떠한 장면을 시각화한다면, 가능한 한 많은 세부 사항을 알아차리십시오. 당신과 다른 사람들인 어떤 말을 했고 어떻게 행동했는지 기억하기 위해 노력하십시오.

이 연습을 시작하기 전에 연습에 익숙해질 수 있도록 먼저 지시문을 읽어보십시오. 만약 지시문을 들으면서 연습하는 게 더 편하게 느껴진다면, 스마트폰을 사용하여 지시문을 느리고 편안한 목소리로 녹음하고 이 기술을 연습하는 동안 그 녹음 파일을 사용하십시오.

지시문

천천히 그리고 고르게 호흡하면서, 감정이 느껴지는 당신의 신체 부위로 주의를 가져오십시오. 가슴이나 배에서 감정이 느껴지나요? 아니면 얼굴이나 머리에서 느껴지나요? 팔이나 다리에서 감정이 느껴지나요? 어떠한 것이든 그 감정과 관련된 신체 감각을 알아차리십시오. 이제 그 감정의 강도를 자각해보십시오. 감정의 강도가 커지고 있나요? 아니면 작아지고 있나요? 즐거운 감정인가요? 아니면 고통스러운 감정인가요? 감정에 이름을 붙여주거나 감정의 특성 중 일부를 묘사하도록 노력하십시오. [지시문을 녹음한다면, 여기서 1분간 멈추십시오.]

이제 당신의 생각을 알아차리기 위해 노력하십시오. 감정에 대한 생각이 있나요? 감정이 다른 사람이나 당신 자신에 대한 판단을 촉발시키나요? [지시문을 녹음한다면, 여기서 1분간 멈추십시오.]

이제 각 판단이 다음 중 하나라고 상상해보십시오

- 시내를 따라 흘러가, 굽이를 지나고, 시야에서 사라지는 나뭇잎

- 화면에 잠깐 깜빡였다가 사라지는 컴퓨터 팝업 광고

- 당신 앞의 철도를 지나가는 긴 행렬의 화물 열차

- 바람 부는 하늘에 떠 있는 구름

- 빠르게 스쳐 지나가는 메시지가 적힌 광고판

- 사막의 고속도로에서 당신을 스쳐 지나가는 트럭이나 차들의 행렬

당신에게 가장 효과적인 이미지를 선택하십시오. 핵심이 되는 것은 당신의 판단을 알아차리고, 그 판단을 광고판이나 나뭇잎이나 화물 열차 위에 올려놓고 지나가도록 하는 것입니다. [지시문을 녹음한다면, 여기서 1분간 멈추십시오.]

그저 계속해서 당신의 감정을 관찰하십시오. 자신이나 타인에 대한 판단이 의식에 떠오르기 시작할 때, 그것을 시각화하여 (나뭇잎, 구름, 광고판 등) 멀어지고 시야에서 사라지는 것을 바라보십시오. [지시문을 녹음한다면, 여기서 1분간 멈추십시오.]

이제 당신이 무엇을 느끼든 그것을 느낄 수 있는 권리를 스스로에게 상기시킬 때입니다. 감정은 바다의 파도처럼 오고 갑니다. 일어난 다음에는 서서히 물러납니다. 당신이 무엇을 느끼든 그것은 그럴만한 이유가 있고 필요한 것입니다. 아무리 강렬하거나 고통스럽더라도 말입니다. 천천히 숨을 들이마시고 그 감정을 잠시 당신 안에 머무는 무언가로 받아들이십시오. 그런 뒤 지나가게 하십시오. [지시문을 녹음한다면, 여기서 1분간 멈추십시오.]

당신의 판단적인 생각들을 알아차리십시오. 그 생각들을 시각화하고 지나가게 두십시오. 당신의 감정이 마치 바다에 일었다 사라지는 파도처럼 있는 그대로 있도록 하십시오. 잠시 동안 당신의 감정을 타고 가다가, 그 감정들은 사라집니다. 자연스럽고 정상적인 일입니다. [지시문을 녹음한다면, 여기서 1분간 멈추십시오.]

3분간 마음챙김 호흡을 하며 연습을 마치십시오. 이때 날숨을 헤아리면서(1, 2, 3, 4) 호흡하는 순간의 경험에 집중하십시오. [지시문을 녹음한다면, 여기서 3분간 멈추십시오.]

이 연습을 돌이켜보면, 당신은 이 연습이 힘들다는 걸 알았을지도 모릅니다. 판단을 관찰하고 지나가게 두는 것이 매우 낯설고 이상하게 느껴질 수도 있습니다. 그러나 중요한 무언가를 하고 있는 것입니다. 당신은 판단적 사고에 의해 통제되기보다는 판단을 관찰하는 것을 배우고 있는 것입니다. 다음 단계로 넘어가기 전에 이 연습을 3회에서 4회 정도 시도해볼 것을 권장합니다.

기억하십시오. 판단 없이 당신의 감정을 관찰하는 연습의 핵심 단계는 다음과 같습니다:

- 호흡에 집중하기

- 감정에 집중하기(현재 혹은 과거의)

- 감정과 관련된 신체 감각 알아차리기

- 감정에 이름 붙이기

- 판단(자신, 타인, 감정 자체에 대한) 알아차리고 지나가게 두기. "시내를 따라 흘러가는 나뭇잎" 또는 다른 이미지 이용하기

- 감정 바라보기; 감정은 바다의 파도와 같다.

- 당신의 감정을 느낄 권리가 있음을 자신에게 상기시키기

- 계속해서 판단을 알아차리고 지나가게 두기

- 3분간의 마음챙김 호흡으로 마무리하기

감정 노출 ⊠

감정을 회피하는 대신 직면하는 것은 변증법적 행동치료의 주된 목표입니다. 감정 노출은 당신이 느낌을 수용하고 이를 덜 두려워하는 능력을 키우는데 도움이 됩니다.

1단계는 특정한 감정적 사건과 그 감정을 어떻게 다룰지를 더 잘 자각할 수 있도록 감정 일지를 작성하는 것으로 시작됩니다. 다음 페이지의 일지를 복사해두거나 출판사 웹사이트에서 다운받으십시오. 다음 한 주 동안 당신이 경험하는 모든 중요한 감정을 감정 일지에 기록하십시오. "사건"란에는 무엇이 감정을 유발했는지 적으십시오. 촉발 사건은 생각이나, 기억, 또 다른 감정과 같이 내부적인 것 일 수 있습니다. 또는 당신이나 다른 사람이 말하거나 행동한 것과 같이 외부적인 것일 수도 있습니다. "감정" 아래에는 당신의 느낌을 요약하는 단어나 문장을 쓰십시오. "대처 혹은 차단 반응" 아래에는 그 감정을 밀어내기 무엇을 했는지 적으십시오. 감정을 억누르거나 숨기려고 했습니까? 싸움을 걸거나 무서운 것을 회피하는 행동을 했습니까? 당신의 대처 혹은 차단 반응에 대한 이 기록은 당신이 이 장의 후반부에서 감정에 노출하기 위한 감정을 확인하는 데 도움이 될 것입니다.

예시: 감정 일지

린다는 분노와 거절당한 느낌으로 인해 고군분투해왔으며, 크리스마스 전 주 동안 다음의 감정 일지를 작성했습니다. 이혼한 그녀의 부모님 중 누구도 그녀를 크리스마스 휴일에 초대하지 않았습니다.

린다의 감정 일지

날짜	사건	감정	대처 혹은 차단 반응
12/18	남동생이 전화를 해서, 크리스마스에 아버지 댁에 가는지 물었다. 하지만 나는 초대 받지 못했다.	상처받음, 거절감, 분노	경멸하는 목소리로 "아니"라고 말했다. 주제를 바꿔, 여전히 그 가족의 일원이 되려고 하는 것과 그가 얼마나 멍청한지에 대해 비판했다. 아버지는 그를 전혀 좋아하지 않는다고 말했다.
12/18	남동생에게 했던 말들	죄책감	감정이 분노로 바뀌었다. 아버지에게 이메일을 보냈다. 이메일에 나를 초대하지 않다니 아버지는 바보라고 적었다.
12/19	엄마에게 전화를 했지만, 엄마가 너무 바빠서 대화할 수 없었다.	거절감, 분노	얼마나 형편없는 엄마인지 생각했다. "바쁜 일정 가운데 시간을 내느라" 방해받지 말고, 다시 전화해 달라고 이메일을 보냈다.
12/20	장난감 가게 창문으로 아름다운 성을 보았다. 내가 받곤 했던 시시한 크리스마스 선물들이 생각났다.	거절감, 슬픔	아이스크림을 샀고, 이러한 시즌의 노예이자 "멍청한 개미들"인 크리스마스 쇼핑객들을 바라보았다.
12/21	아버지를 위한 가죽 서류가방을 샀다.	분노, 죄책감	크리스마스 파티에서 이걸 열어보고, 날 초대하지 않은 것에 대해 기분이 더러워지길 바란다. "훌륭한 아빠가 되어줘서 고마워요."라고 쓰고, 내가 보낸 이메일에 대해 사과하는 가짜 쪽지를 썼다.
12/22	엄마가 전화를 했다.	거절감, 분노	엄마에게 아주 차갑게 대했다. 엄마가 크리스마스 전 만찬에 초대했을 때 바쁘다고 말했다.

감정 일지

날짜	사건	감정	대처 혹은 차단 반응

당신의 감정 일지를 돌아볼 때, 두 가지 사항에 주의를 기울여 주기 바랍니다. 첫 번째, 만성적으로 계속해서 나타나는 감정이 무엇인지 확인하십시오. 두 번째, 당신이 일반적으로 사용하는 대처 혹은 차단 메커니즘과 그 반응의 결과를 확인하십시오. 당신의 대처 혹은 차단 반응이 효과가 있습니까? 그런 반응을 하고 몇 시간이 흐른 뒤 기분이 나아졌나요? 아니면 나빠졌나요?

반복적으로 나타나는 감정 또는 감정을 줄이는 것보다 더 많은 고통을 유발하는 차단 전략을 취하게 하는 감정은 감정 노출 연습을 위한 좋은 대상이 됩니다. 비효율적인 감정이나 파괴적인 차단 전략은 노출을 필요로 하는데, 왜냐하면 당신의 낡은 방법인 회피 전략 없이 감정을 직면하고 그 감정을 느끼는 연습을 할 필요가 있기 때문입니다. 이러한 유형의 전략은 효과가 없고, 종종 당신을 더 많은 문제에 빠뜨릴 뿐입니다.

린다는 그녀의 일지를 검토하고 나서 그녀가 느낀 거절감에 대처하기 위해 한 행동들(예: 공격하기, 비판하기, 냉대하기, 거절하기)이 그녀를 더 깊은 감정의 구덩이로 몰아넣을 뿐이라는 걸 깨달았습니다. 그녀는 결국에 죄책감과 자기혐오에 압도되었고, 가족으로부터 더욱 소외된 것처럼 보였습니다.

린다는 낡은 회피 전략 없이 그녀의 감정과 함께 머무는 방법과 감정을 관찰하는 방법을 배울 필요가 있었습니다. 감정 노출은 그녀에게 대단히 중요한 기술이 될 것입니다. 어떻게 그것이 작동하는지는 다음과 같습니다.

연습 : 감정 노출

당신이 작업하기로 선택한 감정을 느끼기 시작하면, 다음의 절차를 따르십시오. 지시문을 직접 읽어도 좋고, 스마트폰에 녹음하여 들어도 좋습니다.

지시문

서너 번 횡격막 호흡을 하십시오. 호흡이 폐를 채우고 가슴과 복부를 늘리면서 몸 안으로 들어오는 게 어떻게 느껴지는지 살피십시오. 천천히 호흡하면서, 당신의 몸 내부에서 어떤 느낌이 나는지, 특히 복부와 가슴에서 어떤 느낌이 나는지 살피십시오. 또한 당신의 목과 어깨와 얼굴의 감각을 알아차리십시오. [지시문을 녹음한다면, 여기서 1분간 멈추십시오.]

이제 감정적으로 어떻게 느껴지는지 살피십시오. 감정을 알아차릴 때까지 계속해서 주의를 기울이십시오. 감정을 묘사해보십시오. 이름을 붙이십시오. 감정의 강도를 확인하십시오. 그 강도를 설명하기 위한 단어들을 찾으십시오. 그 감정이 커지고 있는지 아니면 작아지고 있는지 살피십시오. 만약 그 감정이 파도라면, 당신은 지금 파도의 어느 지점에 있나요? 상승하는 구간에 있나요? 파도의 정상에 있나요? 아니면 파도 아래로 미끄러져 내려오기 시작했나요? [지시문을 녹음한다면, 여기서 1분간 멈추십시오.]

이제 감정의 변화를 살피십시오. 처음 감정에 엮이기 시작하는 다른 감정들이 있나요? 새로 생기는 감정들을 자신에게 묘사해보십시오. 그저 계속해서 바라보고 감정의 질이나 강도의 미세한 변화를 묘사하기 위한 단어를 찾아보십시오. [지시문을 녹음한다면, 여기서 1분간 멈추십시오.]

감정을 계속 바라보다 보면, 아마 감정을 차단하고 밀어내고자 하는 욕구를 알아차릴 수도 있습니다. 정상적인 일이지만, 당신의 감정을 조금만 더 지켜보려고 노력하십시오. 당신이 느끼는 감정을 계속 자신에게 묘사하고, 감정의 변화를 계속 알아차려보십시오. [지시문을 녹음한다면, 여기서 1분간 멈추십시오.]

감정에 따라 행동하지 않고, 폭발하거나 회피하지 않고, 자신을 다치게 하지 않는 것이 어떤 것인지 살피십시오. 행동 없이, 보고 있지만 하지는 않는 느낌만 그저 자각하십시오. [지시문을 녹음한다면, 여기서 1분간 멈추십시오.]

이것은 당신의 삶에서 일어나는 셀 수 없이 많은 다른 감정적 파도와 같이 지나가는 파도라는 것을 상기하십시오. 파도는 오고 갑니다. 당신이 좋은 기분을 느꼈던 때도 많습니다. 곧 이 파도는 지나갈 것이고, 당신은 다시 고요의 순간을 느끼게 될 것입니다. 파도를 바라보고 천천히 지나가게 두십시오. [지시문을 녹음한다면, 여기서 1분간 멈추십시오.]

만약 당신 자신과 타인에 대한 판단이 일어난다면, 그것을 알아차리고 지나가게 두십시오. 만약 지금의 감정에 대한 판단이

있다면, 그것을 알아차리고 지나가게 두십시오. 할 수 있는 최선을 다해서 이 감정을 받아들이려고 노력하십시오. 이것은 단지 삶의 불편감 중 하나일 뿐입니다. [지시문을 녹음한다면, 여기서 1분간 멈추십시오.]

조금만 더 당신의 감정을 자각하십시오. 만약 감정이 바뀐다면, 바뀌도록 두십시오. 어떤 감정을 느끼는지 자신에게 묘사하십시오. 그 감정이 바뀌든지 아니면 작아질 때까지 계속 바라보십시오. [지시문을 녹음한다면, 여기서 1분간 멈추십시오.]

몇 분간 마음챙김 호흡을 하며 연습을 마무리하십시오. 호흡의 수를 헤아리면서 매호흡의 경험에 집중하십시오. [지시문을 녹음한다면, 여기서 2분간 멈추십시오.]

감정 노출하기를 연습할 때 처음에는 5분 정도의 짧은 시간 동안 연습할 것을 권장합니다. 감정에 집중하는 것이 점점 더 익숙해짐에 따라, 더 오랜 시간 동안 감정 노출을 견뎌낼 수 있을 것입니다. 그리고 이 연습을 마칠 때는 항상 마음챙김 호흡으로 마쳐야 한다는 것을 유념하십시오. 왜냐하면 마음챙김 호흡이 높은 강도의 감정을 완화해주고, 이완을 도와주기 때문입니다. 또한 마음챙김 기술을 강화해주고 효능에 대한 자신감을 증진해줄 것입니다.

기억하십시오. 감정에 노출하기 연습의 핵심 단계는 다음과 같습니다:

- 호흡에 집중하기

- 몸 내부의 느낌 알아차리기

- 감정 알아차리고 묘사하기

- 감정이 커지는지 아니면 작아지는지 알아차리기; 파도인 것처럼 바라보기

- 새로 일어나거나 바뀌는 감정의 성질을 묘사하기

- 감정을 차단하려는 욕구를 알아차리기, 하지만 그저 바라보기

- 감정에 따라 행동하려는 충동 알아차리기, 하지만 행동 없이 계속 바라보기

- 판단(자신, 타인, 감정 자체에 대한) 알아차리고 지나가게 두기

- 감정이 변하거나 작아질 때까지 계속 바라보기

- 몇 분간의 마음챙김 호흡으로 마무리하기

(출판사 웹사이트에 방문하여 '감정에 노출하기 연습의 핵심 단계'를 다운받으십시오.)

예시: 감정 마음챙김과 감정 노출의 활용

아담은 5년 넘게 전 부인에 대한 상처와 분노로 괴로워해 왔습니다. 그들은 일곱 살, 열 살 아이들을 양육하고 있고, 아이들은 이제 각 부모의 집에서 한 주의 반을 각각 보내게 되었습니다. 사실상 그들은 매번 만나고 있고, 그때마다 아담의 전 부인은 그를 화나게 하는 말을 했습니다. 그리고 거기서 끝나지 않았습니다. 아담은 그런 일이 있고 나면, 며칠 동안 훗날 복수를 하기 위해 어떤 말이나 행동을 할지 치밀하게 계획하며 속을 끓였습니다.

판단 없이 감정에 마음챙김 하기 연습은 아담에게 버거운 일처럼 보였지만, 그는 지속적인 감정적 동요에 지쳐버렸고 그의 주치의는 최근 그에게 고혈압의 위험에 대해 경고했습니다. 그는 전 부인은 상관하지 않고 자신의 현재 감정에 초점을 맞추는 것으로 시작했습니다. 놀랍게도, 그는 화가 나기보다는 종종 슬픔을 느꼈습니다.

아담이 그의 슬픔을 관찰했을 때, 그는 복부와 어깨의 무거운 느낌을 인식하기 시작했습니다. 그는 그 순간 자신이 아주 무거운 짐을 옮기고 있는 이미지를 떠올렸습니다. 다음과 같은 판단이 일어났습니다. "나는 더 강해져야 한다. 나는 좋은 아버지가 아니었다. 나는 나의 삶을 망쳐버렸다." 그는 이러한 생각을 알아차렸고, 그의 앞을 지나치는 화물 열차의 행렬을 상상하며 그 생각들을 지나가게 두었습니다.

아담은 슬픔과 투쟁하지 않았습니다. 그는 감정을 바다의 파도처럼 일었다 사라지는 것으로 바라보았습니다. 자신에게 슬픔을 느낄 권리를 허락했습니다. 그리고 아담은 마음챙김 호흡과 함께 자신을 진정시킬 수 있는 능력에 대한 자신감을 얻었습니다.

감정에 노출하기는 더 도전적인 일이었습니다. 이 연습을 위해 아담은 전 부인과 관련해서 유발되는 감정을 작업하기로 선택했습니다. 첫 번째 감정 노출을 하기로 한 사건은 전 부인이 그에게 "아이들에게 짜게 굴고, 자발적으로는 절대 돈을 쓰는 법이 없어."라고 비난하는 전화를 받고 난 뒤에 일어났습니다.

아담은 그러한 말이 그의 몸에 미치는 영향을 살피는 것으로 연습을 시작했습니다. 가슴과 목의 심한 압박감과 함께 열감이 느껴졌습니다. (그는 그것이 혈압인지 궁금했습니다.) 이제 자신에게 그의 분노를 설명했습니다. 그것은 깊은 혐오감과 함께 치밀어 오르는 딱딱함과 날카로운 느낌이었습니다. 다른 것도 있었습니다. 거의 절망처럼 보이는 무력감이었습니다. 그의 상황이 결코 나아지지도 달라지지도 않을 것 같은 느낌이었습니다.

그 절망감이 더 강해질수록 아담은 그 감정을 외면하고 차단하고 싶은 충동을 알아차렸습니다. 그는 맥주를 마시고 싶었고, 전 부인에게 어떤 반응을 보일지 계획을 세우기 시작했습니다. 노력을 기울여 아담은 계속해서 그의 감정을 관찰했습니다. 어떤 특정 감정을 붙잡으려 하지 않고, 어떤 감정이 느껴지든 그것에 계속해서 주의를 기울였습니다.

또한 아담은 절망감에 따라 행동하고 싶은 충동을 알아차렸습니다. 그는 화를 내고 싶었고, 전 부인에게 전화를 걸어 그녀가 그와 자녀들의 관계를 망치고 있다고 소리치고 싶었습니다. 그런 뒤에 그는 차에 타서 나무를 들이받는 장면을 떠올렸습니다. 절반은 복수를 위해 그리고 절반은 그가 느끼는 모든 고통을 끝내기 위해서 그렇게 하고 싶었습니다.

그의 감정을 관찰하는 동안, 판단이 계속해서 일어났습니다: "나의 전 부인은 악마야... 그녀와 결혼한 건 멍청한 일이었어... 그녀가 내 삶을 파괴했어... 이 상황은 너무 망가져 버려서 도저히 살아갈 수가 없어." 노력이 필요하긴 했지만, 그는 자신의 모든 생각을 화물 열차에 싣고 모두 지나가게 두었습니다.

시간이 얼마 흐른 뒤, 아담은 놀라운 일을 알아차렸습니다. 그가 판단을 붙들고 있지 않으면 절망감이 사라지기 시작했습니다. 절망감은 누그러져 이제 후회에 가까운 느낌으로 변했습니다.

이제 아담은 매호흡의 수를 헤아리고 관찰하며 호흡으로 주의를 되돌렸습니다. 3분이 지나자 그는 진한 고요를 느꼈습니다. 그것이 세상에서 가장 좋은 느낌은 아니었지만, 함께 마주할 수 있는 느낌이었습니다.

감정적 충동에 반대되는 행동하기 ⊠

당신이 어떤 감정을 느끼든 그 감정을 느끼는 데는 보통 좋은 이유가 있습니다. 비록 그게 고통스러운 감정일지라도, 당신의 감정은 그만한 이유가 있고 정당한 것입니다. 감정 그 자체보다 더 큰 문제는 감정에 끌려가는 행동입니다. 왜냐하면 감정에 따라 행동하는 것은 종종 파괴적인 결과를 초래하기 때문입니다. 예를 들어, 화를 내며 말로 다른 사람을 공격한다면 당신의 관계를 해칠 수 있고, 한편 두려움 때문에 중요한 업무와 도전을 피한다면 직장에서 맡은 바를 다하지 못할 수 있습니다.

감정적 충동에 따라 행동하는 것이 지닌 두 번째 문제는 그러한 행동이 기존의 감정을 강화한다는 점입니다. 만약 당신이 파괴적인 충동에 따라 행동한다면, 안도감을 얻는 것이 아니라 오히려 감정에 훨씬 더 사로잡힐지도 모릅니다. 이때가 바로 *반대되는* 행동이 나와야 할 때입니다. 감정에 기름을 붓는 대신에, 반대되는 행동은 그 감정을 조절하고 변화시키는 것을 도와줍니다. 아래에 반대되는 행동의 예시가 나와 있습니다.

예시: 반대되는 행동

감정	감정이 추동하는 행동	반대되는 행동
분노	공격, 비판, 상처 주기, 소리치기	인정하기, 자리 피하기 또는 주의 분산하기, 부드러운 목소리로 말하기
두려움	회피하기, 어깨 움츠리기	두려워하는 것에 다가서기, 회피해온 행동 실행하기, 당당하게 행동하기
슬픔	차단하기, 회피하기, 수동적 태도 보이기, 주저앉기, 고개 떨구기	활동적으로 행동하기, 참여하기, 목표 세우기, 의연해지기
조책감/수치심	자기 처벌하기, 자백하기, 회피하기, 차단하기	근거 없는 조책감이라면 조책감을 유발하는 게 무엇이든 그것을 유지하기; 마땅한 조책감이라면 용서를 구하고 보상하기

반대되는 행동하기는 당신의 신체 언어(자세, 얼굴 표정)뿐만 아니라 당신의 실제 행동까지 바꾼다는 걸 알아두십시오. 반대되는 행동하기는 경험하고 있는 감정을 부인하거나 그 감정을 경험하고 있지 않은 척하는 것이 아닙니다. 감정을 조절하는 것입니다. 당신의 감정을 인정하지만, 감정을 줄이거나 새로운 감정으로 나아가기 위해 반대되는 행동을 하십시오.

다음은 반대되는 행동을 만들기 위한 6단계입니다:

1. 당신이 느끼는 것을 인정하는 것으로 시작하십시오. 감정을 단어로 표현하십시오.

2. 그 감정의 강도를 조절하거나 줄여야 하는 적당한 이유가 있는지 자신에게 물어보십시오. 그것이 당신을 압도하고 있나요? 그것이 당신을 위험하거나 파괴적인 일을 하게 만드나요?

3. 감정에 수반되는 특정한 신체 언어와 행동을 살피십시오(위의 표에서 "감정 기반 행동" 열 참고). 당신의 얼굴 표정과 자세는 어떤가요? 무슨 말을 어떻게 하고 있나요? 그 감정에 대한 반응으로 구체적으로 어떤 행동을 하고 있나요?

4. 당신의 반대되는 행동을 확인하십시오. "나 화났어." 혹은 "나 무서워."라고 소리 지르지 않기 위해 당신의 얼굴과 몸의 긴

장을 어떻게 이완할 수 있을까요? 우울감 대신에 자신감과 활력을 전달하기 위해 당신의 자세를 어떻게 바꿀 수 있을까요? 어떻게 하면 도망치지 않고 당신이 두려워하는 것을 향해 나아갈 수 있을까요? 화가 날 때, 어떻게 하면 공격하는 대신 인정하거나 무시할 수 있을까요? 당신의 새로운 행동에 대한 *구체적*으로 표현하는 반대되는 행동에 대한 계획을 세우십시오.

5. 반대되는 행동에 온전히 전념하고, 그 행동을 위한 시간을 설정하십시오. 그 반대되는 행동을 얼마나 오래 지속할 건가요? 계획에 대해 생각할 때, 어떤 이유로 감정을 조절하고 싶은지 기억하십시오. 이전에 감정이 이끄는 대로 행동을 했을 때, 어떤 일이 일어났나요? 당신 자신이나 다른 사람에게 심각한 대가를 치러야 했나요?

6. 당신의 감정을 관찰하십시오. 반대되는 행동을 할 때, 기존의 감정이 어떻게 바뀌거나 발전하는지 살피십시오. 반대되는 행동은 말 그대로 오래된 감정이 더는 적절하지 않다는 메시지를 뇌에 보냅니다. 그리고 이를 통해 당신은 덜 고통스러운 감정으로 나아갈 수 있게 됩니다.

이제 몇 가지 사전 계획을 세워야 할 때입니다. 당신은 "자주 유발되는" 감정들을 식별하게 될 것이며, 감정을 조절하는 데 도움이 될 수 있는 반대되는 행동 전략에 전념하게 될 것입니다.

반대되는 행동 계획 워크시트를 채우는 것은 단순한 작업이지만, 잠재적으로 매우 중요한 일입니다. 워크시트를 통해 당신은 미래에 느끼게 될 것으로 예상되는 감정을 식별하고, 당신이 과거에 하던 행동과는 완전히 다른 반응을 준비하게 될 것입니다. (반대되는 행동 계획 워크시트를 복사하거나, 출판사 웹사이트에서 다운받으십시오.)

다음의 예시를 보십시오. 린다의 이야기와 그녀가 크리스마스 직전에 작성한 감정 일지를 기억하나요? 그녀가 반대되는 행동 계획 워크시트를 작성하기 시작했을 때, 그녀는 분노, 거절감, 죄책감을 조절하는 데 도움이 될 것 같은 몇 가지 반대되는 행동을 찾았습니다. 다음의 내용은 그녀가 결정한 것입니다.

예시: 린다의 반대되는 행동 계획 워크시트

감정	감정이 추동하는 행동	반대되는 행동	기간	결과
거절감, 분노	물러나기 공격하기 작은 복수들	부드럽고 공격적이지 않은 목소리로 무엇이 나에게 상처를 줬는지 말하기. 예의 바르게 대화를 빨리 끝내기. 복수를 계획하는 대신 나 자신을 위해 무언가 하기	대화가 지속되는 동안	대화는 점점 더 안정되었고, 싸움으로 이어지지 않았다. 나는 예의바른 방식으로 나의 기분을 표현했다.
죄책감	1. "거짓된 친절"보이기 2. 공격하기	솔직히 사과하되, 사람들에게 내가 받은 처우가 마음에 들지 않는다고 말하기.	대화가 지속되는 동안	사람들은 나의 정직함을 고마워했다. 내 감정을 솔직하게 표현했다.

몇 주에 걸쳐, 린다는 새로운 행동이 어떻게 작용하는지 보기 위해 자신의 반대되는 행동의 결과를 관찰했습니다. 그녀가 알게 된 것은 반대되는 행동 계획을 따를 때 그녀의 분노가 더욱 빠르게 지나갔다는 것입니다. 조용한 목소리로 말하고 무엇이 그녀에게 상처를 줬는지 소리내어 말하는 것이 그녀의 속상함을 줄여주는 것으로 보였습니다. 처음에 그녀는 거절감을 인정하는 걸 두려워했습니다. 왜냐하면 거절감은 그녀를 더 유약하게 만들었기 때문입니다. 그러나 몇 차례 시도해보니(예: 크리스마스에 아버지와 함께 할 수 없어서 슬프다고 아버지에게 말하기), 린다는 그녀의 분노가 종종 덜 날카롭고 덜 고통스러운 감정으로 바뀐다는 것을 알게 되었습니다. 또한 그녀는 자신이 희생당했다고 느끼는 방식에 대해 반추하는 데 시간을 덜 보내게 되었습니다.

반대되는 행동은 쉽지 않습니다. 우리는 그것이 쉬운 일인 것처럼 속이지 않을 것입니다. 그러나 연습을 통해 반대되는 행동은 압도적인 감정을 진정시키고 완화할 수 있습니다. 종종 두려움은 역량 강화로, 슬픔은 참여로, 분노는 거리두기로, 수치심과 회피는 기꺼이 함으로 바뀝니다. 반대되는 행동 전략 계획하기는 믿기지 않을 만큼의 감정 조절 효과를 가져다 줄 것입니다.

반대되는 행동 계획 워크시트

감정	감정에 이끌린 행동	반대 행동	기간	결과

문제 해결하기 ⊠

때때로 감정 조절은 압도적인 감정이 발생하기도 전에 시작되어야만 합니다. 문제 해결하기는 촉발 사건을 식별하는 것과 미래에 새롭고 더 효과적으로 반응하는 방식을 찾는 것에 초점을 둡니다. 문제 해결하기의 첫 번째 단계는 행동 분석을 배우는 것입니다.

행동 분석

문제 해결하기는 행동 분석이라고 불리는 것으로 시작됩니다. 기본적으로, 이것은 문제가 되는 감정을 유발한 일련의 사건들을 추적하는 것입니다. 행동 분석 워크시트를 통해 그 절차를 한 단계 한 단계 살펴볼 수 있습니다. 행동 분석 워크시트를 복사하거나 출판사 웹사이트에서 다운받으십시오.

예시: 행동 분석 워크시트

샘은 종종 자신이 압도적인 분노로 괴로움을 겪는다는 걸 알고 있었고, 특히 그의 장모님과 대화해야 할 때 더욱 그러했습니다. 그가 그의 분노 반응을 행동 분석했을 때, 샘은 예상하지 못했던 복합적인 내적 촉발 요인들이 있었다는 걸 알게 됐습니다.

샘의 행동 분석 워크시트

1. 문제 되는 감정: 장모님에 대한 분노

2. 촉발 사건
   - 외부 요인: 장모님이 찾아오셨다. 장모님은 우리 집을 보면서 탐탁지 않아 하셨다.
   - 생각: 집에 페인트칠을 할 필요가 있다. 마당은 잡초가 무성하고 낡아빠진 모습이다. 여기는 쓰레기장이다.

3. 2차 사건
   a. 감정: 슬픔
      생각: 여기가 너무 싫다.
   b. 감정: 수치심
      생각: 내가 왜 이런 쓰레기장에 내 삶을 써야 하지? 나는 왜 이것보다 더 잘할 수 없을까? 그 이유는 내가 돈도 한 푼 못 버는 실패자이기 때문이라는 걸 알고 있지.
      행동: 우리가 도움이 필요할 때 도와주지 않고 우리 문제에 신경 쓰지 않는다고 장모님을 비난했고, 장모님이 내 말에 동의하지 않을 때는 감정적으로 폭발했다.

외부 요인(장모님이 찾아오신 것)은 연쇄의 한 단계일 뿐이라는 걸 알고 주목하십시오. 그리고 분노로 이어지는 일련의 단계는 사고와 다른 고통스러운 감정들처럼 내적인 것입니다. 만약 샘이 그의 분노를 더 잘 조절하려면, 그는 그가 바꾸기를 원하는 촉발 과정의 단계를 확인하고, 그런 뒤에는 다른 반응을 계획하기 위해 문제 해결하기 기술을 사용해야 할 것입니다.

여기서 요점은 압도적인 감정이 당신을 휩쓸어 버리기 전에 당신의 행동을 바꿈으로써 당신이 그 감정을 바꾸거나 완화할 수 있다는 것입니다. 당신의 행동 분석을 완료한 뒤, 첫 번째 단계는 당신이 대체하고자 하는 촉발 사건이나 2차 사건을 결정하는 것입니다. 이것은 (1) 당신이 통제할 수 있는 사건이어야만 하고(예: 당신의 사고 또는 행동), (2) 만약 대체된다면 그것은 당신의 문제 되는 감정을 줄여줄 수 있는 사건이어야만 합니다.

샘의 경우에 그는 수치심을 유발하는 사고와 언어적 공격에 대해 무언가를 하기로 결정했습니다. 샘은 그가 화를 내기 전에 같은 패턴이 수년 동안 너무 자주 반복되어왔다는 것을 깨달았습니다. 그의 패턴은 얼마 지나지 않아 참을 수 없을 정도로 고통스럽게 하는 수치스러운 생각을 하는 것으로 시작되곤 했습니다. 그러고 나서 그는 다른 사람들의 흠을 잡음으로써 수치심을 감추려고 했고, 그것은 분노를 촉발하고 결국에는 공격을 하게 만들었습니다.

행동 분석 워크시트

1. 문제 되는 감정:

2. 촉발 사건(그 감정 이전에 일어난 일)

   • 외부 요인: 당신이 통제할 수 없는 어떤 일이 일어났는가? (예: 실직하거나, 병에 걸리거나, 충격적인 뉴스를 듣는 것 등)
   _____

   • 생각: 그 감정 이전에 어떤 생각이 당신의 반응을 촉발시키거나 강화했는가?
   _____

   • 감정: 당신의 반응을 촉발시킨 이전의 감정이나 다른 감정이 있었는가?
   _____

   • 행동: 당신 자신이나 다른 누군가가 당신의 반응을 촉발시켰는가?
   _____

3. 2차 사건: 촉발 사건 바로 직후(그러나 문제 되는 감정이 유발되기 전)에 어떤 일이 일어났는지 식별하십시오. 이를 일련의 단계(a,b,c)로 구분하십시오.

   a. 생각: _____

      감정: _____

      행동: _____
      _____

   b. 생각: _____

      감정: _____

      행동: _____
      _____

   c. 생각: _____

      감정: _____

      행동: _____
      _____

행동 분석 워크시트를 완료하면 감정이 어떻게 만들어지는지 보게 될 것입니다. 어떤 것은 항상 당신의 감정을 자극합니다. 때때로 촉발 요인은 내적인(당신의 생각과 감정과 같은) 것이고, 또 다른 때에는 복합적인 원인이 작용하기도 하는데, 이 모든 것들을 인식하고 추적해야 합니다.

당신의 행동 분석 워크시트를 사용하여 바꾸기를 원하는 촉발 사건과 2차 사건을 식별하고 나면, 다음 단계는 ABC 문제 해결 기술을 사용하는 것입니다.

ABC 문제 해결

이 기술은 당신의 행동 분석 워크시트를 완료한 뒤에 진행하는 문제 해결의 두 번째 단계입니다. 이를 통해 문제 해결의 ABC 사항을 파악하는 방법을 배우게 될 것입니다.

A. *대안* lternative. 대안적 반응을 브레인스토밍하십시오. 당신은 어떻게 촉발되는 생각과 행동 그리고 2차 생각과 행동을 바꿀 수 있겠습니까?

B. *최선의 아이디어* est ideas. 대안 목록을 평가하고 적용할 최선의 아이디어를 하나 또는 두 가지 선택하십시오.

C. *실행에 전념하기* ommitment to implementation. 당신의 새로운 반응을 시도할 때와 장소를 확실히 하십시오. 당신이 사용할 새로운 생각과 행동을 작성하십시오.

대안: 브레인스토밍

샘의 예시를 바탕으로 문제 해결 단계를 살펴봅시다. 샘은 두 가지 브레인스토밍 목록을 만들었습니다. 하나는 그의 수치심을 유발하는 사고를 대체하는 것이고, 다른 하나는 그의 공격 행동을 바꾸기 위한 것이었습니다.

샘의 브레인스토밍 아이디어

수치심을 유발하는 사고	공격 행동
내가 잘하는 일을 생각해보기. 이게 날 얼마나 미치게 만드는지, 결국 날 얼마나 화나게 하는지 스스로에게 상기시키기. 주의 분산하기: 음악 듣기. 아내에게 도움 요청하기. 드라이브하기: 사진을 몇 장 찍기.	부정적인 말을 하기 전에 상대방을 확인하기. 만약 기분이 상하거나 수치심이 느껴진다면, 절대 비판적인 말 하지 않기. 종종 나는 너무 기분이 상하면 나쁘게 말하기 때문에, 말이 아닌 글로 적어서 피드백하기. 무언가 말하기 전에 상대방이 어떻게 느낄지 기억하기. 누군가를 비판하기 전에 내가 자제력을 잃고 있지는 않은지 아내에게 확인받기.

최선의 아이디어: 평가 단계

샘은 그가 떠올린 아이디어들을 평가했고, 다음 사항을 시도하기로 결심했습니다:

1. 음악으로 나의 주의를 분산하거나 사진에 몰두할 것이다.

2. 다른 사람에 대한 무언가를 다루기 전에 아내의 의견을 거칠 것이고, 비판적인 말을 하기로 결정한다면 신중하게 서면으로 피드백을 줄 것이다.

실행에 전념하기

마지막으로, 샘은 장모님의 남은 방문 기간 동안 그의 계획을 따르기로 결심했고, 특히 장모님과 단둘이 있고 신경을 거슬리게 하는 말을 들을 때면 언제든지 계획대로 행동하기로 했습니다. 예를 들어, 그의 장모님이 그의 부엌이 얼마나 낡고 구식처럼 보이는지 비판적인 평가를 했을 때, 샘은 그의 방으로 들어가 마음을 가라앉히기 위해 헤드폰을 끼고 몇 분 동안 노래를 몇 곡 들었습니다. 또한 장모님이 떠났을 때, 샘과 그의 아내는 장모님께 앞으로 집에 대해 그런 비판적인 말을 삼가달라는 사려 깊은 이메일을 보냈습니다.

샘이 화를 내기 전에 일어났던 주요 행동들을 대체하기 위해 구체적인 대안 행동들 개발했음을 주목하십시오. 그리고 그는 새로운 계획을 실행하기로 약속한 상황을 파악했습니다.

문제 해결에 있어 가장 중요한 것은 *정확히* 어떤 행동을 할 것인지 그리고 언제 어디에서 그 행동을 다르게 할 것인지 아는 것입니다. 대안 행동이 더 구체적이고 명확할수록 좋습니다. 이제, 당신의 행동 분석 워크시트의 내용을 사용하여, 당신이 따르기로 약속할 수 있는 계획을 세우기 위해 빈 종이에 당신의 아이디어를 적으면서 동일한 단계로 작업을 진행하십시오.

주간 조절 장치

감정 조절은 당신이 새로운 기술을 규칙적으로 사용할 때 가장 잘 성취됩니다. 주간 조절 장치 일지는 기본적으로 당신이 해야 하는 것을 기억할 수 있도록 도와주는 시스템입니다. 다음은 당신이 중점을 두게 될 기술입니다:

- 신체적 취약성 관리하기

- 인지적 취약성 관리하기

- 긍정적 사건 알아차리고 기억하기

- 감정을 관찰하고 수용하기

- 반대되는 행동 연습하기

- 문제 해결하기 기술 사용하기

주간 조절 장치 일지는 매주 말에 작성해야 합니다. 일지를 많이 복사해두고(혹은 출판사 웹사이트에서 '주간 조절 장치 일지'를 다운받으십시오), 지난 7일간 당신이 사용한 스킬을 검토하십시오. 스킬을 사용 요일을 잘 보고 해당 칸에 내용을 작성하십시오.

주간 조절 장치 일지
신체적 유약성 관리하기

	월	화	수	목	금	토	일
신체적 질병/고통을 다루기 위한 사전 조치를 취했다.							
균형잡힌 식사를 했다.							
약물/알코올을 사용하지 않았다.							
충분한 수면을 취했다.							
운동을 했다.							
스트레스/긴장감에 대처하기 위해 이완 또는 마음챙김 기술을 사용했다.							

인지적 유약성 관리하기

	월	화	수	목	금	토	일
촉발 사고를 관찰했다.							
대처 사고를 사용했다.							
적어도 한 가지 이상의 긍정적 사건을 확인했다.							

이번 주의 긍정적 사건

월요일

1. _____

2. _____

3. _____

화요일

1. _____

2. _____

3. _____

수요일

1. _____

2. _____

3. _____

목요일

1. _____

2. _____

3. _____

금요일

1. _____

2. _____

3. _____

토요일

1. _____

2. _____

3. _____

일요일

1. _____

2. _____

3. _____

감정 관찰하고 수용하기

	월	화	수	목	금	토	일
감정을 관찰했다.							
감정에 따라 행동하지 않았다.							
감정을 판단하지 않았다.							

감정에 대처하기

	월	화	수	목	금	토	일
반대되는 행동을 실행했다.							
행동 분석을 실시했다.							
문제 해결하기를 사용했다.							

제 **9** 장

대인관계 효율성 기술
-초급-

    대인관계 효율성 기술은 여러 기술 훈련의 복합체로, 리네한(1993a)이 변증법적 행동치료를 위해 사회적 기술 훈련(McKay et al., 1983), 주장 훈련(Alberti & Emmons, 1990; Bower & Bower, 1991), 경청 기술(Baker, 1990; Rogers, 1951)을 결합하였습니다. 이에 더하여, 협상 기술(Fisher &Ury, 1991)을 추가하여 프로그램을 완성하였습니다.

    인간관계는 소중한 반면 깨어지기 쉽습니다. 인간관계는 사랑, 우정, 그리고 지지를 가져옵니다. 그러나 때때로 순식간에 회복할 수 없을 정도로 부서질 수 있습니다. 인간관계를 건강하고 생생하게 유지하기 위해서는 이 장과 다음 장에서 배우게 될 대인관계 기술이 필요합니다. 대인관계 효율성 기술에서 가장 필수적이고 중요한 것은 주장 기술로, 이 기술은 (1) 당신이 원하는 것을 요구하는 능력, (2) 아니라고 말하는 능력, (3) *관계 손상 없이 갈등을 조정하는 능력*입니다. 그러나 주장 기술을 배우기 전에 알고 있어야 하는 핵심 내용이 있습니다.

마음챙김 주의집중 ⊠

    인간관계는 주의를 요구합니다. 연인이든, 친구든, 동료든, 아니면 단지 카풀 멤버든 좋은 관계를 유지하는 것은 상대방의 감정과 반응을 알아차리는 것과 상대방과 당신 사이의 의사소통 과정을 관찰하는 것에 달려있습니다. 4장부터 6장에 걸쳐 당신이 연습한 마음챙김 기술을 사용하면서 당신은 얼굴 표정, 신체 언어, 목소리 톤, 대화하는 중 그 관계의 분위기와 상태를 확실히 하기 위해 선택된 단어들을 관찰할 수 있습니다. 만약 당신이 DBT 기술 카드 묶음을 사용한다면, 이 연습은 #40 '신체 언어 관찰하기'에 나와 있습니다.

    주의를 기울인다는 것은 당신이 다음에 말하고 싶은 내용을 생각하거나 어떤 기억에 집중하는 것이 아니라 지금 여기에 머무는 것을 의미합니다. 지금 여기에 머문다는 것은 현재 당신이 보는 것, 듣는 것, 감정적으로 느끼는 것에 머물러 있는 것을 말합니다. 당신이 알아차리며 숨쉬고, 걷고, 설거지를 할 수 있는 것처럼, 당신은 또한 현재 순간을 온전히 자각하면서 관계를 맺고 의사소통할 수 있습니다. 당신이 주의를 기울일 때, 문제가 당신을 압도하기 전에 그 문제가 다가오고 있음을 알아차릴 수 있고, 또한 오해를 바로잡는 데 도움이 될 수 있는 명료화 질문을 던져볼 시간도 갖게 됩니다.

당신과 상대방 사이의 순간에서 벗어나 주의를 기울이지 않는 것은 엄청난 대가를 치러야 합니다. 당신은 다음 중 하나 또는 그 이상을 하게 될 것입니다:

- 상대방의 요구와 반응에 대한 중요한 단서를 놓침

- 상대방에게 당신의 두려움과 감정을 부정확하게 투사함

- 주어질 것이라고 예상할 수 있는 부정적 반응에 "놀랄" 경우 폭발하거나 도망침

또한 마음챙김 주의집중은 다른 사람과의 관계에서 당신 자신의 경험을 관찰하는 것을 포함합니다. 다른 사람으로부터의 무언가가 필요합니까(예: 더 많은 관심이나 도움)? 다른 사람과의 관계에서 바꾸어야 하는 상호작용이 있습니까(예: 비판적 평가, 요구, 거슬리는 질문)? 일어나고 있는 일에 대한 어떤 중요한 신호가 되는 감정을 가지고 있습니까(상처, 슬픔, 상실감, 수치심, 불안감)? 당신의 감정의 알아차리는 것은 당신이 폭발하거나 도망치기 전에, 관계에서 바꿀 필요가 있는 것이 무엇인지 알아내는 데 도움이 될 수 있습니다.

요약하면, 당신이 길러야 할 첫 번째 대인관계 기술은 마음챙김 주의집중입니다. 그 이유는 이것이 관계의 상태에 대한 중요한 신호를 읽어내는 것을 도와주기 때문입니다.

연습 : 마음챙김 주의집중 ⊠

당신이 하게 될 바로 다음 대화에서 상대방의 신체적 언어적 행동에 주의를 기울임으로써 그 순간을 관찰하는 연습을 하십시오. 만약 당신이 읽어내기 어렵거나 모호한 무언가를 발견한다면, 명료한 질문을 던져보십시오. 다음에 예시가 나와 있습니다:

- 지금 기분이 어떤가? 괜찮은가?

- 우리는 어떠한가? 괜찮은가?

- 우리 사이의 일은 어떠한가?

- 나는 ＿＿＿＿＿＿＿＿을/를 알아차린다; 그게 정확한가?

- 다 잘 되어 가는가? 우리와 함께?

그리고 관계에서 당신의 욕구와 감정 또한 알아차리십시오. 이 중 어떤 것이라도 이야기 나눌 필요가 있습니까? 어떻게 하면 관계를 지키기 위한 방식으로 말할 수 있겠습니까?

예를 들어, 빌은 그의 여자친구 지나가 저녁식사 중 그에게 눈길을 주지 않는다는 것을 알아차렸습니다. 그가 "우리 사이의 일은 어떤가요?"라고 질문했을 때, 그녀는 그가 회사 휴일 파티에 그녀를 초대하지 않아서 상처받았다고 말했습니다. 이것은 그가 회사 행사를 싫어하고 잠시 얼굴만 비칠 계획이었다는 것을 설명할 기회가 되었습니다.

타인을 향한 자비

당신의 관계에 마음챙김으로 주의를 기울이는 것에 더하여, 일반적으로 다른 사람에 대한 자비를 유지하는 것 역시 중요합니다. 5장에서 배웠듯이, 자비를 보여준다는 것은 판단 없이 다른 사람의 고통을 인식하고 그들에게 도움을 주는 것을 의미합니다. 많은 경우에 고통과 괴로움은 모든 인간을 통합합니다. 우리 모두는 인생을 살아가며 고통과 괴로움을 경험하기 때문입니다. 사실, 불교 철학에 기초하는 기본 원칙 중 하나는 모든 의식이 있는 존재들은 괴로움을 경험한다는 것입니다. 이 말은 당신의 전체 삶이 괴로움으로만 채워질 것이라는 의미가 아니라, 당신을 포함한 우리 모두가 고통, 실망, 상실, 비통함을 경험할 것이라는 뜻입니다. 우리는 이러한 일들을 피할 수 없습니다.

자비로운 태도를 기르기 위해 또 요구되는 것은 고통과 괴로움을 경험하고는 있지만 우리 모두가 각자 가진 모든 대처 기술을 사용하여 주어진 삶에 최선을 다하고 있다는 것을 인식하는 것입니다. 그러나 우리는 종종 우리 생각에 그렇게 해야 한다고 생각하는 방식대로 행동하지 않는다며 다른 사람을 판단하곤 합니다. 또는 우리가 동의하지 않는 방식의 행동을 하는 타인을 비판하기도 합니다. 그러나 우리는 얼마나 자주 다른 사람이 무엇 때문에 힘들어하는지 생각할까요? 오늘 고속도로에서 당신을 가로막은 그 사람은 어쩌면 죽어가는 어머니를 뵙기 위해 병원에 가던 길이었을지 모릅니다. 당신의 전화를 무례하게 받은 그 사람은 어쩌면 자신에게 암이 있다는 소식을 들은 참일지도 모릅니다. 또 모든 사람에게 화를 내는 당신의 동료는 어쩌면 아동 학대 피해자일 수 있고 그래서 그는 또 다시 상처받기 전에 다른 사람을 밀어내는 것일지도 모릅니다. 사실 우리는 다른 사람들이 겪고 있는 고통에 대해 거의 알고있지 못합니다.

아래의 명상은 당신이 싫어하는 사람을 포함해 모든 사람들을 향한 자비로운 생각과 감정을 확장해 나갈 수 있도록 상기시켜 줄 것입니다. 다시 말하지만, 우리는 모두 우리가 할 수 있는 최선을 다하고 있고, 때론 우리가 좋아하지 않는 사람들조차 그들이 그렇게 행동하는 데는 그럴만한 이유가 있습니다. 모든 사람들을 향한 당신의 자비로운 태도를 확장함으로써, (1) 당신은 판단 및 그 판단과 관련된 분노와 같은 부정적 감정을 흘려보내는 것을 배우게 되고, (2) 다른 가능성에 당신의 마음과 생각을 열게 되고, (3) 잠재적으로 다른 사람들과 더 강력한 유대관계를 만들게 됩니다.

연습 : 타인을 향한 자비 명상

아래의 타인을 향한 자비 명상(McKay & Wood, 2019)을 사용하여 다른 사람들에 대한 친절과 수용 능력을 기르고 강화하십시오. 우선 이완과 집중을 위해 마음챙김 호흡을 사용하십시오. 연습을 시작하기 전에 이 연습에 익숙해질 수 있도록 먼저 지시문을 읽어보십시오. 만약 지시문을 들으면서 연습하는 게 더 편하다면, 스마트폰에 지시문을 느리고 편안한 목소리로 녹음하고 이 기술을 연습하면서 그 녹음파일을 사용하십시오.

지시문

먼저, 방해받지 않을 수 있는 편안한 장소를 찾아 자리에 앉으십시오. 방해가 될만한 모든 소리를 차단하십시오. 눈을 감는 게 더 편하게 느껴진다면 이완을 위해 눈을 감으십시오.

이제 몇 차례 천천히 길게 호흡하면서 이완하십시오. 한 손을 배 위에 올려두십시오. 그리고 천천히 코를 통해 숨을 들이마시고 천천히 입으로 숨을 내쉽니다. 호흡과 함께 오르내리는 배를 느껴보십시오. 숨을 들이마실 때 당신의 배가 마치 풍선처럼 공기로 채워지는 것을 상상하고, 숨을 내쉴 때 다시 수축되는 아랫배를 느껴보십시오. 콧구멍을 스쳐 들어오는 숨결을 느껴보고, 입술을 지나쳐 나가는 숨결을 느껴보십시오. 호흡하면서 신체 감각을 알아차리십시오. 당신의 폐가 공기로 가득 차는 것을 느껴보십시오. 당신이 앉아 있는 자리에 실린 몸의 무게를 알아차리십시오. 호흡과 함께 당신의 몸이 어떻게 점점 더 이완되는지 알아차리십시오. [지시문을 녹음한다면, 여기서 30초간 멈추십시오.]

이제, 계속해서 호흡하면서 내쉬는 호흡의 수를 세십시오. 조용히 속으로 수를 헤아려도 좋고, 소리를 내도 좋습니다. 4까지 날숨을 세고, 그런 뒤 다시 1부터 시작하십시오. 우선, 코를 통해 천천히 숨을 들이마시고 입으로 천천히 숨을 내쉽니다. 1. 다시, 천천히 코로 숨을 들이마시고 입으로 천천히 숨을 내쉽니다. 2. 반복합니다. 코로 천천히 숨을 들이마시고, 천천히 내쉽니다. 3. 마지막으로 코로 숨을 들이마시고, 입으로 내쉽니다. 4. 이제 1부터 다시 시작합니다. [지시문을 녹음한다면, 여기서 30초간 멈추십시오.]

이제 당신의 몸 안으로 주의를 가져와서 바로 이 순간 감각의 순간을 주목해 보십시오. 당신은 그 몸 안에 살고 있습니다. 당신의 호흡과 당신의 생명력을 자각하도록 허락하십시오. 그 자각을 유지하면서 당신을 미소 짓게 하고, 당신의 마음에 자연스럽게 행복을 가져다 주는 사람을 떠올려보십시오. [여기서 몇 초간 멈추십시오.] 그 사람의 존재가 어떤지 느껴보십시오. [여기서 몇 초간 멈추십시오.] 이제 그 사람이 행복해 지기를 그리고 괴로움으로부터 자유롭기를 원하는 것을 인식하십시오. 자각을 유지하면서, 마음속으로 다음의 구절을 반복하십시오. 그 구절이 그 사람을 위한 깊은 소망이 되도록 하십시오.

"당신이 평안하기를."

"당신이 안전하기를."

"당신이 건강하기를."

"당신이 행복하고, 괴로움으로부터 자유롭기를."

구절을 반복할 때마다 그 의미가 깊어지도록 하면서 두 번 또는 세 번 반복하십시오. 당신이 좋아하는 그 사람을 향한 당신 안의 자비심을 느끼고 수용하도록 하십시오. [지시문을 녹음한다면, 구절을 두 번 또는 세 번 더 반복하십시오.]

이제 당신이 어렵게 느끼거나 싫어하는 사람의 이미지를 마음속으로 불러오십시오. 당신이 어렵게 느끼는 사람 역시 삶을 살아갈 길을 찾느라 애쓰고 있고, 그로인해 당신에게 고통을 주고 있다는 것을 상기하십시오. 마음속으로 반복하십시오:

"그저 내가 평화롭고 괴로움으로부터 자유롭기를 원하는 것처럼...

당신 역시 평화를 찾기를.

당신이 안전하기를.

당신이 건강하기를.

당신이 행복하고, 괴로움으로부터 자유롭기를."

다시, 구절을 반복할 때마다 그 의미가 깊어지도록 하면서 두 번 또는 세 번 반복하십시오. 당신이 어렵게 느끼는 그 사람을 향한 당신 안의 자비심을 느끼고 수용하도록 하십시오. [지시문을 녹음한다면, 구절을 두 번 또는 세 번 더 반복하십시오.]

마지막으로, 모두 마쳤다면 몇 차례 더 천천히 호흡하고, 가만히 휴식하면서, 당신 안의 선의와 자비의 감각을 음미하십시오.

다음 한 주간, 타인을 향한 자비 명상을 당신의 마음챙김 연습의 일부로 만드십시오. 그러고 나서, 다른 사람과의 일상적인 상호작용에 동일한 의도를 가질 수 있는지 보십시오. 누군가를 만날 때마다, 또는 다른 누군가에 의해 영향을 받을 때마다 스스로 이렇게 말하십시오:

"그저 나처럼, 그들도 행복하고 괴로움으로부터 자유롭기를 원한다." 또는

"그저 나처럼, 나를 지나쳐가는 이 사람들도 드라마와 삶의 흐름에 붙들린다."

마지막으로, 당신은 마침내 이러한 만트라(구절)를 다음과 같은 간단한 문구로 축약하고 싶을 수 있습니다: "그저 나처럼." 예를 들어, 누군가를 만났을 때, "그저 나처럼 그들도 행복하고 괴로움으로부터 자유롭기를 원한다."는 의미로 단순히 "그저 나처럼"이라는 문구를 생각할 수 있을 것입니다.

수동적 VS 공격적 행동

비효율적인 행동 패턴은 당신의 대인관계에 엄청난 부정적 영향을 미칠 수 있습니다. 특히, 자주 대인관계를 방해하는 두 가지 유형의 행동이 있습니다: 수동적 행동과 공격적 행동입니다. 때때로 수동적으로 행동하는 것은 안전하게 보일 수 있습니다. 단지 다른 사람이 원하거나 기대하는 것에 동조하기 때문입니다. 하지만 장기적으로 볼 때, 수동성은 대인관계의 재앙으로 가는 왕도입니다. 왜냐하면 자주 다른 사람들에게 굴복하고 당신 자신의 욕구를 외면하게 되기 때문입니다. 이로 인해 당신 내면에 좌절과 원망이 쌓이게 됩니다. 결국, 그 관계는 너무 고통스러워져서 당신으로 하여금 폭발하거나, 우울증에 빠지거나, 도망치게 만들어버립니다. 그리고 장기적으로 볼 때 그 관계는 견딜 수 없는 형태로 변하며, 고통을 멈추기 위해 관계를 끊어야 합니다.

이와 대조적이기는 하지만 공격적인 행동 역시 사람들을 떠나가게 하기 때문에 대인관계를 파괴합니다. 공격적인 대인관계 유형은 보통 두 가지 잘못된 믿음에 의해 형성됩니다. 첫 번째는 당신 자신의 의견에 따라 일이 진행되어야 한다는 강한 의식입니다. 특히, 당신은 다른 사람들이 마땅히 어떻게 행동해야 하는지를 민감하게 의식합니다. 당신은 각 상황에서 옳은 방식의 행동과 잘못된 방식의 행동을 명확하게 보고, 다른 사람들이 당신이 옳거나 마땅하다고 여기는 것을 위반하는 방식으로 행동할 때, 그들을 처벌해야 한다는 강렬한 욕구를 느낍니다.

공격적 행동의 두 번째 요인은 대인관계 상황을 통제하고자 하는 욕구입니다. 모든 것은 특정한 방향대로 진행되어야만 하고, 특정한 결과가 일어나거나 일어나지 않기를 기대합니다. 그래서 상대방이 옳다고 여기는 것에 반하는 행동을 하거나 당신이 기대하는 행동을 하지 않을 때, 당신 안에는 분노가 쌓이기 시작하고 일어나는 일을 통제하기 위해 더 큰 압박을 가하게 됩니다. 때로는 당신이 폭발하고 다른 사람들이 도망치게 할 정도로 어쩔 수 없다고 느낄 수도 있습니다.

이렇듯 수동성과 공격성 모두 대인관계를 파괴합니다. 이러한 패턴들 중 어느 것이든 결국 당신과 당신이 아끼는 사람들을 매우 고통스럽게 할 것입니다. 다음 장에서 소개될 주장 기술은 그 중간 방법입니다. 주장 기술은 관계에서 당신의 욕구를 찾고, 한계를 설정하고, 갈등을 조정하기 위한 도구를 제공할 것입니다. 다른 사람들이나 상황을 통제하기 위한 분노나 강압적인 노력 모두 없이 말입니다.

연습 : 행동 유형 파악하기

당신에게 가장 중요한 다섯 개의 관계에서 있었던 최근의 상호작용을 돌아보십시오. 다음 문장들 중 당신의 행동 유형을 반영하는 것에 표시하십시오(✓).

☐ 1. 내가 좋아하는 것이 아닐지라도, 그것에 동조한다.

☐ 2. 비록 화가 나는 상황이 있을지라도 사람들에게 옳은 방식대로 하라고 밀어붙입니다.

☐ 3. 사람들이 어떤 행동과 말을 하든 상관없이, 나는 내가 즐겁고 태연하려고 노력합니다.

☐ 4. 나는 사람들이 그럴 자격이 있을 때 내 마음의 일부를 줍니다.

☐ 5. 나는 그 과정에서 내 욕구를 충족하지 못하게 될지라도, 항상 다른 사람의 욕구와 기분을 민감하게 알아차리려고 노력합니다.

☐ 6. 그 일로 화를 내야만 한다고 할지라도 나는 내가 원하는 것이 무엇인지 알고 있고 그것을 고집합니다.

☐ 7. 갈등이 있을 때, 나는 양보하고 일이 다른 사람의 방식대로 진행되도록 두는 경향이 있습니다.

☐ 8. 사람들이 적절하거나 합리적인 방식으로 행동하지 않을 때, 나는 그들이 도망치도록 내버려 두지 않습니다.

☐ 9. 기분이 상할 수 있는 말을 하는 대신 관계를 끊을 것입니다.

☐ 10. 당신은 사람들이 계속 이기적이거나 바보처럼 행동하는 것을 내버려 둘 수 없습니다; 그들이 무엇을 하고 있는지 제대로 볼 때까지 그들을 못살게 굽니다.

☐ 11. 나는 사람들이 홀로 있게 두고, 그들이 무엇을 하든지 내버려 둡니다.

☐ 12. 만약 사람들이 나의 욕구를 무시하거나 나에게 맞지 않는 것을 고집한다면, 나는 그들이 내게 관심을 가질 때까지 점점 더 화가 난다.

만약 당신이 홀수에 표시하는 경향이 있다면, 당신은 수동적 유형이 지배적입니다; 만약 당신이 짝수에 표시했다면, 당신은 공격적 문제 해결 유형을 사용하는 경향이 있습니다.

"나의 욕구-타인 욕구" 비율

모든 관계는 자신이 원하는 것을 얻기 위해 노력하는 두 사람으로 구성됩니다. 때때로 그들은 우정, 재미, 편안함, 고요함과 같이 동일한 것을 원하고, 이런 경우는 쉽습니다. 그러나 그들이 같은 시점에 각기 다른 것을 원할 때, 아니면 한 사람이 상대방이 주고싶어하지 않는 것을 필요로 할 때, 이런 경우는 문제가 됩니다. 관계의 성공을 위해 당신은 다음의 것들을 할 수 있어야만 합니다:

- 당신이 원하는 것이 무엇인지 알고, 말하기

- 상대방이 무엇을 원하는지 살피거나 알아내기

- 당신이 원하는 것 중 최소한 일부라도 얻기 위해 협상하고 타협하기

- 상대방이 원하는 것 중 당신이 줄 수 있는 것을 주기

만약 "나의 욕구-타인 욕구" 비율이 불균형을 이룬다면, 당신의 관계는 불안정해지기 시작합니다. 각 사람이 원하는 것이 무엇인지 주의를 기울이고 갈등을 조정하기 위해 주장 기술을 사용하는 것은 건강한 관계를 유지하는 데 필수적입니다.

연습 : "나의 욕구-타인 욕구"

다음의 연습을 통해 당신은 "나의 욕구-타인 욕구" 비율을 평가할 수 있을 것입니다. 평가하기 원하는 관계를 하나 선택하십시오. 왼쪽 열에는 해당 관계에서 당신이 원하는 것과 필요로 하는 것을 작성하십시오.

"결과" 아래에는 그러한 욕구가 얼마나 충족되었는지 평가하십시오. 오른쪽 두 열에는 다른 사람에 대한 내용을 동일하게 작성하십시오. 그리고 표의 각 측면에 있는 결과를 살펴보십시오. 한 사람 또는 다른 사람의 욕구가 더 많이 충족되고 있습니까? 그 관계는 충족되지 못한 욕구를 어떻게 다루고 있습니까? 무시되고 있나요? 아니면 조정되고 있나요? 비난이나 철회의 빌미가 되고 있습니까?

"나의 욕구-타인의 욕구" 평가하기

나의 욕구	결과	타인의 욕구	결과	나의 욕구

"나의 욕구-나의 의무" 비율

　　모든 관계는 당신이 원하는 것을 추구하는 것과 당신이 해야 한다고 생각하는 것(관계나 다른 사람을 위해 좋게 하기 위해서) 사이에서 섬세한 균형을 유지하는 것을 필요로 합니다. 만약 당신이 다른 사람을 위해 해야만 하는 것에는 거의 주의를 기울이지 않고, 당신이 얻고자 하는 것과 하고자 하는 것에 대부분의 집중을 한다면, 당신은 곧 원망을 얻게 될 것입니다. 만약 당신은 "의무" 쪽에 무게중심을 두고 있다면(예: 어떻게 행동해야만 하는지, 다른 사람을 위해 무엇을 해야만 하는지), 그 관계는 즐거움 없는 짐처럼 느껴지기 시작할 것이며, 그 관계로부터의 탈출을 꿈꾸게 될 것입니다.

　　많은 사람들에게 있어 "의무"는 그들의 중요한 욕구를 무시하도록 강요하는 통제적인 폭정이 될 수 있습니다. 그들은 좋은 사람이 되고 베풀기에 너무 바빠서, 그들이 얼마나 우울하고 절망적이 되었는지 알아차리지 못합니다. 머잖아, 당신 자신을 부인하는 고통은 너무 크게 자라서, 당신은 그 관계에서 탈출해야만 하거나 관계를 파괴해야만 합니다.

연습 : "의무"

다음 중 당신의 믿음이나 감정을 묘사하는 항목에 체크하십시오(✓).

☐ 당신 자신의 욕구는 제쳐두어야 할 때조차도, 관계에서 당신에게 요구되는 모든 것을 다 들어주려고 노력해야만 한다.

☐ 누군가 고통을 겪고 있을 때, 당신은 그들을 돕기 위해 필요한 모든 것을 해야 한다.

☐ 당신은 언제나 배려하고 사려 깊어야 한다.

☐ 만약 상대방이 제공하고 싶어하지 않는다는 것을 알고 있다면, 그들에게 그것을 요청해서는 안 된다.

☐ 사람들을 대하는 올바른 방식의 행동이 있고, 비록 그것이 당신의 감정이나 욕구를 내색하지 않아야 한다는 걸 의미할지라도 그 방식을 따라야만 한다.

☐ 사람들의 요청을 거절해서는 안 된다; 그것은 무례한 것이다.

☐ 누군가의 기분을 상하게 할 수 있는 감정을 표현해서는 안 된다; 그것은 잘못된 행동이다.

☐ 다른 사람들의 욕구에 응해야만 한다. 그들의 욕구는 우선순위에 있기 때문입니다.

☐ 당신은 절대 누군가에게 상처를 주거나 감정을 상하게 해서는 안 된다.

☐ 당신은 다른 사람들을 실망시키지 않기 위해 노력해야만 한다.

　　더 많은 항목에 체크할수록, 다른 사람과 관련하여 옳거나 그른 방식에 대한 믿음이 더욱 확고하며, 대인관계에서 당신 자신의 욕구를 부인할 가능성이 더 높음을 의미합니다. 다른 사람을 어떻게 대할지에 대한 가치 중 잘못된 것은 없습니다. 그러나 만약 그러한 가치가 당신이 원하는 것을 요구하는 능력을 압도한다면, 당신은 어떤 관계에서든 결국 무력감을 느끼게 될 것입니다.

기술 구축하기

대인관계 기술을 향상시키는 것은 어려운 작업이 될 것입니다. 관계 패턴을 바꾸는 것이 얼마나 어려운지 알려줄 사람은 필요하지 않습니다. 그러나 당신은 그게 왜 중요한지 알고 있습니다. 당신이 가치를 두는 어떤 관계는 잘못된 것을 고칠 방도를 몰랐기 때문에 망가져 버렸습니다. 이번 장과 다음 장은 관계에서 당신이 어떻게 기능해야 하는지를 관리할 수 있는 새로운 도구를 제공할 것입니다. 가끔 그 도구들은 효과가 있을 것이고, 또 어떤 때는 효과가 없을 것입니다; 그리고 때때로 그 도구들을 사용하는 것을 깜빡할 수도 있습니다. 하지만 새로운 도구들이 대화를 개선하거나 문제를 해결하는 데 얼마나 도움이 되는지 알면 깜짝 놀라게 될 것입니다.

이 작업은 어렵습니다. 그러나 가끔 넘어져도 괜찮습니다(예: 폭발하기, 철회하기). 새로운 방법을 배우는 데는 시간이 걸리기 때문입니다. 새로운 대인관계 기술을 연습하는 것은 다음의 결과를 이끌어올 것입니다:

- 사람들을 더 효과적으로 대할 수 있게 될 것입니다.

- 당신의 욕구를 만족시키는 능력이 증진될 것입니다.

- 관계 손상 없이 갈등을 조정할 수 있게 될 것입니다.

- 오래되고 손상을 야기하는 분노나 철회의 패턴에 대한 대안을 갖게 됨으로써 자기 존중이 강화될 것입니다.

핵심 대인관계 기술

당신의 관계에 대한 느낌을 변화시킬 여섯 가지 핵심 대인관계 기술이 있습니다.

1. 당신이 원하는 것을 알기. 대인관계에서 당신이 원하는 것을 어떻게 알 수 있습니까? 어떤 경우에는 갈망을 느낍니다. 혹은 불편감을 자각하기도 합니다. 핵심은 주의를 기울여 당신의 마음속에서 자신이 무엇을 느끼고 있는지 묘사할 수 있는 방법을 찾는 것입니다.

2. 당신이 원하는 것을 요청하기(관계를 보호하는 방법으로). 다음 장에서 이를 위한 효과적인 방법과 포맷이 제공될 것입니다. 하지만 지금 기본적인 개념을 간략히 소개하자면, 공격적이지 않은 분명한 단어로 당신의 욕구를 표현하고 구체적인 행동 변화를 요구하는 것입니다.

3. 상충하는 욕구 조정하기. 조정하려는 기꺼운 마음은 분명한 승자와 패자가 없을 것이라는 분명한 약속에서 시작됩니다. 이는 각 개인의 욕구가 타당하고 이해할만하다는 것을 가정하고, 각자가 원하는 것을 얻을 수 있도록 타협하려는 의지를 끌어냅니다. 상충하는 욕구를 조정하기 위해 간단한 프로토콜은 다음 장에서 제공됩니다.

4. 정보 얻기. 대인관계 기술에서 가장 중요한 것 중 하나는 상대방의 욕구, 두려움, 바람 등을 아는 것입니다. 이러한 정보를 얻는 것을 방해하는 주요한 상황들은 (1) 상대방이 무엇을 원하는지 안다고 잘못 가정할 때, (2) 당신 자신의 두려움, 욕구, 상대방에 대한 감정을 투사할 때, (3) 당신이 캐묻는 것처럼 보일까봐 두려울 때, (4) 최악의 대답을 들을까봐 두려워할 때, (5) 어떻게 요청해야 할지 또는 무엇을 살펴야 하는지 모를 때입니다. 다음 장에서 정보를 얻기 위한 몇 가지 핵심 전략을 얻게 될 것입니다.

5. 거절하기(관계를 보호하는 방법으로). 당신의 세 가지 방법으로 거절할 수 있습니다: (1) 축 쳐져서 무력한 방식으로(이는

오히려 무시받게 만듭니다), (2) 사람들을 소외시키는 냉철하고 공격적인 방식으로, (3) 당신이 무엇을 할 것인지 그리고 하지 않을 것인지 명확한 경계를 설정하면서 상대방의 필요와 욕구를 타당화하는 주장적 방식으로 말할 수 있습니다. 처음의 두 전략을 사용하면 누군가는 통제되고 분개하게 될 것이기 때문에 결국 관계를 약화시킵니다. 다음 장에서 세 번째 전략을 적용하는 방법을 설명할 것입니다.

6. 당신의 가치에 따라 행동하기. 대인관계에서 수동적이거나 공격적인 태도를 보이는 것은 당신의 자기 존중과 다른 사람의 자기 존중을 모두 감소시키게 됩니다. 누군가는 그 관계에서 지고 있는 것을 의미하며, 다시 말해 누군가의 욕구와 감정이 무시되고 있다는 것이기 때문입니다. 다른 사람을 어떻게 대우하고 싶은지에 대한 분명한 태도를 갖는 것은 대인관계 효율성을 위한 필수적인 단계입니다. 이렇게 자문해보십시오. "나는 다른 사람들과 어떤 유형의 대인관계를 맺고 싶은가?" 아마도 사랑이 넘치고, 신뢰할 수 있고, 헌신적인 관계를 원할 것입니다. 바라건대, 당신은 지금까지 이 워크북의 기술과 연습을 사용하면서 당신의 관계에 어떤 가치를 두는지에 대해 고려하기 시작했기를 바랍니다. 대인관계에서 당신의 가치에 따라 행동하는 것은 관계의 총체적인 본질을 결정하게 될 또 다른 필수적 단계입니다. 가치가 결여된 관계가 잘 유지되지 않는다는 것은 놀랄 일도 아닙니다. 당신의 각 관계마다 긍정적인 목적과 가치를 설정하고, 그 관계에서 당신이 이루고자 하는 목적에 따라 행동하십시오.

연습 : 대인관계 가치 확인하기

아래의 밑줄에 당신의 자기 존중을 감소시키는 대인관계 행동을 나열하십시오. 당신이나 다른 사람에게 미친 감정적인 피해를 포함하십시오. 또한 누락의 죄, 즉 당신이 했어야 했는데 하지 않은 것들을 작성하십시오.

예: *나는 누군가 나를 비판하자마자 화가 난다.*

_____

_____

_____

이제, 다음 밑줄에는 다른 사람을 어떻게 대우해야 하는지에 대한 당신의 가치를 나열하십시오. 이것들은 당신과 다른 사람들이 관계에서 무엇을 받을 자격이 있는지에 대한 당신의 기본적인 규칙을 의미합니다.

예: *나는 내가 사랑하는 누군가가 상처 받는다는 말을 하는 것에 귀기울이는 것을 중요하게 여긴다.*

_____

_____

_____

두 가지 목록을 비교하면서, 당신의 가치를 따르지 않는 대인관계 전략을 사용하고 있는지 그 여부를 평가하십시오. 이제 다음과 같은 질문을 자문해보십시오:

가장 자주 간과하는 핵심 가치는 무엇입니까?

_____

_____

당신의 가치를 어기게 될 때 당신의 대인관계는 어떠한 영향을 받습니까?

_____

_____

다음 장에서, 효과적이면서 동시에 당신의 자기 존중을 지킬 수 있도록 돕는 대인관계 전략을 배우게 될 것입니다.

대인관계 기술 사용의 방해물

당신이 얼마나 성실하게 당신의 새로운 대인관계 기술을 사용하는지와 상관없이, 관계의 성공을 일시적으로 방해할 수 있는 여러 장애물이 여전히 잇따를 것입니다. 그러나 걱정하지 마십시오. 그러한 장애물을 파악하는 것이 전쟁의 절반입니다. 일단 그 방해물들이 무엇인지 알게 되면, 당신은 그것들을 극복할 준비를 할 수 있습니다. 다음은 대인관계 사용에 있은 가장 흔하게 발생하는 방해물입니다.

- 공격적인 종류의 낡은 습관들

- 수동적인 종류의 낡은 습관들

- 압도적인 감정

- 욕구 파악 실패

- 두려움

- 해로운 대인관계

- 그릇된 신념

공격적인 종류의 낡은 습관들

당신의 원가족 내에서 당신은 가족 구성원들이 대인관계 문제를 어떻게 해결하는지 보았고, 당신이 본 것을 당신 자신의 행동으로 삼기 시작했습니다. 만약 가족 구성원들이 갈등을 분노, 비난, 철회를 통해 다루었다면, 당신 역시 이러한 전략을 배웠을

지도 모릅니다.

두려움, 수치심, 상처가 되는 심리적 압박을 이용하여 타인에게 영향을 미치는 기술들을 *혐오 전략*이라고 합니다. 이 전략에는 8가지가 있습니다:

1. *깎아내리기*: 상대방의 욕구나 감정은 타당하지 않고 합법성이나 중요성이 없다는 메시지입니다. 다음의 예시를 보십시오: "당신은 하루 종일 TV를 보고 있는데, 어째서 당신은 내가 집에 와서 당신을 위해 요리까지 해주길 바라는 거죠?"

2. *철회/유기하기*: "내가 원하는 대로 해. 그렇지 않으면 떠날거야."라는 메시지입니다. 유기에 대한 두려움은 종종 매우 강력해서, 그 메시지를 받은 많은 사람들이 유기되는 것을 피하기 위해 그들의 욕구의 많은 부분을 포기할 것입니다.

3. *협박하기*: "내가 원하는 대로 해. 그렇지 않으면 널 해칠 거야." 또는 "내가 원하는 대로 해. 그렇지 않으면 나를 해칠 거야."라는 메시지입니다. 가장 전형적인 협박은 화를 내거나 어떻게든 상대방의 삶을 비참하게 만드는 것입니다. 다음의 예시를 보십시오: "그래, 알겠어. 다시는 날 도와달라고 부탁하지 않을게. 난 그냥 죽어버릴게. 그러면 아마 넌 나 없이 더 행복한 삶을 살 수 있겠지."

4. *비난하기*: 그게 무엇이든 문제를 상대방의 잘못으로 만드는 것입니다. 왜냐하면 당신은 상대방이 그 문제의 원인이라고 믿고, 또한 그들이 그 문제를 바로잡아야만 한다고 믿기 때문입니다. 다음의 예시를 보십시오: "우리가 매달 신용카드 한도를 다 쓰는 이유는 당신이 우리에게 필요하지 않은 것들에 너무 많은 돈을 쓰기 때문이야."

5. *경시/헐뜯기*: 이 전략은 상대방으로 하여금 그들의 특정 욕구, 의견, 감정이 바보 같고 잘못되었다고 느끼게 하는 것입니다. 다음의 예시를 보십시오: "너는 왜 항상 그 호수에 가고 싶어해? 항상 알레르기 발작을 일으켜서 내내 불평만 하면서 말야."

6. *죄책감 유발하기*: 이 전략은 상대방이 도덕적으로 옳지 못하고, 그들의 욕구는 잘못되었으며 그 욕구를 포기해야만 한다는 메시지를 전달합니다. 다음의 예시를 보십시오: "만약 네가 날 신뢰하지 않는다면, 그건 우리 관계에 뭔가 심각한 문제가 있다는 얘기인 거야."

7. *이탈하기*: 이 전략은 상대방의 감정과 욕구로부터 주의를 다른 데로 돌리게 합니다. 그 방법은 상대방에 대한 이야기를 멈추고 그 대신 당신 자신에 대한 이야기를 하는 것입니다. 다음의 예시를 보십시오: "난 네가 뭘 하고싶어하든 상관없어, 지금 난 상처받았고 너는 나에게 관심도 없어."

8. *제거하기*: 이 전략은 상대방이 말하거나, 행동하거나, 원하는 것에 대한 처벌로서 어떠한 형태의 지지, 기쁨, 또는 강화를 철회하는 것입니다. 다음의 예시를 보십시오: "그래 알겠어. 오늘 쇼핑할 돈을 주고 싶지 않다면, 그럼 난 다음 달에 너희 부모님 기념일에 같이 가고 싶지 않아." (McKay, Famming, & Paleg, 1994의 내용을 각색함)

혐오 행동을 멈출 수 있는 최고의 방법은 그 행동을 구체적으로 관찰하는 것입니다. 이 목록을 검토한 뒤에, 다음의 질문을 자문해보십시오:

위 내용들 중 당신의 행동에서 발견되는 전략이 있습니까?

_____

_____

당신이 혐오적 전략을 사용했던 때를 회상해 보십시오. 당신의 대인관계에 어떤 영향을 미쳤습니까?

_____

_____

이러한 전략을 바꾸고 싶습니까? 그 이유는 무엇입니까?

_____

_____

수동적인 종류의 낡은 습관들

어떤 오래된 습관은 공격적이라기보다는 수동적입니다. 당신은 원가족 내에서 갈등이 있을 때 어떻게 차단하거나 항복하는지를 배웠을 수도 있고, 갈등을 피하기 위해 다른 사람의 요구에 굴복하는 방법을 배웠을 수도 있습니다. 예를 들어, 어쩌면 당신은 자신의 욕구를 내세울 권리를 가지고 있지 않다고 생각할지도 모릅니다. 그래서 당신이 이미 계획이 있든 그렇지 않든 간에, 누군가가 당신을 위해 무언가를 해달라고 요청할 때마다 당신은 그냥 굴복하고 당신의 욕구와 필요를 무시합니다. 가령, "음... 난 오늘 오후에 영화를 보러 갈 계획이었는데, 대신에 차고 청소하는 걸 도와줄 수 있을 것 같아요. 몇 시에 가면 될까요?" 혹은 어쩌면 당신은 자신의 의견에 대한 권리가 없다고 생각하거나, 그 의견을 표현할 권리가 없다고 생각할 수 있고, 그래서 누군가 당신의 생각이나 당신이 원하는 게 무엇인지 물어볼 때마다 당신은 상대방이 무엇을 생각하든 그것에 당신의 권리를 넘겨줍니다. 예를 들어, "저녁으로 뭘 주문할지 잘 모르겠어요. 당신은 어떤 걸 먹을 건가요? 저도 같은 걸로 주세요." 이러한 수동적 전략이 단기적으로는 좋게 비춰질 수도 있지만, 어느 정도 시간이 흐르고 나면 사람들은 보통 자신의 욕구가 충족되지 못한 것에 대해 좌절감을 느끼기 시작하고, 화가 나서 관계를 끊어 버립니다.

수동적 행동을 멈출 수 있는 가장 좋은 방법은 그 행동을 구체적으로 관찰하는 것입니다. 과거에 갈등을 다루었던 방식을 되돌아보고 다음과 같은 질문을 자문해보십시오.

당신의 행동에서 발견되는 수동적 전략이 있습니까?

_____

_____

수동적인 전략을 사용했던 때를 회상해 보십시오. 당신의 대인관계에 어떤 영향을 미쳤습니까?

_____

_____

이러한 전략을 바꾸고 싶습니까? 그 이유는 무엇입니까?

_____

_____

당신이 철회하거나 차단할 때의 갈등을 추적하기 위해 동일한 갈등 일지(네 번째 열의 "혐오 전략" 대신 "수동 전략"을 사용하여)를 사용할 수 있습니다.

연습 : 갈등 일지

당신의 공격적이고 수동적인 대인관계 습관들을 기록하고 관찰하기 위해 갈등 일지를 사용하십시오. (출판사 웹사이트에서 '갈등 일지'를 다운받을 수 있습니다.) 일주일 혹은 그보다 조금 더 길게 일지를 사용하고 난 뒤에 다음의 질문을 자문해보십시오:

어떤 종류의 욕구나 상황이 당신의 공격적인(또는 수동적인) 전략을 촉발시키나요?

_____

_____

당신이 가장 자주 사용하는 전략은 무엇인가요?

_____

_____

공격적인(또는 수동적인) 전략을 사용하여 당신이 원하는 것을 얻고 있나요?

_____

_____

그러한 전략을 사용한 결과 어떤 감정을 가장 자주 경험하나요?

_____

_____

다음 장의 주장 기술은 당신이 전형적으로 사용해오던 공격적이고 수동적인 반응에 대한 더욱 효과적인 대안을 제공할 것입니다.

갈등 일지

날짜	나의 욕구	나의 행동	혐오적/수동적 전략	결과

압도적인 감정

대인관계 기술 사용을 방해하는 세 번째 주요 장애물은 높은 수준의 감정입니다. 때때로 당신이 기분이 상했을 때, 당신의 최선의 의도와 가장 신중하게 세운 계획들이 물거품이 될 수 있습니다. 어떤 사람들에게 있어, 특히 학대 가정에서 자란 사람들에게 화를 내는 것은 *해리성 둔주 상태*를 유발할 수 있습니다. 해리성 둔주 상태일 때, 그들은 나중에 보면 자신이 아닌 다른 누군가가 한 것처럼 보이는 행동을 하거나 말을 할 수 있습니다. 한 남성이 "아내에게 나가라고 말하는 사람이 나 같지가 않았어요." 그리고 "마치 무언가에 사로잡힌 느낌이었고, 제 외부의 어떤 힘에 이끌려 무언가에 홀린 것 같았어요."라고 주장했습니다.

여러 감정과 심지어 신체적 폭력이 분노와 해리 상태 때문이라는 좋은 증거가 있습니다. 당신이 힘들게 얻은 대인관계 기술을 압도적인 감정이 망가뜨리려고 위협할 때 당신은 무엇을 할 수 있겠습니까? 지금 당장 배울 수 있는 두 가지 사항이 있습니다. 첫째, 당신이 통제력을 잃기 시작했다는 적신호에 주목하십시오. 각 사람마다 각기 다른 신호를 갖고 있기는 하나, 다음의 내용은 전형적인 신호들입니다:

- 열감 혹은 홍조

- 심장 두근거림

- 가쁜 호흡

- 손, 팔, 이마, 또는 어깨의 긴장감

- 평소보다 더 빠르게 말하거나 더 크게 말함

- 이기고 싶고, 누군가를 깔아뭉개고 싶고, 그들의 기분을 나쁘게 하고 싶은 강렬한 욕구

연습 : 적신호 감정과 행동

다음의 밑줄에 과거에 통제력 상실을 알려주었던 적신호 감정이나 행동을 나열하십시오.

_____

_____

_____

_____

_____

이제 갈등이 일어날 때 적신호를 주의하십시오. 만약 적신호를 알아차린다면, 이미 배운 두 번째 기술을 사용할 수 있습니다: 당신이 감정에 압도되기 시작한다는 것을 처음 알아차릴 때, 당신의 마음챙김 호흡 기술을 사용하기 시작하십시오. 천천히 횡경막 호흡을 하고, 모든 주의를 호흡에 따른 신체 감각에 기울이십시오. 이를 통해 마음이 안정되고, 당신이 감정에 압도되도록 만드는 오랜 신경 경로들이 분리될 것입니다.

욕구 파악 실패

당신이 그 상황에서 무엇을 원하는지 알지 못한다면 대인관계 기술은 당신에게 큰 도움이 되지 못할 것입니다. 만약 당신의 욕구를 분명히 표현할 수 없다면, 당신과 함께 남는 것은 좌절감뿐일 것입니다. 다음 장의 첫 번째 섹션에서는 다른 사람들의 구체적인 행동 변화에 관한 당신의 욕구를 파악하는 전략이 제공될 것입니다. 일단 당신이 스스로에게 욕구를 분명하게 말할 수 있게 되면, 다음 섹션에서 제공되는 도구를 통해 당신의 주장과 간단한 요청을 큰 소리 내어 말할 수 있을 것입니다.

두려움

무언가에 대한 두려움을 느낄 때, 대인관계 기술은 종종 어디론가 사라집니다. 당신 안에 너무 많은 파국적 "만약"이 가득 차서 명확하게 생각할 수 없습니다: "만약 거절당하면 어떡하지? 만약 직장을 잃으면 어떡하지? 만약 이걸 견디지 못하면 어떡하지?" 파국적 사고는 당신에게 겁을 주어 공격적 전략과 혐오적 전략을 사용하도록 할 수 있습니다. 또는 그 상황을 완전히 회피하게 할 수도 있습니다. 최종적으로 당신은 제대로 기능하지 못하고 효과적으로 대처하지 못하게 됩니다.

지혜로운 마음 명상은 마음챙김 호흡처럼 당신이 두려움을 마주했을 때 잘 대처할 수 있도록 도와줄 것입니다. 당신이 할 수 있는 또 다른 방법은 당신의 파국적 사고들을 직면하는 것입니다. 다음은 직면을 위한 두 가지 단계입니다.

연습 1 : 두려움 관리하기-위험 평가

다음 페이지에 나와 있는 두려움 관리하기-위험 평가/위험 계획 워크시트는 네 개의 열로 구분되어 있습니다. 1열에는 당신의 두려움을 작성하고, 2열에는 그 두려운 일이 발생할 것이라는 모든 증거를 나열하십시오. 그리고 나서, 3열에는 그 파국적인 일이 일어나지 않을 것이라는 모든 가능한 증거를 작성하십시오. 그리고 파국적 사고를 지지하는 증거와 반대하는 증거를 검토하고 난 뒤에는 그 일들이 실제로 일어날 확률을 추정하여 작성하십시오.

연습 2 : 두려움 관리하기-위험 대처 계획

워크시트의 "위험 계획" 부분에서는 당신이 두려워하는 재앙이 실제로 일어났다고 가정해 보십시오. 어떻게 대처할 수 있을까요? 당신에게 도움이 될 만한 자원, 가족, 친구들이 있습니까? 그 상황에 어떻게 최선을 다할 것인지에 대한 계획이 있습니까? 그 상황을 극복하기 위한 기술로 어떤 것을 가지고 있습니까?

위험 평가/위험 대처 계획 워크시트를 복사하여 당신의 관계 기술이 손상될 우려가 있을 때마다 반복해서 사용할 수 있습니다. (출판사 웹사이트에서 '위험 평가/위험 대처 계획' 워크시트를 다운받을 수 있습니다.)

두려움 관리하기-위험 평가

나의 두려움	두려워하는 일이 발생할 것이라는 증거	두려워하는 일이 발생하지 않을 것이라는 증거	두려워하는 일이 실제로 발생할 가능성(%)

두려움 관리하기-위험 대처 계획

당신이 두려워하는 시나리오가 실현될 경우를 대비하여, 당신의 기술과 자원을 활용하여 대처 계획을 세우십시오.

_____

_____

_____

_____

_____

_____

해로운 대인관계

상대방이 당신에게 혐오 전략을 사용하는 대인관계는 당신의 대인관계 기술을 사용하기 매우 어렵게 만들 수 있습니다. 당신이 아무리 공격적이거나 수동적인 태도를 보이기보다 주장적 태도를 보이기로 결심했더라도, 당신을 비난하건, 위협하건, 얕잡아 보는 사람들은 종종 당신이 실수하도록 유도하고 당신이 폭발하거나 도망치고 싶게 만들 수 있습니다.

최고의 해결책은 이런 부류의 사람들로부터 벗어나는 것입니다. 그들은 변하지 않을 테고, 당신은 그들의 공격에 취약해지는 것을 절대 멈출 수 없을 것입니다. 하지만 만약 그 사람들이 당신이 피할 수 없는 사람들이라면(예: 상사, 가족 구성원), 대처하기 위해 해야만 하는 두가지 사항이 있습니다. 첫째, 그들을 대하기 전에 자신을 안정시켜야만 합니다. 중심을 잡기 위해 마음챙김 호흡이나 지혜로운 마음을 사용하십시오. 둘째, 과거 경험을 바탕으로 그 해로운 사람이 정확히 어떻게 행동할지 예상해야 하고, 다음으로 그 상황에 대처하기 위한 구체적인 계획(각본을 만드는 것을 포함하여)을 세울 필요가 있습니다. 미리 계획을 세부적인 대응 방법을 만들어가면서 낡고 비효율적인 패턴으로부터 멀어지게 될 것입니다. 다음 장의 자기 주장성 섹션에서 혐오의 함정에서 벗어나는 데 필요한 도구가 제공될 것입니다.

그릇된 신념

대인관계 기술 사용을 방해하는 마지막 주요 장애물은 관계를 마비시키는 4가지 신념들에 의해 발생합니다:

1. 만약 내가 무언가를 필요로 한다면, 나에게 뭔가 잘못되거나 나쁜 것이 있다는 것을 의미한다.

2. 만약 상대방이 화가 나거나 거절한다면, 나는 그걸 견딜 수 없을 것이다.

3. 거절하거나 무언가를 요청하는 것은 이기적인 것이다.

4. 나는 어떤 것도 통제할 수 없다.

각각의 신념들은 당신이 원하는 것을 말하거나 한계를 설정하는 것을 방해합니다. 각 신념에 대해 살펴봅시다.

- 신념 1. 모든 사람은 다른 사람으로부터 무언가를 필요로 합니다(관심, 지지, 사랑, 도움, 또는 단지 평범한 친절이라도). 우리는 우리 자신만으로는 충분하지 않고, 우리의 모든 삶을 감정적으로나 신체적으로 생존하기 위해 필요한 모든 것을 얻기 위해 다른 사람들과 협상하는 데 사용합니다. 그래서 무언가를 필요로 하는 것은 수치스럽거나 잘못된 것일 수 없습니다; 단지 인간의 기본 상태입니다. 이 통념에 대조되는 건강한 대안적 대처 사고는 "나는 무언가를 욕구할 권리가 있다."입니다.

- 신념 2. 화를 내는 거절의 말을 듣는 것은 상처가 됩니다. 때때로 그것은 너무 세게 때려서 갑자기 당신의 숨을 멎게 합니다. 그러나 당신이 견딜 수 없다는 것이 정말 사실입니까? 당신의 삶에서 겪어 온 거절 경험을 생각해보십시오. 그 경험이 어렵기는 했지만 당신은 살아남았습니다. 거절이 상처가 된다는 것에는 의심의 여지가 없지만, 가장 최악인 것은 당신이 원하는 것을 결코 요구하지 못함에 따라 수년간 고통과 함께 살아가는 것입니다. 이 통념에 대조되는 건강한 대안적 대처 사고는 *"비록 상대방이 주기를 원하지 않더라도, 나는 무언가를 요청할 권리가 있다."*입니다.

- 신념 3. 어쩌면 당신은 무언가를 요청하는 것은 이기적인 것이라고 느낄 수도 있습니다. 당신의 원가족 내에서 주어진 당신의 욕구는 고려되지 않거나, 당신의 욕구는 다른 가족의 욕구보다 덜 중요하다는 메시지 때문입니다. 이를 확인해

보니 정말 사실이던가요? 당신의 욕구를 상대적으로 중요하지 않게 만드는 어떤 결함이나 잘못된 것이 있습니까? 진실은 바로 이것입니다. 모든 사람의 욕구는 타당하며, 동등하게 중요하다. 무언가를 요청하거나 한계를 설정하는 것은 이기적인 것이 아닙니다. 자연스러운 것입니다. 건강한 것이며, 필요한 것입니다. 각 개인으로서 우리의 생존은 우리가 원하는 것을 알고 말하는 것에 달려있습니다. 표현하지 않으면 사람들은 주의를 기울이지 않기 때문입니다. 도움이 되는 대처 사고는 "무언가를 요청하는 것은 자연스럽고 건강한 것이다."입니다.

• 신념 4. 통제는 상대적입니다. 비록 어떤 사람들은 통제하기 위해 열중할지라도, 당신은 타인의 행동을 통제할 수 없습니다. 통제할 수 있는 것은 당신의 행동입니다. 수동적 또는 공격적 유형은 종종 나쁜 결과를 낳습니다. 사람들은 당신의 욕구를 무시하거나, 화를 내고 당신에게 저항합니다. 당신이 사용하는 전략이 효과적이지 않은 것은 당신이 무력감을 느끼는 이유이기도 합니다. 주장적 행동은 보다 나은 결과를 낳습니다. 대개 사람들은 경청하고 긍정적인 반응을 보입니다. 이 통념과는 대조적으로, 도움이 되는 대안적 대처 사고는 "나는 보다 효과적인 방식으로 행동하는 것을 선택할 수 있다."입니다.

제 10 장

대인관계 효율성 기술
-중급-

이 장은 대인관계 효율성의 모든 응용 기술을 포함하고 있습니다. 이러한 기술을 배우고 연습하는 것은 당신의 삶을 변화시킬 것입니다. 당신의 대인관계에서 훨씬 적은 갈등과 훨씬 더 많은 보상을 받게 될 것이기 때문입니다. 사람들과의 연결감은 각기 다를 것입니다. 누군가와는 좌절감보다 만족감이 더 크고, 박탈감보다 더 큰 지지를 느낄 것입니다. 이 장에서, 다음과 같은 특정 기술을 배우게 될 것입니다.

- 원하는 것을 알기

- 강도 조절하기

- 가벼운 요구하기

- 기본적인 자기주장 적어보기

- 적극적 경청 기술 사용하기

- '아니'라고 말하기

- 저항과 갈등에 대처하기

- 협상하기

- 문제적 상호작용 분석하기

원하는 것을 알기

대인관계 효율성은 자기 이해와 함께 시작되어야 합니다. 당신이 느끼는 것과 원하는 것을 분명히 알 필요가 있습니다. 제 7 장, 제 8장의 감정 조절은 당신이 느끼는 것의 미묘한 차이를 묘사하기 위한 단어와 감정을 분류하는 기술을 제공할 것입니다. 이 번 장에서의 목적을 위해 당신은 의사결정 체계에 따라 간단한 의사 결정을 하며 자신의 감정을 인식할 수 있습니다. 이 과정은 기본적인 질문들로 시작됩니다. 그 질문들은 다음과 같습니다. 기분이 좋은지, 나쁜지? 고통스러운지, 즐거운지? 기분이 좋다면 그 감정은 다음 중 무엇에 가까운가? 충족감, 흥분, 성적 끌림, 사랑/호감, 만족감, 기쁨, 즐거운 기대, 흥미로움, 포만감. 만약 기분 이 나쁘다면, 그 감정은 다음 중 무엇에 가까운가? 불안, 두려움, 분노, 분개, 슬픔, 비통함/상실감, 상처받음, 자신에 대한 분노나 혐오, 당혹감, 수치심, 죄책감, 갈망/박탈감, 외로움/공허함. 결정 체계는 다음과 같습니다:

감정

좋음	나쁨
충족감	불안(미래에 대한)
흥분	두려움(현재의 무엇에 대한)
성적 끌림	분노
사랑/호감	분개
만족감	슬픔
기쁨	비통함/상실감
즐거운 기대	상처받음
흥미로움	자신에 대한 분노나 혐오
포만감	죄책감
	갈망/박탈감
	외로움/공허함

예를 들어 보겠습니다. 앨런은 아버지와의 관계에서 뭔가 잘못되었다고 느낀다는 것을 인식하고 있었습니다. 그는 감정 목록 을 살펴보면서 그 감정이 약간의 분개를 포함한 상심에 가깝다는 것을 알았습니다. 앨런은 그 감정이 예정된 아버지의 방문과 관 련이 있다고 생각했습니다. 아버지는 그의 새로운 아내와 함께 올 예정이었습니다. 그러나 그의 아버지는 5일 동안의 일정 중 앨 런과는 단 한 번만의 저녁 식사를 계획했습니다.

일단 당신이 느끼는 감정을 단어로 표현할 수 있게 되면, 다음 질문은 '이 감정이 당신으로 하여금 무엇을 바꾸고 싶어 하도록 합니까?'입니다. 더 구체적으로 말하자면, '상대방의 무엇이 바뀌기를 원하나요? 당신은 그들이 무언가를 더 혹은 덜 하기를 원하 나요? 당신은 무언가를 멈추고 싶은가요? 당신이 다른 감정을 느낄 수 있도록 하는 새로운 행동을 원하나요?'와 같은 질문입니다.

이제 구체적인 용어로 그 행동 변화에 대해 생각해보십시오. 당신의 언제 그리고 어디에서 그 변화를 보고 싶습니까? 새로운 행동은 정확히 어떤 모습일까요?

자, 이제 이 과정을 일련의 단계로 모아봅시다.

연습 : 원하는 것을 알기

최근 상호작용을 하면서 기분이 나빴던 경험을 생각해보십시오. 그 감정으로부터 욕구를 명확하게 진술하는 것까지 나아가는 것은 다음과 같은 과정에 의해 진행될 것입니다:

1. 그 감정을 단어로 표현하십시오: _____

_____

2. 상대방의 무엇이 바뀌기를 원하나요?

- 더 하기를 원하는 것은 _____

- 덜 하기를 원하는 것은 _____

- 그만하기를 원하는 것은 _____

- 시작하기를 원하는 것은 _____

- 그 변화가 있기를 원하는 때는 _____

- 그 변화가 있기를 원하는 곳은 _____

- 그 변화의 빈도는 _____

이제 이 모든 정보를 하나 이상의 명료한 문장으로 옮기십시오: _____

_____

_____

_____

자신의 아이가 기르기 얼마나 까다로운지에 대해 자주 비판하는 여동생을 둔 한 여성은 자신이 바꾸고 싶은 것에 대해 다음과 같이 작성했습니다: "나는 브렌다가 마이크(내 아들)에 대해 이야기하는 것을 멈추기를 원하고, 아들에 대한 '배짱이 필요하다'는 말을 그만하면 좋겠다. 특히, 지인들이 주변에 있을 때 그런 말을 안 했으면 좋겠다. 대신에, 일, 사진, 글쓰기와 같은 다른 주제에 대해 물어봤으면 좋겠다."

당신의 욕구를 분명히 하고 구체화해 가는 과정에서의 문제는 이 과정이 걱정을 불러일으킨다는 것입니다. 당신이 무언가를 요구할 자격이 있는가? 당신의 욕구 때문에 감히 사람들에게 폐를 끼치겠는가? 당신의 유익을 위해 사람들을 실망시키고, 짜증 나게 하고, 당신을 위해 노력하도록 강요할 권리가 있는가? 답은 '그렇다'입니다. 그 이유는 당신은 감정을 느끼고, 무언가를 갈망 하고, 상처받고, 고통의 순간에 몸부림치는 한 인간이기 때문입니다. 당신은 이 모든 것을 들을 자격이 있습니다.

안타깝게도, 많은 사람들이 그들의 욕구를 타당화해 주지 않는 가정에서 성장합니다. 그리고 그들은 평생 무언가 요청하는 것을 두려워합니다. 마치 그들이 나쁘거나 자격이 없는 것처럼, 또 그들의 감정과 고통이 중요하지 않은 것처럼 느끼면서 말입니 다.

한 인간으로서 당신의 가치와 중요성을 상기시키기 위해 당신이 다음의 정당한 권리 목록을 검토하기를 바랍니다(McKay et al., 1983의 내용을 각색함) (출판사 웹사이트에서 '정당한 권리'를 다운받을 수 있습니다.)

정당한 권리 ⊠

1. 당신은 다른 사람들로부터 무언가를 요구할 권리가 있습니다.

2. 당신은 때때로 자신을 최우선으로 여길 권리가 있습니다.

3. 당신은 감정이나 고통을 느끼고 표현할 권리가 있습니다.

4. 당신은 당신의 신념에 대한 최종 판단자가 될 권리가 있고, 그것들을 정당하게 받아들일 권리가 있습니다.

5. 당신은 자신의 의견과 신념을 가질 권리가 있습니다.

6. 당신은 비록 다른 사람과 다른 경험이더라도 자신의 경험을 누릴 권리가 있습니다.

7. 당신은 부당하게 느껴지는 대우나 비판에 이의를 제기할 권리가 있습니다.

8. 당신은 변화를 위해 요구할 권리가 있습니다.

9. 당신은 도움이나, 감정적 지지나, 당신이 필요로 하는 무언가를 요청할 권리가 있습니다(비록 그것이 항상 가능한 것이 아니라 하더라도).

10. 당신은 거절할 권리가 있습니다; 거절한다고 해서 당신이 나쁘거나 이기적인 사람이 되는 것이 아닙니다.

11. 당신은 자신을 타인에게 설명하지 않아도 되는 권리가 있습니다.

12. 당신은 다른 사람의 문제에 책임감을 느끼지 않아도 되는 권리가 있습니다.

13. 당신은 상황에 반응하지 않는 것을 선택할 권리가 있습니다.

14. 당신은 때때로 다른 사람들을 불편하게 하거나 실망시킬 수도 있는 권리가 있습니다.

가장 중요하거나 당신을 자유롭게 하는 권리의 내용을 메모지에 작성하고 그 내용을 자신에게 상기시킬 수 있도록 욕실 거울 과 같이 자주 볼 수 있는 장소에 붙여 두십시오.

강도 조절하기

당신이 요구하는 방법을 어떻게 할지는 그 상황에 따라 다릅니다. 요청의 강도와 수준은 두 가지 주요 요인에 따라 달라질 수 있습니다:

1. 나의 요구는 얼마나 긴박한가?

　　전혀 긴박하지 않음　　　　1　　2　　3　　4　　5　　6　　7　　8　　9　　10　　매우 긴박함

2. 상대방과의 유대관계는 어떠한가?

　　매우 취약함　　　　1　　2　　3　　4　　5　　6　　7　　8　　9　　10　　취약하지 않음

이러한 각 변수는 10점 척도로 평가할 수 있습니다. 총 점수가 더 높을수록, 더 강력하게 요청하는 것이 적절합니다. 그리고 점수가 낮을수록, 더 온화하고 부드럽게 요청해야 합니다.

연습 : 강도 조절하기

다른 사람이 바뀌기를 원했던 최근의 상황을 떠올려보십시오. 두 가지 핵심 질문과 채점 방법을 사용하여 그 상황을 평가하십시오: 적절한 수준의 강도와 압박에 대해 무엇을 알 수 있습니까? 특정 상황에서 너무 강하게 요청했나요, 아니면 너무 약하게 했나요? 만약 당신이 (1) 요구의 긴박성 그리고 (2) 취약성 수준에 따라 요청의 강도를 조정했다면 어떤 일이 일어났을지 상상해보십시오.

자신을 표현할 필요가 있는 모든 상황에서 이 두 가지 질문을 자문해보십시오. 당신이 항상 1-10 척도를 사용할 시간이나 의향이 있지는 않겠지만, "얼마나 긴박한가?" 그리고 "얼마나 취약한가?" 이 두 질문을 기억하는 것은 요청할 때의 목소리를 어느 정도의 강도와 세기와 크기로 할지 신속하게 결정하는 데 도움이 될 수 있습니다.

이 연습을 하는 동안, 레이첼은 남편과의 대화에서 발생하는 몇 가지 문제를 평가했습니다. 그녀의 남편은 대화 중 매우 좌절감을 느꼈습니다. 왜냐하면 레이첼이 그가 결근을 해야만 참석할 수 있는 시간(오후 3시)에 예정되어 있는 학부모-교사 회의에 참석하기를 원했기 때문입니다. 그는 이 요청을 거절했습니다. 그러나 그들의 아들에게는 독해 문제가 있었고, 레이첼은 그 문제의 긴박성을 8로 평가했으며, 반면에 남편의 취약성은 그렇게 취약하지 않은 수준인 7로 평가했습니다. 레이첼은 그녀가 취한 부드럽고 편안한 접근 방식이 실수였다는 것을 깨달았습니다. 그래서 다음에 비슷한 상황이 벌어졌을 때는 더욱 적극적으로 요청하였고, 그녀의 남편은 순응하고 회의에 참석했습니다.

가벼운 요구하기 ⊠

요구하기 기술은 자신을 돌보기 위한 필수적인 기술입니다. 길을 물어보고, 식당에서 테이블을 바꿔달라고 하고, 정비사에게 자동차 부품을 보여달라고 하고, 집에서 담배를 피우지 말라고 부탁하는 것과 같은 이러한 요청들은 모두 자기 보호와 삶의 질에 관한 것입니다. 만약 당신에게 무언가를 요청하는 것에 대한 어려움이 있다면, 당신은 결국 쉽게 무력감과 억울함을 느낄 수 있습니다.

간단한 요구를 할 때 필요한 네 가지 구성 요소가 있습니다:

1. *간략한 정당화(선택 사항)*. 문제가 무엇인지 한 문장으로 설명하십시오. "여기는 너무 더워요... 이 가방들이 너무 무거워요... 걸어가는 길이 멀어요... 이건 좀 타이트해 보여요." 많은 상황들은 어떠한 정당성도 필요하지 않습니다; 그럴 때는 간략하게 설명하십시오.

2. *부드러운 말투*. 이것은 매우 중요한 요소인데, 부드러운 말투를 사용함으로써 당신은 예의 바르고 요구적이지 않은 합리적인 사람으로 보여질 수 있기 때문입니다. 부드러운 말투는 종종 이렇게 시작합니다.

   * "혹시 괜찮으시다면..."

   * "혹시 당신이 할 수 있다면 도움이 될 것 같은데요..."

   * "그렇게 해주신다면 감사하겠습니다..."

   * (미소 지으며) "제가 혹시 좀..."

   * "안녕하세요, 혹시나 해서 그러는데요..."

   이러한 말로 시작하는 것은 상대방의 경계심을 풀게 합니다. 그리고 까다롭게 요구하는 것보다 저항을 불러일으킬 가능성이 훨씬 적습니다.

3. 직접적이고 구체적인 질문. 당신이 원하는 것을 분명하고 정확하게 말하십시오. 목소리에서 어떠한 부담이나 감정을 빼십시오. 원하는 것을 차분하고 사무적으로 말하십시오. 상대방에게 어떤 문제가 있다고 비난하거나 암시하지 마십시오. 당신의 요구를 누구나 기꺼이 받아들일 수 있는 평범하고 합리적인 것으로 전달하십시오. 가능하다면 요구를 한 문장으로 만드십시오. 당신이 더 많이 설명하고 구체화할수록, 더 많은 저항에 부딪치게 될 것입니다.

4. 감사 표현. 이것은 당신의 요청에 대한 상대방의 긍정적인 행동 가능성을 높여줍니다. 감사 표현은 상대방이 하는 행동에 당신이 가치를 부여하고 있다는 느낌을 주게 됩니다. 몇 가지 예시가 있습니다:

   * "저에게 정말 도움이 될 거예요."

   * "수고해 주셔서 감사해요."

   * "덕분에 정말 큰 차이가 있을 거예요."

   * "정말 감사해요."

구성 요소들이 서로 연결되는 경우, 간단한 요청은 다음과 같이 될 수 있습니다:

* 식당에서: "해가 너무 밝아요. 차양을 좀 낮춰 주실 수 있으시겠습니까? 정말 감사합니다."

* 지하철 안에서: "여기 자리가 좀 좁아서요. 혹시 여유 공간을 위해 가방을 옮겨주실 수 있으시겠어요? 정말 감사합니다."

- 친구와 드라이브 할 때: "이렇게 가까이 운전하면 불안해. 특히 이 속도에서는 더. 혹시 괜찮으면 앞차랑 조금 더 거리를 둘 수 있을까? 내 말대로 해줘서 고마워."

연습 : 가벼운 요구하기 ⊠

때때로 요청하는 게 어렵다고 느낀다면, 여러 일상 상황에서 연습하는 것이 좋습니다. 다음의 제안 사항들을 시도해보십시오:

- 길에서: 시간 물어보기, 길 물어보기, 옷을 어디에서 샀는지 물어보기, 거스름돈 요청하기.

- 가게에서: 상품 확인 요청하기, 정보 요청하기(예: 환불 정책에 대해서), 좀 더 저렴하거나 다른 색상의 대상을 보여달라고 요청하기, 구매에 대한 조언 요청하기(예: "이 색상들이 서로 잘 어울리나요?"), 거스름돈 요청하기.

- 직장에서: 정보 요청하기, 약간의 도움 요청하기, 기한 연장 요청하기, 누군가에게 잠시 시간 내달라고 요청하기, 의견 요청하기.

- 집에서: 일정 변경 요청하기, 도움 요청하기, 함께 보내는 시간 요청하기, 환경 변화를 위해 도움 요청하기(예: "우리 이 의자를 주방으로 옮기는 거 어때?")

- 친구나 가족과 함께 있을 때: 정보 요청하기, 문제에 대한 도움 요청하기, 조언 구하기.

이 기술을 사용할 계획이라면 위 선택 사항(또는 자신만의 요청 사항을 만들어서) 중 *하나*를 선택하여 *매일* 연습하십시오. 아침 식사를 할 때 그리고 잠자기 전에 다음 날 도전할 요청을 확인하십시오. 연습할 시간과 상황을 결정하십시오. 기억하기 쉽게 달력에 적어두십시오. 그리고 이제 연습을 실행하십시오.

기본적인 자기 주장 적어보기 ⊠

이전 장에서 읽은 것처럼, 자기주장은 건강한 관계를 유지하기 위한 핵심적 기술입니다. 자기주장 없이는 수동적 패턴이나 공격적 패턴에 빠질 수 있고 이는 신뢰와 애착을 파괴합니다.

자기주장을 배우는 가장 쉬운 방법은 간단한 각본을 사용하는 것입니다. 각본을 사용하는 것은 당신이 말하고 싶은 것에 집중하여 짜임새 있게 말하는 데 도움이 될 것입니다. 또한 각본을 통해 당신은 할 말을 미리 만들어 둘 수 있게 되고, 혼자 또는 신뢰하는 누군가와 연습하면서 마침내 당신이 선택한 시간에 당신의 주장을 더 자신 있게 전달할 수 있는 장점을 얻게 됩니다.

자기주장 진술에는 두 가지 구성 요소가 있고, 두 가지 선택 요소가 있습니다.

1. **"내 생각에는"** 이 부분은 사실 그리고 진행되고 있는 일에 대한 당신의 이해에 집중하는 것입니다. 여기에는 다른 사람의 동기에 대한 판단이나 추정이 포함되지 않도록 해야 합니다. 어떤 식이든 공격적인 것은 안 됩니다. "나는 생각한다" 부분은 당신이 이야기해야 할 사건과 경험 그리고 어쩌면 변화에 대한 명확한 설명입니다. 몇 가지 예시가 있습니다:

   - "내 생각에는 최근에 우리가 함께 시간을 보낸 적이 별로 없던 것 같아. 지난 주에는 이틀 밤, 그 전주에는 하루를 보냈잖아."

- "당신은 내가 허가하지 않은 수리비를 청구했습니다."

- "최근의 일을 돌이켜보면, 내 생각에 당신은 대부분의 회의에 늦었던 것 같아요."

- "나는 공항에서 늦게 돌아올 거예요. 11시 쯤이 될 거예요. 그리고…"

이 진술에는 감정과 관련된 내용이 별로 없고, 사실에 대한 진술에 비난이 없다는 것에 주목하십시오.

2. **"내가 느끼기에는"**(선택 사항): 이 구성 요소는 친구나 가족에게는 사용할 수 있지만 당신의 차고 정비사에게는 사용할 수 없습니다. 이 진술의 목적은 그 상황에 의해 촉발된 어떤 감정에 대한 간단하고 비판단적인 설명을 전달하는 것입니다. 의사소통 전문가들은 이 구성 요소를 "나" 진술이라고 부릅니다. 이렇게 부르는 이유는 당신과 당신의 특정한 감정에 대한 진술을 하는 것이기 때문입니다. 당신의 감정에 대한 문장은 "나"로 시작해야 적절합니다.

- "나는 무서워."

- "나는 외로워."

- "최근에 나는 우리에 대해 슬픈 기분이 들어."

- "나는 포기의 쓴맛으로 마음이 아파."

- "나는 길을 잃은 것 같고 길이 보이지도 않아. 점점 더 단절된 느낌이 들어."

- "나는 거절당한 기분이야."

- "나는 희망적이긴 한데, 긴장돼."

각각의 예시는 다양한 복합적 감정을 명명하는 동시에, 다른 사람에게 나쁘거나 틀리게 들리지 않습니다. 당신이 어떻게 느끼는지에 대해 누군가를 비난하는 경우에는 효과가 없으며, 오히려 상대방을 방어적으로 만들고 당신에게 무언가 주고자 하는 마음을 줄어들게 할 뿐입니다. 비난하고 나무라는 진술은 종종 "너"라는 단어로 시작하고, 그렇기 때문에 이를 "너"진술이라고 부릅니다. 주장적 진술을 사용할 때 "너" 진술을 사용하지 않기 위해 최선을 다하십시오. "너" 진술의 예시가 나와 있습니다:

- "너는 나에게 상처를 줬어."

- "너는 우리에게 관심이 없어."

- "당신은 항상 늦어요."

- "당신은 우리 사업을 망치고 있어요."

어떤 사람들은 "너" 진술을 "나" 진술로 보이게 감쪽같이 둔갑시키기도 합니다. 하지만 이 속임수는 보통 "나는 당신이 ~인 것 같아요."로 시작되기 때문에 대개 금방 티가 납니다.

- "나는 네가 이기적인 것 같아."

- "나는 당신이 전혀 집에 없는 것 같아."

- "나는 당신이 나를 조종하는 것 같아."

실제 감정이 아닌 판단의 경우 이러한 유형의 "너" 진술의 근간을 형성한다는 것을 주목하십시오. 그리고 "너" 진술에서는 화자가 덜 취약하기 때문에 "나" 진술을 사용하는 것보다 더 안전하게 들릴 수도 있지만, 이것은 당신 자신의 감정적 경험에 대한 것은 어떤 것도 의사소통할 수 없습니다. 이러한 유형의 진술은 단지 비난을 평가할 뿐이고 듣는 사람이 당신이 전하고자 하는 말을 더 듣지 않게 만듭니다.

3. **"내가 원하기는."** 이 구성 요소야말로 주장성의 핵심이며, 당신은 이것을 신중히 생각해야 합니다. 이 진술을 위해 다음의 몇 가지 지침을 따라야 합니다:

- **태도의 변화가 아닌 행동적 변화를 요청하십시오.** 단지 당신이 좋아하지 않는다는 이유로 누군가가 그들이 믿거나 느끼는 것을 바꾸기를 기대하는 것은 합리적이지 않습니다. 신념과 감정은 보통 자발적으로 통제할 수 있는 영역이 아닙니다. 그러나 당신은 누군가에게 그들이 행동하는 방식과 행동의 내용을 바꾸라고 요청할 수 있습니다.

- **한 번에 하나씩 바꾸도록 요청하십시오.** 상대방이 바꿔야 할 행동이 줄줄이 얘기하지 마십시오. 해야 할 게 너무 많아서 압도되고 압박감을 느낄 수 있습니다.

- **구체적이고 확고하게 전달하십시오.** "잘 해"와 같이 모호하게 요청하는 것은 어떤 도움도 되지 않습니다. 누구도 그 말이 무엇을 의미하는지 정확하게 이해할 수 없기 때문입니다. 당신이 기대하는 새로운 행동을 설명하고, 언제 어디에서 그 변화된 행동을 개시하기를 원하는지 말하십시오. 누군가에게 20분간 인터넷에서 서치하는 걸 도와달라고 요청하는 것이 "기술적 도움"을 요청하는 것보다 효과적입니다.

4. **자기 돌봄 전략**(선택 사항): 단지 요청하는 것만으로 항상 충분한 것은 아닙니다. 때로는 사람들이 당신을 위해 무언가를 하고자 하는 동기를 갖기 전에 먼저 그들을 격려할 필요가 있습니다. 가장 효과적인 격려는 자기 돌봄 전략이라고 불리는 이번 진술입니다. 이것은 상대방이 당신의 요청을 들어주지 않는다면, 당신이 자기 자신을 돌보기 위해 어떤 것을 할지에 대해 상대방에게 이야기하는 것 이상이 아닙니다. 자기 돌봄 전략은 누군가를 위협하거나 처벌하는 것이 아닙니다. 자기 돌봄 전략의 목적은 정보를 전달하고 당신이 무력하지 않으며 문제를 해결하기 위한 계획을 가지고 있음을 보여주는 것입니다. 아래 몇 가지 예시가 나와 있습니다.

- "만약 당신이 제 시간에 파티에 갈 수 없다면, 저는 제 차를 타고 갈게요."

- "만약 당신이 청소를 도울 수 없다면, 저는 도우미를 고용할 것이고 우리는 그 비용을 분담하게 될 거예요."

- "만약 당신이 파티 소음을 줄일 방법을 찾지 못한다면, 저는 경찰에게 당신을 도와달라고 요청할 거예요."

- "만약 당신이 보험 없이 운전을 하고 싶다면, 제 명의에서 당신 명의로 바꿀 것이고, 그 비용도 당신이 감당하게 될 거예요."

위의 자기 돌봄 전략 중 어떤 것도 다른 사람에게 해를 끼치기 위한 목적으로 만들어진 것이 아닙니다; 당신의 권리를 보호하고 당신 자신의 욕구를 돌보기 위한 것입니다.

자기주장 구성 요소 통합하기

이제, 자기주장 진술의 구성 요소들을 통합해서 그것들이 서로 어떻게 들어맞는지 보도록 합시다. 다음에 몇 가지 예시가 나와 있습니다:

예시 1.

내 생각에는:	생활비가 더 많이 들기 시작한 게 3년이 지났고, 그 기간 동안 물가가 10% 이상 올랐어요.
내가 느끼기에는:	회사가 잘 되고 있는데, 난 거기에 참여하고 있지 않기 때문에 소외감을 느껴요
내가 원하기는:	제게 들어오는 돈이 물가 상승을 따라갈 수 있도록 빨리 생활비를 10% 올려주세요.
자기 돌봄:	만약 우리가 이 문제를 해결할 수 없다면, 나는 내 가족을 더 잘 지원할 수 있도록 다른 것을 찾아봐야 할 거예요.

예시 2.

내 생각에는:	오늘 밤 마감 시간까지 일을 마무리해야 돼서 저녁 식사를 준비할 시간이 없어요.
내가 느끼기에는:	이 일을 끝내지 못할까 봐 너무 불안하고 압도되는 기분이에요.
내가 원하기는:	제가 하던 걸 계속할 수 있게 남은 음식들로 빨리 식사를 준비해 줄 수 있어요?
자기 돌봄:	그럴 수 없다면, 제가 피자를 주문할 수 있어요.

자기 돌봄 전략을 사용하는 한 가지 방법은 상대방이 당신이 원하는 전략을 거절하는 경우에만 해당 전략을 사용하는 것입니다. 나중을 위해 "비장의 무기"을 아껴두는 건 대개 효과적인 전략입니다.

연습 : 자기주장 각본 만들기

이제 당신 자신의 각본을 만드는 연습을 할 때입니다. 잘못되었다고 느낀 상황과 무언가 바뀌기를 원하는 상황 3가지를 떠올려보는 것으로 시작하십시오. 관련 내용을 아래의 밑줄에 작성하십시오.

문제 상황 1.

1. 문제: _____

_____

_____

2. 내가 원하는 변화는: _____

_____

_____

문제 상황 2.

1. 문제: _____

_____

_____

2. 내가 원하는 변화는: _____

_____

_____

문제 상황 3.

1. 문제: _____

_____

_____

2. 내가 원하는 변화는: _____

_____

_____

이제 작성한 정보를 실제 각본으로 옮겨봅시다:

문제 상황 1.

내 생각에는: _____

_____

내가 느끼기에는: _____

_____

내가 원하기는: _____

_____

나 자신을 돌보기 위해서: _____

_____

문제 상황 2.

내 생각에는: _____

_____

내가 느끼기에는: _____

_____

내가 원하기는: _____

_____

나 자신을 돌보기 위해서: _____

_____

문제 상황 3.

내 생각에는: _____

_____

내가 느끼기에는: _____

_____

내가 원하기는: _____

_____

나 자신을 돌보기 위해서: _____

_____

적극적 경청하기 ⊠

좋은 의사소통은 양방향의 소통이라는 것을 모든 사람이 알고 있습니다. 하지만 많은 사람들이 듣기가 수동적인 과정이기보다 적극적 과정이라는 것을 모릅니다. 상대방이 문제에 대해 생각하고 느끼는지 그 문제를 바꾸기 위해 무엇을 하고 싶은지를 진정으로 이해하기 위해서는 듣기에 온전한 전념을 해야 합니다. 다른 말로 하자면, 당신이 배우고 있는 자기주장적 표현 방법 3가지와 동일하게, 당신은 또한 상대방의 말을 듣고 질문을 이끌어내야 합니다.

만약 듣는 중에 상대방의 감정이나 바라는 것에 대한 불확실성이 있다면, 직접적인 질문을 던져보십시오. "그 일에 대해 당신이 어떻게 느끼고 있는지 확신이 들지 않아요. 조금 더 이야기해줄 수 있나요?" "이 상황에서 우리가 무엇을 변화시키기 위해 노력해야 한다고 생각하나요?"

더 적극적으로 질문할수록, 더 많은 것을 알게 되고 두 사람의 욕구를 만족시킬 수 있는 전략과 타협안을 더 잘 찾을 수 있습니다. 아래에 다른 사람에게 물어볼 수 있는 핵심 질문들이 나와 있습니다:

- "당신이 이해한 바로, 가장 중요한 문제는 무엇인가요?"

- "그 상황에 대해 어떻게 이해하나요? 무슨 일이 일어나고 있다고 생각하나요?"

- "당신이 (문제의 이름)_____와/과 다툴 때, 그것이 어떤 기분을 느끼게 하나요?"

- "당신이 (문제의 이름)_____을/를 다룰 때, 그것이 당신으로 하여금 무엇을 하고 싶게 만드나요?"

- "무엇이 바뀌어야 한다고 생각하나요?"

- "그 문제를 위해 내가 무엇을 도와주면 좋을까요?"

예시를 들어보겠습니다. 론은 동료 직원이 자신이 막 도입한 새로운 주문 절차 시스템으로 인해 골머리를 앓고 있는 것을 알게 되었습니다. 론이 "무엇이 바뀌어야 한다고 생각하나요?"라고 물었을 때, 그는 많은 도움이 되는 피드백을 받았고 감정적인 상태가 완전히 달라졌습니다.

적극적 경청은 대단히 가치있는 기술입니다. 하지만 이 기술은 단지 누군가의 욕구를 알기 위한 것이지 반드시 상대방에게 굴복해야 한다는 의미는 아닙니다. 당신의 욕구와 의견도 중요합니다. 그렇기에 다른 사람들의 요청이나 제안에 따르기 전에 당신에게 중요한 것에 대해서도 고려해보아야만 합니다.

듣기를 방해하는 것

다음은 효과적인 듣기 능력을 방해하는 10가지 방식에 대한 내용입니다(McKay et al., 1983의 내용을 각색함). 지금 바로 당신이 사용하고 있는 듣기 방해물에 표시하십시오(✔). 그러나 자신을 판단하지는 마십시오. 모든 사람들이 다음 중 일부의 행동을 하곤 합니다.

☐ 독심술: 상대방에게 묻지 않고 상대방의 기분과 생각을 안다고 가정하는 것.

☐ 시연하기: 다음에 하고 싶은 말을 생각하느라 지금 하고 있는 말을 놓치는 것.

☐ 선택적 듣기: 자신에게 중요한 내용이나 자신과 관련된 내용만 듣고 나머지는 무시하는 것(그 내용이 상대방에게 중요한 것이더라도).

☐ 판단하기: 상대방이 세상을 어떻게 바라보고 있는지 진정으로 이해하려고 노력하는 대신에 상대방과 그들이 말하는 내용을 평가하는 것.

☐ 공상하기: 누군가 당신에게 이야기하고 있을 때 어떤 기억이나 판타지에 빠지는 것.

☐ 조언하기: 상대방의 말을 듣고 이해하는 대신에 제안이나 해결책을 찾아보는 것.

☐ 논쟁하기: 언쟁이나 논쟁을 하며 상대방을 비타당화하는 것.

☐ 옳다고 생각하기: 당신이 틀렸거나 바뀌어야 한다고 제안하는 의사소통에 저항하거나 무시하는 것.

☐ 전환하기: 당신에게 거슬리거나 위협이 되는 내용을 들으면 그 즉시 주제를 완전히 전환하는 것.

☐ 달래기: 상대방의 감정이나 염려에 대해 진정으로 듣지 않고 매우 빠르게 수긍하기("알지... 맞아맞아... 미안")

연습 : 듣기 방해물

다음 표의 왼쪽 열에는 당신과 다른 누군가의 소통이 차단됐던 3가지 상황에 대해 작성하십시오. 오른쪽 열에는 오고 가는 모든 대화의 내용을 듣고 이해하는 것을 방해한 듣기 방해물을 적어도 한 가지씩 확인하여 작성하십시오.

듣기 방해물

상황	듣기 방해물

다음 한 주 동안, 당신이 가장 많이 사용하는 듣기 방해물을 얼마나 자주 사용하는지 확인하십시오. 듣기 방해물을 주장적 듣기로 대체하는 것에 전념하십시오("주장적 듣기"의 핵심 질문을 살펴보십시오).

'아니오'라고 말하기 ⊠

'아니오'라고 말할 수 있는 능력은 건강한 의사소통의 핵심적인 부분입니다. 이 요소 없이는 모든 대인관계가 위험해질 수 있으며, 이는 브레이크 페달 없이 가속 페달만 있는 차를 타는 것과 마찬가지입니다. 이는 사람들이 당신을 대할 때 제지 수단이 당신에게 없게 되는 것입니다.

'아니오'라고 말하는 것은 단순하면서 동시에 어려운 일입니다. 그 단어 자체는 간단하지만, 거절의 말을 하기 위해서는 대개 용기가 필요합니다. '아니오'라고 말하기 위한 "방법"부터 살펴봅시다. 그 방법은 단 두 단계로 이루어져 있습니다:

1. 상대방의 요구와 바람을 인정하기

2. 그것을 할 수 없다는 것을 분명히 언급하기

여기에 몇 가지 예시가 있습니다:

-   "상대방을 많이 쓰러뜨리는 액션 영화도 아주 재미있어. 그렇지만 나는 오늘 밤엔 조금 더 편안한 영화를 보고 싶어."

-   "보라색은 역동적이고 장점이 많다는 걸 알지만, 나는 침실에는 보다 부드러운 파스텔톤의 색감이 어울린다고 생각해."

-   "당신이 왜 이안(우리 아들)과 맞서고 싶은지는 알지만, 나는 우리에게 등을 돌릴 위험이 있는 그런 접근 방식이 편하지 않아요."

-   "당신이 해가 뜨거운 시간을 피해 늦게 나가고 싶어하는 이유는 알지만, 나는 일어나서 그렇게 오래 머물러 있는 게 편하지 않아요."

핵심 구절인 "나는~을/를 선호한다." 그리고 "나는 ~가 편하지 않다."를 주목하십시오. 당신의 입장에 관한 많은 정당성을 제시하지 않아도 됩니다. 그리고 논쟁도 하지 않습니다. 단지 인정한 다음 거절하십시오. 중요한 것은 당신에게 불리하게 작용할 만한 내용을 상대방에게 전달하지 않는 것입니다. 누구도 선호나 감정에 대해 논쟁할 수 없습니다.

연습 : 자기주장 위계 수립하기

자기주장을 배우는 것(거절하기를 포함하여)은 연습과 어느 정도의 위험을 감수하고자 하는 기꺼운 마음을 필요로 합니다. 그러나 위험도가 낮은 상황에서는 그 상황에 발을 담그고 있어야 하고, 더 큰 불안을 유발하는 상황을 마주하기 위해 노력해야 합니다.

변화 만들기, 거절하기, 또는 한계 설정하기를 실행하고 싶은 상황의 목록을 만드십시오. 가족, 친구, 직장 상사 또는 동료, 권위자 등과 관련된 문제를 포함하십시오. 이제 그 목록을 위험도와 어려운 정도에 따라 1부터 10까지 순위를 매기십시오. 1은 위험도와 어려움이 거의 없는 상황이고, 10은 가장 높은 상황입니다.

몇 가지 쉬운 상황과 보다 더 어려운 상황을 포함하여, 어려움의 정도에 따라 다양한 상황의 위계를 나열하기 위해 최선을 다하십시오. (출판사 웹사이트에서 '자기주장 위계 수립하기' 형식을 다운받을 수 있습니다.)

자기주장 상황 위계

순위	상황
10.	
9.	
8.	
7.	
6.	
5.	
4.	
3.	
2.	
1.	

이제 낮은 순위의 상황부터 시작하여 다음의 4가지 사항을 실행하십시오:

1. 각본을 작성하십시오("내가 생각하기에는... 내가 느끼기에는... 내가 원하기는").

2. 각본을 연습하십시오.

3. 각본의 내용을 실행할 때와 장소를 결정하십시오.

4. 특정한 날짜에 당신의 주장적 진술을 사용하는 것에 전념하십시오.

당신의 첫 번째 자기주장 목표를 달성했을 때, 무엇이 효과가 있었고 무엇을 개선해야 하는지 평가하십시오. 예를 들어, 당신은 논쟁이나 변명을 덜 하면서 좀 더 확고해질 필요가 있는가? 첫 번째 단계에서 무엇을 배웠든지 간에 2순위 상황을 위한 준비에 그 내용을 통합하십시오. 계속해서 다음 위계로 나아가십시오. 그렇게 할 때 당신은 자신감을 얻게 될 것이고 당신의 기술은 향상될 것입니다. 그리고 당신의 대인관계에는 점점 더 유익이 있게 될 것입니다.

저항과 갈등에 대처하기

앞서 어떻게 하면 다른 사람의 말에 귀 기울이는 능력을 향상시킬 수 있는지 살펴보았습니다. 그러나 만약 누군가 당신의 말을 듣지 않는다면 어떻게 될까요? 그 답은 다음의 다섯 가지 갈등 관리 기술에 담겨있습니다:

1. 상호 인정
2. 반복해서 말하기
3. 탐색하기
4. 양보하기
5. 능동적인 지연하기

상호 인정

사람들이 당신에게 귀 기울이지 않는 가장 흔한 이유 중 하나는 그들이 인정받고 있지 않다고 느끼기 때문입니다. 그들은 자신이 상대방의 말을 듣고 있다는 것을 인식하지 못하기 때문에 계속해서 그들의 주장과 의견을 쏟아냅니다. 당신은 상호 인정을 통해 그 문제를 짧게 끝낼 수 있습니다. 누군가를 타당화하는 것은 그들의 의견에 동의하는 것을 의미하지 않습니다. 대시에 그 의미는 그들의 **욕구, 감정, 동기**를 이해하는 것입니다. 당신도 아시다시피, 상대방이 어떻게 그렇게 생각하고 느끼는지 볼 수 있습니다.

따라서 상호 인정은 당신이 그들의 경험을 인정하고 환영하는 것을 의미하며, 그들의 경험이 무엇에 의한 것인지 이해하고, 나아가 당신 자신의 경험 역시 인정하는 것을 의미합니다. 몇 가지 예시가 나와 있습니다:

- "이런 경제적 위기를 감수하는 것이 무섭다는 걸 **이해합니다**; 당신은 조심할 모든 권리를 가지고 있습니다. 그러나 제 편에서, 저는 고수익 투자를 해야 한다는 압박감을 느끼고 있고, 그래서 은퇴할 때 조금 더 많은 투자를 해야 할 것 같습니다. 우리 둘의 의견이 다르긴 하지만 모두 합리적입니다."

- "당신이 최선을 다하고 있지 않다는 나의 말이 당신에게 상처라는 걸 **이해합니다**. 나를 포함해 그런 말을 듣는 건 누구에게나 힘들 것입니다. 그러나 제 편에서, 저는 이 프로젝트가 예산을 초과하는 위험에 처하고, 제가 그 책임을 져야 할 것 같아서 두렵습니다. 모두 힘을 모아주기를 바랍니다."

- "당신이 나의 안전을 걱정한다는 것과 그런 이유로 부품을 교체했다는 것을 **이해합니다**. 정말 감사합니다. 하지만 제 편에서, 저는 예산이 너무 빠듯해서 차를 수리할 여유가 없고, 말 그대로 차를 계속 운행할 수가 없습니다. 지금 당장은 안전이 저의 가장 큰 걱정이 아닙니다."

상호 인정의 각 예시가 "저는 이해합니다."로 시작하는 문장과 "제 편에서는"으로 시작하는 또 하나의 문장을 포함한다는 것을 주목하십시오. 이 두 문장은 당신이 두 관점을 모두 이해한다는 것을 증명합니다.

반복해서 말하기 ⊠

누군가가 당신의 말에 귀 기울이지 않을 때 이 기술을 사용하십시오. 당신이 원하는 것을 짧고, 구체적이고, 이해하기 쉬운 문장으로 만드십시오. 한 문장으로 만드는 것이 이상적입니다. 변명이나 해명을 하지 마십시오. 곧게 서거나 앉아서, 강하고 확고한 어조로 말하십시오. 그런 뒤에 그저 그 문장을 표현을 다르게 하면서(하지만 너무 과하지는 않게) 필요한 만큼 충분히 반복해서 말하십시오.

논쟁하지 말고, 화내지 말고, 토론하려고 하거나 상대방이 말하는 내용에 대해 어떤 이의도 제기하지 마십시오. "왜"라는 질문("당신은 왜 ~을/를 원하나요?")으로 답하지 마십시오. 왜냐하면 그렇게 하는 것은 상대방이 논쟁을 위한 무기를 장전하게 할 뿐이기 때문입니다. "나는 그저 ~을/를 선호합니다." 또는 "그게 내 기분이에요."와 같은 말로 반응하십시오. 어떤 경우에도 당신의 견해에 대한 추가 정보나 증거를 전달해서는 안 됩니다. 그저 반복하십시오. 정중하고 분명하게. 마치 고장난 음반처럼. 다음에 예시가 나와 있습니다:

샘: 당신의 나무의 가지가 너무 커서 우리 집 지붕으로 넘어와요. 다음 큰 태풍에 그 나무가 우리집 쪽으로 쓰러질까봐 걱정됩니다. 저는 당신이 수목관리사를 통해 그 가지를 잘라내면 좋겠어요.

빌: 그렇게 된지 벌써 몇 년이 됐어요; 저는 별로 걱정되지 않는데요.

샘: 제 생각에는 그 나무가 우리집에 위험이 되는 것 같아요. 그리고 저는 당신이 그 나무를 정리하면 좋겠어요.

빌: 진정하세요; 그 나뭇가지는 우리가 죽을 때까지 계속 저렇게 있을 거예요.

샘: 나뭇가지가 우리집 지붕으로 늘어뜨려져 있고, 저는 그게 걱정 돼요. 빌, 그 나무가 쓰러지기 전에 제거해 주면 좋겠어요.

빌: 갑자기 왜 그렇게 예민하게 구세요?

샘: 나뭇가지가 우리집 지붕으로 넘어왔어요, 빌. 그리고 그 가지를 제거해야 합니다.

탐색하기

핵심 구절은 다음과 같습니다:

- "당신을 괴롭히는 것은 무엇 (상황의 이름)_____때문인가요?"

쓸만한 정보를 얻을 때까지 계속 질문하십시오.

예를 들면, 최선을 다하지 않아 비난받았던 사람의 사례로 돌아가 봅시다. 당신이 그런 식으로 비난받았다고 상상해보십시오. 다음은 탐색하기가 어떻게 도움이 되는지에 대한 예시입니다.

비난하는 사람: 당신은 요즘 최선을 다하고 있지 않아요.

당신: 저의 어떤 일이 당신을 불편하게 하는 건가요?

비난하는 사람: 다른 모든 사람이 초과 근무를 하고 있어요. 그런데 당신은 5시만 되면 퇴근 하잖아요.

당신: 제가 정시에 퇴근한다고 해서 당신을 불편하게 하는게 있나요?

비난하는 사람: 일을 다 끝내고 가야죠. 사람들이 어떻게 하는지 보는 게 제 책임이에요. 그런데 당신은 시간만 따져서 일을 하고 있죠.

당신: 제가 시간이 돼서 일을 끝내는 것이 무슨 문제가 되나요?

비난하는 사람:	다른 사람들이 당신이 하던 일을 마무리 해야 하잖아요. 종종 제가 마무리하기도 하고요. 당신이 그 일을 다 끝낼 때까지 남았으면 좋겠어요.
당신:	그렇게 설명해 주셔서 감사해요.

더 다양한 질문으로 탐색하기를 원한다면, "적극적 경청"의 예시 질문들을 검토하십시오.

양보하기

이 기술은 상대방이 말한 전체 내용을 모두 받아들이지는 않지만, 당신이 그 가운데 '일부'를 동의하는 방식입니다. 이 기술을 통해 사람들은 종종 마음을 가라앉히고 이기고 지는 논박 을 멈추게 됩니다.

핵심은 상대방의 말 중에 당신이 수용할 수 있는 부분을 찾고, 그 부분에 대해 상대방이 옳다는 것을 인정하는 것입니다. 그 외 나머지 내용은 염두에 두지 마십시오. 상대방의 의견에 동의하기 위한 한 가지 방법은 "항상"과 "절대"와 같은 과장된 단어들을 바꾸는 것입니다.

예시 1.

비판하는 사람:	당신은 항상 사소한 일에도 화를 내요.
당신:	맞아요, 가끔 짜증이 날 때가 있어요.

예시 2.

비판하는 사람:	당신은 내가 도움이 필요할 때 절대 도와주지 않아요.
당신:	맞아요, 당신이 요청하는 것을 전부 도와주지 못한 경우가 여러 번 있었죠.

양보를 통해 당신의 비판적 태도를 사라지게 하고, 상대방의 주장을 중화시키는 방법에 주목하십시오. 이제 정당하면서도 매우 다른 욕구를 진정으로 협상할 수 있는 문이 열려 있습니다.

능동적 지연하기

이 기술은 기다릴 여유를 허락하는데, 특히 상황이 급박해지고 화가 날 때 그렇습니다. 사람들은 종종 결정을 내리거나 즉시 계획에 동의하라고 압박할 것입니다. 능동적 지연하기는 몇 분 혹은 몇 시간 동안이든 당신이 숨을 돌릴 수 있도록 해줍니다. 그 시간 동안 당신은 마음을 가라앉히고, 무슨 말이 오가고 있는 것인지 신중하게 생각하고, 적절한 반응을 준비할 수 있습니다. 예를 들어, "당신은 나에게 많은 이야기를 했고, 나는 내가 어떻게 생각하는지 자세히 살펴볼 시간이 필요합니다." 혹은 "한 시간만 시간을 주세요. 이건 중요한 사항이고, 답하기 전에 신중하게 생각하고 싶습니다."

협상 방법 ⊠

당신과 다른 누군가 사이에 협상해야 하는 갈등이 생길 때, 당신은 **각자가 타당한 욕구를 지니고 있다**는 위치에서 시작할 필요가 있습니다. RAVEN 가이드라인이 당신이 바른 길로 가도록 할 것입니다.

RAVEN은 다음을 가리키는 말입니다:

Realx(이완하기). 차분하게 갈등을 수용하십시오. 다음 말을 하기 전에 심호흡을 하십시오. 내쉬는 숨에 긴장을 이완하십시오.

Avoid the aversive(혐오 피하기). 혐오 전략을 사용하고 싶은 유혹으로부터 당신의 마음을 지키고, 그 유혹을 피하기 위해 당신이 말하는 것을 관찰하십시오.

Validate the other person's need or concern(상대방의 욕구와 걱정을 인정하기). 양쪽 모두 각자의 욕구를 일부 만족할 수 있는 상호 동의할만한 공정한 결과에 초점을 맞추십시오.

Examine your values(당신의 가치 평가하기). 대인관계에서 어떻게 대우받고 싶고, 다른 사람을 어떻게 대우하고 싶은가요? 갈등을 협상하는 것뿐만 아니라 이 관계에서 성취하고 싶은 것은 무엇입니까?

Neutral voice(차분하게 말하기). 당신의 목소리에 분노나 경멸이 느껴지지 않도록 하십시오.

일단 당신이 RAVEN 가이드라인을 따르기로 결정했으면, 이제 실제 협상 절차를 시작할 때입니다. 협상은 각자가 번갈아가면서 해결책을 제시하는 것으로 시작합니다. 해결책을 제시할 때 그것이 상대방의 욕구 중 적어도 일부를 충족시키는 것이어야 한다는 걸 명심하십시오. 만약 상대방의 욕구가 무엇인지 잘 모르겠다면, 그들에게 물어보십시오.

합의 없이 서로 몇 가지 대안적 해결책을 제시했고 아직 합의를 이루지 못했다면, 이제 타협점을 찾아야 할 때입니다. 아래에 몇 가지 일반적인 타협안이 나와 있습니다:

- **내가 파이를 자르겠지만, 선택은 상대가 먼저 하도록 하기.** 이혼 후에 셰런은 미술 소장품들을 둘로 나누었고, 로렌스는 어느 작품들을 가질지 먼저 선택했습니다.

- **번갈아 선택하기.** 린다와 모우는 휴가 때, 휴가지로 산과 바다를 번갈아 선택했습니다.

- **둘 다 하기;** 다 가지기. 양쪽 모두의 욕구를 모아 동시에 해결하십시오.

- **테스트 기간 갖기.** 일정 기간 동안만 해결책에 동의하고, 그 기간 후에 다시 평가하십시오. 만약 한 쪽이 그 해결책이 효과가 없다고 여긴다면, 협상을 재개하십시오.

- **내가 할 때는 나의 방식으로, 상대가 할 때는 상대의 방식으로.** 각자 어떤 문제를 다루면서 그들 자신의 방법을 사용하게 됩니다. 샘과 카트리나는 작은 옷가게에서 동업을 했습니다. 샘은 카트리나가 만든 커다란 "어서 오십시오." 표지판이 너무 번쩍거린다고 생각했습니다. 그들은 샘이 가게를 보는 날에는 그 표지판을 사용하지 않는 해결책에 동의했습니다.

- **주고 받기.** 룸메이트인 질과 데니스는 질이 일주일에 한 번 화장실 청소를 하면, 데니스는 일주일에 한 번 먼지를 털고 청소기를 돌리는 타협안에 동의했습니다.

- **내가 원하는 부분과 상대가 원하는 부분을 절충하기.** 친구이자 동료인 두 사람은 출장 회의에 가는 여정을 함께 하기로 했습니다. 한 사람은 기차를 타고 가며 쉬고 싶어 했고, 다른 한 사람은 비행기로 서둘러 가기를 원했습니다. 그들은 갈 때는 기차를 타고, 올 때는 비행기를 타는 것에 동의했습니다.

- **중간 지점에서 타협하기.** 이 방법은 종종 가격을 흥정하거나 무언가를 하는 데 어느 정도의 시간을 할애할지 결정하는 데 효과적입니다.

연습 : 협상 방법

다른 누군가와 서로 너무 다른 욕구를 가지고 있어서 겪었던 최근의 갈등 사건 3가지를 떠올려보십시오. 각 갈등에 마다 위 목록에 있는 두 가지 타협안을 도출하십시오. 그 타협안을 어떻게 적용할 것인지 구체적으로 설명하십시오.

갈등	타협안
1.	a. b.
2.	a. b.
3.	a. b.

타협안을 찾을 때는 유연성을 유지하는 것이 중요합니다. 고정적이고 확고한 입장을 고수하는 것은 협상을 어렵게 만듭니다. 창의적이고 예상치 못한 해결책에 마음을 열어 두십시오. 당신이 원하는 것을 얻기 위해 무언가를 포기할 준비를 하십시오.

문제적 상호작용 분석하기

당신은 의사소통에 문제가 생겼을 때 무슨 일이 일어났는지 확인하는 방법을 알고 있어야 합니다. 불가피하게도 당신의 대인 관계에 문제와 갈등이 발생할 것입니다. 때때로 당신은 폭발하거나 차단할 것입니다. 그러나 핵심은 일어난 일로부터 배우는 것이며 당신의 기술을 연마하기 위해 그 기술들을 사용하는 것입니다. 기술을 사용했음에도 결과가 좋지 않을 수 있습니다. 그렇다고 하더라도 완전히 부정적인 것은 아닙니다. 다음 번에는 더 효과적으로 도움이 될 수 있기 때문입니다.

다음의 체크리스트는 당신의 대인관계 문제를 검토하고 그 문제의 원인을 보다 명확하게 하는 데 도움이 될 것입니다. (출판 사 웹사이트에서 '의사소통 효율성 체크리스트'를 다운받을 수 있습니다.)

의사소통 효율성 체크리스트

1. 목표가 분명했는가?

    ☐ 당신이 원하는 것을 알고 있었습니까?

    ☐ 당신이 원하지 않는 것을 알고 있었습니까? 그리고 거절할 수 있었습니까?

    ☐ 당신의 가치, 다른 사람을 어떻게 대우하고 싶은지, 반대로 어떻게 대우받고 싶은지 알고 있었습니까?

2. 혐오적 전략을 사용했는가?

    ☐ 깎아내리기

    ☐ 철회/유기

    ☐ 협박

    ☐ 비난

    ☐ 경시/부정

    ☐ 죄책감 유발

    ☐ 이탈하기

    ☐ 제거하기

3. 수동적 전략을 사용했는가?

    ☐ 회피하기/철회하기

    ☐ 차단하기/담쌓기

4. 방해 요소는 무엇이었습니까?

    ☐ 높은 수준의 감정＿＿＿＿＿＿

    ☐ 두려움과 "만일 ＿＿＿＿＿가 일어난다면"

    ☐ 해로운 대인관계＿＿＿＿＿＿

    ☐ 그릇된 신념＿＿＿＿＿＿＿＿

    - 만약 내가 무언가를 필요로 한다는 것은 나에게 뭔가 잘못되거나 나쁜 것이 있다는 것을 의미한다.

    - 만약 상대방이 화가 나거나 거절한다면, 나는 그걸 견딜 수 없을 것이다.

- 거절하거나 무언가를 요청하는 것은 이기적인 것이다.

- 나는 어떤 것도 통제할 수 없다.

5. 강도의 수준

☐ 너무 높았습니까?

☐ 너무 낮았습니까?

6. 주장성 문제가 있었는가?

☐ 사실을 벗어난 판단_____

☐ "나" 진술이 아닌 "너"진술 _____

☐ 당신이 원하는 구체적인 행동에 대한 설명 생략_____

7. 경청의 방해물이 있는가?

☐ 독심술

☐ 시연하기

☐ 선택적 듣기

☐ 판단하기

☐ 공상하기

☐ 조언하기

☐ 논쟁하기

☐ 옳다고 생각하기

☐ 이탈하기

☐ 달래기

8. 갈등 대처 전략을 잊었는가?

☐ 상호 인정

☐ 반복해서 말하기

☐ 탐색하기

☐ 양보하기

☐ 능동적 지연하기

9. 협상이 결렬되었는가?

☐ RAVEN 사용을 잊었습니까?

- 이완하기(**R**elax)

- 혐오적 전략 피하기(**A**void the aversive)

- 상대방의 욕구와 걱정 인정하기(**V**alidate the other person's need or concern)

- 당신의 가치 평가하기(**E**xamine your values)

- 차분하게 말하기(**N**eutral voice)

10. 타협안을 사용하지 않았는가?

의사소통 효율성 체크리스트는 더 원활하기를 바라는 상호작용을 평가하기 위한 출발점입니다. 우선 문제를 확인하고, 어떤 문제에 대해 작업할 것인지 결정하십시오. 개선하고자 하는 스킬에 대해 이 장과 이전 장의 섹션을 검토하십시오. 마지막으로, 다음 번에 당신의 행동을 어떻게 바꿀 것인지에 대한 구체적인 계획을 세우십시오. 한 번에 너무 많은 행동을 확정하려고 애쓰지 마십시오. 그 모든 것을 기억할 수 없을 것입니다. 단지 크게 개선될 수 있을 것 같은 몇 가지 변화에 초점을 맞추십시오. 어떤 상황에서 어떤 변화 행동을 실행할 것인지 구체적으로 작성하십시오.

다음의 예시를 살펴보십시오. 로라는 의사소통 효율성 체크리스트트 사용하여 상사와의 화가 나는 상호작용에 대해 평가했습니다. 그녀는 손목을 삐었기 때문에 조금 더 가벼운 업무를 달라고 부탁했습니다. 다음은 그녀가 문제점으로 점검한 항목들입니다.

- 폄하(*나는 상사에게 회사가 직원들을 그다지 신경 쓰지 않는다고 말했다.*)

- 압도적인 감정(*그 즉시 화가 났고, 나의 몇 가지 기술을 잊어버렸다.*)

- 그릇된 신념(*내가 무언가 특별한 것을 요구하면, 내게 문제가 있는 것처럼 느껴진다.*)

- "너" 진술(*나는 "당신은 사람들에게 무슨 일이 일어나고 있는지 전혀 신경 쓰지 않는 것 같아요."라고 말했다.*)

- 욕구에 대한 행동 설명 생략(*내가 요구하는 "가벼운 업무"가 무엇인지 정확하게 명시하지 않았다.*)

- 듣기 방해물(*판단과 논쟁하기를 사용했다.*)

- 상호 인정(*상사의 걱정을 인정하지 않았다.*)

- 탐색하기(*나는 그의 걱정을 전혀 알아채지 못했다.*)

로라는 그녀의 목록에 있는 모든 것을 다룰 수 없다는 걸 깨달았고, 몇 가지 항목에만 집중하기로 결심했습니다:

- 폄하 및 "너" 진술

- 압도적인 감정

- 욕구에 대한 행동 설명

- 탐색하기

다음은 로라가 작성한 계획입니다:

밥과 다시 상의할 때, 나는 다음의 내용을 실행할 것이다:

1. 아무리 화가 나더라도 밥과 회사에 대해 어떤 비판적인 말도 하지 않기 위해 매우 신중하기.

2. 그에게 말하기 전에 마음을 가라앉히기 위해 몇 분간 마음챙김 호흡하기.

3. 열감이 느껴지거나 목소리가 커지는 것에 주의하기. 그럴 땐 진정하기 위해 심호흡을 두세 번 하기.

4. 그에게 내가 뭐든 할 수 있지만, 정리하기, 복사하기, 마우스를 사용하는 일은 할 수 없다고 말하기. 손목이 괜찮아질 때까지 이런 일을 하지 않아야 한다고 이야기하기.

5. 만약 그가 반대한다면, 나는 그가 내 업무를 일시적으로 바꾸는 것에 대해 어떤 걱정을 하는지 물어볼 것이다. 그러고 나서 협상을 해볼 것이다.

당신의 새로운 대인관계 기술에 대해 기억해야 하는 가장 중요한 것은 그 기술들을 계속 사용하는 것입니다. 꾸준함이 당신에게 유익이 될 것입니다. 뭔가 잘 안됐을 때는 그것을 떨쳐버리고, 무슨 일이 일어났는지 확인하고, 새로운 계획을 세우십시오. 당신에게는 당신의 대인관계의 당신의 삶을 바꿀 수 있는 능력이 있습니다. 당신이 해야 하는 것은 오직 계속 시도하는 것입니다.

제 **11** 장

노출 기반 인지적 시연

지금까지 고통 감내력을 기르고, 마음챙김 기술을 향상시키고, 압도적인 감정을 조절하고, 대인관계 상호작용을 개선하기 위한 여러 가지 기술을 배웠습니다. 이 기술들 중 어떤 것들은 당신에게 도움이 되고 있을 것이며, 또 어떤 것들은 그렇지 않을 것입니다. 그리고 아마 개중에는 아직 시도하지 않은 기술들도 있을 것입니다. 불가피하게도, 당신이 집에 가만히 앉아있거나 당신의 변증법적 행동치료 그룹 모음에 참여하고 있을 때, 효과가 있는 것처럼 보이는 기술들이 있겠지만, 기분이 나쁜 상황에서는 그 기술들이 잘 작동하지 않을 것입니다. 어쩌면 당신이 배웠던 기술 중 무엇이 효과적이었는지 기억하지 못하거나, 너무 감정적으로 항진된 상태라 그 기술을 사용할 수 없다고 느낄지도 모릅니다. 이번 장에서는 감정적으로 고양된 상태에서 그 기술들을 어떻게 리허설하는지 보여줄 것이며, 이를 통해 당신은 기분이 안 좋은 상태일지라도 그 기술들을 언제 어디서든 효과적으로 사용할 수 있게 될 것입니다.

상태 의존적 학습의 문제점

상태 의존적 학습은 당신이 처음에 그 정보를 배웠던 때와 동일한 감정적 상태 혹은 신체적 상태일 때 더 쉽게 해당 정보를 떠올릴 수 있는 현상입니다(Weingartner, Miller, & Murphy, 1977; Bower, 1981; Szymanski & O'Donohue, 1995; Nutt & Lam, 2011). 예를 들어, 만약 당신이 이완되고 조용한 환경에서 시험 공부를 한다면, 역시 당신이 이완되고 조용한 환경에 있을 때 공부했던 내용을 더 쉽게 떠올릴 가능성이 높습니다. 하지만 불행하게도 반대 역시 동일하게 작용합니다. 편안하고 이완된 상태에서 배운 것들은 때때로 화가 나고 감정적으로 압도된 상태가 되면 사용할 수 없습니다. 이런 식으로 상태 의존적 학습은 가끔 당신의 대처 기술에 영향을 미칠 수 있습니다. 만약 당신이 오직 매우 안정된 상태에서만 기술을 배우고 연습한다면, 화가 나거나, 두렵거나, 수치스러울 때처럼 아주 다른 감정적 조건일 때는 당신이 배운 기술들을 떠올리기가 더 어려울 수 있습니다. 그렇게 되면 당신은 어떻게 대처하려고 계획했는지 기억하지 못할 수도 있습니다.

이러한 문제를 극복하고 감정적 상태에서 대처하는 데 도움을 얻기 위해 당신은 **노출 기반 인지적 시연**을 배울 필요가 있습니다. 이를 통해 당신은 **대처 기술이 필요한 바로 그 감정을 느끼는 중**에 새로운 기술을 연습할 기회를 얻게 될 것입니다. 그러나 걱정하지 마십시오. 이 과정은 안전하고 체계적인 방식으로 진행될 것입니다.

노출 기반 인지적 시연: 대처 기술 연습하기

　　당신은 2장에서 가치 기반 행동을 연습하는 방법으로써의 인지적 시연에 대해 접했습니다. 이제 우리는 그 동일한 기술을 당신이 배우기를 원하거나 사용하는 데 어려움을 느낀 감정 대처 기술에 적용할 것입니다(McKay & West, 2016). 다음과 같은 단계로 진행됩니다:

1. 당신이 배우고 싶거나 연습하고 싶은 감정 대처 기술을 고르십시오. 기술을 적용하는 단계를 숙지해야 합니다. 당신이 배운 감정 대처 기술 다음 사항들을 포함합니다:

   - 온전한 수용

   - 주의 분산

   - 자기 진정

   - 안전한 장소 시각화

   - 신호 조절 이완

   - 타임 아웃

   - 현재 순간에 살기

   - 생리학적 대처 기술

   - 호흡 마음챙김

   - 탈융합(생각, 감정, 판단)

   - 주의 이동하기

   - 감정 관찰하고 수용하기

   - 사고와 감정 균형 맞추기

   - 반대되는 행동하기

   - 문제 해결하기

   - 지혜로운 마음

   - 대처 사고

   - 자기주장 의사소통

2. 대처 기술이 도움이 되었을 수 있는 최근의 감정적으로 화가 난 경험을 찾아보십시오. 당신이 수월하게 시각화할 수 있는 사건이어야 하고, 시각화할 때 중간 정도의 감정적 반응을 일으킬 수 있는 사건이어야 합니다.

3. 감정을 촉발하는 경험을 시각화하십시오. 그 장면을 생생하게 떠올리도록 노력하십시오. 당시의 환경이나 상황이 어떠했는지 세부 사항을 떠올리십시오. 그곳에 누가 있는지 그들이 무엇을 하고 있는지 시각화하십시오. 사람들의 목소리와 대화를 포함해 그 장면과 관련되는 어떠한 소리가 있는지 "듣기"위해 노력하십시오. 심장이 뛰는 느낌이나 긴장감과 같이 당신의 몸에서 느껴지는 감각을 알아차리십시오. 중간 정도의 감정을 느낄 수 있을 때까지 그 장면에 머무십시오.

4. 감정의 강도를 0(감정 없음)에서부터 10(당신의 가장 강렬한 감정 경험)까지 10점 척도로 매겨보십시오. 감정의 강도가 4-6점이 되는 즉시 시각화를 멈추십시오.

5. 이제 한 가지 이상의 대처 기술을 사용하기 시작하십시오. 감정을 유발하는 장면이 아니라 기술을 연습하는 것에 집중하십시오. 감정의 강도가 눈에 띄게 떨어질 때까지(2-3점) 적극적으로 대처 기술을 사용하십시오.

6. 그런 뒤 다시 감정을 유발하는 시각화로 돌아가서, 3, 4, 5단계를 반복하십시오.

예시: 리카도의 호흡 마음챙김

리카도는 그가 화가 날 때 호흡 마음챙김을 더 효과적으로 사용하고 싶었습니다. 그는 마음챙김에 대한 장을 읽은 후 일주일 정도 매일 호흡 마음챙김을 시도했지만, 그가 무언가에 대해 걱정하며 집착할 때는 그 기술이 전혀 소용이 없는 것처럼 보였습니다.

임박한 마감 기한과 상사의 비판적인 평가의 합은 최근 그에게 불안의 파도를 불러일으켰습니다. 특히 그가 집에서 그 일에 대해 생각했던 때에 그랬습니다. 리카도는 상사의 비판을 떠올리는 것으로 시작해 그의 팀이 회의를 했던 장소를 시각화했습니다. 그 즉시 급속히 불안이 유발되었고, 리카도가 시각화를 멈추었을 때 6점을 넘어서고 있었다.

이제 그는 그의 호흡을 관찰하고 수를 헤아리면서 호흡 마음챙김을 시작했습니다. 4까지 수를 세고 다시 1부터 시작했습니다. 그의 상사, 직장을 잃을 가능성, 마감 기한, 그의 수행에 대한 생각들이 계속 침습적으로 떠올랐고, 그때마다 호흡으로 주의를 되돌렸습니다. 그의 마음은 걱정을 하고 싶어했지만, 그는 주의를 부드럽게 호흡으로 이끌었습니다.

불안의 강도가 3점으로 줄어들기까지 5분의 시간이 걸렸습니다. 그리고 그는 몸에서 무언가 다른 느낌을 느낄 수 있었고, 호흡 마음챙김이 스트레스를 줄일 수 있다는 것을 깨닫기 시작했습니다. 리카도는 그의 상사와 팀에 대한 시각화를 다시 한 번 진행하며 인지적 시연 연습을 반복했습니다. 불안이 5점에 도달했을 때, 그는 주의를 호흡으로 이동시켰습니다.

리카도는 인지적 시연을 하는 동안 불안함으로 고통을 경험했지만, 그와 동시에 자신이 감정에 대처할 수 있는 도구를 가지고 있다는 자신감을 얻기도 했습니다. 리카도는 마감 기한이 될 때까지 불안한 생각과 감정에서 주의를 이동하기 위해 하루에도 여러 번 호흡 마음챙김을 했습니다.

예시: 웬디의 주의 분산과 자기 진정

웬디는 생활 양식과 식습관과 관련된 건강 문제를 가지고 있었습니다. 웬디는 그녀의 증상과 체중에 대해 우울할 정도로 수치심을 느꼈습니다.

웬디가 선택한 장면은 최근에 있었던 사건으로 그녀가 계단을 오르는 걸 힘들어했고, 그녀의 이웃들이 그녀를 쳐다보며 못마땅해한다고 생각했던 경험이었습니다. 그녀는 고요한 계단을 떠올렸고, 몇 분 안에 수치심과 슬픔이 6점까지 올라가는 것을 느졌습니다.

이제 그녀는 시각화를 멈추고 몇 가지 대처 기술을 혼합하여 사용하기 시작했습니다. 웬디는 그녀의 손녀를 생각하는 방법과 아이들을 위해 뭔가 좋은 일을 하려고 준비하고 있던 계획에 대해 생각하며 주의를 분산했습니다. 그런 뒤 그녀는 (1) 천천히 깊이 호흡하고, (2) 스마트폰 앱에서 바다 소리(그녀가 좋아하는)를 듣고, (3) 그녀의 어머니가 준 부드러운 라피스 반지를 만지면서 스스로를 진정시켰습니다. 웬디는 감정적인 고통이 3-4점으로 줄어들 때까지 손녀를 위한 달콤한 계획, 느린 호흡, 자기 진정 과정을 지속했습니다.

기분이 눈에 띄게 나아졌을 때, 웬디는 인지적 시연을 반복했습니다. 역시 또 효과가 있었고, 그녀는 수치심이나 우울감이 고조되기 시작할 때마다 그 콤보(다른 주의 분산 기술+자기 진정 기술)를 사용하기 시작했습니다.

예시: 아덴의 대처 사고와 감정 관찰하고 수용하기

아덴은 거절에 민감했습니다. 어떤 말이든 비판적인 것 같은 말은 그녀를 상처와 자기 공격의 수렁에 빠뜨렸습니다. 그녀는 다음과 같은 대처 사고를 사용하기로 결정했습니다:

- "나에게는 결점이 있어. 그러나 나는 괜찮은 사람이야."

- "나의 감정은 오고 가는 파도 같은 거야."

- "난 이 감정을 극복할 수 있어. 이전에도 그랬고, 얼마 지나지 않아 괜찮아 질거야."

이에 더하여, 그녀는 감정에 저항하거나 감정을 통제하려는 시도 없이 지나가게 둠으로써 감정을 관찰하고 수용했습니다.

아덴은 최근에 상처받았던 순간을 시각화하기로 했습니다. 그녀는 차갑게 보이고 희한하게 자신에게 관심이 없는 것처럼 보이는 친구를 막 방문했던 참이었습니다. 모든 것이 어색해 보였고, 그 장면을 시각화하는 데 1분도 채 걸리지 않아 아덴은 7점의 부적절감을 느꼈습니다.

이제 그녀는 시각화를 멈추고 판단 없이 상처받은 감정을 관찰하기 시작했습니다. 감정을 관찰하면서, 그녀는 상처에 수치심이 더해졌고 상실감이 느껴진다는 걸 알아차렸습니다. 마치 친구의 차가운 태도가 그녀에게서 소중한 것을 빼앗아간 것 같았습니다.

아덴은 스스로 "이 감정은 단지 오고 가는 파도 같은 거야."를 상기시켰습니다. 그리고 "얼마 후에 다시 괜찮아질 거야." 그리고 "그냥 기다려보자. 극복할 수 있을 거야." 그러고 나서 그녀는 상처가 이전만큼 강하지 않다는 것을 알아차리면서 감정을 다시 관찰했습니다. 5분보다 조금 더 긴 시간이 걸렸고, 아덴은 상처받은 기분이 4까지 줄어든 걸 관찰했으며 다소 기분이 나아진 것에 놀랐습니다.

아덴이 다른 리허설을 위해 시각화를 주의를 전환했을 때, 그녀는 중요한 무언가를 배웠습니다: 자신이 그 친구와 관계를 더 많이 생각할수록 기분이 더 안 좋아진다는 것이었습니다. 그러나 스스로 자신의 상처받은 기분은 지나갈 것이라는 사실을 상기시키면서 그저 그 감정을 관찰하고 수용한다면, 고통은 줄어들기 시작한다는 것을 배웠습니다.

연습 효과

노출 기반 인지적 시연은 당신이 감정을 경험하면서 그에 대처하는 법을 배우는 것이기 때문에 효과가 있습니다. 더 많이 연습할수록, 특히 당신이 기억하기 어렵거나 사용하기 어렵다고 여기는 대처 기술들을 연습할수록, 기술에 접근하기가 더 쉬워지고 기술 사용을 기억할 가능성이 더 높아집니다.

　　인지적 시연을 두 번 정도 연습하면, 당신의 대처 레퍼토리에 충분히 이 기술을 추가할 수 있을 것입니다. 그러나 종종 더 많은 연습이 필요할 수 있습니다. 감정을 촉발하는 다양한 장면으로 인지적 시연을 연습해보십시오. 시각화 장면을 더 다양화할수록, 각 대처 기술에 대한 자신감이 더 커질 것입니다.

미리 계획하기

　　인지적 시연은 또 다른 매우 중요한 기능에도 사용될 수 있습니다: 앞으로 감정을 촉발하는 사건에 어떻게 대처할지 미리 계획하는 것에 도움이 될 것입니다. 당신이 마주하게 될 예상되는 스트레스나 촉발 요인에 따라, 당신이 감정에 압도되는 것을 막아줄 수 있을 것 같은 한 가지 또는 그 이상의 감정 대처 전략을 선택해야 합니다.

　　이제 이전과 동일한 절차를 따르십시오. 단, 아직 발생하지 않은 기분이 나쁜 장면이나 상황을 시각화하는 것은 제외하십시오. 누가 그 자리에 있을 것 같은지, 어떤 이야기가 오고 갈지, 어떤 일이 펼쳐질 것 같은지 떠올려보십시오. 감정이 중간 수준(10점 중 4-6점)이 될 때까지 계속 그 장면에 머무르십시오.

　　이제 시각화를 중단하고 리허설을 위해 선택한 대처 기술로 주의를 전환하십시오. 감정의 강도가 2-3점 수준으로 떨어질 때까지 계속 진행하십시오. 당신의 대처 기술 중 어떤 것들은 다른 것에 비해 더 효과적일 수 있습니다. 그리고 어떤 것들은 전혀 효과가 없을 수도 있습니다. 다음 리허설에서 효과가 없는 대처 기술은 제쳐두십시오. 또한 어쩌면 다음의 리허설에서 다른 기술을 테스트하고 싶을 수 있습니다.

　　연습의 효과를 기억하십시오. 당신이 선택한 대처 기술에 자신감이 붙을 때까지 인지적 시연을 계속하십시오. 리허설은 성공을 보장하지는 않지만, 당신이 스트레스나 자극에 압도되지 않고 그것을 직면할 가능성을 크게 향상시킬 것입니다.

예시: 마티의 온전한 수용과 신호 조절 이완

　　마티는 3년 만에 처음으로 부모님을 뵙기 위해 비행기를 타고 오마하로 가고 있었습니다. 마티는 부모님을 사랑했으나, 그의 부모님은 감정적으로 차갑고 비판적이었으며, 그의 성적 지향과 그의 평소 삶의 방식에 대해 무언의 거부감을 드러냈습니다. 마티는 대처 기술로 온전한 수용을 선택했는데, 사실 그 이유는 부모님과의 상황이 달라지지 않을 것이었기 때문입니다. 다음은 그가 자신에게 상기시키기 위해 적은 내용입니다:

- "나는 부모님이 원했던 아들도 아니고, 그들이 소중히 여기는 어떤 규칙들에 따라 살지도 않아. 난 그걸 바꿀 수 없어."

- "우리가 서로 사랑한다는 것 역시 사실이야..."

- "그리고 난 나의 가치를 믿고 그 가치에 따라 살아가. 비록 부모님의 가치와는 매우 다르더라도..."

　　마티가 선택한 두 번째 대처 전략은 신호 조절 이완이었습니다. 그는 신호 단어로 "목초지"를 선택했습니다. 그가 가장 평안함을 느끼는 장소이기 때문입니다. 마티는 스스로 이렇게 말하며 연습했습니다. "숨을 들이마시고" 그리고 숨을 내쉴 때는 "목초지"를 생각했습니다. 날숨을 내쉴 때마다 머리부터 발 끝까지 모든 근육이 이완되는 것에 집중했습니다. 그는 점차 이 기술에 능숙해졌습니다.

　　이미지 노출은 수월했습니다. 그는 어머니가 완고한 태도로 두 손을 모으고 앉아있는 모습과 아버지가 고통스러운 표정으로 "아들아, 너는 대체 네 인생을 어떻게 살고있는 거니?"라고 묻는 모습을 상상했습니다. 그는 30초 만에 6점 수준에 도달했고, 분노, 슬픔, 불안이 결합된 감정을 경험했습니다.

이제 마티는 신호 조절 호흡과 온전한 수용 대처 사고를 결합하여 감정의 강도가 3점에 이를 때까지 기술을 사용했습니다. 그는 오마하에 도착할 때까지 이 절차를 하루에 두 번씩 반복했습니다. 그 결과는 마티가 원래 기대했던 것보다 더 좋았습니다. 그와 그의 부모님은 서로에 대한 굳은 사랑의 선언을 몇 번 해내었고, 그는 때때로 슬픔을 느꼈지만 슬픔에 압도되지는 않았습니다.

제 12 장

하나로 통합하기

이 워크북에서 배운 기술들을 연습하면 매일 기술이 더욱 발전할 것입니다. 반대로 말하면, 만약 당신이 기술을 사용하지 않는다면, 그 기술은 당신의 것이 되지 못한다는 것입니다. 그러한 선택은 변화를 위한 진정한 방법이 될 수 없습니다. 지금까지 배운 기술들이 당신을 도울 힘도 없이, 어렴풋이 떠오른 한낱 생각에 불과한 것이 되어버릴 것입니다. 마찬가지로 중요한 것은 당신이 기분이 상하거나, 두려움을 느끼거나, 긴장하거나, 화가 났을 때조차 대처 기술 사용에 자신감을 가질 수 있도록 노출 기반 인지적 시연을 사용하여 배운 기술들을 연습하는 것입니다.

기술 사용을 지속하고 강화해 가기 위해서는 지속적인 노력이 필요합니다. 승리는 가장 끈기 있는 사람의 것이라는 옛말이 있는데, 이것이 바로 지금 필요한 것입니다: 시간이 흘러도 매일 기술을 연습하겠다는 약속이 필요합니다.

이렇게 어려운 일을 계속할 동기를 어디서 찾을 수 있을지 궁금해하는 것이 당연합니다. 그리고 인내심에 대한 이 모든 말들이 아주 구식으로 들릴지도 모르지만, 당신이 배운 기술을 매일 연습할 수 있는 방법이 있고, 그다지 큰 의지를 필요로 하는 방법도 아닙니다. 당신의 기술을 하루에 15분 정도 연습하는 습관을 들이는 것입니다.

정서적 건강을 위한 일일 연습

일일 연습은 본질적으로 당신의 정서적·심리적 건강을 유지하기 위한 운동 요법입니다. 이 과정은 5개의 부분으로 구성됩니다:

1. 마음챙김

2. 충분한 이완

3. 자기 관찰

4. 자기가치 확인

5. 전념 행동

일일 연습에는 총 15분 정도의 시간이 소요됩니다. 건강한 습관을 들이기 위해 이상적으로는 매일 같은 시간에 연습하는 것이 좋습니다. 혼자 있을 수 있는 시간과 자신을 위해 어느 정도의 시간을 쓸 수 있는 때를 선택하십시오. 모닝커피를 마시고 난 직후가 될 수도 있고, 점심을 먹으러 가기 직전 당신이 일하는 장소가 될 수도 있습니다. 어떤 때를 선택하든 그 시간을 고정적으로 사용하십시오. 다른 일이나 약속에 의해 방해받지 않도록 하십시오. 일일 연습을 위한 시간을 당신이 지키는 다른 모든 약속들 못지않게 중요한 약속으로 간주하십시오.

당신의 일일 연습은 다음의 메뉴에서 선택하는 항목들로 구성될 것입니다. 메뉴 선택 방식은 다음과 같습니다:

1. 마음챙김. **3~5분**. 다음 중 하나를 선택하십시오:
   • 마음챙김 호흡(4장 참고)
   • 지혜로운 마음 명상(5장 참고)

2. 충분한 이완. **3분**. 다음 중 하나를 선택하십시오:
   • 신호 조절 이완(2장 참고)
   • 빛의 띠(4장 참고)
   • 안전한 장소 시각화(2장 참고)

3. 자기 관찰. **3분**. 다음 중 하나를 선택하십시오:
   • 사고 탈융합(4장 참고)
   • 판단 없이 감정에 마인드풀하기(8장 참고)

4. 자기가치 확인. 2장의 자기가치 확인 진술문 목록이나 당신이 만든 진술문을 보십시오. 천천히 길게 호흡하면서 그 진술문을 5번 반복하십시오. 매일 다른 진술문을 사용해도 좋고 동일한 진술문을 계속 사용해도 좋습니다.

5. 전념 행동. **3분**. 다음 중 하나를 선택하십시오:
   • 오늘(또는 내일) 실행할 전념 행동 계획하기(2장 참고).
   • 더 높은 차원의 힘과 연결되기 위해 할 수 있는 오늘의 계획 세우기(2장 참고)

일일 연습의 각 구성 요소는 하나 이상의 핵심 기술을 강화하도록 고안되었습니다. 가장 우선되는 것은 마음챙김 기술입니다. 왜냐하면 다른 모든 기술들은 어느 정도 마음챙김 자각에 기대고 있기 때문입니다. 충분한 이완은 고통 감내를 위한 핵심 기술인 반면, 자기 관찰과 자기가치 확인은 감정 조절에 도움이 될 것입니다. 마지막으로, 전념 행동은 감정 조절과 대인관계 효율성 기술을 강화시킬 것입니다.

전념 행동에 대한 설명을 특별히 덧붙이자면, 당신의 일일 연습은 그날 혹은 다음 날 당신이 실행할 계획을 포함해야만 합니다. 그리고 그 계획은 문제를 해결하기 위한 것, 어려운 상황이나 어려운 대상과의 문제를 효과적으로 다루는 것, 더 높은 차원의 힘에 대한 자각을 강화하는 것이 되어야 하겠습니다. 기도, 친절한 행동, 타인에게 베푸는 행동을 통해 더 높은 차원의 힘과 연결될 수 있습니다. 무엇을 선택할지는 당신에게 달려있으나, 당신의 삶에 실제적인 변화를 만들기 위해서는 어떤 형태로든 전념 행동이 꼭 필요합니다.

지금 바로, 내일 실행할 다섯 가지 일일 연습을 선택하십시오. 그리고 나서, 실제로 연습을 하겠다는 약속의 일환으로 그 내용을 작성하십시오. (출판사 웹사이트에서 '일일 연습 계획표'를 다운받을 수 있습니다.)

나의 일일 연습 계획표

마음챙김: _____

충분한 이완: _____

자기 관찰: _____

자기가치 확인: _____

_____

전념 행동 계획: _____

_____

_____

매일 몇 시에 연습을 할 계획인지 작성하십시오: _____

_____

지금까지 아주 좋습니다. 당신은 일일 연습을 위해 무엇을 할지 그리고 언제 연습을 진행할지 결정했습니다. 그러나 지금부터가 가장 중요한 부분입니다: 꾸준히 매일 15분의 시간을 할애하여 당신의 기술을 강화하십시오.

어떻게 꾸준함을 지속하겠습니까? 정답은 하루에 한 번씩입니다. 오늘, 정해진 시간에, 계획한 연습을 하는 것을 확실히 하십시오. 그리고 다음 날도 똑같이 하십시오. 그 다음 날도... 약속은 한 번 하고 마는 것이 아니라 평생 동안 하는 것입니다. 매일 계속 약속하는 것입니다.

일일 연습은 당신의 삶을 바꾸어 놓을 것입니다. 이 연습이 당신의 낡은 투쟁을 새로운 반응으로 대체할 수 있도록 할 것이기 때문입니다. 인생은 희망이나 목적에 관한 것이 아닙니다. 행함에 관한 것입니다. 효과적인 상태가 되는 것에 관한 것입니다. 이제, 이 워크북을 덮을 때, 당신이 배운 대로 살라고 요청할 것입니다. 당신은 할 수 있습니다. 완벽하지 않을 수 있지만, 실질적인 변화를 만들기에는 충분할 것입니다.

시인이자 작가인 사무엘 존슨은 이렇게 이야기했습니다. "미래는 현재에 의해 결정된다." 그의 말처럼, 오늘 변증법적 행동치료 기술 연습에 투자함으로써 당신은 더 행복하고 건강한 내일을 만들 수 있습니다.

DBT 일지

매일 핵심 기술을 연습한 횟수를 기록하십시오. *표시된 항목에는 "설명" 열에 당신이 수행한 것에 대해 간략히 설명하십시오. 내용을 작성하기 전에 먼저 복사본을 만들어두고, 매주 최선을 다해 일지를 완성하십시오.

(출판사 웹사이트에서 'DBT 일지'를 다운받을 수 있습니다.)

핵심 기술	대처 전략	월	화	수
고통 감내	자기파괴적 행동 멈추기			
	REST 전략 사용하기			
	온전한 수용하기			
	고통으로부터 주의 분산하기			
	즐거운 활동 하기*			
	자기 위안하기*			
	이완 기술 사용하기			
	가치 기반 행동에 전념하기*			
	더 높은 차원의 힘과의 연결			
	대처 사고 & 대처 전략 사용하기*			
	감정-위협 균형 분석하기			
	생리학적 대처 기술 사용하기*			
마음챙김	생각 탈융합 하기			
	호흡 마음챙김 하기			
	지혜로운 마음 사용하기			
	초심자의 마음 연습하기			
	자기 자비 연습하기			
	효과적인 행동 연습하기			
	마음챙김 수행하기			
	자애를 담은 자비 명상 연습하기			

목	금	토	일	설명

핵심 기술	대처 전략	월	화	수
감정 조절	나의 감정 인식하기			
	신체적 고통 적절히 다루기			
	균형 있는 식사하기			
	약물이나 알코올 사용하지 않기			
	충분히 수면하기			
	운동하기			
	긍정적 경험/감정 경험하기			
	생각과 판단 흘려보내기			
	감정을 바라보고 이름 붙이기			
	감정에 따라 행동하지 않기			
	반대되는 행동하기			
	문제 해결하기			
대인관계 효율성	타인을 향한 자비 연습하기			
	두려움 관리-위험 평가 연습하기			
	주장적으로 요청하기			
	주장적으로 거절하기			
	타협안 협상하기			
	다른 사람에게 귀 기울이고 이해하기			
	다른 사람 인정하기			
하루의 전반적인 기분을 평가하십시오(1~10) 1=매우 안 좋음, 5=보통, 10=매우 좋음				

목	금	토	일	설명

Reference

Alberti, R. E., & Emmons, M. (1990). Your perfect right (6th ed.). San Luis Obispo, CA: Impact Press.

Anderson, W. P., Reid, C. M., & Jennings, G. L. (1992). Pet ownership and risk factors for cardiovascular disease. Medical Journal of Australia, 157(5), 298–301.

Babyak, M., Blumenthal, J. A., Herman, S., Khatri, P., Doraiswamy, M., Moore, K., et al. (2000). Exercise treatment for major depression: Maintenance of therapeutic benefit at 10 months. Psychosomatic Medicine, 62(5), 633–638.

Baer, R. A. (2003). Mindfulness training as a clinical intervention: A conceptual and empirical review. Clinical Psychology: Science and Practice, 10, 125–143.

Barker, L. L. (1990). Listening behavior. New Orleans, LA: SPECTRA.

Barrowcliff, A. L., Gray, N. S., MacCulloch, S., Freeman, T. C. A., & MacCulloch, M. J. (2003). Horizontal rhythmical eye movements consistently diminish the arousal provoked by auditory stimuli. British Journal of Clinical Psychology, 42, 289–302.

Barrowcliff, A. L., Gray, N. S., Freeman, T. C. A., & MacCulloch, M. J. (2004). Eye movements reduce the vividness, emotional valence, and electrodermal arousal associated with negative autobiographical memories. Journal of Forensic Psychiatry and Psychology, 15, 325–345.

Beck, A. T., Rush, A. J., Shaw, B. F., & Emery, G. (1979). Cognitive therapy of depression. New York: Guilford Press.

Bower, G. H. (1981). Mood and memory. American Psychologist, 36(2), 129–148.

Bower, S. A., & Bower, G. H. (1991). Asserting yourself: A practical guide for positive change (2nd ed.). Reading, MA: Addison-Wesley Publishing.

Cappo, B. M., & Holmes, D. S. (1984). The utility of prolonged respiratory exhalation for reducing physiological and psychological arousal in nonthreatening and threatening situations. Journal of Psychosomatic Research, 28(4), 265–273.

Cautela, J. (1971, September). Covert modeling. Paper presented at the fifth annual meeting of the Association for Advancement of Behavior Therapy, Washington, DC.

Chodron, P. (2003, March). How we get hooked, how we get unhooked. Shambala Sun, 30–35.

Chodron, T. (1991, May) How teachings should be studied and taught. A series of teachings based on The Gradual Path to Enlightenment (Lamrim). Dharma Friendship Foundation, Seattle. Lecture. Retrieved from https://thubtenchodron.org/1991/05/qualities-teacher-student.

Clark, M. E., & Hirschman, R. (1990). Effects of paced respiration on anxiety reduction in a clinical population. Biofeedback and Self-Regulation, 15(3), 273–284.

Davis, M., Eshelman, E. R., and McKay, M. (1980). The relaxation & stress reduction workbook. Oakland, CA: New Harbinger Publications.

Denning, P. (2000). Practicing harm reduction psychotherapy: An alternative approach to addictions. New York: Guilford Press.

Dishman, R. K. (1997). Brain monoamines, exercise, and behavioral stress: Animal models. Medicine and Science in Sports and Exercise, 29(1), 63–74.

Dodge, K. A. (1989). Coordinating responses to aversive stimuli: Introduction to a special section on the development of emotion regulation. Developmental Psychology, 25(3), 339–342.

Downing, S. (2016). Low, moderate, and high intensity exercise: How to tell the difference. https://coach.nine.com.au/2017/02/01/07/25/exercise-intensity.

Feldman, C. (1998). Thorsons principles of meditation. London: Thorsons.

Fisher, R., & Ury, W. (1991). Getting to yes: Negotiating agreement without giving in (2nd ed.). New York: Viking Penguin.

Franklin, J. C., Hessel, E. T., Aaron, R. V., Arthur, M. S., Heilbron, N., & Prinstein, M. J. (2010, October 11). The functions of nonsuicidal self-injury: Support for cognitive-affective regulation and opponent processes from a novel psychophysiological paradigm. Journal of Abnormal Psychology. Advance online publication. doi: 10.1037/a0020896.

Gibala, M. J., & McGee, S. L. (2008). Metabolic adaptations to short-term high-intensity interval training: A little pain for a lot of gain? Exercise and Sport Sciences Review 36(2), 58–63.

Gibala, M. J., Little, J. P., MacDonald, M. J., & Hawley, J. A. (2012). Physiological adaptations to low-volume, high-intensity interval training in health and disease. Journal of Physiology, 590(Pt. 5), 1077–1084.

Gooden, B. A. (1994). Mechanism of the human diving response. Integrative Physiological and Behavioral Science, 29(1), 6–16.

Greenwood, K. A., Thurston, R., Rumble, M., Waters, S. J., & Keefe, F. J. (2003). Anger and persistent pain: Current status and future directions. Pain, 103(1–2), 1–5.

Hayes, S. C., Strosahl, K. D., & Wilson, K. G. (1999). Acceptance and commitment therapy: An experiential approach to behavior change. New York: Guilford Press.

Hirsch, J. A., & Bishop, B. (1981). Respiratory sinus arrhythmia in humans: How breathing pattern modulates heart rate. American Journal of Physiology, 241(4), H620–629.

Inayat Khan, P. V. (2000). Awakening: A Sufi experience. New York: Tarcher/Putnam.

Jacobson, E. (1938). Progressive relaxation. (rev. 2nd ed.). Chicago: University of Chicago Press.

Johnson, S. M. (1985). Characterological transformation: The hard work miracle. New York: W. W. Norton & Company.

Jung, M. E., Bourne, J. E., & Little, J. P. (2014). Where does HIT fit? An examination of the affective response to high-intensity intervals in comparison to continuous moderate- and continuous vigorous-intensity exercise in the exercise intensity-affect continuum. PLOS ONE, 9(12): e114541. doi.org/10.1371/journal.pone.0114541.

Kabat-Zinn, J. (1982). An out-patient program in behavioral medicine for chronic pain patients based on the practice of mindfulness meditation: Theoretical considerations and preliminary results. General Hospital Psychiatry, 4, 33–47.

Kabat-Zinn, J. (1990). Full catastrophe living: Using the wisdom of your body and mind to face stress, pain, and illness. New York: Delacorte.

Kabat-Zinn, J. (2003). Mindfulness-based interventions in context: Past, present, and future. Clinical Psychology: Science and Practice, 10(2), 144–156.

Kabat-Zinn, J., Lipworth, L., & Burney, R. (1985). The clinical use of mindfulness meditation for the self-regulation of chronic pain. Journal of Behavioral Medicine, 8, 163–190.

Kabat-Zinn, J., Lipworth, L., Burney, R., & Sellers, W. (1987). Four-year follow-up of a meditation-based program for the self-regulation of chronic pain: Treatment outcomes and compliance. Clinical Journal of Pain, 2, 159–173.

Kabat-Zinn, J., Massion, M. D., Kristeller, J. L., Peterson, L. G., Fletcher, K. E., Pbert, L., et al. (1992). Effectiveness of a meditation-based stress reduction program in the treatment of anxiety disorders. American Journal of Psychiatry, 149, 936–943.

Kerns, R. D., Rosenberg, R., & Jacob, M. C. (1994). Anger expression and chronic pain. Journal of Behavioral Medicine, 17(1), 57–67.

Kinoshita, T., Nagata, S., Baba, R., Kohmoto, T., & Iwagaki, S. (2006). Cold-water face immersion per se elicits cardiac parasympathetic activity. Circulation Journal, 70(6), 773–776.

Klonsky, E. D. (2007). The functions of deliberate self-injury: A review of the evidence. Clinical Psychology Review, 27, 226–239.

Kristeller, J. L., & Hallett, C. B. (1999). An exploratory study of a meditation-based intervention for binge eating disorder. Journal of Health Psychology, 4, 357–363.

Lee, C. W., & Cuijpers P. (2013). "A meta-analysis of the contribution of eye movements in processing emotional memories." Journal of Behavior Therapy and Experimental Psychiatry, 44(2), 231–239.

Lehrer, P. M. & Gevirtz, R. (2014, July 21). Heart rate variability biofeedback: How and why does it work? Frontiers in Psychology, 5(Article 756). doi.org/10.3389/fpsyg.2014.00756.

Linehan, M. M. (1993a). Cognitive-behavioral treatment of borderline personality disorder. New York: Guilford Press.

Linehan, M. M. (1993b). Skills training manual for treating borderline personality disorder. New York: Guilford Press.

Linehan, M. M. (2015). DBT skills training manual (2nd ed.). New York: Guilford Press.

Little, J. P., Safdar, A., Wilkin, G. P., Tarnopolsky, M. A., & Gibala, M. J. (2010). A practical model of low-volume high-intensity interval training induces mitochondrial biogenesis in human skeletal muscle: Potential mechanisms. Journal of Physiology, 588(6), 1011–1022.

Little, J. P., Gillen, J. B., Percival, M. E., Safdar, A., Tarnopolsky, M. A., Punthakee, Z., Jung, M. E., & Gibala, M. J. (2011). Low-volume high-intensity interval training reduces hyperglycemia and increases muscle mitochondrial capacity in patients with type 2 diabetes. Journal of Applied Physiology, 111(6), 1554–1560.

Marra, T. (2005). Dialectical behavior therapy in private practice: A practical and comprehensive guide. Oakland, CA: New Harbinger Publications.

McCaul, K. D., Solomon, S., & Holmes, D. S. (1979). Effects of paced respiration and expectations on physiological and psychological responses to threat. Journal of Personality and Social Psychology, 37(4), 564–571.

McKay, M., Davis, M., & Fanning, P. (1983). Messages: The communication skills book. Oakland, CA: New Harbinger Publications.

McKay, M., Davis, M., & Fanning, P. (1997). Thoughts and feelings: Taking control of your moods and your life. Oakland, CA: New Harbinger Publications.

McKay, M., Fanning, P., & Paleg, K. (1994). Couple skills: Making your relationship work. Oakland, CA: New Harbinger Publications.

McKay, M., Rogers, P. D., & McKay, J. (2003). When anger hurts: Quieting the storm within (2nd ed.). Oakland, CA: New Harbinger Publications.

McKay, M., & West, A. (2016). Emotion efficacy therapy: A brief, exposure-based treatment for emotion regulation integrating ACT and DBT. Oakland, CA: Context Press.

McKay, M., & Wood, J. (2019). The new happiness: Practices for spiritual growth and living with intention. Oakland, CA: Reveal Press.

Merton, T. (1960). Spiritual direction and meditation. Collegeville, MN: Order of St. Benedict.

Migala, J. (2017, August 7). 7 HIIT mistakes you're probably making. https://dailyburn.com/life/fitness/hiit-workout-mistakes.

Nes, B. M., Janszky, I., Wisløff, U., Stølen, A., & Karlsen, T. (2013). Age-predicted maximal heart rate in healthy subjects: The HUNT Fitness Study. Scandinavian Journal of Medicine & Science in Sports, 23(6), 697–704.

Nutt, R. M., & Lam, D. (2011). Comparison of mood-dependent memory in bipolar disorder and normal controls. Clinical Psychology and Psychotherapy, 18, 379–386.

Olerud, J. C., & Wilson, K. G. (2002, May). Evaluation of an ACT intervention in a preventive program for chronic pain at the worksite. Paper presented at the meeting of the Association for Behavior Analysis, Toronto, Canada.

Physical Activity Guidelines Advisory Committee. (2008). Physical Activity Guidelines Advisory Committee Report. Washington, DC: US Department of Health and Human Services.

Pinson, D. (2004). Meditation and Judaism: Exploring the Jewish meditative paths. Northvale, NJ: Jason Aronson.

Rahula, W. (1974). What the Buddha taught (2nd ed.). New York: Grove Press.

Robinson, M. M., Dasari, S., Konopka, A. R., Johnson, M. L., Manjunatha, S., Esponda, R. R., et al. (2017). Enhanced protein translation underlies improved metabolic and physical adaptations to different exercise training modes in young and old humans. Cell Metabolism, 25, 581–592.

Rogers, C. R. (1951). Client-centered therapy. New York: Houghton Mifflin Company.

Russ, M. J., Roth, S. D., Lerman, A., Kakuma, T., Harrison, K., Shindledecker, R. D., et al. (1992). Pain perception in self-injurious patients with borderline personality disorder. Biological Psychiatry, 32, 501☐511.

Salzberg, S. (1995). Lovingkindness: The revolutionary art of happiness. Boston: Shambhala.

Salzberg, S. (1997). A heart as wide as the world: Living with mindfulness, wisdom, and compassion. Boston: Shambhala.

Salzberg, S. (2005). The force of kindness: Change your life with love & compassion. Boulder, CO: Sounds True.

Segal, Z. V., Williams, J. M. G., & Teasdale, J. D. (2002). Mindfulness-based cognitive therapy for depression: A new approach to preventing relapse. New York: Guilford Press.

Serpell, J. (1991). Beneficial effects of pet ownership on some aspects of human health and behaviour. Journal of the Royal Society of Medicine, 84(12), 717–720.

Shapiro, F. (2001). Eye movement desensitization and reprocessing (EMDR): Basic principles, protocols, and procedures. New York: Guilford Press.

Shapiro, S. L., & Schwartz, G. E. (2000). The role of intention in self-regulation: Toward intentional systemic mindfulness. In M. Boekaerts, P. R. Pintrich, & M. Zeidner (Eds.), Handbook of self-regulation (pp. 253–273). New York: Academic Press.

Sherman, A. (1975). The realm of possibility. In T. Tulku (Ed.), Reflections of mind: Western psychology meets Tibetan Buddhism (pp. 69–83). Berkeley, CA: Dharma Publishing.

Ströhle, A. (2009). Physical activity, exercise, depression, and anxiety disorders. Journal of Neural Transmission, 116, 777–784.

Suzuki, S. (1970). Zen mind, beginner's mind: Informal talks on Zen meditation and practice. New York: Weatherhill.

Szymanski, J., & O'Donohue, W. (1995). The potential role of state-dependent learning in cognitive therapy with spider phobia. Journal of Rational-Emotive & Cognitive-Behavior Therapy, 13(2), 131–150.

Tart, C. T. (1994). Living the mindful life: A handbook for living in the present moment. Boston: Shambhala.

Teasdale, J. D., Segal, Z. V., Williams, J. M. G., Ridgeway, V. A., Soulsby, J. M., & Lau, M. A. (2000). Prevention of relapse/recurrence in major depression by mindfulness-based cognitive therapy. Journal of Consulting and Clinical Psychology, 68, 615–623.

Trost, S. G., Owen, N., Bauman, A. E., Sallis, J. F., & Brown W. (2002). Correlates of adults' participation in physical activity: Review and update. Medicine & Science in Sports & Exercise, 34, 1996–2001.

Warburton, D. E., Nicol, C. W., & Bredin, S. (2006). Health benefits of physical activity: The evidence. Canadian Medical Association Journal, 174, 801–809.

Weingartner, H., Miller, H., & Murphy, D. L. (1977). Mood-state-dependent retrieval of verbal associations. Journal of Abnormal Psychology, 86(3), 276–284.

Wilson, K. G. (2002). The Valued Living Questionnaire. Available from the author at Department of Psychology, University of Mississippi, University, MS.

Wilson, K. G., & Murrell, A. R. (2004). Values work in acceptance and commitment therapy: Setting a course for behavioral treatment. In S. C. Hayes, V. M. Follette, & M. M. Linehan (Eds.), Mindfulness and acceptance: Expanding the cognitive-behavioral tradition (pp. 120–151). New York: Guilford Press.

Wolpe, J. (1958). Psychotherapy by reciprocal inhibition. Stanford, CA: Stanford University Press.